Kants
Lehre von der Entwicklung in Natur und Geschichte

Von

Paul Menzer.

Professor der Philosophie an der Universität Halle

Berlin 1911
Druck und Verlag von Georg Reimer

Wilhelm Dilthey

zugeeignet

Vorwort.

Im vorliegenden Buche versuche ich den chronologischen und systematischen Zusammenhang, welcher zwischen Kants naturgeschichtlichen Lehren und seiner Geschichtsphilosophie besteht, aufzuzeigen. Die Darstellung erstreckt sich über den ganzen Zeitraum seiner schriftstellerischen Tätigkeit und unternimmt es, soweit die Quellen es gestatten, die historische Bedingtheit seiner Ideen zu erweisen. So will meine Arbeit zugleich einen Beitrag zur Geschichte des Entwicklungsgedankens liefern.

Für die Rekonstruktion der entwicklungsgeschichtlichen Lehren und der Weltanschauung Kants in der vorkritischen Periode durfte ich Nachschriften Herders aus den Jahren 1762 bis 1764 verwerten, welche zum Teil früher schon bekannt waren, zum größeren Teil aber erst von mir aufgefunden wurden. Für die Erlaubnis, diese Manuskripte benutzen und aus ihnen einige Stücke mitteilen zu dürfen, bin ich der Verwaltung der Königlichen Bibliothek in Berlin dankbar verpflichtet. In größerem Umfange sollen die Nachschriften in der Vorlesungsabteilung der akademischen Kantausgabe veröffentlicht werden.

Halle a. S., im Dezember 1910.

Paul Menzer.

Inhalt.

Einleitung.

„Die größte Angelegenheit des Menschen ist, zu wissen, wie er seine Stelle in der Schöpfung gehörig erfülle und recht verstehe, was man sein muß, um ein Mensch zu sein."

In diesem Wort läßt sich das Interesse zum Ausdruck bringen, welches Kants Denken die ganze Zeit seines Lebens hindurch bewegt hat. Daß der Mensch im Zusammenhang der Natur eine besondere Stellung einnehme und daß ihm eine eigentümliche Aufgabe zugefallen sei, ist die Grundanschauung, von der er eine Orientierung versucht. Ein überzeugter Anhänger und Fortbildner der mechanischen Erklärung der Naturvorgänge, sieht er doch ihre Grenzen und sucht nach einer Ergänzung durch Sicherung der Ideen von Gott, Freiheit und Unsterblichkeit. Zwei Lösungen dieses Problems hat Kant zu den verschiedenen Zeiten seines Philosophierens gefunden: in der „Naturgeschichte und Theorie des Himmels" und in der „Kritik der Urteilskraft". Das erste Mal entwirft er ein Bild des großen gesetzmäßigen Zusammenhanges alles Geschehens und sucht dem Menschen einen Platz zu sichern auf Grund des Gedankens seiner Zuhörigkeit zu einem in sich harmonischen universalen System. Doch es bleibt das Eingeständnis, zurück, daß nur die Hoffnung auf ein Jenseits die ganze Erfüllung menschlichen Strebens geben könne. Das zweite Mal wird auf Grund der moralischen Forderung ein Reich der Zwecke aufgebaut, welches seinem Wesen nach über das Diesseits zu einem Jenseits hinausreicht, und nun beginnt der Versuch, die Wirklichkeit jener Welt des Sollens zuzuordnen. Auch jetzt will diese dem Ideale nicht genügen. Gemeinsam ist beiden Versuchen, daß sie ausgehen von zeitlosen Ordnungen, das eine Mal von der Welt der ewigen Wahrheiten, das andere Mal von der der praktischen Ideen. Und in beiden Fällen wird das zeitliche Geschehen vorgestellt als Erscheinung eines Ewigen. Wie beide Systeme geworden sind und wie das zweite aus dem ersten sich entwickelte, soll im Folgenden dargestellt werden.

I.

Das kosmogonische Weltbild.

Der Gedanke von der Einartigkeit des Stoffes im Universum ist die grundlegende Einsicht, auf der das Gebäude der mechanischen Welterklärung sich erhebt [1]). Er wurde gefaßt, ehe die mühevoll vorwärtsschreitende Wissenschaft sein eigentliches Recht erweisen konnte. Der Gegner, der erst niedergezwungen werden mußte, war die aristotelische Naturphilosophie. Ihre Macht über das mittelalterliche Denken wurzelte doch schließlich darin, daß sie der Idee von der Erlösung als einem überirdischen Vorgang einen überirdischen Ort der Erfüllung gab und daß sie dazu dienen konnte den Gegensätzen: Sünde und Reinheit, Vergänglichkeit und Ewigkeit, Wechsel und Ruhe Ausdruck zu verleihen. Allerdings war dies dualistische Weltbild niemals ganz unbestritten geblieben. Immer strebte das sich nach Vereinigung mit dem Göttlichen sehnende religiöse Empfinden zu dem Alleinen, und der Gedanke einer einheitlichen, überall wirkenden göttlichen Macht führte, besonders im Anschluß an die stoische Naturphilosophie und den Neuplatonismus, in die gefährliche Nähe des Pantheismus. Ebenso bereitete die alle Wirklichkeit liebevoll ergreifende und adelnde Stimmung eines Franz von Assisi und der Mystiker eine Aufhebung des Dogmas vom Dualismus vor. Entscheidend wirkte dann das in der Renaissance hervortretende Lebens- und Naturgefühl dahin, dem Diesseits eigene Werte abzugewinnen und sein Recht dem Jenseits gegenüber zu betonen. Kräftig spricht diese Stimmung zu uns aus den Worten Galileis, in denen er supralunarische und sublunarische Welt vergleicht: „Ich kann nur mit größter Verwunderung, ja mit größtem inneren Widerstreben anhören, daß die Eigenschaften des Unbeeinflußbaren, Unveränderlichen, Unwandelbaren u. s. w. den Naturkörpern, welche das Weltall zusammensetzen, als etwas Vornehmes und Vollkommenes zugeschrieben werden, und im Gegensatz dazu die Wandel-

barkeit, Erzeugbarkeit, Veränderlichkeit u. s. w. als etwas sehr
Unvollkommenes gelten soll. Ich für meinen Teil halte die Erde
für höchst vornehm und bewundernswert, gerade wegen der
vielen verschiedenartigen Wandlungen, Veränderungen, Erzeu-
gungen u. s. w., die ohne Unterlaß auf ihr sich abspielen" [2]).

Wie nun in der allgemeinen Kulturbewegung der Renaissance
modernes Empfinden sich unauflösbar mit dem antiken Geiste
verband, so stützte sich auch die naturwissenschaftliche Theorie
dieser Zeit auf antike Naturphilosophie, um die neuen Ergebnisse
der Beobachtung und stetig sich vervollkommnender systematischer
Forschung mit ihr zu vereinigen. Kopernikus hat im Anschluß
an die Alten und unter Berufung auf die über die ganze Erde sich
erstreckenden Reisen seiner Zeitgenossen die Lehre von unserem
Wohnplatz als einem frei im Raume schwebenden, sich um die
Sonne wie die anderen Planeten bewegenden Körper gefunden [3]).
Doch für sein Weltbild war der Fixsternhimmel noch eine Schranke,
und so wirft ihm Bruno vor, er sei ein größerer Mathematiker
als Philosoph gewesen. Die kühne Phantasie des Italieners durch-
dringt auch diese Schale. Bruno steht an der Spitze einer Reihe
von Denkern, welche die Einheit alles Geschehens aus künst-
lerischer Anschauung und künstlerischem Bedürfnis heraus gefordert haben. Er ist der Lehrer des Unendlichen [4]). Unendlichkeit
allein kann der wahre Ausdruck göttlichen Wesens sein. Es offenbart sich in zahllosen Welten und Systemen, ähnlich dem, dem
die Erde angehört. Es offenbart sich als Alllebendigkeit, der unendliche Raum dient als Stätte unendlich vielen lebendigen Wesen. Der
Gottesbegriff liefert zugleich den Gedanken des Systems. Sein Wille
ist die in den Dingen waltende Notwendigkeit. Sie tritt uns entgegen in Gesetzmäßigkeit und Ordnung der Dinge. Brunos künst-
lerischer Sinn drängt dazu, überall Form, Gestaltung, Differenzierung und Harmonie der Gegensätze zu finden. Damit wird eine
Versöhnung des Unendlichkeitsgedankens mit dem individuellen
Dasein geschaffen, die dann weiter auf Shaftesbury, Buffon, Kant,
Herder und Goethe gewirkt hat. Wie es im Unendlichen keinen
Mittelpunkt gibt, so darf sich kein einzelnes Wesen als Zweck
des Systems fühlen, es erhält seinen eigentümlichen Wert durch seine
besondere Stelle auf der Stufenleiter der Wesen und es dient auch

durch sein Vergehen dem Prinzip des Alleinen, die größtmögliche Fülle des Lebens anzustreben. Stoische Naturphilosophie hat sich hier mit dem Lebensgefühl der Renaissance verbunden. Jener verdankt Bruno auch die Lehre von dem alle Wirklichkeit durchdringenden Weltäther, welche so lange eine bedeutende Rolle spielen mußte, als es den kosmischen Theorien an einer physikalischen Hypothese fehlte. Lukrez lieferte den Gedanken von der Konstanz der Materie im Weltall, welche in Brunos System im Zusammenhang mit dem Gedanken eines unveränderlichen Gottes auftrat, und wenn Brunos Phantasie die anderen Weltkörper mit lebenden Wesen bevölkerte, so hatte er auch hier an dem römischen Dichter einen Vorgänger.

So bedeutsam Brunos System auf die Weltanschauung der Folgezeit gewirkt hat, so wenig lieferte es doch für die Begründung einer wissenschaftlichen Theorie von den kosmischen Vorgängen, wie sie durch die kopernikanische Lehre gefordert wurde. Kepler, Galilei, Descartes und Newton haben dies geleistet. So verschiedenartig im Verhältnis zu Bruno die Mittel waren, mit denen Kepler und Galilei das Weltbild der modernen exakten Naturwissenschaft aufbauten, in ihrem Ausgangspunkt waren sie doch von ihm nicht so sehr entfernt. Kepler [5]) will die Herrlichkeit der Werke Gottes dem Menschen offenbaren, die Welt hat Ordnung und Schönheit, deren Gesetze mathematische Konstruktion aufzuzeigen versucht. In der Harmonie der Welt schwelgt sein Empfinden und an die Sonne, als das Herz der Welt, die anima mundi, wendet er sich im begeisterten Hymnus. Auch Galilei erfaßt die Wirklichkeit mit dem liebenden Empfinden des echten Naturforschers, auch er glaubt sie von einer feinsten Substanz durchströmt, und niemand hat klarer wie er erkannt, daß Wissenschaft nur aus Idee und Erfahrung entspringen könne.

War die Mathematik bei Bruno nicht viel mehr als Mittel metaphysischer Spielerei gewesen, so wird sie bei diesen Denkern das Hilfsmittel einer wissenschaftlichen Beschreibung der Wirklichkeit. Kepler schafft den Boden für eine solche dadurch, daß er den Gedanken, Seelisches könne Ursache der Bewegung sein, zerstört. Er bereitet eine physikalische Interpretation der Planetenbewegung vor und bestimmt ihre Gesetzmäßigkeit. Galilei be-

kämpft mit aller Hartnäckigkeit die Lehre von der Verschiedenartigkeit der Materien und versucht, gestützt auf die Beobachtung
des Aufleuchtens eines neuen Sternes und der Sonnenflecken, zu
erweisen, daß Veränderung auch in der supralunarischen Welt stattfinde. Damit wird prinzipiell das Recht, die für die irdischen Vorgänge gefundene Gesetzmäßigkeit auf die des Himmels anzuwenden,
gesichert. Seine Mechanik löst durch ein Annäherungsverfahren
das eleatische Problem, den Bewegungsvorgang aus unendlich
kleinen Teilen und doch als ein Kontinuum zu begreifen[6]). In
seinem Begriffe vom Moment faßt er die die Bewegung eines
Körpers bedingenden physikalischen Faktoren zusammen und ermöglicht durch die Kombination dieses Gedankens mit dem der
Geschwindigkeit die Beschreibung von Bewegungsvorgängen durch
ihre Beziehung zu räumlichen und zeitlichen Bestimmungen.

Eine vorläufige Grenze war der neuen Lehre dadurch gesetzt,
daß es noch nicht gelingen wollte, eine brauchbare physikalische
Theorie für den Zusammenhang der Bewegungsvorgänge innerhalb
des Planetensystems aufzustellen, und daß für die Behauptung
einer gleichen Gesetzmäßigkeit der irdischen und himmlischen
Erscheinungen der wissenschaftliche Nachweis fehlte. Für das
erste der genannten Probleme wurden nun im 17. Jahrhundert
zwei Lösungsversuche gemacht: durch Descartes' kinetische und
Newtons dynamische Theorie. Das zweite erfuhr durch den französischen Denker kaum eine Förderung, Newton hat es gelöst.
Die Bedeutung beider Denker für Kant ist nun zu bestimmen.

Descartes' Lehre wird immer merkwürdig bleiben als
erster, wirklich wissenschaftlicher Versuch einer konsequenten
Zurückführung aller Bewegungsvorgänge auf Druck und Stoß.
Ein von sicheren Prinzipien aus stetig vorwärts schreitendes Denken
und eine bewunderungswürdige technische Phantasie haben dies
Resultat erarbeitet. Darin liegt der prinzipielle Wert und die
historische Bedeutung der Physik Descartes'! Aber gerade diese
Seite seiner Lehre darf bei der folgenden Betrachtung im ganzen
unberücksichtigt bleiben, da Kant als Vertreter einer dynamischen
Erklärung sich auf einen anderen Boden stellte. Descartes ist für
Kant vor allem wichtig als größter Vorgänger im Versuch einer
Theorie von einer rein mechanischen Entstehung des Kosmos.

Als solchen hat er ihn gerühmt, er hat sich auf ihn berufen [7]), um die Kühnheit eines solchen Unternehmens zu entschuldigen und sein Recht auf ein ähnliches Wagnis zu begründen. Aber damit ist die Verwandtschaft beider Theorien nicht genügend charakterisiert. Sie liegt in der allgemeinen Problemstellung. Beide Denker gehen aus von der Einsicht in die Unzulänglichkeit einer atomistischen Erklärung im Sinne der Epikureischen Naturphilosophie, der sie doch beide die Anregung zu ihren kosmogonischen Ideen verdanken. Auf allgemeinen die Bewegungsvorgänge beherrschenden Gesetzen begründen sie ihre Lehre und suchen, da für eine solche Gleichförmigkeit doch wiederum eine Sicherung gegeben werden muß, nach einem sie garantierenden Prinzip. Sie finden es im Gottesbegriff. Er ist ihnen ein für die Möglichkeit der Erklärung unentbehrlicher Begriff. Zugleich gibt der an der Idee eines göttlichen Wesens orientierte Gedanke von der Harmonie des Geschehens die Richtung für eine entwicklungsgeschichtliche Betrachtung an, mit anderen Worten: die rein mechanische Hypothese nimmt teleologische Momente in sich auf.

Die universale Bedeutung des Gottesbegriffes für das System Descartes' erhellt aus seinem Briefe an Mersenne vom 15. April 1630, wo es heißt: „C'est par la connaissance de Dieu que j'ai tâché de commencer mes études, et je vous dirai que je n'eusse jamais su trouver les fondements de la physique, si je ne les eusse cherchés par cette voie" [8]). Die Physik bedarf einer solchen Idee bei dem Streben nach einer ursächlichen Erklärung des Geschehens. Sie sieht sich dann auf den Gedanken einer letzten Ursache geführt. Da nun die menschliche Seele einen klaren und deutlichen Begriff von Gott besitzt, so erfährt unsere Erkenntnis eine Bereicherung, sie wird vollkommen, wir gewinnen die Kenntnis der Wirkung aus der der Ursache. Dahin führt auch der Begriff der Substanz. Wenn die Substanz als eine res definiert wird, quae ita existit, ut nulla alia re indigeat ad existendum, so läßt sich nur eine einzige denken, nämlich Gott. Von allen anderen ist dann zu sagen: non nisi ope concursus Dei existere posse [9]). Das Verhältnis Gottes zur Wirklichkeit läßt sich nun nach diesen Bestimmungen einmal betrachten in Hinblick auf die in ihr zu beobachtende ewige, unveränderliche Gesetzmäßigkeit, anderseits kann der Versuch gemacht werden, den durch diese bestimmten Wechsel der Erscheinungen zu begreifen. Die Frage nach dem Wesen der Dinge und die nach der Entwicklung des Geschehens müssen in Beziehung zu Gottes Dasein untersucht werden.

Die Beantwortung der ersten Frage führt zur Darstellung der Grundprinzipien von Descartes' Physik. Zwei Eigenschaften des göttlichen Wesens: die „immutabilitas" und die „simplicitas", schließlich vereinigt in dem Gedanken der Vollkommenheit, dienen zur Ableitung der Gesetze der körperlichen Welt. Die Existenz der letzteren geht unmittelbar auf Gott als den Schöpfer zurück, er „hat die Materie zugleich mit der Bewegung und Ruhe im Anfang erschaffen". In sie hat er Gesetze hineingelegt, welche seinem Wesen entsprechen: „Wir erkennen es als eine Vollkommenheit in Gott, daß er nicht bloß an sich selbst unveränderlich ist, sondern, daß er auch auf die möglichst feste und unveränderliche Weise wirkt." Unveränderlichkeit des Seins und der in ihm herrschenden Gesetzmäßigkeit wird also zugleich garantiert. Zunächst folgt aus der Unveränderlichkeit das Gesetz von der Erhaltung der Materie: „Gott erhält durch seinen gewöhnlichen Beistand so viel Bewegung und Ruhe im Ganzen, als er damals geschaffen hat" [10]). Dann aber folgen zwei Gesetze über die Bewegung „aus derselben Unveränderlichkeit Gottes": 1. „daß jede Sache, sofern sie einfach und unteilbar ist, so viel von ihr abhängt, stets in demselben Zustand verharrt und diesen nur infolge äußerer Ursachen verändert"; 2. „daß jeder materielle Teil, für sich betrachtet, nur in gerader Richtung, aber nie in gekrümmter seine Bewegung fortzusetzen strebt". Hier tritt, wie Descartes ausdrücklich sagt, zur Unveränderlichkeit die „Einfachheit der Wirksamkeit, mit der Gott die Bewegung in der Materie erhält" [11]).

Dieses Prinzip der Einfachheit leitet uns aber nun weiter, wenn wir zu der kosmogonischen Theorie [12]) Descartes' übergehen. Sie wird aus bekannten Gründen vorsichtig mit einer methodologischen Bemerkung eingeführt: „Ich will zur besseren Erklärung der Naturgegenstände in der Aufsuchung ihrer Ursachen höher hinaufgehen, als das nach meiner Ansicht eigentlich nötig ist. Denn unzweifelhaft ist die Welt von Anfang an in aller Vollkommenheit geschaffen worden, so daß in ihr die Sonne, die Erde, der Mond

und die Sterne existiert haben, und daß es auf der Erde nicht bloß
Samen von Pflanzen, sondern diese selbst gab, und auch Adam
und Eva nicht als Kinder geboren, sondern erwachsen geschaffen
worden sind. Dies lehrt uns die christliche Religion und auch die
natürliche Vernunft. Denn wenn man die Allmacht Gottes berücksichtigt, so kann er nur das in jeder Beziehung Vollkommene geschaffen haben. Allein dennoch ist es zur Erkenntnis der Natur
der Pflanzen und Menschen besser, ihre allmähliche Entstehung
aus den Samen zu beobachten, als so, wie sie Gott zu Beginn der
Welt geschaffen hat." [13]).

Der so zu denkende Anfangszustand der Dinge soll nun nicht,
wie Descartes es früher versucht zu haben erklärt, als ein chaotischer
vorgestellt werden, „eine solche Verwirrung scheint mit Gottes,
des Weltschöpfers höchster Vollkommenheit weniger zu stimmen,
als das Maß und die Ordnung, und das Chaos kann auch nicht
so deutlich von uns erkannt werden" [14]). Beide Gründe, die zur
Ablehnung einer solchen Theorie führten, laufen doch schließlich
auf eins hinaus: Die Erkennbarkeit der Wirklichkeit wird durch
die Annahme einer Unordnung in Frage gestellt. Der Gottesbegriff wird im Gegensatz zum Chaos klar und deutlich erkannt,
und sein höherer Erkenntniswert leuchtet so ohne weiteres ein.
In der Begründung seiner Theorie zeigt sich Descartes nun überall
geleitet von dem Prinzip der Einfachheit. So nimmt er an, „daß
alle Teilchen der Materie im Anfange sowohl nach Größe als nach
Bewegung einander gleich gewesen sind" [15]). Aus diesem Zustand
versucht er dann auf Grund seiner Wirbeltheorie die Entstehung
der drei verschiedenen Arten der Materie abzuleiten. Sie werden
aus einer homogenen Materie rein mechanisch gebildet, da ja die
Identifizierung von Körperlichkeit und Ausdehnung die Einartigkeit
des Stoffes im Weltall in sich schließt. Aus der ersten Materie
entstehen dann Sonne und Fixsterne, aus der zweiten der Himmel,
aus der dritten die Erde, die Planeten und die Kometen. Eine
Schwierigkeit bleibt allerdings darin bestehen, daß bis zum Anfangszustand menschliche Erkenntnis nicht hinreichen kann. Wir
nehmen die Materie als in viele Teile geteilt und bewegt an, „aber
wie groß diese Teile sind, wie schnell sie sich bewegen und welche
Kreise sie beschreiben, kann man aus bloßer Vernunft nicht ab-

leiten, denn Gott konnte dies auf unzählige Arten zustande bringen, und nur die Erfahrung kann lehren, welche er davon ausgewählt hat". Aber diese Unsicherheit führt doch gerade wieder zu einer kräftigen Betonung der rein mechanischen Theorie. Die in der Körperwelt herrschende Gesetzmäßigkeit führt mit Notwendigkeit zu der Ordnung der Dinge, wie wir sie jetzt beobachten können. Mit Hilfe der Naturgesetze „wird die Materie alle Gestalten, deren sie fähig ist, nach und nach annehmen und wenn wir diese Gestalten der Reihe nach betrachten, werden wir endlich zu der gelangen, welche die der jetzigen Welt ist; es ist deshalb kein Irrtum bei einer falschen Voraussetzung zu befürchten" [16]). Ein solcher Erfolg läßt sich nur erwarten auf Grund des Prinzipes der Einfachheit, das aus dem Gottesbegriff gewonnen wurde.

So hat sich gezeigt, wie auch Descartes eine den Erscheinungen immanente Teleologie annehmen muß, um die Ordnung des Geschehens abzuleiten, und wie diese schließlich aus dem Wesen Gottes folgt. Der Grundmangel seiner Theorie ist, wie schon hervorgehoben, im Fehlen einer mathematischen Begründung zu sehen. Eine Grenze ist ferner für sie in der von Descartes selbst eingestandenen Unmöglichkeit gegeben die Stellung der Fixsterne zu erklären [17]). Aber diese Einwände können der Kühnheit seines Unternehmens nicht Eintrag tun. Am Schluß des dritten Teiles der Prinzipien erinnert er noch einmal an seinen systematischen Grundgedanken von dem einheitlichem Zusammenhang der Bewegung aller Körper im Weltall [18]). Anderseits gibt uns seine genetische Theorie das Bild eines großartigen Werdens und Vergehens, Systeme, die einst gewesen, sind zerstört, nachdem sie ihren Stoff an größere gegeben haben [19]).

Wie Galilei so hat auch N e w t o n das Wesen des induktiven Forschens klar erkannt. Sein berühmter Satz „hypotheses non fingo" [20]) darf nicht so verstanden werden, als habe er jedes apriorische Element ausschalten wollen. Vielmehr enthält die e r s t e der Regeln zur Erforschung der Natur ein solches. Sie schreibt vor: „An Ursachen zur Erklärung der natürlichen Dinge nicht mehr zuzulassen, als wahr sind und zur Erklärung jener Erscheinungen ausreichen." Und zur Begründung setzt er hinzu: „Die Physiker sagen: Die Natur tut nichts vergebens, und vergeblich ist dasjenige, was durch vieles geschieht und durch weniger ausgeführt werden kann. Die Natur ist nämlich einfach und schwelgt nicht in überflüssigen Ursachen der Dinge. " Und die zweite Regel sagt: „Man muß daher, so weit es angeht, gleichartigen Wirkungen dieselben Ursachen zuschreiben." Die Regel 3 gibt dann eine nähere Aufklärung über den in der vorigen Regel enthaltenen Satz: „so weit es angeht". Newton versucht an einem Beispiel das Recht der Verallgemeinerung aus der Sammlung von Tatsachen abzuleiten: „Diejenigen Eigenschaften der Körper, welche weder verstärkt noch vermindert werden können und welche allen Körpern zukommen, an denen man Versuche anstellen kann, muß man für Eigenschaften aller Körper ansehen" [21]). Das einzige Mittel dies zu leisten ist der Versuch. So schließen wir aus der Tatsache, daß wir bei allen wahrnehmbaren Körpern Ausdehnung antreffen, auf diese Eigenschaft bei allen Körpern. Und auf diese Weise gelangen wir zur Feststellung ihrer wesentlichen Eigenschaften überhaupt, welche sind: Ausdehnung, Härte, Undurchdringlichkeit, Beweglichkeit und Kraft der Trägheit. Von da aus schließen wir auf dieselben Eigenschaften bei den kleinsten Teilen der Körper. Man bemerkt, daß in der Aufzählung die Schwere fehlt. Newton schließt auf sie nach demselben Verfahren: „Sind endlich alle Körper in der Umgebung der Erde gegen diese schwer, und zwar im Verhältnis der Menge der Materie in jedem; ist der Mond gegen die Erde nach Verhältnis seiner Masse, und umgekehrt unser Meer gegen den Mond schwer; hat man ferner durch Versuche und astronomische Beobachtungen erkannt, daß alle Planeten wechselseitig gegen einander und die Kometen gegen die Sonne schwer sind, so muß man nach dieser Regel behaupten, daß alle Körper gegen einander schwer seien." Dann aber folgt die Einschränkung: „Ich behaupte aber doch nicht, daß die Schwere den Körpern wesentlich zukomme. Unter eigentümliche Kraft begreife ich die Kraft der Trägheit, welche unveränderlich ist, wogegen die Schwere mit der Entfernung von der Erde abnimmt" [22]). Damit gibt Newton deutlich an, in welchem Sinne er den Begriff der Schwere gebraucht wissen will. Es ist ein Beziehungsbegriff, er wird nur gewonnen aus den beobachteten Erscheinungen, das Wesen der

Schwere ist unerkennbar. Am klarsten spricht sich Newton darüber
aus in der Optik: „It is well known that bodies act one upon another
by the attraction of gravity, magnetism and electricity; and these
instances shew the tenor and course of Nature, and make it not
improbable, but that these may be more Attractive powers than
these. For Nature is very consonant and conformable to herself.
How these attractions may be performed, i do not consider. What
i call attraction, may be performed by Impulse, or by some other
means unknown to me. I use that word here to signify only in
general any force by which bodies tend towards one another,
whatsoever be the cause. For we must learn, from the phaenomena
of Nature, what bodies attract one another, and what are the
laws and properties of the attraction, before we enquire the cause
by which the attraction is performed" [23]. Damit sind wir der
Frage näher gerückt, worin eigentlich die Tat Newtons zu sehen sei.
Sein Schüler Cotes hat sich darüber in der Vorrede zur 2. Auflage
der Prinzipien so ausgesprochen: „Daß die Kraft der Schwere
allen Weltkörpern innewohne, hatten die einen vermutet, die
andern gedacht, er aber, als der Erste und Einzige vermochte es,
ihr Dasein vermittels der Erscheinungen zu erweisen und ihr durch
ausgezeichnete Spekulationen eine feste Grundlage aufzubauen" [24].
Kühne Verallgemeinerung aus beobachteten Tatsachen und mühe-
volle, geduldige exakte Begründung dieser Idee sind in Newtons
Leistung vereinigt. Durch die Ausdehnung des Attraktions-
gedankens auf alle Körper und den Nachweis einer sie alle beherrschenden Gesetzmäßigkeit vollendete er das Streben nach einheitlicher Konstruktion der Wirklichkeit. Im dritten Buch, das
den Titel führt „Das Weltsystem", hat er die leitenden Gedanken
seiner Gravitationsmechanik so ausgesprochen: „Alle Planeten
sind gegeneinander schwer. Alle Körper sind gegen die einzelnen
Planeten schwer, und die Gewichte der ersteren gegen jeden Planeten
sind in gleichen Abständen vom Mittelpunkt der letzteren der
Menge der in den einzelnen Körpern befindlichen Materie proportional." „Die Schwere kommt allen Körpern zu und ist der in
jedem enthaltenen Menge der Materie proportional" [25]. Für diese
Sätze, welche die Einerleiheit der Erdschwere und der Attraktion
aussprechen, hat Newton dadurch die mathematische Begründung

gegeben, daß er die Gesetze des freien Falles auf die Bewegung
der Himmelskörper anwandte und eine Theorie der krummlinigen
Bewegung gab. So drückt Dühring sein Verhältnis zu Kepler
prägnant aus, wenn er sagt, Newton habe die Kepler'schen Tatsachen in Attraktionsnotwendigkeiten [26]) verwandelt. Das Resultat war nunmehr: Einerleiheit der Kräfte im Weltall und
Einerleiheit ihrer Gesetzgebung.

Durch die erkenntniskritische Beschränkung, die Newton sich
auferlegt hatte, durch die vorwiegend mathematische Verwertung
des Begriffes der Schwere ist es nun gegeben, daß er einige Fragen
unbeantwortet ließ, die entweder auf dem Gebiete der physikalischen
Theorie lagen oder durch andere Interessen aufgegeben wurden.
So verzichtet er darauf, die besondere Form der Gesetzmäßigkeit
in der Planetenbewegung aus der Schwerkraft abzuleiten. Vielmehr führt er sie auf die Anordnung eines göttlichen Wesens zurück,
und daraus wird verständlich, daß er die Möglichkeit einer anderen
Gesetzmäßigkeit, die auf den göttlichen Willen zurückzuführen
wäre, zugibt. In unmittelbarem Zusammenhang steht der weitere
Verzicht auf eine Erklärung der verschiedenen Dichtigkeit der
Planeten. Für eine mathematische Betrachtung genügte ja auch
der einfache Nachweis und die Berechnung dieser Verschiedenheit,
eine physikalische Theorie würde nach der Ursache dieser Erscheinung fragen. Sie ist für Newton besonders interessant gewesen,
weil sie in Berührung steht mit einem letzten Problem der mechanischen Welterklärung überhaupt, der Frage nach der Verschiedenheit
der Dinge, welche aus dem Gedanken einer „blinden mechanischen
Notwendigkeit" sich nicht ableiten läßt: Sie, „welche stets und
überall dieselbe ist, kann keine Veränderung der Dinge hervorbringen; die ganze in bezug auf Zeit und Ort herrschende Verschiedenheit aller Dinge kann nur von dem Willen und der Weisheit
eines notwendig existierenden Wesens herrühren" [27]). Die Tatsache der Verschiedenheit legt zugleich die Frage nach dem Ursprunge der im Weltall herrschenden Ordnung auf und hier ist nun
die Stelle, wo Newton am schärfsten die Grenze der mechanischen
Weltanschauung gezogen hat, wo er am lautesten sein Glaubensbekenntnis ausspricht: „Diese bewunderungswürdige Einrichtung
der Sonne, der Planeten und Kometen hat nur aus dem Rat-

schlusse und der Herrschaft eines alles einsehenden und allmächtigen Wesens hervorgehen können. Wenn jeder Fixstern das Zentrum eines dem unserigen ähnlichen Systems ist, so muß das Ganze, da es das Gepräge eines und desselben Zweckes trägt, bestimmt e i n e m und demselben Herrscher unterworfen sein... Dieses unendliche Wesen beherrscht alles, nicht als Weltseele, sondern als Herr aller Dinge... Die Herrschaft eines geistigen Wesens ist es, was G o t t ausmacht. Es folgt hieraus, daß der wahre Gott ein lebendiger, einsichtiger und mächtiger Gott, daß er über dem Weltall erhaben und durchaus vollkommen ist. Er ist ewig und unendlich, allmächtig und allwissend... Er ist weder die Ewigkeit noch die Unendlichkeit, aber er ist ewig und unendlich; er ist weder die Dauer noch der Raum, aber er währt fort und ist gegenwärtig; er währt stets fort und ist überall gegenwärtig, er existiert stets und überall, er macht den Raum und die Dauer aus... Gott ist überall und beständig ein und derselbe Gott. Er ist überall gegenwärtig, und zwar nicht nur v i r t u e l l, sondern auch s u b - s t a n t i e l l; denn man kann nicht wirken, wenn man nicht ist. Alles wird in ihm bewegt und ist in ihm enthalten, aber ohne wechselseitige Einwirkung... Man sagt allegorisch: Gott sieht, hört, redet, lacht, liebt, haßt, wünscht, gibt, nimmt an, freut sich, zürnt..., weil alles dasjenige, was man von Gott sagt, von irgend einer Vergleichung mit menschlichen Dingen entnommen ist. Diese Vergleichungen, wenn sie auch sehr unvollkommen sind, geben indessen doch eine schwache Vorstellung von ihm" [28]). Es ist deutlich: dieser Gottesbegriff entzieht sich dem Versuch einer wissenschaftlichen Fixierung, es ist unmöglich, ihn für den Aufbau einer physikalischen Theorie über die Entstehung des Kosmos zu verwerten.

Damit sind die wesentlichsten Voraussetzungen gegeben, auf denen die Kantische Kosmogonie als naturwissenschaftliche Hypothese sich aufbaut. Lukrez und Descartes lieferten die Idee, Newton gab die Mittel ihrer Ausführung. Aber für Kant war eine solche Theorie doch nicht letzter Zweck, er brachte ihre Resultate sofort in Zusammenhang mit der Richtung seines Empfindens und suchte nach einer Versöhnung jener und dieser. Sein Streben nach einem derartigen Ziel entsprang aus der Einsicht in die Unzulänglichkeit einer rein mechanischen Erklärung der Wirklichkeit. Die Einwände, welche er wie seine Zeitgenossen gegen die Alleinherrschaft einer mechanistischen Interpretation erhoben, waren vornehmlich zwei. Es wurde auf die Unmöglichkeit hingewiesen, daß aus planlos bewegter Materie sich Gesetzmäßigkeit und Ordnung des Geschehens einstelle, deren allgemeine Geltung eben erwiesen worden war. In Parallele damit trat der Einwand auf, daß das wunderbarste Gebilde der Natur, der Organismus, unmöglich aus lebloser Materie entstanden sein könne. Entstehung des Planetensystems und Entstehung der organischen Wesen sind die beiden großen Probleme, vor denen die Menschen des 18. Jahrhunderts in andächtiger Verehrung eines göttlichen Wesens ihr Nichtwissen eingestehen. Besonders das organische Leben, in dessen subtile Geheimnisse man soeben mit Hilfe des Mikroskopes eindrang, war eine Erscheinung, vor der jeder Gottesleugner verstummen mußte.

Die Lösung, welche sich ergab, ist damit schon angedeutet. Daß die Welt von einem göttlichen Wesen geschaffen sei, war die allgemeine Grundüberzeugung des Zeitalters, neben der der Materialismus, besonders in Deutschland, kaum eine ernsthafte Rolle spielte. Dieser Gedanke von Gott mußte mit dem Mechanismus in Einklang gebracht werden. Spinoza hatte eine Lösung gefunden, die bei dem zu schließenden Kompromiß die Sache der mechanischen Welterklärung am entschiedensten führte, Gott und Welt identisch setzte und die Gesetze der Wirklichkeit als im Wesen Gottes liegend betrachtete. Das 18. Jahrhundert und auch Kant haben gegen diese Entpersönlichung Gottes und die Vernichtung des Individuums angekämpft, ihrem protestantischen Bewußtsein stellte sich das Verhältnis des Menschen zu seinem Gott dar als das ihrer Persönlichkeit zu einem persönlichen Wesen. So galt Spinoza als Atheist, es gibt Porträts von ihm aus dieser Zeit, welche eine solche Unterschrift tragen.

Die Versöhnung wurde nun angebahnt durch denselben Gedanken, welcher den Begriff der Notwendigkeit des Geschehens geliefert hatte. Es war die Idee von der Vernünftigkeit des großen Zusammenhanges aller Wirklichkeit, welcher einen Zugang zu der entfremdeten Welt des Mechanismus eröffnete. Durch diese Ein-

bruchsstelle drängten sich dann auch andere als reine theoretische
Überlegungen ein. Es wurden damit all' die Wertgefühle verbunden,
die an dem Gedanken des Vernünftigen hingen. Unmerklich ging
die theoretische Betrachtung in eine religiös-ästhetische Wertung
über. Erwachendes inneres Leben und erwachendes Naturgefühl
strebten gleichmäßig danach, die bewunderten Formen der Natur
in anorganischer und organischer Welt zu beleben. Für diese Bewegung leistete die Newtonische Naturphilosophie Bedeutsames.
So vorsichtig ihr Urheber den Kraftbegriff verwertet hatte, so
konnte er doch nicht hindern, daß er angewandt wurde, um der
Natur Lebendigkeit wiederzugewinnen. Ist doch der Begriff der
Kraft letzthin durch den des Willens, wie er vom Menschen erlebt
wird, zu deuten. An dieser Stelle setzten Shaftesbury, die französischen Naturphilosophen und ihre Anhänger in Deutschland ein.
Zu ähnlichen Zielen drängte auch der Individualismus des
18. Jahrhunderts. Merkwürdig, wie hier die Dinge sich seltsam
verketteten! Entsprungen aus der Renaissancebewegung und der
Reformation, erhielt er seine besondere Prägung schon im 17. Jahrhundert durch den Gedanken des Menschen als eines vernünftigen
Wesens. Einen Beweis für diese ihm eigene Kraft liefert dann gerade seine Leistung, das Weltall als einen gesetzmäßigen Zusammenhang zu begreifen. Aber da dies unendliche Geschehen das
Individuum zu vernichten droht, wehrt es sich gegen das, was
es selbst erschaffen. Der so entstehende Individualismus ist stiller
und weniger explosiv als der der Persönlichkeitsforderung in
der Gegenwart, da er sich nicht dem Ansturm sozialistischer Forderung zu wehren hat. Was ihm die eigentümliche Signatur gibt,
ist das Gefühl der Verpflichtung des Menschen auf Grund seiner
bevorzugten Stellung. Die durch die Vernunfttätigkeit gewonnene
Freiheit will der Mensch sich nicht nehmen lassen. So muß eine
Weltordnung gedacht werden, die einen Platz für diese läßt. Zuerst
versucht anthropomorphistische Teleologie diesem Bedürfnis zu
genügen, wird aber von den höheren Geistern bald zurückgewiesen. So entsteht im Anschluß an den stoischen Theodizeegedanken die Idee des in sich gegliederten Systems der Wirklichkeit, dem alle Wesen zugleich als Mittel, zugleich als Zweck angehören, und in dem der Mensch die höchste Stufe einnimmt. Es

gelingt der Versuch, Einheit und Vielheit, All und Persönlichkeit zu versöhnen.

Drei Denker waren es nun, welche Kant bei dem Suchen nach einer Versöhnung zwischen wissenschaftlicher Interpretation der Wirklichkeit und den Forderungen des Gemütes die Wege zeigten: Leibniz, Shaftesbury und Buffon.

Leibnizens[29]) Stellung zu diesen Problemen ist dadurch bestimmt, daß er Mechanismus und Teleologie gleichmäßig zu ihrem Rechte kommen lassen will. Er glaubt dies Ziel erreichen zu können durch das System der prästabilierten Harmonie, in welchem die Vorzüge der Hypothesen Epikurs und Platons, der größten Materialisten wie der größten Idealisten, sich vereinigen[30]). So sagt er in dem Brief an Remond vom 10. Januar 1714: „Ich schmeichle mir, in die Harmonie der verschiedenen Reiche vorgedrungen zu sein und erkannt zu haben, daß beide Parteien recht haben, vorausgesetzt, daß sie gegenseitig ihre Kreise nicht stören, daß also alles in den Naturerscheinungen gleichzeitig auf mechanische und auf metaphysische Weise geschieht, d a ß a b e r d i e Q u e l l e d e r M e c h a n i k i n d e r M e t a p h y s i k l i e g t" [31]).

Erkenntnistheoretisch läßt sich das zu lösende Problem auch so aussprechen: in dem Gegensatz der ewigen und tatsächlichen Wahrheiten war die Erkenntnis ausgedrückt, daß in dem einzelnen Vorgang ein Nichtrationalisiertes und auch nicht Rationalisierbares enthalten ist. Es mußte an dem Wirklichen, einfach Gegebenen ein Moment aufgezeigt werden, das den Ansatz zu einer rationalen Konstruktion gestattete. Dies wird durch die mechanische Betrachtung geleistet. Aber an ihr muß wiederum ein Punkt gefunden werden, wo die wertende Betrachtung einsetzen kann. Sie wird durch den Gedanken einer diese Ordnung mit dem reichsten Sein erfüllenden Wirklichkeit möglich.

Beginnen wir mit der Bestimmung der Grenze der mechanischen Konstruktion gegenüber der Metaphysik. Leibniz hat sich über die Entwicklung seiner Anschauungen über dies Problem selbst mehrfach geäußert: „Ich war in dem Lande der Scholastiker schon sehr weit vorgedrungen, als die Mathematiker und die mo-

2*

dernen Schriftsteller mich noch als ganz jungen Mann bestimmten, es zu verlassen. Ihre vortreffliche Methode, die Natur mechanisch zu erklären, entzückte mich, und ich verachtete mit Recht die Methode derer, die nur Formen und Fähigkeiten, von denen man nicht das geringste versteht, gebrauchen. Seither aber habe ich bei dem Versuch, die Prinzipien der Mechanik selbst tiefer zu begründen, um von den Naturgesetzen Rechenschaft zu geben, die die Erfahrung uns lehrt, erkannt, daß die alleinige Betrachtung einer a u s g e d e h n t e n M a s s e nicht ausreicht, und daß man den Begriff der K r a f t hinzunehmen muß, der für den Verstand völlig erfaßbar ist, wenngleich er ins Gebiet der Metaphysik gehört" [32]). Diese allgemeine Formulierung läßt sich nun durch prägnantere Fassungen weiter erläutern. An zwei Stellen versagt die mechanische Welterklärung: sie kann die Prinzipien ihrer Betrachtung und den Zweck und Nutzen der Wirklichkeit nicht verständlich machen. Ihr eigentliches Gebiet ist nur die Erklärung der besonderen Phänomene. „Bei der Erklärung der b e s o n - d e r e n Phänomene bin ich radikalster Anhänger der Korpuskularphilosophie" [33]). Oder an anderen Stellen: „Ich räume ein, daß die besondern Äußerungen der Natur mechanisch erklärt werden können und müssen, wobei jedoch ihr bewundernswürdiger Zweck und Nutzen, den die Vorsehung zu erzielen gewußt hat, nicht außer acht gelassen werden darf. Die allgemeinen Prinzipien der Physik und der Mechanik selbst aber sind von der Leitung durch eine höchste Vernunft abhängig und können nicht erklärt werden, ohne daß dieselbe mit in Betracht gezogen würde" [34]). Und in der Erwiderung auf Bayles Einwände heißt es: „Ich habe häufig gezeigt, daß, wenngleich alle einzelnen Phänomene mechanische Gründe haben, die endgültige Analyse der mechanischen Gesetze und die Natur der Substanzen uns schließlich nötigt, zu tätigen, unteilbaren Prinzipien zu greifen, und daß die bewunderungswürdige Ordnung, die hierin herrscht, uns ein allumfassendes Prinzip von höchster Intelligenz und Macht zu erkennen gibt" [35]). Die Lösung der Frage ist damit schon gegeben: die Ordnung der Erscheinungswelt wird gesichert durch den gemeinsamen Ursprung aller Dinge aus Gott. Haben wir als „einfache Physiker" die in der Natur herrschenden Gesetze beschrieben, so erheben wir uns nun zur Metaphysik, „indem wir uns des gewaltigen, wenngleich gemeinhin wenig angewandten Prinzips bedienen, wonach nichts ohne zureichenden Grund geschieht, d. h. sich nichts ereignet, ohne daß es dem, der die Dinge hinlänglich erkannte, möglich wäre, einen Grund anzugeben, der genügte, um zu bestimmen, warum es so ist und nicht anders" [36]). Die erste so zu stellende Frage lautet: „Warum es eher Etwas als Nichts gibt." Wir gelangen auf diesem Wege zum Beweis für das Dasein Gottes. Ihm kommt im Gegensatz zu der hypothetischen Notwendigkeit der Dinge der Welt metaphysische Notwendigkeit zu. Ist das Dasein Gottes erwiesen, so läßt sich weiter auf ihn als ein geistiges Wesen schließen, denn „nichts kann regelmäßig sein, ohne vernunftgemäß zu sein" [37]), und so ergibt sich aus der Betrachtung der in der Welt herrschenden Ordnung der Gedanke an einen weisen Urheber. Wie das Verhältnis Gottes zur Welt zu denken sei, ist nun die wichtigste Frage, zu deren Beantwortung die bekannte Stelle der „Theodizee" dienen kann: „Diese Substanz muß eine intelligente sein. Denn da die Welt, welche existiert, zufällig ist und die unendlich vielen anderen Welten ebenso möglich waren und sozusagen in gleicher Weise nach dem Dasein strebten, so muß die Ursache der Welt eine Rücksicht oder Beziehung zu allen diesen möglichen Welten gehabt haben, um eine von ihnen zu bestimmen. Und diese Rücksicht oder Beziehung einer existierenden Substanz zu bloßen Möglichkeiten kann nichts andres sein als der Verstand, der die Vorstellungen von ihnen hat, und die Wahl eines von ihnen kann nichts andres sein als die Handlung des Willens, der wählt. Und was den Willen dieser Substanz wirksam macht, ist ihre Macht. Die Macht geht auf das Sein, die Weisheit oder der Verstand auf das Wahre, der Wille auf das Gute. Ferner muß diese intelligente Ursache in jeder Weise unendlich sein und absolut vollkommen an Macht, Weisheit und Güte, da sie auf alles geht, was möglich ist" [38]). Das Verhältnis Gottes zur Welt ist demnach ein dreifaches: das Verhältnis seines Verstandes zur Gedankenmäßigkeit der Welt, das seiner Macht zu ihrem Dasein und das seines Willens zu dem in ihr hervortretenden Guten. Durch die erste Bestimmung werden die ewigen Wahrheiten der Einwirkung des göttlichen Willens entzogen, Leibniz bekämpft mehrfach entgegenstehende Ansichten [39]). So gibt es Wissenschaften, die allein von der Vernunft abhängen, wie die Logik, die Metaphysik, die Arithmetik, die Geometrie, die Wissenschaft von der Bewegung und die Wissenschaft vom Rechte [40]). Sie sind der menschlichen Vernunft zugänglich, weil sie Erkenntnis der notwendigen und ewigen Wahrheiten besitzt und bis zur Erkenntnis Gottes aufsteigen kann. Aber das Verhältnis des göttlichen Verstandes zu den ewigen Wahrheiten ist ein anderes als das des menschlichen. Einmal, insofern der erstere ein unendlicher ist, dann aber, und damit steigt Leibniz zu der letzten Höhe auf, die menschliches Denken zu erreichen streben kann: die ewigen Wahrheiten erhalten ihre Realität durch den göttlichen Verstand, er ist nicht nur ihr Wohnsitz, er bewirkt sie. Mit Thomasius findet Leibniz es nicht „ratsam, völlig über Gott hinauszugehen und mit einigen Scotisten zu sagen, die ewigen Wahrheiten würden fortbestehen, wenn es auch keinen Verstand, nicht einmal den Gottes, gäbe. Denn meines Erachtens bewirkt eben der göttliche Verstand erst die Realität (fait la réalité) der ewigen Wahrheiten, obgleich Gottes Wille keinen Anteil daran hat. Jede Realität muß in etwas Seiendem begründet sein. Freilich kann ein Atheist Geometer sein, aber wenn es keinen Gott gäbe, würde es keinen Gegenstand der Geometrie geben. Und ohne Gott würde es nicht nur nichts Seiendes, sondern nicht einmal etwas Mögliches geben. Das hindert jedoch nicht, daß die, welche die Verknüpfung aller Dinge unter sich und mit Gott nicht einsehen, nicht doch gewisse Wissenschaften verstehen könnten, ohne deren erste Quelle zu kennen, die in Gott ist" [41]). Dieser Satz, der von den reinen Formalisten gern übersehen wird, zeigt doch eigentlich erst den letzten Zusammenhang zwischen Gott, den ewigen Wahrheiten und der Welt. Der göttliche Verstand hat Fähigkeit, Wahrheit zu erzeugen, nicht bloß sie anzuerkennen oder nachzubilden. Gottes Dasein gibt für alle Wahrheit die Geltungsmöglichkeit. Nicht eine logische Sicherheit erhalten auf diese Weise die Wahrheiten, es ist eine Bedingung des Erkennens, insofern es Sachverhalte ausdrückt, daß eine Beziehung für die Geltung derselben geschaffen wird. Für den Menschen ist diese Beziehung in der Wirklichkeit gegeben, für

Gott kann sie nur in seinem eigenen Dasein liegen. In diesem Sinne kann Leibniz sagen, daß Gott die Realität der ewigen Wahrheiten bewirke.

Aus der Unendlichkeit des göttlichen Verstandes folgt die unendliche Zahl der von ihm gedachten Möglichkeiten. Daß diese Systeme von möglichen Welten darstellen, ist freilich eine unbewiesene Annahme, eine Schwierigkeit, die wohl darin einen ungewollten Ausdruck findet, daß Leibniz von dem Drängen der Systeme aus ihrer idealen Sphäre zur Wirklichkeit spricht. Die beste unter den möglichen Welten hat nun die göttliche Güte ausgewählt. Diese Auswahl geschieht durch den Willen, ohne daß er an dem System der Welt etwas ändern könnte, sie wird als Ganzes ausgewählt: „Da der Ratschluß Gottes lediglich in dem Entschlusse besteht, nachdem er alle möglichen Welten miteinander verglichen hat, die beste von ihnen zu wählen und sie durch das allmächtige Wort „Fiat" mit allem, was sie enthält, ins Dasein zu rufen, so ist es klar, daß dieser Ratschluß nichts an der Beschaffenheit der Dinge ändert, und daß er sie so läßt, wie sie im Zustande der reinen Möglichkeiten waren, d. h. daß er weder an ihrer Beschaffenheit oder Natur, noch selbst an ihren Akzidenzen, die bereits vollständig in der Vorstellung dieser möglichen Welt enthalten waren, etwas ändert" [42]. Die göttliche M a c h t hat nun eine Welt ins Dasein gerufen, es konnte nur e i n e sein, da alles miteinander verknüpft ist und deshalb kein Platz da ist, um von diesen Welten mehr als eine zuzulassen [43]. Der Gedanke des einheitlichen Zusammenhanges aller Erscheinungen wäre sonst zerstört, jedes System ist in sich vollendet. Doch da der Gedanke des Systems auch auf andere Welten angewandt werden kann, genügt diese Bestimmung noch nicht, um die Wahl gerade dieser Welt zu rechtfertigen. Die Macht Gottes steht in keinem notwendigen Verhältnis mit unserer Welt; so muß die göttliche G ü t e zur Erklärung für diese Wahl in Anspruch genommen und es muß gezeigt werden, daß gerade die in unserer Welt waltende Systematik am meisten den Intentionen der göttlichen Güte entspricht, daß sie die beste unter den möglichen ist.

Neben der „Theodizee" ist es vor allem die kleine Schrift „Die Vernunftprinzipien der Natur und der Gnade", welche die

Antwort gibt: „Aus der höchsten Vollkommenheit Gottes folgt,
daß er bei der Hervorbringung des Universums den bestmöglichen
Plan gewählt hat, gemäß dem sich die größte Mannigfaltigkeit
mit der größten Ordnung vereinigt: bei dem der Platz, der Ort
und die Zeit in der besten Weise verwendet sind und die größte
Wirkung auf die einfachste Weise hervorgebracht wird: kurz
bei dem den Geschöpfen die größte Macht, die größte Erkenntnis,
das größte Glück und die größte Güte gegeben ist, die das Universum in sich aufnehmen konnte. Denn da im Verstand Gottes
alle Möglichkeiten nach dem Maße ihrer Vollkommenheiten zur
Existenz streben, so muß die wirkliche Welt als das Ergebnis all
dieser Ansprüche die vollkommenste, die nur möglich war, sein.
Ohne diese Voraussetzung wäre es unmöglich, davon Rechenschaft
abzulegen, weshalb die Dinge eher diesen als einen andren Lauf
genommen haben.“ [44])

Wir sehen gewissermaßen hinein in die Werkstatt des göttlichen Bildners. Wie nach einem schönen Worte Dürers der Maler
voller Bilder ist, so schwelgt der göttliche Verstand in der Un-
erschöpflichkeit seiner kombinatorischen Kraft. Die ganze Fülle
idealen Seins beherrscht sein Geist, und er liebt diese Fülle. Er
will nichts von ihr verlieren, wenn er sie in ein Dasein treten läßt.
Das Drängen der Möglichkeiten zu einem solchen ist sein Schöpfer-
drang, und er findet und wählt die Form, in die er den größten
Reichtum des Seins hineingießen kann. Das Mittel ist die rationale
Ordnung, die prästabilierte Harmonie: „beim ersten Ursprung der
Dinge kommt eine gewisse göttliche Mathematik oder ein metaphysischer Mechanismus zur Anwendung“.[45]) Das so entstehende
Weltbild darf als bekannt vorausgesetzt werden, die „Monadologie“
entwickelt es in übersichtlicher Kürze, es ist hier nur noch zu
fragen, in welchem Sinne das Prinzip des Mechanismus und das
der Angemessenheit eine Ausgleichung findet. Der Mechanismus
der körperlichen Vorgänge macht nicht die Wirklichkeit aus, er
ist eine Teilerscheinung, eine besondere Darstellung des Gedankens
der Einheit in der Mannigfaltigkeit, „die Gesetze der Ursächlich-
keit, der Möglichkeit und der Wirklichkeit behaupten sogar vor
den rein geometrischen Gesetzen des Stoffes den Vorrang“ [46]).
Jetzt darf von der göttlichen Güte gesprochen werden. „Es ist

klar, daß Gott nicht bloß physisch, sondern auch frei handelt, und daß in ihm nicht bloß die bewirkende, sondern auch die Zweck- ursache der Dinge liegt, und daß von ihm nicht bloß der Größe oder Macht in der schon hergestellten Maschine des Universums, sondern auch der Güte oder Weisheit in der erst noch herzu- stellenden Rechnung getragen wird." [47])

Wir übertragen nunmehr den Gedanken des von Wirklichkeit erfüllten Daseins auf die geistigen Wesen. Auch hier dürfen wir den quantitativen Maßstab anlegen, besteht ja doch nicht die Gefahr einer rein mechanischen Vermehrung. Die Einzigartigkeit der Monade sichert davor, und jede Vermehrung ihrer Realität ist Steigerung ihres Eigenwertes. „Vollkommenheit ist nichts anderes als die Quantität der Wesenheit." [48]) Die Welt ist so auch die moralisch vollkommenste, „weil in Wahrheit die moralische Vollkommenheit der Geister die physische ist. Daher ist die Welt nicht bloß eine höchst bewunderungswürdige Maschine, sondern auch, insoweit sie aus Geistern besteht, der beste Staat, durch welchen den Geistern möglichst viel Glückseligkeit oder Freude zugewandt wird, und darin besteht ihre physische Vollkommen- heit" [49]). Die Idee des Gottesstaates schließt diese Gedankenreihe ab und gibt ihr noch einmal folgenden Ausdruck: „Alle Geister gehen, seien es nun Menschen oder Genien, kraft der ewigen Ver- nunft und Wahrheit mit Gott eine Art Gemeinschaft ein und sind Mitglieder des Gottesreiches, d. h. des allervollkommensten Staates, der von dem größten und besten Monarchen gebildet und regiert wird. In diesem gibt es kein Verbrechen ohne Bestrafung, keine guten Handlungen ohne entsprechende Belohnung und schließlich so viel Tugend und Glück als nur möglich, und das geschieht keineswegs durch eine Umwälzung der Natur, so daß das, was Gott den Seelen bestimmt, die Gesetze der Körper stören müßte, sondern gemäß der Ordnung der natürlichen Dinge selbst, kraft der Harmonie, die seit aller Zeit zwischen dem Reiche der Natur und dem der Gnade, zwischen Gott als Baumeister und Gott als Monarchen prästabiliert ist. Die Natur führt somit selbst auf die Gnade hin, wie andrerseits die Gnade die Natur vervollkommnet, indem sie sich ihrer bedient." [50])

Der systematische Zusammenhang der Geister mit Gott hat
sich uns schließlich zugleich als ein L e b e n s zusammenhang
dargestellt.   Zuerst muß die Gefahr der pantheistischen Interpretation abgewendet werden.   Es geschieht dies durch den kosmologischen Beweis für das Dasein Gottes.   Danach muß der zureichende Grund der Welt außerhalb der Reihe der zufälligen
Dinge liegen [51]).   Die Dinge sind in Gott nur ihrem Wesen nach
enthalten, nicht nach ihrem Dasein [52]).   Besonders deutlich drückt
sich L. in zwei erst von Erdmann veröffentlichten Abhandlungen
aus.   Die erste: „Über den letzten Ursprung der Dinge" beginnt
mit den Worten: „Neben der W e l t oder der A n h ä u f u n g
der endlichen Dinge gibt es ein H e r r s c h e n d e s , nicht bloß
wie die Seele in mir oder vielmehr wie das Ich in meinem Körper,
sondern in einer noch weit höhern Weise.   Denn das die Welt
beherrschende Eine regiert nicht bloß das Universum, sondern
baut es auch auf und macht es und ist ein Höheres als die Welt
und etwas sozusagen Außerweltliches und daher der letzte Grund
der Dinge." [53]) In der zweiten Abhandlung, in den „Betrachtungen
über die Lehre von einem einigen, allumfassenden Geiste" setzt
sich Leibniz mit Spinoza auseinander.   Nach seiner Lehre „würde
Gott sozusagen ein Aggregat aller Seelen darstellen, ungefähr
ebenso wie ein Bienenschwarm eine Ansammlung dieser kleinen
Tiere ist.   Da jedoch dieser Schwarm für sich selbst keine wahrhafte
Substanz ist, so ist klar, daß auf diese Weise der allgemeine Geist
selbst gar kein wahrhaftes Wesen wäre; anstatt also zu sagen,
daß er der einzige Geist ist, müßte man vielmehr sagen, daß er
an sich gar nichts ist und daß in der Natur nur die Einzel-Seelen
wahrhaft existieren, deren bloße Ansammlung er darstellte" [54]).
Wir betrachten nun das Verhältnis der Einzelseelen, der
Monaden zu Gott.   Da die Monade einfach ist, so ist eine Entstehung unmöglich, vielmehr werden die Monaden von Gott geschaffen: „Man kann demnach sagen, daß die Monaden nur mit
einem Schlage entstehen oder vergehen können, d. h. sie können
nur durch Schöpfung entstehen oder durch Vernichtung vergehen"
(Monadologie Nr. 6).   Die Monaden sind vorstellende Kräfte und
haben das Streben nach Veränderung ihrer Vorstellungen, nach
neuen Vorstellungen.   Damit ist in das Weltbild Leibnizens der

Entwicklungsgedanke eingetreten. Ein fortwährender Wechsel derselben Vorstellungen würde dem Prinzip der Mannigfaltigkeit widerstreben, es müssen neue Vorstellungen auftreten, und da die Monade das Universum vorstellt, so gelangt sie zu einer immer höheren Stufe des Erkennens und zu einer höheren Stufe in der Rangordnung der vorstellenden Wesen. Ein schwer zu lösendes Problem tritt auf. Die idealen Gründe haben für jede Monade ihren Ort im System bestimmt, d. h. eine zeitlose Beziehung besteht zwischen den Monaden. Jetzt muß gezeigt werden, wie die in der Zeit auftretenden und handelnden geistigen Wesen eine Sphäre ihrer Wirksamkeit erhalten können, ohne daß das System des Ganzen gestört wird. Nur ein einheitlicher Rhythmus in der Höherentwicklung kann die Ordnung, die man bildlich eine seitliche nennen könnte, erhalten. Der Entwicklungsgedanke in allgemeiner Geltung für das gesamte System drängt sich hier auf.

Untersuchen wir zuerst das Verhältnis der einzelnen Monaden zum System, so dürfen wir geradezu von ihrem Anspruch an den Schöpfer sprechen. Es gibt einen idealen Einfluß einer Monade auf die andere, d. h. eine Wirkung, die nur durch die Vermittlung Gottes zustande kommt, sofern in den Ideen Gottes eine Monade mit Recht verlangt, daß Gott bei der Regelung der anderen schon bei Beginn der Dinge auf sie Rücksicht nehme (Monad. 51). Da nun nach Monad. 79 „die Seelen gemäß den Gesetzen der Zweckursachen durch Begehrungen, Mittel und Zwecke handeln", so muß für ein solches Wirken im Zusammenhang des Geschehens Raum sein. Dieser Gedanke kehrt in der Theodizee in charakteristischer Weise und allgemeiner gewandt wieder. Es handelt sich dort darum, die Unabhängigkeit des Guten von der göttlichen Wahl zu erweisen: „Die Tugenden sind nur deshalb Tugenden, weil sie zur Vollkommenheit führen.... Und diese Eigenschaft besitzen sie von Natur und vermöge der Natur der vernünftigen Geschöpfe, noch bevor Gott die letzteren zu schaffen beschließt. Wollte man anders darüber urteilen, so wäre das gerade, als ob jemand behauptete, die Regeln der Tonverhältnisse und der Harmonie seien in bezug auf die Musiker willkürlicher Art, weil diese Regeln erst dann in der Musik zur Geltung kommen, wenn man sich zum Singen oder zum Spielen irgendeines Instrumentes

entschließt. Diese Regeln sind aber gerade das Wesentliche an
einer guten Musik, denn sie entsprechen derselben schon im idealen
Zustande, wo noch niemand an das Singen denkt, da man weiß,
daß sie ihr notwendigerweise entsprechen müsse, sobald man singen
wird. Ebenso entsprechen die Tugenden dem idealen Zustande
des vernünftigen Geschöpfes, noch bevor Gott es zu schaffen
beschließt, und eben aus diesem Grunde behaupte ich, daß die
Tugenden vermöge ihrer Natur gut sind." [55]) Wenn aber diese
Beziehung nur eine solche zwischen dem göttlichen Verstande
und seinen Inhalten ist, so ändert sich das Verhältnis sofort, wenn
Gott die Existenz einer solchen Welt beschließt und sie schafft.
Das Verhältnis wird zu einem solchen der Güte Gottes zu seinen
Geschöpfen. Hierbei ist daran zu erinnern, daß die Dinge auch
nach ihrer Erschaffung in einem Lebenszusammenhang mit Gott
bleiben. Ihr Dasein ist ein ununterbrochenes Hervorgebracht-
werden durch Gott. In der Theodizee heißt es darüber: „daß
das Geschöpf beständig von der göttlichen Tätigkeit abhängig ist
und daß es nicht minder nach Beginn als bei Beginn seines Daseins davon abhängt. Diese Abhängigkeit ergibt, daß es nicht
fortfahren würde zu bestehen, wenn Gott nicht tätig zu sein fort-
führe, kurzum, daß diese Tätigkeit Gottes eine freie ist" [56]). So
wird Gott zum Träger des Sittlichen. Wir dürfen das Vertrauen
haben, „daß Gott alles gemacht hat, wie es sein muß" [57]). Leibniz
löst das Problem des Bösen in der Welt auf die hier nicht weiter
darzustellende, bekannte Weise. Aber diese Lösung führt gerade
wieder zu dem Gedanken einer Entwicklung. Das folgende Zitat
zeigt die Notwendigkeit einer solchen Deutung: „Wenn man sagt,
daß das Geschöpf in dem, was es ist und was es tut, von Gott abhängt und daß die Erhaltung eine fortlaufende Schöpfung sei,
so bedeutet das, daß Gott dem Geschöpfe beständig alles, was
Positives, Gutes und Vollkommenes an ihm ist, verleiht und dasselbe ununterbrochen in ihm hervorbringt, da jede vollkommene
Gabe vom Vater des Lichts kommt, während die Unvollkommenheiten und Mängel der Handlungen von der ursprünglichen Be-
schränktheit kommen, die das Geschöpf notwendigerweise mit
dem ersten Beginn seines Seins infolge der idealen Gründe erhalten
mußte, die es mit Grenzen umgeben. Denn Gott konnte ihm nicht

alles verleihen, ohne es selbst zu einem Gott zu machen: es mußte
also verschiedene Stufen in der Vollkommenheit der Dinge und
ebenso Beschränkungen jeder Art geben." [58]) Aber mit dieser
Zulassung des Bösen ist die göttliche Wirksamkeit nicht erschöpft.
Das Böse muß immer seiner Natur widerstreiten. Auch nach
der Wahl des Guten strebt Gott nach dem Besten. „Was das
Übel anbetrifft, so will Gott das moralische Übel durchaus nicht
und ebenso wenig unbedingt das physische Übel oder die Leiden:
aus diesem Grunde gibt es keine Vorherbestimmung zur Ver-
dammnis und kann man vom physischen Übel sagen, daß Gott
es oft als eine der Schuld zukommende Strafe und oft auch als
Mittel zum Zweck will, d. h. um größere Übel zu verhindern oder
größere Güter zu erlangen." [59]) Gott folgt dabei „dem großen
Endergebnis all seiner Neigungen zum Guten" [60]). Ja das göttliche Interesse am Guten umfaßt nicht nur das Gebiet des Wirkens
der mit Vernunft begabten Wesen, es richtet sich auf das „metaphysische Gute". „Da alles auf die größte Vollkommenheit abzielt, so kommt man auf mein Gesetz des Besten zurück. Denn
die Vollkommenheit umfaßt nicht nur das m o r a l i s c h e und
p h y s i s c h e Gute der mit Vernunft begabten Geschöpfe, sondern
auch das Gute, was nur m e t a p h y s i s c h e r A r t ist und die
vernunftlosen Geschöpfe betrifft." [61]) Deutlich tritt uns hier der
Gedanke einer moralischen Weltordnung entgegen. Und noch
inniger wird dies Verhältnis zur Wirklichkeit, wenn wir lesen:
„daß die Güte Gott zum Schaffen bestimmt, u m s i c h m i t -
z u t e i l e n " [62]). Zugleich erhebt sich Leibniz über eine an-
thropomorphe Erklärung. Nicht die Glückseligkeit der vernünftigen
Wesen war Gottes einziger Zweck, „keine Substanz ist vor Gott
unbedingt verächtlich oder schätzenswert" [63]). „Wenn das in der
Tat der Fall wäre, so würde es vielleicht weder Sünde noch Unglück, nicht einmal begleitungsweise, geben: Gott hätte dann
eine solche Folge von Möglichkeiten gewählt, bei der alle diese
Übel ausgeschlossen wären. In diesem Falle würde aber Gott gegen
das verstoßen, was er dem Universum schuldig war, d. h. gegen
das, was er sich selbst schuldig ist." [64]) Das menschliche Dasein
und die in ihm auftretenden physischen und moralischen Übel
bekommen also ihren Sinn nicht aus sich selbst, sondern aus einer

Forderung, die Gott an sich selbst stellt, die von ihm geschaffene
Wirklichkeit ist das Instrument, durch das er diese Forderung
realisiert. Das Reich der Natur dient dem Reiche der Gnade.
Aber die ihm dargereichte Hand kann der Mensch ergreifen, er
kann mitarbeiten an der Erreichung des von Gott gewollten Endzweckes. Dies sprechen die bedeutsamen Schlußparagraphen der
„Monadologie" so aus: „84. Die Geister können in eine Art von Gemeinschaft mit Gott eintreten, der sich zu ihnen ... wie ein Fürst
zu seinen Untertanen, ja wie ein Vater zu seinen Kindern verhält.
86. Dieser Gottesstaat, diese wahrhaft allumfassende Monarchie
ist eine moralische Welt in der natürlichen Welt und stellt das
erhabenste und göttlichste unter den Werken Gottes dar. In
ihm liegt wahrhaft der Ruhm Gottes; denn er besäße keinen,
wenn nicht seine Größe und seine Güte von den Geistern erkannt
und bewundert würde. Mit Bezug auf diesen Gottesstaat übt
Gott im eigentlichen Sinne seine Güte aus, während seine Weisheit
und seine Macht sich überall bekunden. 87. Wie wir eine vollkommene Harmonie zwischen zwei natürlichen Reichen, dem der
wirkenden und dem der Zweckursachen, festgestellt haben, so
müssen wir hier noch eine andere Harmonie beobachten, die
zwischen dem physischen Reiche der Natur und dem moralischen
Reiche der Gnade, d. h. zwischen Gott als Architekten der Maschine des Universums und zwischen ihm als Monarchen des Gottesstaates der Geister besteht. 88. Kraft dieser Harmonie f ü h r e n
d i e W e g e d e r N a t u r v o n s e l b s t z u r G n a d e: und es
muß z. B. diese Erde auf rein natürlichen Wegen zu der Zeit zerstört und wiederhergestellt werden, wo die Regierung der Geister
es zur Strafe der einen und zur Belohnung der anderen verlangt [65]).
90. So wird es schließlich unter dieser vollkommenen Regierung
keine gute Handlung ohne Belohnung, keine schlechte ohne Strafe
geben, und a l l e s m u ß s i c h für die Guten z u m B e s t e n
wenden, d. h. für die, die keine Unzufriedenen in diesem großen
Staate bilden, die, wenn sie ihre Pflicht getan haben, auf die Vorsehung vertrauen, die den Urheber alles Guten in gebührender
Weise lieben und nachahmen... Wahrhaft weise und tugendhafte
Menschen arbeiten daher an all dem, was dem mutmaßlichen oder
früher kundgegebenen Willen Gottes zu entsprechen scheint, be-

ruhigen sich indes bei dem, was Gott tatsächlich durch seinen geheimen, folgerechten und entscheidenden Willen eintreten läßt." So dürfen wir von einem Fortschreiten des Guten sprechen und wir sehen auch, daß L. diese Folgerung zieht. „Es muß anerkannt werden, daß ein gewisser stetiger und ungehinderter Fort- schritt des gesamten Universums zur Höhe der allgemeinen Schönheit und Vollkommenheit der göttlichen Werke stattfindet, so daß es zu immer größerer Bildung gelangt." Und mit einem Hinblick auf seine Zeit fährt L. fort: „wie ja jetzt ein großer Teil unserer Erde Kultur empfängt und immer mehr emp- fangen wird". Der Einwurf aber, daß die Welt dann längst zum Paradiese geworden sein müßte, wird so widerlegt: „Wenn auch schon viele Substanzen zu großer Vollkommenheit gelangt sind, so bleiben doch wegen der ins Unendliche fortgehenden Teil- barkeit des Stetigen im unermeßlichen Raum der Dinge immer noch schlummernde Teile übrig, die zu erwecken und zu Besserem und Größerem und, mit einem Worte, zur höhern Kultur zu er- heben sind, und deshalb kann der Fortschritt nie ein Ende er- reichen." [66]) So tritt uns am Ende der entwicklungsgeschicht- lichen Betrachtung der Gedanke der Unendlichkeit ent- gegen. Für den Menschen aber, der das Gute liebt und damit zur Vollkommenheit, zu Gott strebt, ist dies Ziel auch nur ein nie zu erreichendes, aber immer zu erstrebendes, seine Hoffnungen ver- lieren sich in die Unendlichkeit, aber er hat ein ewiges Leben, denn noch für die Seligen gilt, daß die Belohnungen fortdauern [67]). Wir schließen diese Betrachtung mit den Schlußworten der Ab- handlung „Die Vernunftprinzipien der Natur und der Gnade": „Allerdings kann die höchste Glückseligkeit niemals vollständig und abgeschlossen sein; denn da Gott unendlich ist, so kann er niemals ganz erkannt werden. Demnach wird und soll unser Glück niemals in einem vollkommenen Genießen bestehen, bei dem nichts mehr zu wünschen übrig bliebe und das unsern Geist abstumpfen würde, sondern in einem immerwährenden Fortschritte zu neuen Freuden und neuen Vollkommenheiten." [68])

So schreitet Leibnizens Denken von der Welt der ewigen Wahr- heiten zu der durch einen Schöpfungsakt erzeugten Wirklichkeit. Ihre Ordnung ruht in jenen, aber mit dem Zeitbegriff nimmt sie

das Prinzip der Entwicklung in sich auf. Dieses hat Leibniz am
Beispiel der Erde in seiner „Protagaea" nachzuweisen versucht.
Ihm gehorcht auch die Entwicklung der Menschheit. Die in ihr
erarbeitete Kultur tritt in den Zusammenhang und in den Dienst
eines Fortschrittes des ganzen Universums. Im Lebenszusammenhang mit Gott erreicht die Welt der Geister in unendlicher Annäherung immer höhere Stufen moralischer Vollkommenheit, der
Schöpfer und Erhalter der Wirklichkeit ist zugleich Bewahrer
des Sittlichen, zu dem sich das Göttliche nach einer Forderung
seines Wesens bekennt. Das Reich der Natur und das der Gnade
sind vereint.

Fast zu gleicher Zeit mit Leibniz fand das Theodizeeproblem
eine vielfach ähnliche aber doch selbständige Lösung durch
Shaftesbury.

Kein englischer Denker stand dem Empfinden unserer klassi-
schen Literaturepoche so nahe wie er, wie jene suchte auch er das
Land der Griechen mit der Seele. Wie nach ihm Winckelmann,
sieht er alle Schönheit der Kunst als einen Abglanz der Urschönheit
des Einen, das er Gott nennt. Die Fähigkeit sie zu empfinden
wohnt der Seele inne, die ja selbst die Tendenz zur Harmonie in
sich trägt. Sie ist der reinste Ausdruck des Wesens der Dinge,
denn „it is mind alone which forms" [69]). Wie sollte grobe Materie
Ordnung hervorbringen, wie sollte sie die Einfachheit des Selbst-
bewußtseins in uns erzeugen können? Müssen wir nicht den
Einheitsgedanken unseres Innern auf das All übertragen? In
seiner strahlenden Schönheit offenbart sich der in ihm wohnende
Geist, denn alles, was ohne Geist ist, ist finster und öde. Mit dem
ganzen Zusammenhang seines Empfindungslebens ergreift der
Mensch dies Wesensverwandte, diese Schönheit. Mit seiner Sinnlichkeit, die in den einfachsten harmonischen Verhältnissen von
Linie und Ton Genuß findet, mit seiner Liebe, die überall Anschauen der Schönheit ist, mit allen edleren Gefühlen, die ihr Maß
erhalten durch die ordnende Kraft des Geistes, der Vernunft.
Was bedeutet ihnen gegenüber rohe Sinnlichkeit? Nur kurze Ge-
nüsse gestattet sie, Unbeständigkeit ist ihr Charakter, aber nichts
kann gut sein, als was beständig ist. Die Güter der Welt sind ver-
gänglich, wir erfassen die Ewigkeit in dem heimlichen Sicheinsfühlen

mit der Natur, dem Alleben in Waldeinsamkeit beim erwachenden Tage oder sich milde herabsenkender Nacht, in dem Mitempfinden für andere Menschen, in dem seeligen Gefühl der Freundschaft, in der Liebe zu Gott als dem Einen, in das das Schöne und Gute wie in einen Strom zusammenfließen, denn there is no real enjoyment of beauty beside what is good [70]).

Aus diesen Quellen leitet Shaftesbury eine optimistische Weltbetrachtung her. Aber während Leibniz den ganzen Scharfsinn und die sichere Eleganz seines Geistes aufbietet, um ein vor jedem Einwand bestehendes Gedankengebäude aufzuführen, spricht er zu uns mit der überzeugenden, gütig überredenden Kraft eines fühlenden Freundes. Sein Optimismus hat etwas Naives. Er ist Edelmann, und als das vornehmste Geschöpf erscheint ihm der Mensch. Und so darf er den Anspruch auf Glück erheben. Gegnerische Einwände werden eigentlich nicht mit Gründen widerlegt, es wird nur gezeigt, wie erfreulich sich doch alles gestalte durch die sonnige Beleuchtung optimistischer Betrachtung. Und das Gefühl einer solchen Harmonie, erlebt im Kreise gleichgestimmter Seelen, was können alle Bedenken dieser Stimmung anhaben? Eine solche Seele ist erfüllt von Enthusiasmus, sie wendet sich zum Göttlichen, das sie mit freudigem Gefühle verehrt. Sie spricht sich aus im Überschwang des Empfindens und meidet die geschlossene Form beweisenden Denkens. Shaftesbury ist ein Meister des Essays, und im Dialog versucht er der gegenüber dem Widerspruch lebhafter emporquellenden Überzeugung lebendigsten Ausdruck zu geben.

So dürfen wir bei diesem Manne ein in sich streng aufgebautes, geschlossenes System nicht erwarten. Letzte Quelle des Erkennens und letzte Vollendung des Daseins kann nur im Erlebnis gewonnen werden. Nie kann ein System dem Gefühl gerecht werden: „the most ingenious way of becoming foolish, is by a system" [71]). Aufgabe und Wert der Philosophie darf deshalb nicht in Erkenntnissen an und für sich gesucht werden, ihr Wert besteht darin, daß sie das Studium der Glückseligkeit ist. Es muß sich richten auf die menschliche Natur, nur durch die Erkenntnis dieser und die vernünftige Ordnung und Leitung unserer natürlichen Triebe können wir jenes Ziel erreichen. Dadurch erhält Philosophie einen

Vorzug vor allen anderen Wissenschaften, lehrt sie doch „the measure of each and the just value of every thing in life" [72]). Das Fundament für alles Erkennen finden wir nun im Selbstbewußtsein: „I know nothing, after all, so real or substantial as myself" [73]). Wir erfassen es nach seinem Wesen als ein Geistiges, ein Vernünftiges. Diese Vernünftigkeit finden wir in der Ordnung des Universums wieder. Unsere Persönlichkeit im Sinne dieser Harmonie auszubauen ist unsere Aufgabe. Der Gedanke der Einheit alles Seins wird erst möglich durch den des Ich, das dann aber wiederum seine Form, seine Gestaltung zu einem einheitlichen System unserer natürlichen Kräfte erhält durch den Harmoniegedanken des Alls.

Das Recht Glückseligkeit für den Menschen als Ideal aufzustellen, leitet Shaftesbury ab aus einer moralisch-ästhetischen Betrachtung des Weltgeschehens. Die Welt muß so eingerichtet sein, daß Tugend und Schönheit in ihr möglich sind. Allerdings wird auch der Atheist den Wert der Tugend nicht verkennen, aber sie wird in ihm nicht bis zur Gefühlsmacht, bis zum Enthusiasmus sich steigern: „This is certain, that it can be no great strengthening to the moral affection, no great support to the pure love of goodness and virtue, to suppose there is neither goodness nor beauty in the whole itself, nor any example or precedent of good affection in any superior being. Such a belief must tend rather to the weaning the affections from any thing amiable or self-worthy, and to the suppressing the very habit and familiar custom of admiring natural beauties, or whatever in the order of things is according to just design, harmony, and proportion. For how little disposed must a person be, to love or admire any thing as orderly in the universe, who thinks the universe itself a pattern of disorder? How unapt to reverence or respect any particular subordinate beauty of a part, when even the whole itself is thought to want perfection, and to be only a vast and infinite deformity?" [74]) Neben den anderen Motiven tritt uns hier deutlich die Forderung einer moralischen Weltordnung entgegen. Shaftesbury nennt dies Denken echten Theismus, in ihm verbindet sich der Glaube an ein erhabenes Wesen, das alle Dinge mit höchster Güte, Weisheit und Macht regiert, mit dem anderen, daß die Tugend natürlicherweise ein Wesen glücklich mache. So müssen wir den Menschen im Zusammenhang des Universums betrachten, unsere Aufgabe ist „to consider him as a citizen or commoner of the world, to trace his pedigree a step higher, and view his end and constitution in nature itself" [75]).

Der Gedanke einer allgemeinen Einheit, Verbindung und Übereinstimmung (sympathy) der Dinge ist der leitende. Es ist der Begriff des Systems, in das das Einzelne einzuordnen ist. Deutlich tritt die Beziehung zum Selbst hervor, wenn wir es fassen als „a principle which joins certain parts, and which thinks and acts consonantly for the use and purpose of those parts" [76]). Zu dem Gedanken der Einheit tritt der Gedanke der Fürsorge für die zu einer Einheit verbundenen Teile. Sie tritt einmal in der Ausrüstung eines jeden Wesens für sich selbst hervor und ferner in der Art, wie es sich dem Ganzen harmonisch anpaßt. Die Natur erreicht dies Ziel durch den Gegensatz der Kräfte, der sich durch den einheitlichen Plan zur Harmonie führen lassen muß. Jede Kreatur hat a private good and interest of his own [77]), sie versucht ihre individuelle Glückseligkeit zu erreichen. Dies ist aber nur möglich, wenn sie sich innerhalb der Grenzen bewegt, die die Natur ihr vorgeschrieben hat, denn es gibt „a certain constitution or oeconomy of a particular creature or species" [78]). Diese teleologische Auffassung tritt besonders deutlich in dem Begriff des Organismus hervor. Die Tiere sind mit Eigenschaften ausgerüstet, die ihrer Selbsterhaltung und der Befriedigung ihrer Triebe dienen. Jedes von ihnen ist für das Element konstruiert, in dem es lebt. Dem Wunsch, daß auch der Mensch fliegen könne, wird der Gedanke entgegengehalten, daß dann eine ganz andere Organisation nötig gewesen wäre. Wer denkt nicht an Herder, wenn er die Worte liest: „Observe in one of those winged creatures, whether the whole structure be not made subservient to this purpose, and all other advantages sacrificed to this single operation. The anatomy of the creature shows it, in a manner, to be all wing: its chief bulk being composed of two exorbitant muscles, which exhaust the strength of all the other, and engross, if J may say so, the whole oeconomy of the frame." Diese Fähigkeit dem Menschen beigelegt, würde sein ganzes System

anders richten müssen: and in man's architecture, of so different
an order, were the flying engines to be affixed; must not the other
members suffer, and the multiplied parts starve one another?
What think you of the brain in this partition? Is it not like to
prove a starveling? or would you have it be maintained at the
same high rate, and draw the chief nourishment to itself from
all the rest? [79]). Tritt irgendwo ein Mangel der körperlichen Ausstattung auf, so ist ein Ersatz auf seiten der seelischen Veranlagung
gegeben. So haben die schwachen Wesen die Furcht als Mittel,
um Gefahren leichter entgehen zu können, denn „nature works
by a just order and regulation, as well in the passions and affections, as in the limbs and organs which she forms" [80]). Und kurz
darauf heißt es: „that in every different creature, and distinct sex,
there is a different and distinct order, set, or suit of passions, pro-
portionable to the different order of life, the different functions
and capacities assigned to each. As the operations and effects
are different, so are the springs and causes in each system. The
inside-work is fitted to the outward action
and performance" [81]). So erreichen die Tiere in Erfüllung
ihrer natürlichen Triebe ihres Daseins Bestimmung: „In the other
species of creatures around us (Menschen), there is found generally
an exact proportionableness, constancy and regularity in all their
passions and affections." [82]) Der Mensch strebt hinaus über die
natürlichen Grundlagen seiner Existenz, seine Fähigkeit zu höherer
Vervollkommnung gibt zugleich die Gefahr von dem Wege der
Natur abzuirren.

Gerade diese Betrachtung der Ausstattung des einzelnen Individuums für die Zwecke seiner Selbsterhaltung zeigt aber doch
auch, daß es zugleich für einen größeren Zusammenhang gebildet
ist. Wir können so überlegen: „If in the structure of this or any
other animal, there be any thing which points beyond himself,
and by which he is plainly discovered to have relation to some
other being or nature besides his own, then will this animal un-
doubtedly be esteemed a part of some other system." [83]) Solche
Beziehungen sind zu finden in dem Vorhandensein der beiden
Geschlechter und ihrer Zubereitung auf einander zum Zeugungs-
geschäft. Auch setzt die Selbsterhaltung der Menschen die Existenz

von Tieren und diese die anderer Tiere und die der Pflanzen voraus, und für alle sind die Bedingungen des Lebens gegeben [84]). Und erst aus dem Zusammenhang des Systems wird uns das Einzelleben verständlich. Alle Wesen sind parts of a certain system, and included in one and the same order of beings... there can be no particular being or system, which is not either good or ill in that general one of the universe [85]). Nur so gelangen wir zur richtigen Bewertung der einzelnen Teile des Alleinen: „Here then is our main subject, insisted on, that neither man nor any other animal, though ever so complete a system of parts, as to all within, can be allowed in the same manner complete, as to all without; but must be considered as having a further relation abroad to the system of his kind. So even this system of his kind to the animal system; this to the world, our earth; and this again to the bigger world, and to the universe." [86]) So sieht nur der auf das Einzelne beschränkte Blick in der Schöpfung Mängel, sie verschwinden, wenn sie im Zusammenhang des Ganzen betrachtet werden, kein Wesen darf sich als Endzweck des Seins ansehen, das Einzelleben dient dem All, das in nie erlöschender Lebendigkeit und steter Harmonie sein eigenes Leben lebt im unendlichen Raum und unendlicher Zeit. Und nun versenken wir uns mit Shaftesbury in dies Wunder des Allebens und lassen ihn also sprechen: „Genius! sole-animating and inspiring Power! author and subject of these thougths! thy influence is universal, and in all things thou art inmost. From thee depend their secret springs of action. Thou movest them with an irresistible, unwearied force, by sacred and inviolable laws, framed for the good of each particular being, as best may suit with the perfection, life, and vigor of the whole. The vital principle is widely shared, and infinitely varied; dispersed throughout; nowhere extinct. All lives, and by succession still revives. The temporary beings quit their borrowed forms, and yield their elementary substance to new comers. Called, in their several turns, to life, they view the light, and viewing pass; that others too may be spectators of the goodly scene, and greater numbers still enjoy the privilege of

N a t u r e. Munificent and great, she imparts herself to most; and makes the subjects of her bounty infinite. Nought stays her hastening hand. No time nor substance is lost or unimproved. N e w f o r m s a r i s e; a n d w h e n t h e o l d d i s s o l v e, t h e m a t t e r w h e n c e t h e y w e r e c o m p o s e d, i s n o t l e f t u s e l e s s, b u t w r o u g h t w i t h e q u a l m a n a g e m e n t a n d a r t, even in corruption Nature's seeming waste, and vile abhorrence. The abject state appears merely as the way or passage to some better" [87]). Aus diesem Quell mächtig strömender Begeisterung haben Kant, Herder und Goethe geschöpft, und es ist wohl unzweifelhaft, daß der in des Letzteren Werke aufgenommene Aufsatz „Natur" diesen Ideen näher steht als denen Spinozas. Nach Bruno versucht Shaftesbury die Einheit des Alleinen mit dem Gedanken des individuellen Lebens und seinen Forderungen zu versöhnen. Mit Leibniz gibt er eine Lösung dadurch, daß er die Notwendigkeit individueller Existenz für die Gliederung des Gesamtsystems — und geordnet muß dies ja sein — zu erweisen und zugleich zu zeigen versucht, wie jene doch wiederum nach ihrem letzten Sinn nur durch die Zugehörigkeit zum Ganzen begriffen werden kann.

Die Besonderheit des menschlichen Lebens ist in den vorhergehenden Betrachtungen noch nicht genügend gewürdigt worden. Vom Tiere unterscheidet der Mensch sich durch seine Vernunft, welche ihn fähig macht, die Schönheit und das Gute durch die Hilfe des Edelsten, was es gibt, zu genießen. Das nähere System, dem er angehört, ist das gesellschaftliche Leben. Die Natur hat ihn so eingerichtet, that society must be natural to him and that out of society and community he never did, nor ever can subsist" [88]). Dem entspricht die natürliche Anlage zum sozialen Empfinden und ein Ideal des gesellschaftlichen Lebens, das zur Vollendung der einzelnen Persönlichkeit im Zusammenhang mit dem Wohl des Ganzen führt.

Vor dem Blick auf das Ganze lösten sich die Probleme, die wir bei den Einzelerscheinungen beobachten, aber eine Frage drängt sich wiederum auf. Wenn Philosophie Lehre von der Glückseligkeit ist, so muß sie sagen können, warum Tugend ihrer nicht im Zusammenhang des irdischen Lebens teilhaftig

werde. Nur der Gedanke eines künftigen Lebens kann einen Ausweg bieten. Er darf nicht etwa benutzt werden, um durch ihn
Lohn und Strafe zu verheißen, Gott und die Tugend müssen um
ihrer selbst willen geliebt werden. Zu der Idee eines künftigen
Lebens sollen nicht so sehr die Mängel des irdischen führen als
vielmehr die Bewunderung der überall hervortretenden Ordnung
und Schönheit. Sind wir durch sie von der Existenz eines höchsten Wesens überzeugt, so braucht uns das Schicksal der Tugend
nicht zu beunruhigen: „It is true, though the appearances hold
ever so strongly against Virtue, and in favor of vice, the objection
which arises hence against a Deity may be easily removed, and
all set right again on the supposal of a future state." [89]) Sittliche Mängel dienen dazu, Tugend zu erzeugen und wenn wir eine
austeilende Gerechtigkeit schon im Diesseits beobachten können,
so liegt darin wiederum ein Hinweis auf einen letzten Zusammenhang, wie jede Einzelschönheit Offenbarung der allgemeinen ist:
„The plain foundations of a distributive justice, and due order
in this world, may lead us to conceive a further building. We
apprehend a larger scheme and easily resolve ourselves why things
were not completed in this state, but their accomplishment reser-
ved rather to some further period." [90])

Nach den uns vorliegenden Zeugnissen kann nicht mit Sicherheit behauptet werden, daß Kant Shaftesbury kannte, als er die
„Naturgeschichte und Theorie des Himmels" schrieb. Aber wenn
auch nicht ein direkter, so ist doch ein indirekter Einfluß zu konstatieren. Es war P o p e , der ihm die Gedanken Shaftesbury's
in poetischer Form übermittelte. Aus seinem durch den Optimis-
streit so berühmt gewordenen Lehrgedicht „On the man" hat
Kant mehrfach zitiert und am meisten gerade in dem Kapitel
„Von den Bewohnern der Gestirne", wo die Phantasie das Universum in seiner Unendlichkeit und Ordnung durchmißt. Noch
nach einem Jahrzehnt erschien ihm der Lehrsatz Popes so wichtig [91]),
daß er ihn als d e n Satz des Optimismus betrachtete. Ein weiteres Eingehen auf die Anschauungen des englischen Dichters
ist nach dem Vorhergehenden nicht notwendig, es sei nur bemerkt,
daß er den Gedanken der Stufenordnung aller Wesen benutzt,
um daraus die Harmonie des Ganzen abzuleiten. Auch fehlen nicht

Angriffe gegen den anthropozentrischen Standpunkt, nur der
Blick auf das Ganze, den uns Newton ermöglicht hat, zeigt, warum
die Dinge so sind, wie sie sind, und führt zur Erkenntnis: „Whatever
is, is right" [92]). Mit Shaftesbury teilt Pope die pantheistische Stimmung, den Gedanken von einem alllebendigen und allwirkenden
göttlichen Prinzip:

> „All are but parts of one stupendous whole,
> Whose body Nature is, and God the soul;
> That, chang'd thro' all, and yet in all the same,
> Great in the earth, as in th' aethernal frame, ...
> Lives thro' all life, extends thro' all extent
> Spreads undivided, operates unspent,
> Breathes in our soul, informs our mortal part . . . . [93])

In Parallele zur Harmonie des körperlichen Systems denkt
Pope dann das gesellschaftliche Leben. Die es bewegenden Kräfte
führen zu einer Vereinigung der Interessen.

Diese Weltanschauung fand ein Jahr, bevor Kants „Naturgeschichte und Theorie des Himmels" erschien, in Deutschland
einen Vertreter. H. S. Reimarus setzt sich in seiner Schrift
über „Die vornehmsten Wahrheiten der natürlichen Religion"
mit dem französischen Materialismus auseinander und entwickelt
diesem gegenüber den Gedanken, daß das Leblose einen Zweck
nicht in sich trage, sondern ihn nur von einem Anderen erhalten
könne, für welches es da ist. Dies ist das Lebendige, um seinet-
willen ist die Welt von einem ewigen Wesen hervorgebracht. Da
das Lebendige zugleich Empfindung besitzt, so ist sein Glück
Zweck der Schöpfung: „An sich ist alles auf den größten und
edelsten Zweck gerichtet, welcher sich erdenken läßt, nämlich
die Welt mit Leben, Lust und Glückseligkeit zu erfüllen" [94]). Diese
Einsicht kann allerdings nicht aus einer auf ein einzelnes Wesen
sich beschränkenden Beobachtung, sondern nur aus der Betrachtung
des Ganzen gewonnen werden [95]). Bei Begründung dieses Gedankens
zeigt sich, wie die Ideen von der Harmonie des Universums ver-
kleinert werden, wenn ein an der Systematik der Wolffischen
Philosophie geübter Kopf Beweise aus der Erfahrung zu geben
versucht. Es wird gezeigt, wie die Vorsehung für das Mäuslein
gesorgt hat und wie der Schaden, den es der Saat zufügt, doch

wieder nützlich für den Bauern ist [96]). Auf die Höhe einer allgemeinen Weltansicht führen dann aber Sätze wie der, daß „die
ganze Welt, im Großen und Kleinen, aus lauter gegeneinander
arbeitenden Kräften besteht" [97]). So erhält der Kampf der Wesen
einen letzten Sinn, die Zerstörung dient dem Leben und damit der
Vollkommenheit der Welt: „alles ist seiner Natur nach verweslich
und verderblich, aber in der ganzen Natur verdirbt nichts umsonst" [98]).

In seinem Kampf gegen den französischen Materialismus hat
Reimarus als Bundesgenossen, auf die er sich mehrfach beruft, zwei
Denker dieser Nation: Maupertuis und Buffon. Maupertuis,
vor Voltaire der überzeugteste Vertreter und Verkündiger der
Newtonischen Naturwissenschaft in Frankreich, bewegte sich in
den Bahnen der Leibnizischen Metaphysik, wenn er in seinem
„Essay de cosmologie" (1751) eine Versöhnung zwischen dem
Gottesglauben, der ihm die sicherste Wahrheit enthält, und dem
Mechanismus des Naturgeschehens herzustellen sich bemüht.
Die Erscheinung, an welche seine Überlegungen anknüpfen, ist
die Einförmigkeit in der Bewegung der Planeten. Für sie hat
Newton nicht eine physikalische Ursache gegeben. Der Versuch,
eine rein mechanische Theorie im Sinne Descartes' zu geben, muß
mißlingen, auch der Kraftbegriff reicht dafür nicht aus. In diese
Lücke tritt der Gedanke des göttlichen Wesens ein, dessen Verhältnis zur Welt Maupertuis wie Newton denkt: „Tout dans
l'Univers fait sentir la dépendance et le besoin où il est de la
présence de son auteur" [99]). Der Beweis für das Dasein eines
solchen Wesens darf nun nicht gesucht werden in den „parties
détachées", sondern in den ersten Prinzipien alles Geschehens:
„Cherchons l'être suprême dans les premières loix qu'il a imposées
à la nature; dans ces règles universelles, selon lesquelles le mouvement se conserve, se distribue, ou se détruit, et non pas dans
des phénomènes qui ne sont que des suites trop compliquées de
ces loix" [100]). Nicht in der Mechanik, sondern in der Weisheit
Gottes ist das höchste Prinzip zu finden. Es ist das Prinzip „de
la moindre quantité d'action" [101]). Seine universale Geltung für
alle Bewegungsvorgänge versucht Maupertuis zu erweisen und
er sieht darin sein besonderes Verdienst; auch Kant hat es, wie

sich später zeigen wird, verwertet. So bleiben die Dinge in dauernder
Abhängigkeit von Gott, seine Existenz ist so am sichersten erwiesen: „Quelle satisfaction pour l'esprit humain en contemplant
ces loix, qui sont le principe de mouvement et du repos de tous les
corps de l'univers, d'y trouver la preuve de l'existence de celui
qui le gouverne" [102]).

Buffons Bedeutung für Kant besteht neben einzelnen
nicht unwichtigen Anregungen, welche dieser für seine kosmogonische Theorie von ihm erfuhr, in dem Versuch einer enzyklopädischen Zusammenfassung des gesamten Wissens von der Natur.
Einen solchen Plan, den in kühnen Strichen schon Bacon vorgezeichnet hatte, aufzufassen und seine Ausführung zu unternehmen, lag durchaus im Charakter des gelehrten Betriebes im
18. Jahrhundert und seit dem Erscheinen der „Instauratio magna"
hatten die sich ihrer Gemeinsamkeit bewußt gewordenen Forscher
der Kulturnationen eine große Fülle neuen Wissens aufgehäuft,
das in einem systematischen Abriß zu besitzen, Wunsch der Zeit
war. Mit einem von dem Plane Buffons abweichenden Programm
hatten englische Gelehrte in gemeinsamer Arbeit seit dem Jahre
1730 eine „Allgemeine Welthistorie" erscheinen lassen, welche
sehr bald in verschiedene Sprachen und von Siegmund Jakob
Baumgarten ins Deutsche übersetzt wurde. Das Vorhaben der
Verfasser war: „eine allgemeine Historie des menschlichen Geschlechts von den allerersten bekannten Zeiten an bis auf die gegen-
wärtige zu schreiben" [103]). Ihr wollten sie dadurch eine sichere
Grundlage geben, daß sie eine Betrachtung über die Erde als den
Schauplatz der menschlichen Betätigung vorausschickten. Zu
diesem Zweck wurden die verschiedenen Anschauungen über
Anfang und Ende der Welt behandelt, doch nur mit dem Erfolge,
daß schließlich die mosaische Schöpfungsgeschichte in ihren wesentlichsten Teilen angenommen und zugrunde gelegt wurde. Damit
ist schon gesagt, daß uns nur der Plan, aber nicht die Ausführung
interessieren kann, es fehlt der Versuch, das planetare Dasein
des Menschen entwicklungsgeschichtlich zu begreifen.

Wenn so die „Welthistorie", von jener Einleitung abgesehen,
eine Geschichte des Menschen ist, so geht Buffons Plan auf eine
Naturgeschichte. Sein Verdienst besteht nicht so sehr in selbst-

ständiger Forschung und Bereicherung des exakten Wissens als
darin, daß er ein großes Bild des natürlichen Geschehens gab, das
die Entstehung und Entwicklung des Kosmos, der Erde und der
auf ihr lebenden organischen Wesen in einem großen Zusammenhange und auf Grund einer einheitlichen Naturanschauung darzustellen versuchte. Dabei zeigt sich Buffon als bedeutender
Schriftsteller, er befolgt Boileaus Mahnung: „n'offrez rien au
lecteur que ce qui peut lui plaire" und er opfert dieser Rücksicht
die methodische Geschlossenheit der Darstellung. Gern unter-
bricht er die wissenschaftliche Betrachtung durch lyrische Ergüsse
seiner Naturbegeisterung und mit französischer Grazie leitet er die
Lehre von den Zeugungstheorien ein mit einer intimen Schilderung
der délices de l'amour.

Zu Beginn seiner „histoire naturelle générale et particulière"
entwickelt Buffon die methodischen Prinzipien naturwissenschaftlicher Forschung, welche mit den von Kant später als die der
Homogenität, Spezifikation und Kontinuität bezeichneten eine
offenbare Verwandtschaft haben. Man dürfe das Streben nach
„ordre" und „uniformité" nicht zu weit geltend sein lassen, aber
doch auch nicht in den entgegengesetzten Fehler verfallen, durch
die „variété du dessein" ins Uferlose zu geraten. Beide Prinzipien
müssen nebeneinander hergehen und verknüpft werden durch den
Gedanken der Stufenordnung alles Wirklichen [104]. So ergibt sich
ihm der Plan einer wissenschaftlichen Inventarisierung alles Er-
fahrungswissens, denn nur ein solches führt zur Wissenschaft
(la seule et vrai science est la connaissance des faits) [105]. Der methodische Gang einer solchen Forschung unterscheidet sie von
dem bloßen Zusammenraffen sich zufällig darbietenden Wissens in
früheren Zeiten. Aber viel mehr als eine Klassifikation hat Buffon
doch nicht gegeben. Es fehlt die Ableitung seiner Einteilungen
aus einem einheitlichen Grundgedanken. Dies ist richtig, obgleich
er sich ausdrücklich gegen eine bloße Klassifikation erklärt hat.
Er will geben: „la description complète et l'histoire exacte de
chaque chose en particulier". So gelangen wir zu einer Definition,
denn „dans les choses naturelles il n'y a rien de bien défini que
ce qui est exactement décrit" [106]. Die Beschreibung eines Tieres
richtet sich z. B. auf „la forme, la grandeur, le poids, les couleurs,

les situations de repos et de mouvement, la position des parties, leurs rapports, leur figure, leur action et toutes les fonctions extérieures" [107]). Auch die inneren Teile können so behandelt werden, die Darstellung würde dadurch vollständiger werden, doch darf sie sich nicht zu sehr im Detail verlieren. Ergänzend tritt hinzu l'histoire. Ich setze die ganze Stelle hierher: L'histoire doit suivre la description et doit uniquement rouler sur les rapports que les choses naturelles ont entre elles et avec nous: l'histoire d'un animal doit être non pas l'histoire de l'individu, mais celle de l'espèce entière de ces animaux; elle doit comprendre leur génération, le temps de la prégnation, celui de l'accouchement, le nombre des petits, les soins des pères et des mères, leur espèce d'éducation, leur instinct, les lieux de leur habitation, leur nourriture, la manière dont ils se la procurent, leurs mœurs, leurs ruses, leur chasse, ensuite les services qu'ils peuvent nous rendre, et toutes les utilités ou les commodités que nous pouvons en tirer; et lorsque dans l'intérieur du corps de l'animal il y a des choses remarquables, soit par la conformation, soit pour les usages qu'on en peut faire, ou doit les ajouter ou à la description ou à l'histoire [108]). Am Schluß des Zitates zeigt sich, wie wenig scharf die Trennung von Beschreibung und Geschichte bei Buffon getroffen ist. Ebenso mangelt es dem Begriff von der letzteren an Schärfe. Es werden entwicklungsgeschichtliche Betrachtung und reine Erzählung des Tatsächlichen vermischt, und als ein fremdes Element tritt hinzu das Verhältnis des Menschen zu den Tieren. Ausgeschlossen wird weiterhin die Behandlung der Anatomie der Tiere, deren Bedeutung für die Entwicklungsgeschichte also nicht erkannt ist. Von einem solchen Unternehmen erhofft Buffon nun einen Nutzen für die Medizin, die bisher unbekannte Naturprodukte kennen lernt, und auch für die Kunst, denn alle ihre Ideen haben ihre Vorbilder in den Erzeugnissen der Natur.

So entspricht denn den von Buffon emphatisch verkündigten methodischen Prinzipien keineswegs die Ausführung. Die bekannte Fiktion eines mit der Erfahrung beginnenden Menschen muß das Grundprinzip geben, um zu einer „natürlichen" Einteilung zu kommen. Entscheidend sind demnach immer die Beziehungen, in die der Mensch zunächst mit den ihn umgebenden Dingen tritt, und so beginnt z. B. die Geschichte der Tiere mit den Haustieren.

Verfahren wir methodischer als Buffon, so ist zuerst auf seine allgemeinen naturphilosophischen Ideen einzugehen. Er glaubt eine nécessité physique vereinigen zu können mit einer nécessité morale [109]). Wir müssen den Gedanken der Notwendigkeit des Geschehens verbinden mit dem der Rücksicht der Natur auf die von ihr geschaffenen Wesen. So erweisen sich die auf der Erde vorhandenen mechanisch entstandenen Höhenunterschiede wiederum als nützlich für die dort lebenden organischen Wesen. Ihre Entstehung haben wir uns zu denken als eine Wirkung aus der allgemeinen Ordnung der Natur. Das Ganze überblickend, beobachten wir eine Stufenfolge: „L'homme verra qu'on peut descendre par les dégrés insensibles de la nature la plus parfaite jusqu'à la matière la plus informe de l'animal." [110]) Dieser systematischen Einheit entspricht auch eine Lebenseinheit. Sie tritt zunächst hervor in der gegenseitigen Abhängigkeit der organischen Wesen voneinander und dem Kreislauf des Geschehens innerhalb der Lebensvorgänge: „Tout ce qui a vie dans la nature vit sur ce qui végète, et les végétaux vivent à leur tour des débris de tout ce qui a vécu et végété, pour vivre il faut détruire." Von hier aus gelangt Buffon auf Grund seiner Lehre von den parties organiques, welche ewig und der Zahl nach unveränderlich sind, zu der Ansicht von der Konstanz der Quantität der Lebensvorgänge bei allem Wechsel der Erscheinungen. Noch einmal trat hier Kant kurz vor dem Erscheinen der „Naturgeschichte und Theorie des Himmels" die Weltanschauung entgegen, zu der er sich dann selbst bekannte: „Le total de la quantité de vie est toujours le même et la mort qui semble tout détruire, ne détruit rien de cette vie primitive et commune à toutes les espèces d'êtres organisés: et comme toutes les autres puissances subordonnées et subalternes, la mort n'attaque que les individus, ne frappe que le surface, ne détruit que la forme, ne peut rien sur la matière et ne fait aucune tort à la nature qui n'en brille que davantage, qui ne lui permet pas d'anéantir les espèces, mais la laisse moissonner les individus et les détruire avec le temps, pour se montrer elle-même indépendente de la mort et du temps, pour exercer à chaque instant sa puissance toujours active, manifester sa plénitude par sa fécondité et faire de l'Univers, en réproduisant, en renouvelant les êtres, un théâtre toujours rempli, un spectacle toujours nouveau." [111])

Dem Gedanken von der Stufenordnung der Wesen entspricht in Anwendung auf das zeitliche Geschehen der von dem Wirken der Natur durch allmähliche Übergänge. Dies zeigt sich, wenn wir den jetzigen Zustand des Planetensystems mit den früheren Epochen vergleichen. Es ist ein Hervorgehen aus einem Zustand der Unordnung in den der Ordnung, auf frühere Katastrophen ist Ruhe eingetreten. Buffon denkt sich die Bildung der Planeten entstanden durch das Auftreffen eines Kometen auf die Sonne, in deren Masse sie enthalten waren. Aus diesem feuerflüssigen Zustande sind sie allmählich in einen festeren übergegangen, in der Weise, daß mit der Entfernung von der Sonne ihre Größe zu- ihre Dichtigkeit aber abnimmt. Nachdem die Erde die ihr eigentümlichen Revolutionen durchgemacht hat, ist sie in den Zustand einer relativen Ruhe gekommen, auf die wir vertrauen können, wir bewohnen unseren Planeten jetzt mit une entière sécurité [112]). Noch immer ist er in Entwicklung zu einer größeren Gleichförmigkeit seiner Oberfläche begriffen — mehr kennen wir eigentlich nicht — les eaux du ciel, les fleuves, les rivières et les torrents sind die Hauptursachen dieser Erscheinung [113]).

Buffon verfolgt diese Gedanken einer durchgehenden Ordnung nun in bezug auf die Organismen und die bei ihnen hervortretenden Gattungen und Rassen. Spätere Untersuchungen werden sich mit seinen Anschauungen über diese Probleme zu beschäftigen haben, hier sei nur auf seine allgemeinen Gedanken über die Stellung des Menschen im Kosmos hingewiesen. Schon durch seine natürliche Ausstattung ist er von den Tieren unterschieden; während diese beschränkt sind auf einen bestimmten Boden und ein bestimmtes Klima, ist der Mensch befähigt, in allen zu existieren. Aber sein eigentlicher Unterschied besteht in den propriétés de l'âme [114]). Buffon ist ein Vertreter des Dualismus. Der allgemeine Gedanke einer Stufenleiter wird aufgegeben, wo an Stelle des „sens intérieur" der Tiere, der nur ein organe matériel ist, die Seele des Menschen in Funktion tritt. Sie ist une substance spirituelle, entièrement différente par son essence et par son action de la nature des sens extérieurs [115]). Dadurch ist ein Zwiespalt in den Menschen gekommen, während die Tiere sicher vom Instinkt geleitet werden und sich mit ihren Begehrungen in den Grenzen ihrer Genußfähigkeit halten. Der Mensch dagegen findet zwei Prinzipien in sich vor: le principe spirituel und le principe matériel: „Le premier est une lumière pure qu'accompagnent le calme et le sérénité, une source salutaire dont émanent la science, la raison, la sagesse; l'autre est une fausse lueur qui ne brille que par la tempête et dans l'obscurité, un torrent impétueux qui roule et entraîne à la suite les passions et les erreurs." [116]) Die Entwicklung dieser Anlagen ist nicht eine gleichmäßige, und so wird unser Ich in zwei Personen geteilt, während das Glück des Menschen dans l'unité de son être [117]) besteht. Ein weiterer Unterschied zwischen Mensch und Tier liegt in dem Charakter des ersteren als eines gesellschaftlichen Wesens, welcher mit seiner vernünftigen Begabung gegeben ist und die Schwäche des Individuums ausgleicht. Gesellschaft beruht deshalb nicht so sehr auf physischen Bedingungen als auf den relations morales. Ebenso ist nur dem Menschen die Freundschaft möglich. So weit gibt Buffon die Grundlagen einer Geschichte der Menschheit, er hat sie nicht geschrieben, aber doch ihren Ort angegeben, wenn er neben die histoire naturelle eine histoire civile im System stellt.

Der Umkreis der Ideen, in welchem sich das Denken Kants in seiner Frühzeit bewegte, ist damit umschrieben. Newton und Leibniz treten als die überragenden Geister hervor. Der Name des ersteren steht da als Vertreter und Vollender der mechanischen Welterklärung, an den des letzteren knüpft sich der bedeutsamste Versuch einer Versöhnung zwischen Mechanismus und Teleologie. Diese Tendenz übernimmt Kant. Die entwicklungsgeschichtliche Ansicht, welche er im Anschluß an Lukrez, Descartes, Leibniz und Buffon in der „Naturgeschichte und Theorie des Himmels" darstellt, versucht er mit dem Theodizeegedanken in Versöhnung zu bringen.

Wenn Newton die Grenze des Erkennens vorsichtig durch sein „hypotheses non fingo" abzustecken versuchte, so ist die Stimmung des jugendlichen Kant eine wesentlich andere. Mehr als später spricht aus ihm das Selbstbewußtsein des Genies. Sein Denken

ist noch nicht niedergehalten durch das Schwergewicht erkenntnis-
theoretischer Probleme. Diese Kühnheit ist mehr aus dem Gefühl
des eigenen Könnens entsprungen, während es später das Bewußtsein von dem Werte des von ihm vertretenen Prinzips ist,
das Kant zu ähnlichen Äußerungen hinreißt. Häufig spricht er
in erster Person zu uns, während er später mehr als „Geschäfts-
führer der Idee" auftritt. So unternimmt es der 23jährige „großen
Männern zu widersprechen" und meint, man könne „es kühnlich
wagen das Ansehen der Newtons und Leibnize für nichts zu achten,
wenn es sich der Entdeckung der Wahrheit entgegensetzen sollte".
Und am liebenswürdigsten drückt sich dies Selbstbewußtsein wohl
in folgenden Worten aus: „Ich stehe in der Einbildung, es sei
zuweilen nicht unnütze, ein gewisses edles Vertrauen in seine
eigenen Kräfte zu setzen. Eine Zuversicht von der Art belebt
alle unsere Bemühungen und erteilt ihnen einen gewissen Schwung,
der der Untersuchung der Wahrheit sehr beförderlich ist." [118])
Kühner noch spricht sich Kant in der Vorrede zur „Naturgeschichte
und Theorie des Himmels" aus, wenn er ein Wort Voltaires für sich
mit den Worten in Anspruch nimmt: „Mich dünkt, man könne
hier in gewissem Verstande ohne Vermessenheit sagen: Gebet
mir Materie, ich will eine Welt daraus bauen." [119]) Lauter spricht
zu uns das Gefühl. Kant schwelgt im Bewußtsein der bezwingenden
Kraft menschlichen Denkens. Er ist darin ein echter Sohn seiner
Zeit. Sie war nicht gefühlsarm, aber sie erlaubte sich manche
Gefühle nicht, ja sie fürchtete sich vor den elementaren Aus-
brüchen naturhaften Empfindens; ein solches Wesen wäre unanständig, nicht wohlgeartet gewesen. So hat das Gefühlsleben
dieser Zeit etwas Reinliches und Keusches an sich, eine köstliche
Unberührtheit von dem Leben tritt uns entgegen. Aber war die
Seele einmal über die Sinnlichkeit und in die reine Sphäre des
Gedankens erhoben, so breitete sie ihre Flügel weit aus und verlor
sich in den Gefühlen von Unendlichkeit und Ewigkeit. Dann erst
setzten Dichter wie Pope, Haller und Klopstock mit vollen Tönen
ein. Ihnen seelenverwandt ist der jugendliche Kant.

Die Bedeutung von Kants „Naturgeschichte und Theorie des
Himmels" liegt in zwei Gedanken: der Lehre von der allgemeinen
systematischen Verfassung unter den Fixsternen und damit der

Schöpfung überhaupt und seiner Theorie über einen mechanischen Ursprung unseres Planetensystems. Die Anregung zu der ersteren Idee führt Kant selbst auf den Engländer Wright von Durham zurück, dessen 1750 erschienenes Buch „An original theory and new hypothesis of the universe" er aus einer Besprechung in den Hamburgischen „Freien Urteilen und Nachrichten zum Aufnehmen der Wissenschaften und Historie überhaupt" 1751 kennen lernte. Die Bedeutung dieses Werkes sah er darin, daß Wright den Gedanken der Ordnung und Absicht, wie er sich im Planetensystem beobachten ließ, auf den Fixsternhimmel übertragen wollte. Der Engländer faßte diesen auf als ein System von Sonnensystemen, welch' letztere in Analogie mit dem unsrigen gedacht wurden. Als ihre allgemeine Beziehungsfläche betrachtete er die Milchstraße und dachte in etwas phantastischer Weise für das System der Milchstraße einen Zentralkörper. Dies System erschien ihm dann nur als eines unter vielen anderen. So weitete sich ihm der Blick in die Unendlichkeit der Schöpfung, seine Betrachtung sollte der Ehre Gottes dienen. „Und anstatt daß wir eine unbegrenzte von allen Dingen leere Weite entdecken sollten, entdecken wir vielmehr ein unendliches Universum voll von tausend herrlichen Welten, die sich alle auf verschiedene Art darin herumwälzen, und die von einem kleinen Stäubchen an bis auf eine unendliche Schöpfung mit einer unbegreiflichen Veränderung von Wesen und Umständen den unendlichen Kreis der Unermeßlichkeit beleben und füllen." [120])

Kant hat diese Theorie mit unwesentlichen Modifikationen übernommen. Durch sie wurde Newtons Lehre über die von ihrem Urheber gezogenen Grenzen hinausgeführt und was Descartes als nicht weiter abzuleitende Tatsache hinnehmen mußte, die „inaequalitas in situ Fixarum" [121]), wird wenigstens in der Idee auf eine mechanische Ursache zurückgeführt gedacht. Es ist weniger eine wissenschaftliche Beweisführung als ein Analogieschluß von dem Planetensystem auf das der Fixsterne. Der Stand der Forschung zu Kants Zeit erlaubte auch nicht viel mehr als solche Vermutung. Wenn aber so die Wissenschaft nur durch eine Hypothese bereichert, wenn ihr für weitere Forschung eine vielleicht wertvolle Anregung gegeben wird, so wird die Weltbetrachtung sofort ins Unendliche geweitet. Unendlichkeit der Schöpfung

und Gesetzmäßigkeit ihres Entstehens und ihres Bestandes sind
die Gedanken, aus denen Kants Seele Begeisterung und Ruhe,
aber doch auch bange Zweifel schöpft, wenn er das verschwindende
Dasein des Menschen in diesem Zusammenhange vorstellt. Die
Töne, die er anschlägt, haben vor ihm Lukrez, Giordano Bruno
und Shaftesbury erklingen lassen: „Der Lehrbegriff eröffnet uns
eine Aussicht in das unendliche Feld der Schöpfung und bietet
eine Vorstellung von dem Werke Gottes dar, die der Unendlichkeit
des großen Werkmeisters gemäß ist. Wenn die Größe eines planetischen Weltbaues, darin die Erde als ein Sandkorn kaum bemerkt
wird, den Verstand in Verwunderung setzt, mit welchem Erstaunen wird man entzückt, wenn man die unendliche Menge
Welten und Systeme ansieht, die den Inbegriff der Milchstraße
erfüllen; allein wie vermehrt sich dieses Erstaunen, wenn man
gewahr wird, daß alle diese unermeßlichen Sternordnungen wiederum
eine Einheit von einer Zahl machen, deren Ende wir nicht wissen
und die vielleicht ebenso wie jene unbegreiflich groß und doch
wiederum noch die Einheit einer neuen Zahlverbindung ist. Wir
sehen die ersten Glieder eines fortschreitenden Verhältnisses von
Welten und Systemen und der erste Teil dieser unendlichen Pro-
gression gibt schon zu erkennen, was man von dem Ganzen vermuten soll. Es ist hier kein Ende, sondern ein Abgrund einer
wahren Unermeßlichkeit, worin alle Fähigkeit der menschlichen
Begriffe sinkt, wenn sie gleich durch die Hilfe der Zahlwissenschaft
erhoben wird. Die Weisheit, die Güte, die Macht, die sich offenbart
hat, ist unendlich und in eben dem Maße fruchtbar und geschäftig;
der Plan ihrer Offenbarung muß daher eben wie sie unendlich und
ohne Grenzen sein." [122])

Es ist nun notwendig, von vornherein auf die eigentümliche
Verbindung zu achten, in welcher die naturwissenschaftlichen
Ideen Kants mit seinen religiösen Anschauungen stehen. In der
Vorrede zur „Naturgeschichte" versucht er, seine Lehre mit den
Forderungen der Religion in Einklang zu bringen. Wir dürfen
es als seine wahre Überzeugung ansehen, wenn es dort heißt:
„Ich habe nicht eher den Anschlag auf diese Unternehmung ge-
faßt, als bis ich mich in Ansehung der Religion in Sicherheit ge-
sehen habe. Mein Eifer ist verdoppelt worden, als ich bei jedem

Schritte die Nebel sich zerstreuen sah, welche hinter ihrer Dunkelheit Ungeheuer zu verbergen schienen und nach deren Zerteilung die Herrlichkeit des höchsten Wesens mit dem lebhaftesten Glanze hervorbrach."[123]) Daß ein solcher Versuch schon früher gewagt worden sei, wird unter Berufung auf Epikur, Lukrez und Descartes dargetan. Ausdrücklich wird dann zugestanden, daß die neue Theorie besonders zu den ersteren eine nahe Verwandtschaft zeige. Geht ja doch Kant im Gegensatz zu Descartes von der Annahme eines uranfänglichen Chaos aus und rückt dadurch in eine bedenkliche Nähe zu jenen als Gottesleugner verschrieenen und in der Literatur des 18. Jahrhunderts fast überall mit einem gewissen Abscheu genannten Denkern. Deshalb wird mit aller Energie die Abweichung von ihnen hervorgehoben. Sie haben Ordnung vom Zufall abgeleitet und durch die Einführung des Gedankens einer willkürlichen Abweichung der Atome von ihrer Fallrichtung haben sie sich um jeden wissenschaftlichen Kredit gebracht, ja sie sind sogar bis zu der Ungereimtheit vorgeschritten, daß „sie den Ursprung aller belebten Geschöpfe eben diesem blinden Zusammenlauf beimaßen und die Vernunft aus der Unvernunft herleiteten"[124]). Dagegen will Kant so verstanden werden: „In meiner Lehrverfassung finde ich die Materie an gewisse notwendige Gesetze gebunden. Ich sehe in ihrer gänzlichen Auflösung und Zerstreuung ein schönes und ordentliches Ganze sich ganz natürlich daraus entwickeln. Es geschieht dieses nicht durch einen Zufall und von ungefähr, sondern man bemerkt, daß „natürliche Eigenschaften es notwendig also mit sich bringen." Diese Behauptung veranlaßt die Frage: „warum mußte denn die Materie gerade solche Gesetze haben, die auf Ordnung und Wohlanständigkeit abzwecken?"[125]) Nur die Annahme eines gemeinsamen Ursprungs aller Dinge aus Gott vermag die Antwort zu geben. Das Problem Mechanismus — Teleologie tritt uns entgegen, und in seiner Lösung sehen wir Kant sich eng an Leibniz anschließen. In dem Abschnitt von den „Bewohnern der Gestirne" heißt es: „Je näher man die Natur wird kennen lernen, desto mehr wird man einsehen, daß die allgemeinen Beschaffenheiten der Dinge einander nicht fremd und getrennt sind. Man wird hinlänglich überführt werden, daß sie wesentliche Verwandtschaften haben,

durch die sie sich von selber anschicken, einander in Einrichtung
vollkommener Verfassungen zu unterstützen, die Wechselwirkung
der Elemente zur Schönheit der materialischen und doch auch
zugleich zu den Vorteilen der Geisterwelt, und daß überhaupt die
einzelnen Naturen der Dinge in dem Felde der ewigen Wahrheiten
schon untereinander, so zu sagen, ein System ausmachen, in
welchem eine auf die andere beziehend ist; man wird auch alsbald
inne werden, daß die Verwandtschaft ihnen von der Gemeinschaft
des Ursprungs eigen ist, aus dem sie insgesamt ihre wesentlichen
Bestimmungen geschöpft haben" [126]). In einem unendlichen Verstand sind aller Dinge wesentliche Beschaffenheit beziehend entworfen, und auch das Gesetz der Stufenfolge gilt für ihre Ordnung:
„Vermöge der systematischen Verfassung im Weltgebäude hängen
die Teile derselben durch eine stufenartige Abänderung ihrer Eigenschaften zusammen" [127]). Ebenso wird das Verhältnis des lebendigen
Gottes zur wirklichen Welt ganz im Sinne von Leibniz gedacht:
„Die Gottheit ist in der Unendlichkeit des ganzen Weltraumes allenthalben gleich gegenwärtig; allenthalben, wo Naturen sind, welche
fähig sind, sich über die Abhängigkeit der Geschöpfe zu der Gemeinschaft des höchsten Wesens emporzuschwingen, befindet es
sich gleich nahe. Die ganze Schöpfung ist von ihren Kräften
durchdrungen." [128])

Die außerordentliche Bedeutung des Gottesbegriffes für Kants
Naturphilosophie in dieser Periode ist damit erwiesen. Das Dasein
Gottes ist nicht nur das Fundament seiner religiösen Weltanschauung, es ist auch eine unentbehrliche Voraussetzung für die
Möglichkeit einer systematischen Verfassung des Weltgebäudes.
Kant setzt damit zugleich die Gedanken Descartes' und Maupertuis'
fort, wenn er wie diese die Gesetzmäßigkeit des Naturgeschehens
aus dem Wesen Gottes abzuleiten versucht. Und es ist wichtig zu
betonen, daß er zu einer vertieften Auffassung eines Beweises
für das Dasein Gottes gerade in Verbindung mit seiner mechanischen
Erklärung des Universums gelangt. Es ist dies das Problem, das
ihn bis zu Beginn der 60er Jahre am stärksten beschäftigt hat,
„die Folge eines langen Nachdenkens" [129]) wird „Der einzig mögliche Beweisgrund zu einer Demonstration des Daseins Gottes"
genannt, und wollen wir uns über die Bedeutung des Gottes-

begriffes in der bezeichneten Problemstellung klar werden, so müssen wir diese Schrift hier in die Darstellung hineinziehen. Auf einen solchen Zusammenhang weist ja auch Kant selbst hin, wenn er seine kosmogonische Theorie als siebente Betrachtung in die genannte Schrift einfügt.

Der von Kant in dieser Schrift gegebene Beweis für das Dasein Gottes ist negativ dadurch bestimmt, daß er nach der Einsicht: „Das Dasein ist gar kein Prädikat oder Determination von irgend einem Dinge" [130]), nicht durch das Verfahren des gewöhnlichen ontologischen Beweisganges erbracht werden kann. Es wird deshalb für den Begriff einer absolut notwendigen Existenz die R e a l erklärung gesucht und gefunden durch die Überlegung, daß die innere, nicht die logische, Möglichkeit aller Dinge auf ein absolut notwendiges Wesen führe: „Alle Möglichkeit setzt etwas Wirkliches voraus, worin und wodurch alles Denkliche gegeben ist. Demnach ist eine gewisse Wirklichkeit, deren Aufhebung selbst alle innere Möglichkeit überhaupt aufheben würde. Dasjenige aber, dessen Aufhebung oder Verneinung alle Möglichkeit vertilgt, ist schlechterdings notwendig." Dementsprechend ist dieses Wesen der R e a l grund des Möglichen: „Weil das notwendige Wesen den letzten Realgrund aller andern Möglichkeit enthält, so wird ein jedes andere Ding nur möglich sein, insofern es durch ihn als einen Grund gegeben ist. Demnach kann ein jedes andere Ding nur als eine Folge von ihm stattfinden und ist also aller andern Dinge M ö g l i c h k e i t und D a s e i n von ihm abhängend." [131]) Wir folgen hier nicht weiter den verschlungenen Pfaden Kantischer Dialektik. Alle ihre Künste müssen an der Unmöglichkeit scheitern, Gott als das Wesen, das die höchste Realität enthält, von dem Seinszusammenhang abzulösen, in welchem Mängel und Unvollkommenheiten vorhanden sind. Die Lösung glaubt Kant in dem Satze geben zu können: „Demnach beruht die Möglichkeit aller andern Dinge in Ansehung dessen, was an ihnen real ist, auf dem notwendigen Wesen als einem Realgrunde, die Mängel aber darauf, weil es andere Dinge und nicht das Urwesen selber sind, als einem logischen Grunde. Die Möglichkeit des Körpers, insofern er Ausdehnung, Kräfte u. dgl. hat, ist in dem obersten aller Wesen gegründet; insofern ihm die Kraft zu denken gebricht, so liegt diese

Verneinung in ihm selbst nach dem Satz des Widerspruchs" [132]).
Das Verhältnis Gottes zur Welt wird nun durch die Sätze ausgedrückt: das notwendige Wesen ist ein Geist, es hat Verstand und
Willen. Der letzte Satz wird erschlossen nach dem Prinzip, daß
die Folge nicht größer sein könne als der Grund: aus der Existenz
von Wesen, welche Verstand und Willen haben, können wir auf
diese Eigenschaften bei Gott schließen. Damit ist ein Doppel-
verhältnis Gottes zur Welt gegeben: das Verhältnis seines Verstandes zu der inneren Möglichkeit der Dinge, das seines Willens
zu ihrem Dasein. Diese Beziehung tritt in Verbindung mit dem
Gedanken an „Ordnung, Schönheit, Vollkommenheit in allem,
was möglich ist" auf. „Das notwendige Wesen ist der hinlängliche
Realgrund alles andern, was außer ihm m ö g l i c h ist, folglich
wird in ihm auch diejenige Eigenschaft, durch welche diesen Beziehungen gemäß alles außer ihm w i r k l i c h werden kann,
anzutreffen sein. Es scheint aber, daß der Grund der äußern
Möglichkeit, der Ordnung, Schönheit und Vollkommenheit nicht zu-
reichend ist, wofern nicht ein dem Verstande gemäßer Wille vorausgesetzt wird." [133]) Der Gedanke nun, daß in einem solchen
Wesen alles in äußerst möglicher Übereinstimmung sein müsse,
führt zu dem Ergebnis, „daß die Möglichkeiten der Dinge selbst,
die durch die göttliche Natur gegeben sind, mit seiner großen Begierde zusammenstimmen" [134]). Soweit glaubt Kant auf dem
Wege einer rein apriorischen Beweisführung gelangen zu können,
er wendet sich nun an die Erfahrung, um an den in ihr gegebenen
Erscheinungen Beziehungen aufzuzeigen, die auf die Einheit des
Urgrundes schließen lassen.

Diese Betrachtung beginnt mit dem Nachweis der mit den
wesentlichen Eigenschaften des Raumes verknüpften Harmonie,
die eine aus ihnen sich notwendig ergebende ist. Dasselbe läßt
sich auch aus den allgemeinen Eigenschaften der Materie darstellen,
sie zeigen neben ihrer besonderen Tauglichkeit Nebenfolgen, welche
sich ohne einen besonderen Grund aus ihnen ergeben: „so liegen
offenbar selbst in den Wesen der Dinge durchgängige Beziehungen
zur Einheit und zum Zusammenhange, und eine allgemeine Harmonie breitet sich über das Reich der Möglichkeit selber aus. Dieses
veranlaßt eine Bewunderung über so viel Schicklichkeit und natür-

liche Zusammenpassung, die, indem sie die peinliche und erzwungene Kunst entbehrlich macht, gleichwohl selber nimmer-
mehr dem Ungefähr beigemessen werden kann, sondern eine in den
Möglichkeiten selbst liegende Einheit und die gemeinschaftliche
Abhängigkeit selbst der Wesen aller Dinge von einem einigen
großen Grunde anzeigt" [135]). Hauptsächlich aber kommt es Kant
darauf an, eine solche Einheit in der Mannigfaltigkeit an den
Bewegungsgesetzen der Materie nachzuweisen. Mit Maupertuis,
dessen Prinzip de la moindre quantité d'action angenommen
wird, kommt er zu dem Resultate, daß nur ein gemeinsamer Ursprung dies Resultat erklärlich machen könne, und über die Beschaffenheit der Materie finden sich folgende grundlegende Sätze:
„Man sieht: daß d i e s e B e w e g u n g s g e s e t z e d e r M a -
t e r i e s c h l e c h t e r d i n g s n o t w e n d i g seien, das ist,
wenn die M ö g l i c h k e i t d e r M a t e r i e vorausgesetzt wird,
es ihr widerspreche, nach andern Gesetzen zu wirken, welches eine
logische Notwendigkeit von der obersten Art ist, daß gleichwohl die
I n n e r e Möglichkeit der Materie selbst, nämlich die Data und das
Reale, was diesem Denklichen zum Grunde liegt, nicht unabhängig
oder für sich selbst gegeben sei, sondern durch irgendein Prinzipium,
in welchem das Mannigfaltige Einheit und das Verschiedene Verknüpfung bekommt, gesetzt sei, welches die Z u f ä l l i g k e i t d e r
B e w e g u n g s g e s e t z e i m R e a l v e r s t a n d e beweiset." [136]) Da
wir die Dinge nicht nur als mögliche, sondern auch als wirkliche
kennen, so ergibt sich der Gedanke ihrer zweifachen Abhängigkeit
von Gott. Kant unterscheidet sie als eine moralische und eine
unmoralische und gibt folgende Definition dieser Bestimmungen:
„Ich nenne diejenige Abhängigkeit eines Dinges von Gott, da er
ein Grund desselben durch seinen Willen ist, m o r a l i s c h , alle
übrige aber ist u n m o r a l i s c h." [137]) Demnach wird das Dasein
der Dinge aus dem göttlichen Willen, ihre innere Möglichkeit aus
seinem Verstande als dem letzten Grunde abgeleitet. Die schon
bei der Darstellung von Leibniz' Lehre charakterisierten Schwierigkeiten wiederholen sich hier. Da es sich bei dem Gedanken der
inneren Möglichkeiten um mehr als eine bloß formale Einheit
handelt, insofern Wesenheiten von Dingen, die doch immer inhaltlich müssen bestimmt werden können, vereinigt gedacht werden,

müßte die Quelle zu diesen Beziehungen, z. B. zu gerade d i e s e n
Bewegungsgesetzen der Materie im göttlichen Verstande wirklich
aufgezeigt, sie müßten deduziert werden. Auf eine charakteristische,
diese Schwierigkeit enthüllende Wendung Kants sei aufmerksam
gemacht: „Es bietet nämlich die i n n e r e M ö g l i c h k e i t
der Dinge demjenigen, der ihr Dasein beschloß, M a t e r i a l i e n
d a r , die eine ungemeine Tauglichkeit zur Übereinstimmung und
eine in ihrem Wesen liegende Zusammenpassung zu einem auf
vielfältige Art ordentlichen und schönen Ganzen enthalten." [138])
Dadurch wird eigentlich der Beweis Kants für das Dasein Gottes
zerstört: die innere Möglichkeit erhält eine Selbständigkeit im Verhältnis zum allernotwendigsten Wesen, wie sie sie nach dem Vorhergehenden nicht haben kann. Das Verhältnis des Willens Gottes
zu der inneren Möglichkeit wird dann ganz im Sinne von Leibniz
gedacht, der Wille kann sie nicht modifizieren, er kann nur ein
Dasein, das sie enthält, hervorrufen: „Daß Dinge da sind, die so
viel schöne Beziehung haben, ist der weisen Wahl desjenigen, der
sie um dieser Harmonie willen hervorbrachte, beizumessen, daß
aber ein jedes derselben eine so ausgebreitete Schicklichkeit zu
vielfältiger Übereinstimmung durch einfache Gründe enthielte, und
dadurch eine bewunderungswürdige Einheit im Ganzen konnte
erhalten werden, liegt selbst in der Möglichkeit der Dinge, und da
hier das Zufällige, was bei jeder Wahl vorausgesetzt werden muß,
verschwindet, so kann der Grund dieser Einheit zwar in einem
weisen Wesen, aber nicht vermittels seiner Weisheit gesucht
werden." [139]) Der letzte Satz drückt zugleich die Erkenntnis aus,
daß das Denken hier bis an seine Grenzen vorgerückt ist.

Auf dieser Grundlage setzt sich Kant nun mit der überlieferten Methode der Physikotheologie auseinander, um im Gegensatz zu ihr eine würdigere Auffassung des göttlichen Wesens zu
begründen. Aus dem göttlichen Werkmeister, der die vorhandene
Materie nur geformt hat, wird der Weltschöpfer, der sie mit Eigenschaften hervorbrachte, die die Ordnung des Weltsystems erstehen
ließen. Die scheinbare Entfernung Gottes von seinem Werk bedeutet in Wirklichkeit eine viel nähere Verbindung mit ihm:
„Es ist klar, daß nicht allein die Art der Verbindung, sondern die
Dinge selbst nur durch dieses Wesen möglich sind, das ist, nur als

Wirkungen von ihm existieren können, welches die völlige Abhängigkeit der Natur von Gott allererst hinreichend zu erkennen
gibt." [140]) Ansprechend wird dies Verhältnis in den Herderpapieren
ausgedrückt, wo es heißt: „2 Aktus müssen bei der Schöpfung
sein, da er Substanz schuf und da er sie zur Welt schuf".
    Die metaphysische Grundlage von Kants Kosmogonie ist damit
gegeben. Sie ist eine Anwendung dieser Lehren. Auf der Grenze
zwischen beiden steht aber der wichtige Begriff der Substanz. Ihn
hat Kant in der der „Naturgeschichte" zeitlich unmittelbar benach-
barten Schrift „Monadologia physica" behandelt und versucht den
Begriff der Monade so umzuformen, daß er für die Konstruktion
der Wirklichkeit im Sinne der Newton'schen Theorie brauchbar wird.
Es ist deshalb von Interesse auf die entsprechenden Lehren seiner
Erstlingsschrift, der „Gedanken von der wahren Schätzung der
lebendigen Kräfte" aufmerksam zu machen.   Hier wird in § 1
der Satz ausgesprochen: „Jedweder Körper hat eine wesentliche
Kraft" und als Urheber dieser Lehre wird Leibniz gerühmt: „Leibniz lehrte zuerst, daß dem Körper eine wesentliche Kraft beiwohnt,
die ihm sogar noch vor der Ausdehnung zukommt. Est aliquid prä-
ter extensionem imo extensione prius; dieses sind seine Worte." [141])
In § 7 wird deutlich, was Kant unter einer Substanz verstanden
wissen will, sie ist „ein selbständiges Wesen, das die vollständige
Quelle aller seiner Bestimmungen in sich enthält". Dadurch wird
das Problem nahegelegt, wie aus solchen Substanzen eine Welt
zusammengesetzt sein könne, und Kant betont in § 8 die Notwendigkeit einer „wirklichen Verbindung" (mundus est rerum
omnium contingentium simultanearum et successivarum inter se
connexarum series".
    Zwischen den „Gedanken" und der „Monadologie" liegt die Zeit,
in welcher Kant sich einem eifrigen Studium der Lehre Newtons
hingab. Jetzt versucht er sich mit diesem auseinanderzusetzen,
in der Absicht, seinen physikalischen Lehren einen metaphysischen
Unterbau zu geben. Die Differenz wird mit großer Klarheit im
Vorwort hervorgehoben: „Qui rerum naturalium perscrutationi
operam navant, emunctioris naris philosophi in eo quidem un-
animi consensu coaluerunt, sollicite cavendum esse, ut ne quid
temere et coniectandi quadam licentia confictum in scientiam

naturalem irrepat, neve quicquam absque experientiae suffragio et sine geometria interprete in cassum tentetur." Aber Kant sieht die Grenze deutlich, die einer solchen Wissenschaft gezogen ist: „Ex hac sane via leges naturae exponere profecto possumus, legum originem et causas non possumus". Als ein von der Metaphysik, welche „lumen accendit" zu lösendes Problem tritt die Frage auf: quibus quomodo sint conflata (corpora), utrum sola partium primitivarum compraesentia, an virium mutuo conflictu repleant spatium" [142]). Wie sollen Metaphysik und Mathematik vereinigt werden, da sie doch überall differieren, besonders auch in bezug auf die Frage der Gravitation? Man sieht: überall haben wir den Einfluß Newtons zu bemerken. Er wird besonders offenbar, wenn wir die neue Definition der Monade uns vergegenwärtigen. Sie lautet:. „Substantia simplex, monas dicta, est, quae non constat pluralitate partium, quarum una absque aliis separatim existere potest (Prop. I)". Den gegen eine solche Annahme aus der Unendlichkeit des Raumes kommenden Einwand glaubt Kant widerlegen zu können durch Prop. V: Quodlibet corporis elementum simplex, s. monas, non solum est in spatio, sed et implet spatium, salva nihilo minus ipsius simplicitate". Dazu tritt Prop. VI erläuternd hinzu: „Monas spatiolum praesentiae suae definit non pluralitate partium suarum substantialium, sed sphaera activitatis, qua externas utrinque sibi praesentes arcet ab ulteriori ad se invicem appropinquatione." Es muß unterschieden werden zwischen der Teilbarkeit des Raumes, den eine Monade einnimmt, und der Teilbarkeit der Monade. Jene ist möglich, diese nicht. Interessant ist der Vergleich, der im Beweis zu Prop. VII gezogen wird: „Pariter ac si dixeris: Deus omnibus rebus creatis per actum conservationis interne praesto est, qui itaque dividit congeriem rerum creatarum, dividit Deum, quia ambitum praesentiae suae dividit; quo magis absonum dici quicquam non potest".

Ist die Monade als ein Kraftzentrum bestimmt, so kann weiter nach dem Wesen dieser Kraft gefragt werden. Sie äußert sich in dem Widerstande, den die Monade dem Eindringen in die von ihr eingenommene Sphäre ihrer Wirksamkeit bietet; so ist sie eine vis impenetrabilitatis oder vis repulsiva zu nennen. Und an dieser Stelle ist nun eine Korrektur der früheren Ansicht zu bemerken, nicht mehr wird nur der Begriff eines „selbständigen Wesens" eingesetzt, sondern eine andere Kraft wird hinzugedacht: die vis attractionis. So lautet Prop. X: Corpora per vim solam impenetrabilitatis non gauderent definito volumine, nisi adforet alia pariter insita attractionis, cum illa coniunctim limitem definiens extensionis." Aus solchen Kraftwesen ist also die Materie zusammengesetzt, mit denen Kant dann eine Welt aufzubauen unternimmt. Und wie sehr die Probleme der Kosmogonie die Monadologie beeinflussen, tritt noch einmal in den letzten Propositionen hervor. Kant handelt hier von dem Problem der verschiedenen Dichtigkeit der Körper. Er führt diese zurück auf die „diversitas specifica ipsorum simplicissimorum elementorum". Er sagt, daß ohne eine solche Annahme: „spatium mundanum undiquaque perfecte plenum valida inertia obtorpesceret, motusque omnes brevi reducentur ad quietem" [143]). Kants kosmogonische Theorie verlangt durchaus die Annahme einer verschiedenen Dichtigkeit der Urmaterie.

Damit ist der erste Teil der Aufgabe Gottes als erfüllt zu betrachten, es bleibt der zweite: „da er die Substanz zur Welt schuf". Neben dem oben Gesagten ist hier wiederum auf eine der „Naturgeschichte" zeitlich nahestehende Schrift hinzuweisen: die „Principiorum primorum cognitionis metaphysicae nova dilucidatio". In der mit den früheren Abteilungen nur lose zusammenhängenden Sectio III gibt Kant die metaphysische Grundlage für den Aufbau einer Welt. Der wichtigste hier behandelte Begriff ist der der Veränderung. Die Wolffische Schule wollte diese herleiten e principio activitatis interno der Substanz, wonach diese obnoxia continuis mutationibus. Dieser Meinung stellt Kant als ersten Satz entgegen: „Nulla substantiis accidere potest mutatio, nisi quatenus cum aliis connexae sunt, quarum dependentia reciproca mutuam status mutationem determinat". So bemerkt Kant im Anschluß an Crusius, daß die inneren Veränderungen der Seele auch nur zurückzuführen seien auf die Beziehung und die Einflüsse des Körpers und nur so erklärlich sind: „Animam quippe humanam,

reali rerum externarum nexu exemptam, mutationum interni status
plane expertem fore, ex demonstratis immediate consequitur" [144]).
Interessant ist, daß Kant schon hier den Beweis für die Realität
der Außenwelt so wie später in der „Kritik der reinen Vernunft"
auf dieser Grundlage führt. Ist so der Zusammenhang der Substanzen behauptet, so ist er doch darum noch nicht erklärt. Diese
Frage beantwortet das Principium coexistentiae: „Substantiae
finitae per solam ipsarum existentiam nullis se relationibus re-
spiciunt, nulloque plane commercio continentur, nisi quatenus
a communi existentiae suae principio, divino nempe in-
tellectu, mutuis respectibus conformatae sustinentur" (Prop.
XIII). Zu diesem keine Erörterung bedürftigen Satz gibt nun
Kant in der „Usus" [145]) überschriebenen Betrachtung einige
Zusätze. Er setzt sich hauptsächlich mit Leibniz auseinander.
Mit ihm nimmt er an, daß eine communio quaedam originis et
harmonica ex hoc dependentia substantiarum besteht, aber er
lehnt die prästabilierte Harmonie ab. Diese lehre wohl einen
consensus der Substanzen, aber nicht eine dependentia
mutua. Gerade auf eine solche aber legt Kant den Hauptton:
est realis substantiarum in se invicem facta actio, s. commercium per causas vere efficientes, quoniam
idem, quod existentiam rerum stabilit, principium ipsas huic
legi alligatas exhibet, hinc per eas, quae existentiae suae origini
adhaerent, determinationes mutuum commercium sit stabilitum.
Diese Ansicht wird aber andererseits nicht mit der Lehre des
influxus physicus verwechselt werden dürfen; die in ihr liegenden
Schwierigkeiten kommen daher, daß die Substanzen für sich
allein betrachtet werden. Kant aber will die Verknüpfung der
Substanzen verständlich machen durch: originem mutui
rerum nexus.

Es ist nun möglich, Kants Verhältnis zu Leibniz deutlich
vorzustellen. Er hat den Gedanken der prästabilierten Harmonie
aufgegeben. Damit bereitet sich die später so bedeutsame Einsicht vor, daß die gedankliche Ordnung eines Systems nie restlos
das zeitliche Geschehen in ihm erklären könne. Eine solche ist
im Verstande Gottes vorhanden und sie ist gelegen in den Elementen
der Dinge, die den Grund ihres Seins in Gott haben. Diese Elemente

werden als Kraftzentren begriffen, und so entsteht die Aufgabe unter Zugrundelegung von Kräften die Ordnung und Harmonie des Universums zu erklären. Das göttliche Wesen tritt gewissermaßen von der Schöpfung zurück, nachdem es Bedingungen angelegt hat, die das Zustandekommen eines geordneten Systems garantieren. Daß diese zu einer solchen Leistung befähigt sind, muß nun erwiesen werden. Die „Naturgeschichte und Theorie des Himmels" versucht die Lösung zu geben in bezug auf das System, das für eine solche Untersuchung nach dem Stande der Forschung allein zugänglich ist: das Planetensystem. Kant versucht eine Synthese zwischen Leibniz und Newton.

Fragen wir, welche Momente es waren, die Kant zu seiner Theorie über die mechanische Bildung des Planetentums führten, so darf wohl einer besonderen Anregung gedacht werden, welche er von Buffon erfahren konnte. Dieser hatte in seiner „Histoire naturelle, générale et particulière" bemerkt: „Les planètes tournent toutes dans le même sens autour du soleil et presque dans le même plan n'y ayant que sept degrés et demi d'inclinaison entre les plans les plus éloignés de leurs orbites: c e t t e c o n - f o r m i t é d e p o s i t i o n e t d e d i r e c t i o n d a n s l e m o u v e m e n t d e s p l a n è t e s s u p p o s e n é c e s s a i r e - m e n t q u e l q u e c h o s e d e c o m m u n d a n s l e u r m o u - v e m e n t d'i m p u l s i o n e t d o i t f a i r e s o u p ç o n n e r , q u'i l l e u r a é t é c o m m u n i q u é p a r u n e s e u l e e t m ê m e c a u s e." [146]) Die Theorie Buffons ist oben dargestellt worden, der von ihm angegebene Grund zu einer solchen wird auch an erster Stelle von Kant genannt [147]). Dazu treten andere, denen nicht allen die gleiche Bedeutung zugemessen wird, da sie zum Teil nur den Wert von Hypothesen haben. Es sind: die mit der Sonnenweite abnehmende Dichtigkeit der Planeten und ihre in demselben Verhältnis zunehmende Exzentrizität, das von Buffon als fast gleich ausgerechnete Verhältnis der gesamten planetarischen Materie mit der der Sonne [148]). Gleichförmigkeit und Stufenordnung sind die Begriffe, die die Hauptrolle spielen, und ihren Ursprung haben wir natürlich in Leibniz' Lehre zu suchen. Schließlich dienen die von dieser Ordnung vorhandenen Abweichungen Kant gerade als neue Stützen seiner Theorie. Es ist ein „Mangel der genauesten Bestimmung" in der Natur zu beobachten, und gerade das Vorhandensein solcher Mängel weist auf ihre Urheberschaft hin: es ist „das gewöhnliche Verfahren der Natur, welches durch die Dazwischenkunft der verschiedenen Mitwirkungen, allemal von der ganz abgemessenen Bestimmung abweichend gemacht wird" [149]).

Diese Gründe führen Kant zu dem Versuche, mit Hilfe von Newtons Gravitationsmechanik die Entstehung des Planetensystems zu erklären. Wenn dieser den Wert seiner Leistung in dem mathematischen Nachweis der für die Planetenbewegung wie für den fallenden Körper gleichmäßig geltenden Gesetzmäßigkeit sah, so will Kant seine Lehre als eine physikalische Theorie verstanden wissen. Er hat die „Zuversicht, daß der physische Teil der Weltwissenschaft künftighin noch wohl eben die Vollkommenheit zu hoffen habe, zu der Newton die mathematische Hälfte derselben erhoben hat" [150]). Er ist sich bewußt, daß seiner Theorie die mathematische Präzision mangele: „Überhaupt kann die größte geometrische Schärfe und mathematische Unfehlbarkeit niemals von einer Abhandlung dieser Art verlangt werden. Wenn das System auf Analogien und Übereinstimmungen nach den Regeln der Glaubwürdigkeit und einer richtigen Denkungsart gegründet ist, so hat es allen Forderungen seines Objekts genug getan." [151])

Mit dieser Programmsetzung ist schon gegeben, daß Kant den Kraftbegriff nicht als eine Hilfshypothese für eine mathematische Konstruktion benutzt, sondern daß er Kräfte als wirkliche setzt. Klar spricht er sich über sein Verhältnis zu Newton an diesem Punkte so aus: „Ich habe, nachdem ich die Welt in das einfachste Chaos versetzt, keine anderen Kräfte als die Anziehungs- und Zurückstoßungskraft zur Entwicklung der großen Ordnung der Natur angewandt, zwei Kräfte, welche beide gleich gewiß, gleich einfach und zugleich gleich ursprünglich und allgemein sind. Beide sind aus der Newton'schen Weltweisheit entlehnt. Die erstere ist ein nunmehr außer Zweifel gesetztes Naturgesetz. Die zweite, welcher vielleicht die Naturwissenschaft des Newton nicht so viel Deutlichkeit als der ersteren gewähren kann, nehme ich hier nur in demjenigen Verstande an, da sie Niemand in Abrede ist, nämlich bei der feinsten Auflösung der Materie, wie z. E. bei den Dünsten." [152]) Es sei hier an die Sätze der Mona- dologie erinnert, in der „Naturgeschichte" finden sich ganz ent- sprechende Wendungen, wenn gesagt wird, daß „dem Wesen der Materie Kraft einverleibt zu sein scheint", oder wenn „der Ursprung der Massen" dem „Ursprung der Bewegung" [153]) gleichgesetzt wird.

Wenn Kant sich so weit nur in den durch Newton und seine Nachfolger bezeichneten Bahnen bewegt, so tut er durch seine Lehre von einem ursprünglichen Chaos einen bedeutsamen Schritt über ihren Standpunkt hinaus. Er erhebt das Gebilde einer dichtenden Phantasie auf die Höhe einer wissenschaftlichen Hypothese. Der Grund, daß Newton die Erklärung der Entstehung des Planetensystems ablehnte, war der, daß er die jetzt in diesem vorhandene Verteilung der Materie als die einzig mögliche ansah. Kant geht dagegen von der Ansicht aus, daß die ursprüngliche Materie eine andere gewesen sein muß, als die, welche jetzt den Himmelsraum erfüllt. „Die Materien, daraus die Planeten, die Kometen, ja die Sonne bestehen, müssen anfänglich in dem Raume des planetischen Systems ausgebreitet gewesen sein und in diesem Zustande sich in Bewegungen versetzt haben, welche sie behalten haben, als sie sich in besondere Klumpen vereinigten und die Himmelskörper bildeten, welche alle den ehemals zerstreuten Stoff der Weltmaterie in sich fassen." [154]) Das Triebwerk, das „diesen Stoff der bildenden Natur in Bewegung gesetzt hat", ist die Anziehungskraft, die dem Wesen der Materie und damit jedem Stoffteilchen innewohnt. Die Frage nach dem Grunde der Ent- stehung verschiedener Attraktionszentren wird durch die Annahme einer Verschiedenheit in den Gattungen der Elemente hinsichtlich ihrer Dichtigkeit gelöst, wodurch Bewegung und damit Bildung im Chaos verursacht wird. Teile von größerer Dichtigkeit, im un- endlichen Raum zerstreut, ziehen die leichteren Partikel an, und diese Attraktion ist am stärksten nach dem Zentralkörper, der Sonne, hin. So erhalten die sämtlichen Teile des Systems eine sinkende Bewegung. Bei diesem Hinströmen der Partikel zur Sonne hin stoßen sie aber einander ab, und es entsteht eine Seiten- bewegung. So entstehen Wirbel von Teilen, die zuerst unregel- mäßig sind, doch bei ihrer Tendenz, sich in den Zustand der kleinsten

Wechselwirkung zu begeben, erhalten sie schließlich die Bewegung
in parallellaufenden Kreisen und in derselben Richtung um die
Sonne. An dieser Stelle tritt in die rein mechanische Konstruktion
wiederum ein teleologisches Moment ein, und es ist nicht schwer,
den Urheber dieser Betrachtung nachzuweisen. Im „Beweisgrund"
wird Maupertuis gepriesen wegen seines Beweises: „daß selbst
die allgemeinsten Gesetze, wornach die Materie überhaupt wirkt,
sowohl im Gleichgewichte als beim Stoße, sowohl der elastischen
als unelastischen Körper, bei dem Anziehen des Lichts in der
Brechung eben so gut, als beim Zurückstoßen desselben in der
Abprallung, einer herrschenden Regel unterworfen sind, nach
welcher die größte Sparsamkeit in der Handlung jederzeit beobachtet ist" [155]). Es ist das von diesem als principe de la moindre
quantité d'action bezeichnete Gesetz, das Kant sich hier aneignet.
Es hat bei dem französischen Denker folgende Formulierung erhalten: „Dans le choc des corps le mouvement se distribue de
manière, que la quantité d'action, que suppose le changement
arrivé, est la plus petite qu'il soit possible" [156]). Und auch darin
ging Maupertuis Kant voraus, daß er auf Grund der im Universum
herrschenden Einheit auf „ein oberstes Prinzip" schloß, „wovon
alles dieses seine Harmonie und Anständigkeit her haben kann".

Die Betrachtung ist damit auf dem Punkte angelangt, wo
Kausalität und Teleologie zur Versöhnung kommen. Die Entwicklung nach rein mechanischen Gesetzen ist zugleich eine Entwicklung zu einer höheren Daseinsform, wir dürfen von der Bildung
des Planetensystems auch in dem Sinne sprechen, daß wir damit
einen Übergang von der Formlosigkeit zur Form bezeichnen.
Werturteile treten auf: „Die Natur, die unmittelbar mit der
Schöpfung grenzete, war so roh, so ungebildet als möglich." [157])
Dem die Entwicklung überschauenden Blick bereitet es Vergnügen, „über die Grenze der vollendeten Schöpfung in den Raum
des Chaos auszuschweifen und die halb rohe Natur in der Nahheit
zur Sphäre der ausgebildeten Welt sich nach und nach durch
alle Stufen und Schattierungen der Unvollkommenheit in dem
ganzen ungebildeten Raume verlieren zu sehen" [158]). Das allgemeine Gesetz dieser Bildung aber ist, daß „die Sphäre der ausgebildeten Natur unaufhörlich beschäftigt ist, sich auszubreiten" [159]).

Diese Ausbreitung aber ist an mechanische Bedingungen geknüpft. Die oben entwickelte Theorie erlaubte es Kant, die mit der Sonnenweite abnehmende Dichtigkeit der Planeten zu erklären. Von dieser ausgehend, gelangen wir durch verschiedene Stufen der Bildung der Urmaterie, von den ausgebildeten Himmelskörpern nahe dem Mittelpunkte zu den minder ausgebildeten des weiteren Abstandes. Das allgemeine Bildungsgesetz tritt in einem wechselnden Rhythmus auf, es ändert seine Natur nicht, aber an den verschiedenen Punkten des Systems vollzieht sich die durch es hervorgerufene Entwicklung in verschiedener Zeit, jeder Weltkörper erhält so ein besonderes Gesetz seines Werdens innerhalb des allgemeinen Geschehens, dessen Teil er doch immer bleibt. „Dieses Gesetz [der zunehmenden Zerstreuung der Materie vom Mittelpunkte aus] setzt zugleich einen Unterschied in der Zeit, die ein System in den verschiedenen Gegenden des unendlichen Raumes gebraucht, zur Reife seiner Ausbildung zu kommen, so daß diese Periode desto kürzer ist, je näher der Bildungsplatz eines Weltbaues sich dem Centro der Schöpfung befindet, weil daselbst die Elemente des Stoffes dichter gehäuft sind und dagegen um desto länger Zeit erfordert, je weiter der Abstand ist, weil die Partikeln daselbst zerstreuter sind und später zur Bildung zusammen kommen" [160]). Es ist von Interesse zu betonen, wie es Kant hier gelingt, aus rein mechanischen Bedingungen die Gesamtentwicklung mit der Entwicklung des Einzelnen zu verbinden.

Zugleich aber sind wir aus dem beschränkten Umkreis der Betrachtung, die der Entstehung des Planetensystems gewidmet war, wieder herausgetreten, der Blick schweift aus in die „Schöpfung in ihrer Unendlichkeit", das Weltbild Kants tritt uns nunmehr deutlich entgegen. „Die Schöpfung ist nicht das Werk von einem Augenblick"... Führte uns der Gedanke von der systematischen Verfassung des Fixsternhimmels in den u n e n d l i c h e n R a u m , so gewinnen wir jetzt den der u n e n d l i c h e n Z e i t . Millionen von Jahren sind bis zur Bildung unseres Planetensystems verflossen und dieser Zustand ist kein endgültiger. Ein großartiges Bild des Werdens und Vergehens entrollt sich unserem Blick! „Die Schöpfung ist niemals vollendet. Sie hat zwar einmal an-

gefangen, aber sie wird niemals aufhören. Sie ist immer geschäftig,
mehr Auftritte der Natur, neue Dinge und neue Welten hervorzubringen. Das Werk, welches sie zu Stande bringet, hat ein
Verhältnis zu der Zeit, die sie darauf anwendet. Sie braucht nichts
weniger als eine Ewigkeit, um die ganze grenzenlose Weite der
unendlichen Räume mit Welten ohne Zahl und ohne Ende zu
beleben." Vergänglichkeit ist die Bestimmung alles Geschaffenen,
es dient als Stoff zu neuen Formen und damit dem Schaffensdrang
der Natur: „Nachdem die Schöpfung mit der Hervorbringung
einer Unendlichkeit von Substanzen und Materie den Anfang gemacht hat, so ist sie mit immer zunehmenden Graden der Fruchtbarkeit die ganze Folge der Ewigkeit hindurch wirksam. Es werden
Millionen und ganze Gebürge von Millionen Jahrhunderten ver-
fließen, binnen welchen immer neue Welten und Weltordnungen
nach einander in den entfernten Weiten von dem Mittelpunkte
der Natur sich bilden und zur Vollkommenheit gelangen werden...
Die Unendlichkeit der künftigen Zeitfolge, womit die Ewigkeit un-
erschöpflich ist, wird alle Räume der Gegenwart Gottes ganz und
gar beleben und in die Regelmäßigkeit, die der Trefflichkeit seines
Entwurfs gemäß ist, nach und nach versetzen." [161] Diesem Anblick des Werdens und Vergehens versucht Kant aber doch eine
Bedeutung, eine Rechtfertigung abzugewinnen, das Absterbende
muß dem Leben weichen: „Wenn ein Weltsystem in der langen
Folge seiner Dauer alle Mannigfaltigkeit erschöpft, die seine Einrichtung fassen kann, wenn es nun ein überflüssiges Glied in der
Kette der Wesen geworden, so ist nichts geziemender, als daß
es in dem Schauspiele der ablaufenden Veränderungen des Universi
die letzte Rolle spielt, die jedem endlichen Dinge gebührt, nämlich
der Vergänglichkeit ihr Gebühr abtrage." [162]

Wird so die Bedingtheit des Einzelnen durch das Ganze betont, so kann dieser Gedanke doch sogleich die Wendung erfahren,
wonach das Ganze zu seiner Vollkommenheit des Einzelnen bedarf.
Eine solche Idee führt dann, getragen von der Begeisterung über
die Schönheit der Natur, unmerklich zur Lehre von ihrer Güte.
Folgende Worte enthalten diesen Übergang in sich: „Die Unendlichkeit der Schöpfung faßt alle Naturen, die ihr überschweng-
licher Reichtum hervorbringt, mit gleicher Notwendigkeit in sich.

Von der erhabensten Klasse unter den denkenden Wesen bis zu dem verachtetsten Insekt ist ihr kein Glied gleichgültig; und es kann keins fehlen, ohne daß die Schönheit des Ganzen, welche in dem Zusammenhange besteht, unterbrochen würde." [163]) Von hier aus ist es nur ein Schritt zum Optimismus. Kant nimmt den Gedanken von der besten unter den möglichen Welten auf, wenn er sagt: „Etwas ist nicht darum gut, weil es nach dem Laufe der Natur geschieht, sondern der Lauf der Natur ist gut, insofern das, was daraus fließt, gut ist. Und da Gott eine Welt in seinem Ratschluß begriff, in der alles mehrenteils durch einen natürlichen Zusammenhang die Regel des Besten erfüllte; so würdigte er sie seiner Wahl, nicht weil darin, daß es natürlich zusammenhing, das Gute bestand, sondern weil durch diesen natürlichen Zusammenhang ohne viele Wunder die vollkommenen Zwecke am richtigsten erreicht wurden" [164]). So ordnet sich die Welt harmonisch in Eines zusammen, an die Seite des allgemeinen Kommerziums der Weltsubstanz tritt die Harmonie dieses Geschehens. Vor diesem Blick auf die große Einheit alles Seins verschwindet der Gedanke an die Mängel des Einzelnen und die Kantische Weltanschauung schließt von dieser Seite betrachtet mit der Erkenntnis: „Die Natur, ihren allgemeinen Eigenschaften überlassen, ist an lauter schönen und vollkommenen Früchten fruchtbar, welche nicht allein an sich Übereinstimmung und Trefflichkeit zeigen, sondern auch mit dem ganzen Umfange ihrer Wesen, mit dem Nutzen der Menschen und der Verherrlichung der göttlichen Eigenschaften wohl harmonieren." [165])

So führt Kant den Gedanken durch, den er gleich zu Beginn der „Naturgeschichte", als er religiöse Bedenken abwehrte, ausgesprochen hat. Er faßt das Universum als ein göttlicher Einwirkung völlig entzogenes, in sich geschlossenes System auf und aus der in ihm hervortretenden Vollkommenheit will er das Dasein Gottes beweisen. Die Weisheit des Schöpfers erscheint ihm um so bewunderungswürdiger, als er schon im Grundplane der Welt alle weitere Entwicklung voraussah und durch eingepflanzte Kräfte und Gesetze vorbereitete. So stattete er die Grundmaterie reicher aus als die nächste Entwicklung es verlangte. Dieser Gedanke gehört als unentbehrlicher Bestandteil zum Begriff der Kantischen

Entwicklungsidee überhaupt, wie auch später die Betrachtung
seiner Lehre von den organischen Wesen es zeigen wird: „Die
Grundmaterie, deren Eigenschaften und Kräfte allen Veränderungen zum Grunde liegen, ist eine unmittelbare Folge des göttlichen Daseins: selbige muß also auf einmal so reich, so
vollständig sein, daß die Entwicklung ihrer Zu-
sammensetzungen in dem Abflusse der Ewigkeit sich
über einen Plan ausbreiten könne, der alles in sich
schließt, was sein kann, der kein Maß annimmt,
kurz, der unendlich ist." [166])

Weiter versucht Kant, die Harmonie des Universums einzig
und allein von der Beobachtung der Natur abzuleiten, und er muß
deshalb in Gegensatz zu Leibniz treten. Ein Zufall hat uns zwei
interessante lose Blätter [167]) überliefert, welche aus der Zeit der
„Naturgeschichte" stammen und eine höchst bedeutsame Auseinandersetzung mit Leibniz enthalten. Er wird hier als der Vertreter
des Optimismus schlechthin aufgefaßt, und es werden gegen seine
Lehre zwei gewichtige Einwände erhoben. Zuerst wird die Schwierigkeit betont, Unabhängigkeit Gottes und Gebundensein seines
Willens an die im Wesen der Dinge liegende Notwendigkeit zu-
gleich anzunehmen, da diese Mängel und Widerstreit im einzelnen
in sich schließt. Der ganze Fehler scheint Kant darin zu beruhen:
„Leibniz versetzt den Plan der besten Welt einesteils in eine Art einer
Unabhängigkeit, andernteils in eine Abhängigkeit von dem Willen
Gottes". Der zweite Einwand richtet sich gegen die metaphysische
Begründung des Optimismus. Es heißt darüber: „Der zweite
Hauptfehler des Optimismus ist, daß die Übel und Ungereimt-
heiten, die in der Welt wahrgenommen werden, nur aus der Voraussetzung des Daseins Gottes entschuldigt werden und daß man
also vorher glauben muß, daß es ein unendlich gütiges und unendlich vollkommenes Wesen gebe, ehe man sich versichern kann, daß
die Welt, die als sein Werk angenommen wird, schön und regelmäßig sei, anstatt daß die allgemeine Übereinstimmung der Anordnung der Welt, wenn sie an und für sich selber erkannt werden
kann, den schönsten Beweis von dem Dasein Gottes und der allgemeinen Abhängigkeit aller Dinge von demselben darreichen."
So will sich Kant eher zu dem Lehrbegriff Popes bekennen. Ich

zitiere seine Worte, um die Übereinstimmung recht deutlich hervortreten zu lassen: „Pope wählte einen Weg, der, um den schönen
Beweis von Gott allen Menschen vernehmlich zu machen, der
allergeschickteste unter allen möglichen ist und der, welches eben
die Vollkommenheit seines Systems ausmacht, so gar alle Möglichkeit der Herrschaft eines allgenugsamen Urwesens unterwirft,
unter welchem die Dinge keine andere Eigenschaften haben können,
die nicht vollkommen zu Ausdrückung seiner Vollkommenheit
zusammen stimmen. Er geht die Schöpfung stückweise vornehmlich da durch, wo es ihr am meisten an Übereinstimmung zu
fehlen scheint. Er zeigt, daß jedes Ding, welches wir gern aus dem
Plane der größten Vollkommenheit wegwünschen möchten, auch
für sich erwogen gut sei und daß man nicht vorher ein vorteil-
haftes Vorurteil von der Weisheit des anordnenden Wesens haben
dürfe, um ihm den Beifall zu erwerben. Die wesentlichen und
notwendigen Bestimmungen der Dinge, die allgemeinen Gesetze,
die durch keine erzwungene Vereinigung in einem harmonierenden
Plan gegeneinander in Beziehung gesetzt werden, sich gleichsam
von selber zur Erhaltung vollkommener Zwecke anschicken, die
Eigenliebe, die nur das eigene Vergnügen zur Absicht hat und die
augenscheinlich die Ursache der moralischen Unordnung zu sein
scheint, die wir beobachten, ist der Ursprung derjenigen schönen
Übereinstimmung, die wir bewundern.... Also setzt ein allgemeines Naturgesetz die eigene Liebe, die das Ganze erhält, fest
und zwar durch solche Bewegungsursachen, die natürlicher Weise
auch dasjenige Übel hervorbringen, dessen Quellen wir gerne vernichtet sehen möchten".

So wendet sich Kant gegen Leibniz, dem er doch die metaphysischen Begriffe verdankt, die seiner Naturphilosophie zugrunde
liegen. Er stimmt mit ihm in dem Gedanken der Harmonie überein, aber er will sie aus der Betrachtung des Naturlaufs ableiten
und er folgt den Ideen Shaftesburys, die ihm durch Pope übermittelt werden. Selbständig ist er diesem gegenüber in der klaren
Betonung und Durchführung der mechanischen Welterklärung
und in dem Versuch, nur auf sie die Lehre von der Vollkommenheit
des Ganzen zu stützen. Kant ist erfüllt von der sieghaften Kraft
naturwissenschaftlichen Denkens. Und sein Wille verbindet sich

mit dem das Sein unter das Gesetz zwingenden Gedanken. Wie
die Natur mitleidslos über ihre Geschöpfe hinweggeht, so bringt
er mitleidslos diese Einsicht dem Menschen zum Bewußtsein.
Wie der Ingenieur triumphieren mag im Gedanken an die ungeheure
Wirkung der von ihm erdachten Zerstörungswerkzeuge, so fühlt
die Phantasie des naturwissenschaftlichen Denkers sich eins mit
dem Wirken der vollkommensten Maschine, deren Bau er nach-
gedacht hat, — auch da, wo sie ihm selbst Vernichtung androht:
„Laßt uns unser Auge an diese erschrecklichen Umstürzungen
als an die gewöhnlichen Wege der Vorsehung gewöhnen und sie
sogar mit einer Art von Wohlgefallen ansehen." [168]) Aber neben
diesen Tönen lassen sich auch andere vernehmen. Die Sicherheit
des Menschen gegenüber aller Zerstörung wird letzthin in der
Unsterblichkeit der Seele gefunden. Die Offenbarung läßt sie uns
mit Überzeugung hoffen, und in dieser Gewißheit dürfen wir sagen:
„O glücklich, wenn sie [die Seele] unter dem Tumult der Elemente
und den Trümmern der Natur jederzeit auf eine Höhe gesetzt ist,
von da sie die Verheerungen, die die Hinfälligkeit den Dingen der
Welt verursacht, gleichsam unter ihren Füßen kann vorbei rauschen
sehen!" [169]) Ohne diesen Gedanken wäre das Weltbild Kants
nicht vollständig gewesen, er weist auf neue Fragestellungen hin
und zeigt, daß die Lehre von der Naturbedingtheit des Menschen
nicht das letzte Wort ist, das über den Sinn seiner Existenz ausgesprochen werden kann. Für die Beantwortung der so entstehenden
Probleme steht aber eine Erkenntnis fest: die mechanische Welterklärung. Niemals hat Kant an ihr gerüttelt, und aus dieser
Konsequenz in seinem Denken ergeben sich all die Schwierigkeiten,
mit denen er in der Folgezeit gerungen hat.

II.

Die Erde, die Organismen, der Mensch.

Ihrem Thema entsprechend hatte die „Naturgeschichte und Theorie des Himmels" eine Hypothese entwickelt, welche die für die gesamte Planetenwelt geltende Gesetzmäßigkeit auf Grund einer entwicklungsgeschichtlichen Ansicht darstellte. Zugleich hatte sie die Bedingungen angegeben, denen die Teile dieses Zusammenhanges in ihrer Entstehung und Entwicklung unterworfen sind. Als nächste Aufgabe für die Verwertung der allgemeinen Lehre trat die Frage nach der Geschichte der Erde auf. Sehr bald hat Kant sich ihr zugewandt. In unmittelbarer zeitlicher Nähe zur „Naturgeschichte" stehen die Aufsätze: „Untersuchung der Frage, ob die Erde in ihrer Umdrehung um die Achse ... einige Veränderung seit den ersten Zeiten ihres Ursprungs erlitten habe" und „Die Frage, ob die Erde veralte, physikalisch erwogen". In ersterer Schrift glaubt Kant aus der durch die Anziehung des Mondes entstehenden und der Achsendrehung entgegengesetzten Bewegung des Weltmeeres eine Abnahme, ja ein Aufhören der Erdbewegung ableiten zu können. Schlüsse aus dieser Theorie will er aber nicht ziehen, die „Gewißheit dieses bevorstehenden Schicksals und die stätige Annäherung der Natur zu demselben ist für ihn ein würdiger Gegenstand der Bewunderung und Untersuchung" [1]. In dem zweiten Aufsatz wird die Entwicklung der Erde unter dem Gesichtspunkt des Veraltens betrachtet. Es ist der Eigenart des zu behandelnden Gegenstandes nur entsprechend, wenn dies Veralten auf rein mechanische Gründe zurückgeführt wird: „Alle Naturdinge sind diesem Gesetz unterworfen, daß derselbe Mechanismus, der im Anfange an ihrer Vollkommenheit arbeitete, nachdem sie den Punkt derselben erreicht haben, weil er fortfährt das Ding zu verändern, selbiges nach und nach wiederum von den Bedingungen der guten Verfassung entfernt und dem Verderben mit unvermerkten Schritten endlich überliefert" [2].

Dies Prinzip auf die Erde angewandt, ergibt die Hypothese, daß auch sie wie alle anderen Himmelskörper aus einem chaotischen Zustande sich zu einem solchen der Ordnung entwickelt hat. Sie war ursprünglich in einem flüssigen Zustande, aus dem sie dann in einen festen überging. Der Prozeß begann an der Oberfläche und erstreckte sich in langen Zeiträumen allmählich auf das Innere. Nachdem dieses zur Ruhe gekommen war, so daß es die Ordnung auf der Oberfläche nicht mehr von Grund aus störte, begann auf dieser eine durch die Einflüsse des Wassers der Meere und Flüsse hervorgerufene Entwicklung, welche Dünen und Rinnen hervorrief, die nun das Land vor Überschwemmung schützten. So vereinigt Kant Vulkanismus und Neptunismus miteinander. Interessant ist, wie er auch hier teleologische Momente in die rein mechanische Betrachtung aufnimmt: „Den Elementen mußten noch erst gewisse Schranken festgesetzt werden, welche durch Verhinderung aller Verwirrung die Ordnung und Schönheit auf der ganzen Fläche erhalten könnten." [3])

Dann wird die Frage nach dem Ziel dieser Entwicklung aufgeworfen. Sie wird nur erörtert, aber nicht entschieden. Die vorhandenen Theorien werden abgelehnt, eine gewisse Hinneigung zeigt Kant zu der Ansicht von einem „allgemeinen Weltgeiste" und seinem Altern. Er soll keine unmaterielle Kraft sein, sondern „eine subtile, aber überall wirksame Materie, die bei den Bildungen der Natur das aktive Prinzip ausmacht und als ein wahrer Proteus bereit ist, alle Gestalten und Formen anzunehmen". Einen solchen Weltgeist anzunehmen zwingt eine gewisse Wahrscheinlichkeit, und zwar soll diese Annahme nicht nur für die physische Welt gelten, sondern auch für die psychische. Die Entwicklung des menschlichen Geistes in der neueren Zeit scheint dem Altertum gegenüber eine Erkaltung, ein Älterwerden zu zeigen. Aber trotzdem glaubt Kant auch diese Ansicht ablehnen zu müssen, wiewohl er betont, daß „eine solche Vorstellung einer gesunden Naturwissenschaft und der Beobachtung nicht so sehr entgegen ist, als man denken sollte" [4]). Auch hier hält kritische Vorsicht die Phantasie in Schranken, bedeutsam aber bleibt es doch zu konstatieren, wie nahe Kant dem Hylozoismus der französischen Naturphilosophie stand.

Auch die „Naturgeschichte" enthält einige geologische Bemerkungen, die Erde wird betrachtet im Zusammenhang des
Werdens und Vergehens im Weltall: „Beträchtliche Stücke des
Erdbodens, den wir bewohnen, werden wiederum in dem Meere
begraben, aus dem sie ein günstiger Periodus hervorgezogen hatte;
aber an anderen Orten ergänzt die Natur den Mangel und bringt
andere Gegenden hervor, die in der Tiefe des Wassers verborgen
waren, um neue Reichtümer ihrer Fruchtbarkeit über dieselbe
auszubreiten. Auf die gleiche Art vergehen Welten und Weltordnungen und werden von dem Abgrunde der Ewigkeiten ver-
schlungen; dagegen ist die Schöpfung immerfort geschäftig, in
andern Himmelsgegenden neue Bildungen zu verrichten und den
Abgang mit Vorteil zu ergänzen." [5])

Den Schluß dieser Betrachtung bilde eine Ausführung Kants
über das künftige Schicksal der Himmelskörper und der Erde
aus den Vorlesungen über physische Geographie:

„Künftiges Schicksal: Mechanisch nach dem Zustande der
Natur des ganzen Universum. — E u l e r [6]) zeigt, daß der Himmelsraum mit einer subtilen Materie angefüllt ist, daß diese stets die
Himmelskörper in ihrem beiderseitigen (?) Lauf (da Lenkung und
Lauf verbunden die Kreisfigur nimmt) aufhält, ihren Schwung
vermindert, also mehr fallen nach der Sonne: so auch Erde —
beobachtet sehr fein und daher Euler am Mond, daß er jetzt uns
näher — mit kürzerem Umlauf sei. Sonne ist der gemeine Senkungs-
punkt und alles wird einst in diesen Klumpen zurückfallen, aus
dem es gewaltsam erhoben ward... Ruhe ist der erste — natürliche — und letzte Zustand, das Ziel aller gewaltsamen Bewegung.
Dies ist erhaben und sonst zu weit entfernt.

Schicksal der Erde: Anfang schon ganz gemein bekannt
ohne Metaphysik — Flüsse schlemmen in das Meer, also Erde
abgespült — eine ewige Erde würde schon abgespült sein. Wir
sind junge Länder (2000 Jahre machen nichts aus). Flüsse jetzt
weniger Wasser z. E. Mississippi-Strom erst 20 Meilen über-
schwemmt... [7]) Mensch, die größte Vollkommenheit ist der
Anfang des Todes. Die Fasern werden durch die Zusammensetzung der Teile erst stark, nachher aber dadurch steif und stirbt.
Baum bildet sich und stirbt erst inwendig; — Erde inwendig ge

bildet, eben durch die Art der Bildung, die Regelmäßigkeit wird
sie verderbt — so muß alles aufhören, schon durch die Regelmäßigkeit — ey? durch andere Ursachen noch? vielleicht z. E.
Feuersgrüfte schweigen jetzt, vielleicht furchtbare Stille, schwanger
mit Verderben... Erde also Anfang und Ende."

Das Ergebnis von Kants geologischer Ansicht in dieser Zeit [8])
tritt somit klar hervor. Wir haben einen Anfang und ein Ende
der Erde anzunehmen. Das letztere läßt sich aus rein mechanischen
Gründen als notwendig erweisen. Allerdings kann die Möglichkeit
nicht bestritten werden, daß nicht vorauszusehende Revolutionen
von außen oder aus ihrem Inneren ein früheres Ende der Erde
herbeiführen. Der Begriff des Alterns kann auf diese Vorgänge
nicht anders als im Sinne eines Schließens nach der Analogie übertragen werden, aber es bleibt der Gedanke, daß sie von einem
Bildungsgesetz beherrscht sind, das hergenommen ist aus der
Betrachtung der Lebensvorgänge. Hier tritt Kant in die unmittelbare Nähe der französischen Naturphilosophie.

Mit der Theorie der Erde ist die Betrachtung in das Gebiet
der physischen Geographie eingetreten. Die Gesichtspunkte,
welche Kant mit ihr verfolgte, hat er, indem er sie mit der Anthropologie in Parallele setzt, im Jahre 1775 entwickelt. In den Vorlesungen über diese Disziplinen wollte er, seiner Idee eines nützlichen akademischen Unterrichtes entsprechend, eine Vorübung
in der Kenntnis der Welt geben. Sie sollte dazu dienen ,,allen
sonst erworbenen Wissenschaften und Geschicklichkeiten das
P r a g m a t i s c h e zu verschaffen, dadurch sie nicht bloß für
die S c h u l e , sondern für das L e b e n brauchbar werden, und
wodurch der fertig gewordene Lehrling auf den Schauplatz seiner
Bestimmung, nämlich in die W e l t , eingeführt wird". N a t u r
und M e n s c h sind die Gegenstände dieser Wissenschaften. Beide
sollen ,,kosmologisch erwogen werden: nämlich nicht nach demjenigen, was ihre Gegenstände im einzelnen Merkwürdiges enthalten (Physik und empirische Seelenlehre), sondern was ihr Verhältnis im Ganzen, worin sie stehen und darin ein Jeder selbst
seine Stelle einnimmt, uns anzumerken gibt" [9]). So tritt hier
wieder der Gedanke auf, die Mannigfaltigkeit der Erscheinungen
zu vereinigen in der Erwartung, daß sie dann Gleichförmigkeit,

ja vielleicht Gesetzmäßigkeit beobachten lassen. Der Ausdruck „kosmologisch" ist zu nehmen im Sinne einer Methode.

Auf Grund dieser allgemeinen Unterscheidung gilt es nun das Arbeitsgebiet beider Wissenschaften näher zu bestimmen. Kant hat sich zu verschiedenen Zeiten über den Plan einer physischen Geographie geäußert. Am frühesten in dem „Entwurf und Ankündigung eines Collegii der physischen Geographie" aus dem Jahre 1757. Es darf die Behauptung gewagt werden, daß Kant an dem hier gezeichneten Grundplan während der ganzen Dauer seiner Dozententätigkeit im wesentlichen festgehalten hat. Er wollte das Interesse seiner Hörer für die Tatsachenwelt der Naturwissenschaft gewinnen. Er tritt damit in die Reihe der Unternehmungen ein, welche um die Mitte des Jahrhunderts eine Verbreitung solcher Kenntnisse anstrebten. Es ist die Zeit der Enzyklopädien, der Magazine für merkwürdige Naturerscheinungen, der allgemeinen Welthistorie und Buffons groß angelegter allgemeinen Naturgeschichte. Kant, der in seiner Frühzeit sein Hauptinteresse naturwissenschaftlichen Problemen zugewandt hatte, konnte sich dieser Bewegung nicht entziehen und wie in der allgemeinen, so spielte dies Eindringen von Erfahrungswissen in seiner eigenen Entwicklung eine große Rolle, deren Bedeutung für die Ausbildung seiner Erkenntnistheorie noch nicht recht gewürdigt ist. Er war des trockenen Tones schulväterischer Weisheit im Sinne Wolffs und seiner Schule gründlich satt und nahm von vornherein eine Angriffsstellung gegenüber dem bloßen Vernünfteln ein. Insofern genügte Kant nur einem Bedürfnis seiner Zeit, aber das Bedeutsame war, daß er die Darbietung naturwissenschaftlicher Erkenntnis verband mit dem konstruktiven Gedanken seiner Entwicklungsidee des Kosmos, ein Gedanke, der sich allerdings nach dem geringen Stande der Forschung in damaliger Zeit nicht in seiner ganzen Fruchtbarkeit ausnützen ließ.

In dem genannten Entwurf[10]) appelliert er an den „vernünftigen Geschmack unserer aufgeklärten Zeiten", dem es nicht gleichgültig sein kann „diejenigen Merkwürdigkeiten der Natur zu kennen, die die Erdkugel in anderen Gegenden in sich faßt, welche sich außer ihrem Gesichtskreise befinden". Die Betrachtung der Erde ist nun eine dreifache: eine mathematische, eine politische,

eine physische. Die erste dient ihm als Vorbereitung zu der dritten,
erst noch in ihrem ganzen Umfang zu schaffenden. Diese „erwägt
bloß die Naturbeschaffenheit der Erdkugel und, was auf ihr befindlich ist: die Meere, das feste Land, die Gebirge, Flüsse, den
Luftkreis, den Menschen, die Tiere, Pflanzen und Mineralien".
Sie zerfällt in einen allgemeinen Teil, welcher sich im wesentlichen
auf Varens „Geographia generalis" stützt und nach einem Abriß
der mathematischen Geographie behandelt: das Meer, das feste
Land und die Inseln, die Quellen und Brunnen, Flüsse und Bäche,
den Luftkreis, die Winde, die Jahreszeiten in verschiedenen Ländern,
die Geschichte der großen Veränderungen, die die Erde ehedem
erlitten hat, die Schiffahrt. In dem besonderen Teil werden die drei
Naturreiche abgehandelt, wobei der Mensch als zu dem Tierreich
gehörig „nach dem Unterschiede seiner natürlichen Bildung und
Farbe in verschiedenen Gegenden der Erde auf eine vergleichende
Art betrachtet wird". Am Schluß aber fügt Kant eine weitere
Untersuchung an, er „geht in geographischer Lehrart alle Länder
der Erde durch, um die Neigungen der Menschen, die aus dem
Himmelsstriche, darin sie leben, herfließen, die Mannigfaltigkeit
ihrer Vorurteile und Denkungsart, in so fern dieses alles dazu dienen
kann, den Menschen näher mit sich selbst bekannt zu machen,
einen kurzen Begriff ihrer Künste, Handlung und Wissenschaft,
eine Erzählung der oben erklärten Landesprodukte an ihren gehörigen Orten, die Luftbeschaffenheit u. s. w., mit einem Worte
alles, was zur physischen Erdbetrachtung gehört, darzulegen". Es
wird zugegeben werden müssen, daß in diesen Andeutungen ein
streng und scharf gegliedertes System nicht hervortritt. Dieser
Mangel wird noch deutlicher, wenn man die Begriffsbestimmung
der von Kant als nicht zum Thema gehörigen und deshalb aus-
zuschließenden politischen Geographie zur Vergleichung heranzieht.
Sie „lehrt die Völkerschaften, die Gemeinschaft, die die Menschen
untereinander durch die Regierungsform, Handlung und gegenseitige Interessen haben, die Religionen, Gebräuche u. s. w. kennen".
Man bemerkt sofort, daß einige Themen in beiden vorkommen und
daß die in der einen verwerteten Gesichtspunkte für die andere
nicht entbehrlich sind. Dieser Eindruck wird nun durch die Lektüre
der Rink'schen Publikation nur bestätigt. So mangelhaft und lieder-

lich diese auch im einzelnen gearbeitet sein mag, so kann doch gar
kein Zweifel sein, daß sie im wesentlichen das wiedergibt, was
Kant in seinen Vorlesungen gegeben hat. Für den modernen
Leser wird es schwer die Dauer des Interesses zu verstehen, das
diese Vorlesungen durch Jahrzehnte hindurch gefunden haben.
Sind sie doch meist nur eine oberflächliche Aneinanderreihung oft
willkürlich gruppierter Tatsachen, deren Fülle eine der vorhandenen
Literatur nach entsprechend wechselnde ist. Eine genauere Detail-
prüfung, auf die hier verzichtet wird [11]), kann erweisen, daß wir
nicht viel mehr als eine Kompilation vor uns haben, für die Kant
die Quellen in jenem Entwurf angegeben hat [12]). Eine charakteristische Erweiterung erfuhr das Gebiet der physischen Geographie,
wie es sonst begriffen wurde, bei ihm durch die Übersicht über die
drei Naturreiche. Er schloß sich hier dem enzyklopädischen System
eines Linné und Buffon an.

Weitere Nachrichten geben uns die Herderpapiere. In einer
vorläufigen Betrachtung treffen wir wiederum die Einteilung in
mathematische, politische, natürliche Geographie an. Über den
Nutzen der physischen Geographie, deren „Vorwurf ist: Merkwürdigkeiten der Natur, insofern sie der Betrachtung eines Rei-
senden würdig sind", wird dann gesagt: sie ist „a) eine Lehrerin
in der Moral: da sie den ungekünstelten Wilden zeigt, b) ein
Instrument zur politischen Geographie, c) ein Auszug der natürlichen Historie und Schlüssel zur theoretischen Physik. Außerdem
noch in der Theologie — sie bringt auch edles Vergnügen". Es
wird dann weiter ein allgemeiner und ein besonderer Teil unterschieden wie in dem „Entwurf". Bemerkenswert ist hier die Beziehung zur Moral, wir haben den Einfluß Rousseaus in dem Hinweis auf den ungekünstelten Wilden zu sehen. In der Richtung
dieses Interesses liegt nun auch die Änderung des Planes, von
welcher die „Nachricht von der Einrichtung seiner Vorlesungen in
dem Winterhalbenjahre 1765—66"[13]) Kunde gibt. Es ist die Zeit
des stärksten Mißtrauens gegen die Metaphysik und einer eben-
solchen Hinneigung zum Empirismus. So wird denn auch hier
das frühe Vernünfteln als ein Schaden im gelehrten Betriebe seiner
Zeit getadelt. Noch mehr als früher will Kant dem entgegenwirken durch Mitteilung gemeinnütziger, aus der Wirklichkeit

geschöpfter Tatsachen. Da nun inzwischen ihm die ethischen
Probleme durch die englische Moralphilosophie und Rousseau aus
ihrer Umklammerung im rationalen System Wolffs und seiner
Schule gelöst sind und ein verstärktes Interesse gefunden haben,
will er dies auch geltend machen für den in der Vorlesung zu über-
liefernden Stoff. Er will eine physisch-moralisch und politische
Geographie geben. Dabei soll der Abschnitt, welcher die physischen
Merkwürdigkeiten der Natur behandelt, mehr zusammengezogen,
ausgedehnter aber sollen behandelt werden die beiden anderen
Teile. In der zweiten Abteilung wird der M e n s c h betrachtet
„nach der Mannigfaltigkeit seiner natürlichen Eigenschaften und
dem Unterschiede desjenigen, was an ihm moralisch ist auf der
ganzen Erde; eine sehr wichtige und eben so reizende Betrachtung,
ohne welche man schwerlich allgemeine Urteile vom Menschen
fällen kann, und wo die untereinander und mit dem moralischen
Zustande älterer Zeiten geschehene Vergleichung uns eine große Karte
des menschlichen Geschlechts vor Augen legt". Dies ist wohl die
bedeutsamste Änderung gewesen, welche Kants Vorlesungen über
physische Geographie je erfahren haben. Die Motive, aus denen sie
hervorging, lassen sich leicht aus seinen damaligen Anschauungen
und insbesondere aus den kurzen Ausführungen über sein ethisches
Kolleg entnehmen, in denen er sagt, er wolle in der Tugendlehre
jederzeit dasjenige historisch und philosophisch erwägen, was
g e s c h i e h t, ehe er anzeige, was g e s c h e h e n s o l l. Es ist
der von ihm selbst so bedeutsam hervorgehobene Einfluß der englischen Moralphilosophie, welcher eine solche Verschiebung des
Interesses veranlaßt hat. Was er aber nun seinen Zuhörern als
moralische Geographie gab, läßt sich bei dem Fehlen jedes Materials
nur vermuten. Als wahrscheinlichste Hypothese darf wohl gelten,
daß er nach dem Muster der „Beobachtungen" das aus viel-
seitiger Lektüre geschöpfte Material zu einer Schilderung der
Charaktere der verschiedenen Nationen benutzte und dabei
eine Gruppierung ihres ethischen Gesamthabitus nach bestimmten Grundkategorien versuchte. Damit war zweifellos
ein fremdes Element in das früher entworfene Thema aufgenommen worden, das in der späteren Entwicklung wieder ab-
gestoßen wurde.

Die politische Geographie wird schließlich so beschrieben: „Zuletzt wird dasjenige, was als eine Folge aus der Wechselwirkung beider vorher erzählten Kräfte angesehen werden kann, nämlich der Zustand der Staaten und Völkerschaften auf Erden erwogen, nicht sowohl wie er auf den zufälligen Ursachen der Unternehmung und des Schicksals einzelner Menschen, als etwa der Regierungsfolge, den Eroberungen oder Staatsränken beruht, sondern im Verhältnis auf das, was beständiger ist und den entfernten Grund von jenen enthält, nämlich die Lage ihrer Länder, die Produkte, Sitten, Gewerbe, Handlung und Bevölkerung." Diese dritte Abteilung dürfte wohl kaum eine Modifikation erfahren haben, sie hat wohl das nach wie vor enthalten, was der Entwurf schon skizziert hatte.

Noch eine andere in der „Nachricht" enthaltene Bemerkung darf hier nicht übergangen werden. Der Teil nämlich, welcher als physische Geographie im eigentlichen Sinne bezeichnet wird und die Merkwürdigkeiten der Natur behandelt, soll auch zugleich „das natürliche Verhältnis aller Länder und Meere und den Grund ihrer Verknüpfung enthalten" und wird „das eigentliche Fundament aller Geschichte" genannt, „ohne welche sie von Märchenerzählungen wenig unterschieden ist". Damit ist eine Brücke geschlagen von der in den kosmischen Bedingungen liegenden Entwicklung der Erde zu der auf dieser als ihrem Schauplatz sich abspielenden Geschichte der Menschheit.

Der Mensch kann aber hier erst begriffen werden nach seiten seiner Stellung als tierisches Wesen im Zusammenhang des mechanischen Geschehens. Er gehört zu dem Reiche der organischen Wesen, und es entsteht die Vorfrage, wie deren Existenz in jenem Zusammenhang zu denken ist. Von diesem allgemeinen Problem sondert sich dann wieder die grundlegende Frage nach Entstehung des organischen Lebens ab. Damit ist ein Thema angegeben, das die Wissenschaft des 17. und 18. Jahrhunderts lebhaft interessierte und das besonders zu Kants Zeit einen heftigen Streit der Meinungen hervorgerufen hatte. Die in der Naturwissenschaft liegende Tendenz, Einheit in der Erklärung der Naturvorgänge durchzuführen, drängte dazu, einen Ursprung der organischen Wesen aus anorganischer Materie an-

zunehmen, während der komplizierte Bau der lebendigen Wesen
einem solchen Versuche widersprach. Die Einheit der Gesetzmäßigkeit im Weltall und die Existenz der Organismen sind die
beiden großen Tatsachen, welche immer wieder von den Be-
kämpfern eines reinen Mechanismus geltend gemacht werden.

Das Interesse, welches Kant an den Entwicklungstheorien
seiner Zeit nimmt, ist ein rein philosophisches. Er fragt, wie das
organische Leben im Zusammenhang der anorganischen Natur
möglich sei und wie es sich in ihr erhält und entwickelt. Dabei
versucht er, die mechanische Welterklärung für diese Erscheinungen
fruchtbar zu machen oder doch wenigstens den Gedanken einer
möglichst einfachen Erklärung auf sie zu übertragen. Damit sind
für eine rückschauende Betrachtung an dieser Stelle gewisse Grenzen
gezogen [14]). Die rein physiologischen Fragen dürfen zurücktreten
und sind nur insoweit zu behandeln, als sie mit der Hauptfrage
in Verbindung stehen. Diese selbst reicht dann wiederum hinein
in die letzten metaphysischen Probleme, wie sie durch den Versuch
einer Erklärung alles Seins aufgegeben werden.

Beginnen wir mit A r i s t o t e l e s , so ist von ihm zu sagen,
daß er den Gegensatz zwischen anorganischer und organischer
Natur in seiner ganzen Schärfe noch nicht erfaßt hat. Dachte er
doch beide Erscheinungsreihen mit Hilfe der Begriffe von Form
und Stoff und setzte den Unterschied zwischen ihnen nur in einer
graduell aufsteigenden Beherrschung des Stoffes durch die Form
vom Leblosen bis zum Belebten. In den organischen Wesen haben
wir die höchste Leistung der in der Natur waltenden Zweckmäßigkeit zu sehen. Innerhalb ihrer wiederholt sich dann die stufen-
mäßige Anordnung, und dementsprechend unterscheidet Aristoteles
verschiedene Zeugungsarten: eine generatio aequivoca und eine
Zeugung aus Lebendigem. Auf die erste Art entstehen eine Anzahl
Insekten und die zwischen Pflanzen und Tieren stehenden Schal-
tiere. Organismen, welche sich so in der Erde oder Wasser bilden,
entstehen aus einer Art Fäulnis vermischt mit Regenwasser. In
dem Wasser ist Luft, „in aller Luft aber Lebenswärme, so daß
gewissermaßen alles von Leben (ψυχῆς) erfüllt ist" [15]). Die
Zeugung aus Lebendigem wird unterschieden als eine solche aus
Samen (Pflanzen), durch lebendige Junge, Eier und Würmer.

Die Zuordnung der Zeugung an ein männliches und ein weibliches Prinzip wird dann metaphysisch folgendermaßen begründet: „Da die Natur dieser Geschöpfe Ewigkeit nicht zuläßt, so ist das Werdende in so weit ewig, als es vermag. Der Zahl nach nun vermag es nicht ewig zu sein, aber der Art nach kann es ewig sein; deswegen gibt es sich wiederholende Geschlechter der Menschen und Tiere und Pflanzen. Da aber das Weibliche und das Männliche ihr Ursprung sind, so kann das Weibliche und das Männliche in den Wesen, die eines von beiden sind, nur um der Zeugung willen sein. Insofern aber die erste bewegende Ursache, in welcher der Begriff und die Form liegt, ein Höheres und Göttlicheres ist, als der Stoff, so ist es auch besser, daß das Höhere vom Niederen getrennt ist; deswegen ist überall da, wo es angeht und so weit es angeht, das Männliche von dem Weiblichen getrennt. Denn ein Höheres und Göttlicheres ist das Prinzip der Bewegung, welches als Männliches den werdenden Geschöpfen zu Grunde liegt, indem das, was als Weibliches zu Grunde liegt, Stoff ist" [16]). In dem männlichen Samen liegt das formgebende Prinzip, nicht etwa sind Teile des späteren Organismus vorgebildet vorhanden, vielmehr wirkt der Samen als bewegendes Prinzip: „Es ist einleuchtend, daß es etwas gibt, was die Teile bildet, aber nicht in der Art, daß es ein individuelles Wesen wäre, oder als der erste vollendete Teil in ihm vorhanden wäre. Wie aber jeder Teil entsteht, muß man aus dem Grundsatze herleiten, daß alles, was von Natur oder durch Kunst wird, durch ein in Wirksamkeit Existierendes aus einem der Anlage nach eben so Beschaffenen (ὑπ' ἐνεργείᾳ ὄντος ἐκ τοῦ δυνάμει τοιούτου) entsteht. Der Same nun ist ein solches Wesen und hat ein solches Bewegungsprinzip, daß, wenn der Anstoß der Bewegung aufhört, ein jeder Teil und zwar als beseelter wird." [17])

Im schroffen Gegensatz zu dieser teleologischen Erklärung stehen die Lehren von L u k r e z , dessen Gedanken für Kant, wie schon hervorgehoben, von großer Bedeutung gewesen sind. Seine Lehre von der Entstehung der organischen Wesen ist in unmittelbarem Zusammenhang mit der Kosmogonie zu betrachten. Die jetzige Ordnung der Dinge ist durch Zufall entstanden:

nam certe neque consilio primordia rerum
ordine se sua quaeque sagaci mente locarunt
nec quos quaeque darent motus pepigere profecto,
sed quia multa modis multis mutata per omne
ex infinito vexantur percita plagis,
omne genus motus et coetus experiundo
tandem deveniunt in talis disposituras,
qualibus haec rerum consistit cumma creata.[18])

So sind Erde, Meer, Himmel und die tierischen Wesen entstanden.
Der Beginn der Bildung ist gegeben durch bewegten Urstoff, aus
welchem sich durch das Sinken der schwersten Stoffe und nach
dem Prinzip, daß sich Gleiches mit Gleichem verbindet, zuerst die
Materie der Erde aussondert, aus der sich dann der Äther als
leichtester Stoff erhob. Dann wurden Sonne, Mond und Gestirne
gebildet. Nach dieser Sonderung sank die Erde ein und bildete
Höhlen für das Meer, das durch die Hitze des Äthers und der Sonne
ausgeschwitzt wurde. Wie aus den ursprünglichen Erdmassen,
so entstehen aus der neugebildeten Erde nun die organischen Wesen.
Sie ist ihre erzeugende Mutter. Weder können sie vom Himmel
herabgefallen, noch aus salzigen Sümpfen entstanden sein und so

linquitur ut merito maternum nomen adepta
terra sit, e terra quoniam sunt cuncta creata.

Da noch jetzt

existunt animalia terris,
imbribus et calido solis concreta vapore,

so erscheint die Annahme nicht wunderbar, daß einst „nova tellure
atque aethere adulta" noch mehr und noch größere Wesen entstanden sind, und zwar ist dies geschehen in der Reihenfolge:
Pflanzen, Vögel, Landtiere, welch' letztere aus Nässe und Wärme
des Bodens entsprungen sind. Beinahe zur selben Zeit sind alle
diese Wesen geworden, aber wie eine sterbliche Mutter ihre Zeugungskraft verliert, so auch die Erde. Von den Wesen, welche damals
geschaffen wurden, sind nun nicht alle überdauert. Die Wunder-
tiere (portenta) gingen unter, weil ihnen die Fortpflanzungsfähig-
keit [19]) fehlte oder weil sie im Kampf ums Dasein sich nicht erhalten konnten. Sie gehorchten damit dem großen Gesetz der
Natur:

ommia migrant,
ommia commutat natura et vertere cogit[20]).

Demnach ist Lukrez' Zeugungslehre auf der Annahme einer
generatio aequivoca begründet. Von der geschlechtlichen Zeugung
nimmt er an, daß sie an die Bedingung der Vereinigung von Wesen
derselben Gattung geknüpft ist. Phantasiegebilde wie die Kentauren
sind aus allgemeinen Gründen als unmöglich zu erweisen; wenn
auch „multa fuere in terris semina rerum", so kann eine Vermischung doch nicht stattfinden, sondern

res quaeque suo ritu procedit et omnes
foedere naturae certo discrimina servant[21]).

Auch erweist das verschieden rasche Wachstum der in einem
Kentauren vereinigt gedachten Bestandteile die Unmöglichkeit der
Lebensfähigkeit solcher Wesen. So wird der Gedanke von der
Konstanz der Arten auf der Annahme des Aufhörens der Zeugungs-
fähigkeit der Natur und auf den soeben entwickelten biologischen
Ansichten begründet.

Die mechanistische Theorie wird im 17. Jahrhundert erneuert.
D e s c a r t e s versucht den allgemeinen Gedanken, daß alle Erkenntnis, die wir von der Natur haben, begründet sei auf der Lehre
von den Gestalten, der Größe und der Bewegung der Dinge, auch
auf die Organismen zu übertragen. Die Ansicht, daß die Seele
das Prinzip der Bewegung ist, wird dementsprechend abgelehnt.
Vielmehr sind die Organismen mit kunstvollen Maschinen zu vergleichen und ein Unterschied ist nur darin zu finden, daß ihr Bau
wegen der Kleinheit der Organe nicht so genau erkannt werden
kann: „nullum enim aliud inter ipsa [arte facta] et corpora naturalia
discrimen agnosco, nisi quod arte factorum operationes, ut pluri-
mum peraguntur instrumentis adeo magnis, ut sensu facile percipi
possint.... Contra autem naturales effectus fere semper dependent
ab aliquibus organis adeo minutis, ut omnem sensum effugiant" [22]).
Das bewegende Prinzip für die Vorgänge des organischen Lebens
und die der Zeugung ist nun die Wärme. Sie wirkt bei den beiden
Arten der Zeugung, welche Descartes kennt: una sine semine vel
matrice, alia ex semine. Die erste Form, die generatio aequivoca,
findet bei Würmern und Insekten statt, sie entstehen „sponte in

omni putrescente materia". Der Vorgang ist ein sehr einfacher
und wird so beschrieben: „Omne animal, quod sine matrice oritur,
hoc tantummodo principium requirit, nempe ut duo subjecta, ab
invicem non valde remota, ab eadem vi caloris diversimode con-
citentur, ita ut ex uno subtiles partes, (quas spiritus vitales deinceps
appellabo) ex alio crassiores, (quas sanguinem sive humorem vitalem
dicam) cogat erumpere, quae partes simul concurrentes efficiunt
vitam primo in corde" etc. Die Entstehung aus Samen ist dann
weiter einzuteilen in die der Pflanzen und die der Tiere. Gemeinsam
ist beiden, daß sie „fiant a partibus materiae vi caloris in orbem
convolutae". Diese Bewegung ist aber dann eine verschiedene:
bei den Pflanzen nur eine solche in orbem circulariter, bei den
Tieren sphaerice et in omnes partes [23]). Genauer untersucht Descartes nur die letzteren Vorgänge und diese wieder beim Menschen.
Wärme wird allgemein durch Mischung von Flüssigkeit und Gäh-
rungsstoff erklärt (causée par le mélange de quelque liqueur,
ou de quelque levain) [24]). Sie wird bei der Bildung des Foetus
erzeugt durch die Mischung der Samenflüssigkeiten. Im Unterschied von den Pflanzen, wo die Teile des Samens „arrangées et
situées d'une certaine façon" sind, ist der tierische „un mélange
confus de deux liqueurs". Ihre Funktion wird weiter so beschrieben:
„qui [mélange], servant de levain l'une à l'autre, se réchauffent,
en sorte que quelques-unes de leurs particules acquérant la même
agitation qu'a le feu, se dilatent et pressent les autres, et par ce
moyen les disposent peu à peu en la façon qui est requise pour
former les membres" [25]). Um diese Vorgänge zu erklären, unterscheidet Descartes in den „Primae cogitationes circa generationem
animalium" den Samen noch weiter nach der verschiedenen
Mischung seiner Teile, aus der dann die verschiedenen Organe
entstehen. Zuerst entsteht die Lunge, doch nach der Entdeckung
des Blutumlaufs durch Harvey ist es das Herz, das „le grand ressort
et le principe de tous les mouvements" genannt wird. Es bildet
sich zuerst und dann entstehen Gehirn, Lunge und die anderen
Organe.

Descartes' Lehre ist zunächst nicht von großem Einfluß
gewesen. Seine Auffassung der Tiere als bloßer Maschinen wurde
fast allgemein abgelehnt und meist nur als wunderliche Ansicht

aufgefaßt. Auch fehlten seiner Theorie doch durchaus die sicheren wissenschaftlichen Fundamente. Sein Name tritt uns erst wieder öfters entgegen, als die Theorie der Epigenesis sich durchzusetzen begann, die nächste Entwicklung knüpft nicht an ihn, sondern an H a r v e y an.

Harveys Bedeutung für die Theorie der Zeugung besteht darin, daß er allgemeine naturphilosophische Gedanken und exakte Forschung der Vorgänge im Einzelnen zu einem Ganzen verband. Die Natur ist ihm eine große, überall gleichförmig wirkende Einheit: „natura divina et perfecta in iisdem rebus semper sibi consona est" [26]). Er bekämpft die teleologische Auffassung, welche die Entwicklungsvorgänge im Sinne menschlicher Überlegung deutet und behauptet im Gegensatz dazu die Notwendigkeit allen Geschehens: „Natura, principium motus et quietis in omnibus, in quibus est; et anima vegetativa, prima cuiuslibet generationis causa efficiens; movent, nulla facultate acquisita, (sicut nos) quam vel artis, vel prudentiae nomine indigitemus; sed tanquam fato, seu mandato quodam secundum leges operante: simili nempe impetu modoque, quo levia sursum, gravia deorsum feruntur" [27]. Aber darum ist die Natur doch nicht nur als Mechanismus zu begreifen, sie findet ihre Einheit in einem höchsten Prinzip, das wir „Deus, sive natura naturans, sive anima mundi" nennen können. Von ihm „omnes intelligunt, quod cunctarum rerum principium sit et finis; quod aeternum et omnipotens existat omniumque autor et creator...., quod ubique praesens, singulis rerum naturalium operibus non minus adsit, quam toti universo; quod numine suo, sive providentia, arte ac mente divina cuncta animalia procreet". Aus diesem Zusammenhang ist der berühmte Satz zu verstehen: omnia omnino animalia ex ovo progigni. His macht mit Recht darauf aufmerksam, daß bei Harvey die generatio aequivoca noch keineswegs völlig beseitigt sei, denn er unterscheidet noch ein primordium vel sponte et casu von einem solchen ab alio praeexistente. Aber diesen verschiedenen Zeugungsarten versucht er doch wieder ein gemeinsames Prinzip zu geben durch seinen Begriff der primordium vegetale. Mit Berufung auf Aristoteles nennt er es „substantiam quandam corpoream vitam habentem potentia, vel quoddam per se existens, quod aptum sit, in vegetativam

formam ab interno principio operante, mutari[28]). Ist das Prinzip
der Erzeugung das gleiche, so ist die Form der Entwicklung dann
wieder eine verschiedene: bei den Insekten ist sie eine Metamorphose,
bei den höheren Tieren eine Epigenesis. Wegen der Wichtigkeit
dieser Unterscheidung für die Folgezeit seien die entsprechenden
Definitionen Harveys hierher gesetzt: „In generatione per m e t a -
m o r p h o s i n , quasi sigillo impresso, vel proplasmate concinnata
finguntur; materia scilicet tota transformata. Animal autem,
quod per e p i g e n e s i n procreatur, materiam simul attrahit,
parat, concoquit et eadem utitur: formatur simul et augetur."
Später heißt es abschließend: „in generatione per m e t a m o r -
p h o s i n totum in partes distribuitur et discernitur, per e p i -
g e n e s i n vero totum ex partibus certo ordine componitur ac
constituitur"[29]). Praeformation und Epigenesis sind also bei Harvey
zwei nebeneinander vorkommende Entwicklungsformen, später
werden sie zu zwei einander bekämpfenden Theorien.

   War die Bedeutung des Satzes „Omne vivum ex ovo" bei
Harvey noch nicht zur vollen Wirksamkeit im Kampf gegen die
generatio aequivoca gekommen, so geschah dies durch R e d i s
Untersuchungen.   In seiner 1676 in lateinischer Übersetzung
erschienenen Schrift „Experimenta circa generationem insectorum"
faßt er die Ergebnisse seiner Untersuchungen dahin zusammen:
„Non reticebo, me saepius repetitis observationibus eo deductum
esse, ut credam, terram post primas illas plantas et prima illa
animalia, quae sub ipsa mundi primordia supremi creatoris jussu
produxit per se nec herbas nec arbores nec animalia qualiacumque
perfecta vel imperfecta produxisse". Die faulenden Stoffe, welche
der Ursprung neuer Wesen nach den älteren Anschauungen sein
sollten, sind nur dazu vorhanden, „ut locum vel nidum commodum
praebeant, in quem ab animalibus, dum nascendi tempus instat,
deferantur vermes, ova vel quodcumque aliud vermium semen."[30])
   So war die Einheitlichkeit der Lehre von den Entwicklungsvorgängen gesichert und zugleich eine Scheidewand gezogen
zwischen anorganischer und organischer Welt. Die Frage nach
der ersten Entstehung organischer Wesen wurde meist durch den
einfachen Hinweis auf eine göttliche Schöpfertätigkeit erledigt.
Die Forschung beschäftigte sich nun fast ausschließlich mit den

Fragen der Entwicklung der Keime und erhielt in dem Mikroskop das wertvollste Hilfsmittel für Untersuchung einer bis dahin ganz verschlossenen Welt, deren Offenbarungen dann oft zum Preise des Schöpfers benutzt wurden.

Auf der Grundlage des Harvey'schen Satzes entstand nun im letzten Drittel des 17. Jahrhunderts die Theorie der Evolution oder Präformation. Nach einer Formulierung O. Hertwigs besagt sie, „daß die Keime in ihrem Bau mit den erwachsenen Organismen auf das vollständigste übereinstimmen und daher von Anfang an dieselben Organe in derselben Lage und Verbindung wie diese, nur in einem außerordentlich viel kleineren Zustand besitzen sollten" [31]). S w a m m e r d a m , M a l p i g h i und L e e u w e n - h o e k waren die erfolgreichsten Vertreter dieser Ansicht. Der erstere spricht in seiner „Bibel der Natur" den Grundgedanken dieser Lehre aus, wenn er sagt: „Wir halten dafür, daß in der ganzen Natur eigentlich gar keine Zeugung zu finden ist, sondern nur eine Fortpflanzung oder Anwachsung der Teile." [32]) Seine Untersuchungen knüpfen an die Beobachtung der Metamorphose bei den Insekten an und in Analogie hiermit versucht er die Vorgänge z. B. bei den Fröschen und bei den Pflanzen zu deuten. Malpighi, dessen Untersuchungen über die Entstehung des Hühnchens im Ei berühmt wurden, begreift den Entwicklungsvorgang gern unter den Begriff der manifestatio. Da wir den ersten Ursprung nicht beobachten können, so sind wir gezwungen, „emergentem successive partium manifestationem exspectare". Die Pflanzenbildung erschien ihm zur Verdeutlichung der Vorgänge im Hühnerei geeignet: „Quare pulli stamina in ovo praeexistere, altioremque originem nacta esse fateri convenit, haud dispari situ ac plantarum ovis." [33]) In einem gewissen Gegensatze zu den beiden soeben genannten Forschern steht Leeuwenhoek. Im Jahre 1677 wurden die Samentiere entdeckt, und so erhielt die Lehre von der Entwicklung des Embryo aus dem Ei einen ersten Stoß und der Streit zwischen den Ovisten und Animalkulisten begann. Die beiden Parteien stimmten in dem Präformationsgedanken zusammen, wichen aber in der Frage voneinander ab, ob die Keime zu allen Menschen in der Stammmutter Eva oder im Samen des Stammvaters Adam zu suchen seien. Jede von ihnen hatte

die Schwierigkeit, die Bedeutung des nicht den Keim liefernden
Prinzips klarzustellen, und man bemühte sich, entweder dem männlichen Samen nur eine mechanische Wirkung oder der weiblichen
Samenflüssigkeit nur eine ernährende zuzugestehen. Leeuwenhoek
ging ebenfalls von der in allen Entwicklungsvorgängen waltenden
Einförmigkeit aus und nahm an, daß wie im Samen der Pflanzen
eine kleine Pflanze mit Blättern und Wurzeln vorzufinden sei,
so im tierischen ein kleines Tier. Er glaubte sich zu dem Schluß
berechtigt: figuram animalis, ex qua animal ortum est, in ani-
malculo, quod in semine masculo reperitur, conclusam jacere sive
esse. Ja, er glaubte beinahe sagen zu dürfen: „en ibi caput, en
ibi humeri, en ibi femora“, wollte aber doch nicht behaupten:
„sperma humanum parvulis pueris esse plenum et sic porro in
omnibus aliis rebus secundum genus suum“ [34]).

Eine besondere Verbreitung erhielt die Lehre der Evolution
kurz nach ihrer Formulierung durch M a l e b r a n c h e. Seinem
Gedanken, daß die uranfänglichen Ideen aller Dinge und ihrer
Beziehungen in Gott wohnen, mußte eine Theorie entsprechen,
die eine anfängliche Ordnung in den Keimen der Organismen annahm. Bei dem Nachweis der begrenzten und trügerischen Auffassung der Dinge durch unsere Sinne bespricht er die neuen Entdeckungen durch das Mikroskop. Man könne mit seiner Hilfe Tier-
chen sehen, welche 1000 mal kleiner sind als ein Sandkorn. Diese
lebenden Atome bewegen sich, sie müssen also Schenkel und Füße
und alle zum Leben notwendigen Organe haben. Und nun läßt
er seine Phantasie weiter spielen, eine Welt en miniature im Verhältnis zu der unsrigen scheint sich ihm dann zu enthüllen; wir
dürfen die göttliche Allmacht nicht mit unseren beschränkten
Sinnen messen wollen. Und so kommt er in seinen Gedanken über
die Zeugungsvorgänge zu dem allgemeinen Schluß: in bezug auf
die Pflanzen: „que tous les arbres sont en petit dans le germe de
leur semence, und in bezug auf die Tiere: On voit dans le germe
d'un oeuf frais, et qui n'a point été couvé, un poulet, qui est peut-
être entièrement formé etc. Weiter als das sinnliche Auge führt
uns dann das geistige: „Nous devons donc penser, que tous les
corps des hommes et des animaux qui naîtront jusqu'à la con-
sommation des siècles, ont peut-être été produits dès la création

du monde; je veux dire, que les femelles des premiers animaux ont peut-être créées, avec tous ceux de même espèce qu'ils ont engendrés, et qui devaient s'engendre dans la suite des temps" [35]). An einer späteren Stelle wird derselbe Gedanke ausgesprochen: Gott hat in alle Tiere Anlagen gelegt, deren sie zur Erhaltung bedürfen und so auch die Keime eingerichtet, die dann wachsen und sich entfalten unter dem Einfluß der Gesetze der Bewegung [36]).

Einen anderen philosophischen Mitstreiter erhielt die Evolutionstheorie in L e i b n i z. Es ist klar, wie sie seinen allgemeinen metaphysischen Lehren entsprach und daß er sie als eine Bestätigung seines Systems der prästabilierten Harmonie begrüßen konnte [37]). Wir beginnen mit einer Definition der Organismen, wonach ein Körper so genannt wird, „wenn er eine Art von Automat oder natürlicher Maschine bildet, die nicht nur im Ganzen, sondern auch noch in den kleinsten der Beobachtung zugänglichen Teilen Maschine bleibt" [38]). Die lebenden Wesen bilden ein vollständiges Ganzes und unterscheiden sich dadurch von den Körpern, welche Vielheiten sind, nur jenen kommen Lebensprinzipien zu. Deshalb sind sie nicht aus rein mechanischen Bedingungen zu erklären: „Ich bin der Meinung, daß die Gesetze des Mechanismus an und für sich und ohne die Mitwirkung eines bereits organisierten Stoffes nicht imstande sind, ein Lebewesen zu bilden". Der Versuch Descartes' wird getadelt und dem Mechanismus nur die Rolle zugestanden, daß er „trotz seines Unvermögens, diese unendlich mannigfaltigen Organe ganz von neuem hervorzubringen, sie sehr wohl durch die Entwicklung und Umgestaltung eines präexistenten organischen Körpers entstehen lasse" [39]). So gibt es eine Zeugung im eigentlichen Sinne nicht, sondern nur eine Umgestaltung und Vermehrung. Während früher die Philosophen über den Ursprung der Formen, Entelechien oder Seelen sehr in Verlegenheit waren, „ist man heute, wo man infolge genauer Untersuchungen an Pflanzen, Insekten und höheren Tieren erkannt hat, daß die organischen Körper der Natur niemals aus einem Chaos oder durch einen Verwesungsprozeß hervorgerufen werden, sondern stets aus Samen hervorgehen, in denen zweifelsohne eine bestimmte Präformation

liegt, zu dem Schluß gekommen, daß nicht nur der organische
Körper in ihnen schon vor der Empfängnis enthalten war, sondern
auch eine Seele in diesem Körper und, mit einem Worte, das
Lebewesen selbst, und daß vermöge der Empfängnis dieses Lebewesen nur die Fähigkeit zu einer großen Umformung erlangt,
durch die es zu einem Tiere andrer Art wird. Etwas Ähnliches
sieht man selbst außerhalb der Zeugung, wie wenn z. B. die Würmer zu Fliegen und die Raupen zu Schmetterlingen werden" [40]).
Die organischen Wesen sind durch Schöpfung entstanden und
zugleich sind sie mit Seelen begabt. So bestehen sie seit der Schöpfung und haben ewige Dauer. „Ich meine, daß die Seelen, welche
eines Tages menschliche werden sollen, sowie auch die der übrigen
Gattungen der Geschöpfe, im Samen und in den Vorfahren bis
zu Adam hinauf enthalten waren und somit seit Anfang der Dinge
immer in einer Art von organischem Körper bestanden haben." [41])
Hier beruft sich Leibniz auf Malebranche und die mikroskopischen
Untersuchungen, besonders auf die von Leeuwenhoek. Zur Erläuterung seines Gedankens der Präformation bedient er sich
gern des Bildes der Einschachtelung. Der Schwierigkeit aber,
wie der Same aller Menschen in Adam vorhanden gewesen sein
könne, entgeht er durch den Gedanken des Unendlichkleinen.
Der Organismus geht ins Endlose, und wir können annehmen, daß
die Samentierchen von noch kleineren kommen [42]). Eine letzte
Frage entsteht: wie ist die Erhebung einer bloß empfindenden
Seele zu einer denkenden vorzustellen? Bisher wurde nur die
physiologische Seite des Vorganges erörtert, worin aber liegt der
Anstoß zu dieser seelischen Umformung? Leibniz gibt zu, daß man
an eine „außergewöhnliche Wirksamkeit Gottes" denken könne,
will aber sie doch ausschalten und nimmt dann an, daß nach dem
System der prästabilierten Harmonie einige organische Wesen
für eine solche Höherentwicklung schon bestimmt waren. „Diese
Hervorbringung ist eine Art Überführung (traductio), sie leitet
das Beseelte von einem Beseelten her." [43]) So werden die zahllosen Wunder einer Neuschöpfung vermieden.

Eine Modifikation der Evolutionstheorie stellt auf den ersten
Blick die Theorie des Panspermatismus oder der Dissemination
dar. Sie nimmt ebenfalls präformierte Keime an, denkt sie aber

verstreut über die gesamte Natur. Unter besonderen Umständen
gelangen sie dann zur Entwicklung. Ein Vertreter dieser Ansicht
ist Claude P e r r a u l t. Er unterscheidet zwei Arten von Körpern: „mon hypothèse est donc, que dans la création du monde
les corps ont eu de deux sortes de formes, qu'aux uns la forme a été
donnée très simple et seulement similaire et que les autres en ont
une très composée et organique". Die ersteren dienen als Nahrung
für die Pflanzen, sie sind inanimes, die anderen sind capables
d'avoir vie, sie sind fournis de tous les organes nécessaires à leurs
fonctions, mais tellement petits, qu'il leur est impossible d'en
exercer aucune. Sie sind unter die unbelebten Körper gemischt.
Zur Entwicklung gelangen sie erst, wenn sie auf feine Substanz
stoßen, welche ihnen zur Nahrung dienen kann, denn Ernährung
ist die Grundlage der Entwicklung [44]).

In diesen Ansichten tritt nicht nur eine bloße Modifikation
der Evolutionstheorie auf. Das Bestreben macht sich geltend,
die Zeugungsvorgänge mehr im Zusammenhang der gesamten
Naturerscheinungen zu denken, während sonst die Keime ein
Einzeldasein führen, das, von den Hoden Adams oder den Eier-
stöcken Evas beginnend, sich durch die Generationen der Menschen
in unabsehliche Zukunft erstreckte. Das Phantastische einer
solchen Ansicht wurde mit dem Vordringen naturwissenschaftlicher
Erkenntnis auch immer mehr empfunden, die Hypothese der
Evolution war zu kompliziert geworden. Das Streben nach einheitlicher Erfassung der Naturerscheinungen wurde nun besonders
unterstützt durch die seit Newton und seinen Schülern möglich
gewordene einheitliche Erklärung der anorganischen Vorgänge vermittelst des Gedankens der Kräftewirkung. Man versuchte deshalb,
den Kraftbegriff für die Zeugungsvorgänge fruchtbar zu machen.
Wenn aber durch Verwertung dieses in Analogie mit den Willens-
vorgängen zu denkenden Prinzipes eine Annäherung an die Lebensvorgänge stattfand, so blieb doch wie früher für die kinetische
Betrachtung jetzt auch für die dynamische ein schwerwiegendes
Problem zurück. Es mußte gezeigt werden, wie blinde Naturkräfte
die konstante Form organischen Lebens erzeugen konnten, die die
vorhandenen Arten unverändert, wie man allgemein annahm,
durch die Generationen hin erhielten.

Aus diesen Überlegungen ist die Opposition zu verstehen, welche die Evolutionstheorie bei Maupertuis, Buffon und Needham fand. Sie versuchten, eine neue Theorie der Zeugung im Anschluß an den Grundgedanken der Epigenesistheorie zu geben. Maupertuis setzt sich in seiner hauptsächlich hier zu berücksichtigenden Schrift „Vénus physique" zuerst mit den Lehren der Früheren auseinander, um dann eigene Ansichten auszusprechen, denen er selbst allerdings nur den Wert von „penseés vagues" beimißt. Die Ähnlichkeit der Kinder bald mit dem Vater, bald mit der Mutter und die Erscheinung der Mischlinge widerlegen sowohl die Lehre der Ovisten wie der Animalkulisten. Sich auf die Alten berufend, hält er an dem Gedanken der Mischung von zwei Samenflüssigkeiten fest, ohne damit die rein mechanische Theorie eines Descartes akzeptieren zu wollen. Allerdings knüpft auch er zur Einführung seiner Ideen an rein mechanische Vorgänge an, wenn er die Entstehung des Baumes der Diana als Beispiel heranzieht; er nennt sie eine admirable végétation. Wie nun zur Erklärung solcher Erscheinungen die gewöhnlichen Gesetze der Bewegung genügen, so läßt sich mit ihrer Hilfe auch der Vorgang der Zeugung verständlich machen. Astronomen und Chemiker haben schon die Bedeutung der Anziehungskraft anerkannt. Warum sollte sie nicht bei der Bildung der Tierkörper wirken? In den Samenflüssigkeiten beider Geschlechter gibt es gleichartige Teile, welche z. B. bestimmt sind, das Herz, den Kopf usw. zu formen [45]). Sie ziehen sich an und so bilden sich die Teile und der Fötus selbst. Dabei darf aber die Attraktion nicht als eine blind wirkende Kraft aufgefaßt werden. Denn wenn alle Teile die Tendenz sich anzuziehen haben, wie sollten einige von ihnen ein Ohr, andere ein Auge formen: „pourquoi ce merveilleux arrangement? et pourquoi ne s'unissent-elles pas toutes pêle-mêle? Ein ordnendes Prinzip muß mitwirken: il faut avoir recours à quelque principe d'intelligence, à quelque chose de semblable à ce que nous appelons désir, aversion, mémoire [46]). Indem Gott in der Schöpfung den Teilen solche Eigenschaften beilegte, konnte er sie dem Wirken der Naturkräfte überlassen. Die Naturerklärung wird so einfacher, sie verzichtet auf die Wiederholung des Wunders bei jeder Zeugung: Dieu en créant le monde, donna chaque partie de la matière de cette propriété, par laquelle il voulut que les individus qu'il avait formés se reproduisent. Et puisque l'intelligence est nécessaire pour la formation des corps organisés, il parait plus grand et plus digne de la divinité, qu'ils se forment par les propriétés, qu'elle a une fois répandues dans les éléments, que si ces corps étaient à chaque fois des productions de sa puissance[47]).

Für B u f f o n s Lehre sind entscheidend seine allgemeinen naturphilosophischen Anschauungen. Er nimmt eine Stufenordnung in der Welt an und denkt sich Mineral-, Pflanzen- und Tierreich nicht qualitativ, sondern nur graduell nach der zunehmenden Zahl der „rapports" verschieden. Besonders wird die nahe Beziehung zwischen Pflanzen und Tieren betont und angenommen, qu'il n'y a aucune différence absolument essentielle et générale entre les animaux et les végétaux"[48]). Rätselhaft erscheint uns nun die Natur besonders in der Erhaltung der Gattung beim Wechsel der Individuen, eine Erscheinung, die nur verständlich gemacht werden kann durch Annahme einer production continuelle, perpétuelle, invariable, semblable à un mot, à celle des autres animaux[49]). Das gemeinsame Substrat für die Vorgänge des Lebens sind nun die parties organiques. Buffon nennt sie actuellement existantes, vivantes, sie sind en tout semblables aux grands êtres organisés. Ihrer Qualität nach dürfen sie keinem der drei Reiche zugerechnet werden, sie sind êtres intermédiaires. In unendlicher Zahl sind sie vorhanden und können in jedem Organismus als seine Elemente eingehen. Sie haben die Eigenschaften des organischen Lebens überhaupt, ohne die Form eines bestimmten Organismus vorbereitet zu tragen. Hier tritt die eigentliche Schwierigkeit jeder solcher Betrachtung wieder entgegen, die Frage, wie ein bestimmter Organismus gebildet werde und wie sich seine Art erhalte. Sie zu lösen versucht Buffon durch den nicht zu voller Klarheit erhobenen Begriff der moule intérieur. Wie eine Mühle die äußere Form von Körpern hervorrufen kann, so denken wir uns die Natur gleichsam von innen wirkend: supposons que la nature puisse faire des moules par lesquels elle donne non seulement la figure extérieure, mais aussi la forme intérieure. Als Erscheinung kann diese Funktion nur als eine wirkende Kraft

gedacht werden. In Analogie mit der Schwerkraft, welche das
Innere der Körper durchdringt, denken wir sie uns wirkend, wir
können sie eine organisierende Kraft nennen und sagen, que la
nature parait tendre beaucoup plus à la vie qu'à la mort; il semble
qu'elle cherche à organiser les corps autant qu'il est possible. Die
Erscheinung dieser Kraft läßt sich gleichmäßig in den Vorgängen
der Ernährung, des Wachstums und der Fortpflanzung wiederfinden: se nourrir, se développer et se reproduire sont les effets
d'une seule et même cause. Die Organismen formen in sich neue
Keime, die zur Fortpflanzung dienen, sie sind parties superflues
und werden gebildet an dem endroit commun, où toutes ces molécules se trouvent réunies [50]). Der Körper des ausgewachsenen
Tieres ist selbst ein Beispiel für das Wirken eines moule intérieur.
Das Problem der Konstanz der Arten wird also gelöst durch den
Gedanken, daß die Vereinigung der organischen Teile nach einer
Ordnung vor sich geht, welche durch das gleichförmige Wirken
einer Naturkraft geschieht.

　　N e e d h a m , eine Zeitlang Mitarbeiter Buffons, will sich
diesen Phantasien nicht anschließen. Seine Grundanschauung über
die Natur ist allerdings dieselbe. Auch er möchte im Gegensatz
zu der von ihm ironisierten Evolutionstheorie die noble simplicité
der Natur retten, und so nimmt auch er eine produktive Kraft an:
„il y a une force réelle productrice dans la nature" [51]). Ihr Wirken
glaubt er durch mikroskopische Untersuchungen erweisen zu
können und auf diese Erfahrungsbeweise legt er den größeren
Wert. Die Frage, wie die besonderen Arten der Tiere aus dem
élément homogène entstehen und sich erhalten, scheint ihm unlösbar, ihre spezifischen Samen vermischen sich nicht, dies zeigt
die Beobachtung, aber der Grund dieser Erscheinung muß auf
unsichtbare und unbekannte Prinzipien zurückgehen.

　　Der wunde Punkt dieser neuen Lehren war damit angegeben,
und so ist es nicht verwunderlich, daß die Evolutionstheorie immer
wieder Anhänger fand. H a l l e r und B o n n e t wurden ihre
erfolgreichsten Vertreter. Der erstere neigte ursprünglich zur
Theorie der Epigenesis hin, ging aber dann in das Lager der Evo-
lutionisten über. Am ausführlichsten hat er seine Ansichten im
8. Bande seiner „Anfangsgründe der Physiologie des menschlichen

Körpers" dargestellt. Entscheidend für seine Meinungsänderung wurden für ihn Untersuchungen am Hühnerei, welche er 1758 veröffentlichte [52]). So kam er zu dem Ergebnis: „Es ist kein Teil an einem tierischen Körper vor dem andern da, sondern es existieren alle auf einmal." Der vollendete tierische Körper hat sich aus einem kleinen entwickelt, den Gott selbst gebaut hat. Durch Mittelursachen wie „Ausdehnung, Anziehungskraft, Druck, Ableitung, Repulsion, Resorbierung der Säfte und Ausdämpfung" bringt ihn die Natur zur Auswicklung. Bekannt ist Hallers sonderbare Berechnung der Summe der im Eierstock Evas vorhandenen Keime; er schätzt sie auf 200 000 Millionen [53]).

Auf Hallers Untersuchungen stützte sich B o n n e t. Zu der Theorie brachte er Neues nicht hinzu, die Schwierigkeit der Einschachtelung versuchte er im Anschluß an Leibniz durch den Gedanken des Unendlichkleinen zu lösen. Beachtenswert aber ist er wegen der Schärfe und Klarheit, mit welcher er die Unmöglichkeit einer mechanischen Erklärung der organischen Wesen zu erweisen sich bemühte. Aller Scharfsinn der Vertreter einer solchen Ansicht reicht nicht aus, um uns zu überreden, „qu'un animal se forme comme un cristal" [54]). Dies muß zugeben, wer das Wesen des Organismus richtig erkannt hat. Er ist ein Ganzes, welches lebt, wächst, empfindet, denkt, sich erhält, sich erzeugt. Er muß zugestehen. „qu'un tout si prodigieusement composé et pourtant si harmonique, si essentiellement un, n'a pû être formé comme une montre, de pièces de rapport ou de l'engraînement d'une infinité de molécules diverses réunies per apposition successive" [55]).

Inzwischen war ein Werk erschienen, das alle bisher unternommenen Versuche, das Problem der Zeugung zu lösen, durch die in ihm enthaltenen allgemeinen Gedanken und ihre Verifikation in exakter Erforschung des Einzelnen in Schatten stellte. Es ist Caspar Friedrich W o l f f s „Theoria generationis", welche im Jahre 1759 veröffentlicht wurde. Wolff stellte sich die Aufgabe eine rationale Anatomie zu geben. Die Anatomie im gewöhnlichen Sinne des Wortes gibt nur eine historische Kenntnis, jene eine philosophische, sie verhalten sich also zueinander wie die empirische Psychologie zur rationalen. Eine solche Entwicklungstheorie hat nun die Aufgabe, den ganzen gebildeten Körper aus

Prinzipien und Gesetzen abzuleiten [56]). Die Vertreter der Evolutionstheorie glaubten Präformation in den kleinsten Keimen
aufweisen zu können, sie ließen dabei mehr ihre Einbildungskraft
spielen, aber: „Wozu sollen wir ängstlich überall nach Wundern
suchen? Vielleicht deshalb, damit sich in der Künstlichkeit des
Werkes die Weisheit des Schöpfers offenbare? Wir sollten aber
nicht vergessen, daß der Wert einer Maschine nicht nach der Menge
ihrer Bestandteile, sondern nach der Vortrefflichkeit und Einfachheit ihres Zweckes zu beurteilen ist" (§ 38). Damit ist die
Richtlinie für seine Betrachtung klar vorgezeichnet. Als Prinzip
der Entwicklung nimmt er eine Kraft an, durch welche die Bildung
eines organischen Körpers zustande kommt [57]). Er nennt sie die
wesentliche Kraft und studiert sie an der ausgebildeten Pflanze,
um von da auf ihre Entwicklung und weiter die der Tiere zu
schließen: „Die Aufnahme der aus unorganischer Substanz bestehenden Flüssigkeiten in Teile der Pflanze, der Durchgang durch
diese Teile und die Ausscheidung derselben, daher auch die Wirkungen und die ganze Verteilung der Flüssigkeiten im Embryo
und andere derartige Dinge sind bloß der wesentlichen Kraft zu-
zuschreiben; genau ebenso verhält es sich bei den Tieren (§ 249A)."
Durch Aufnahme von Flüssigkeit aus anorganischer Natur wird
durch sie der Nährsaft gebildet, der als eine kristallklare Flüssigkeit
bei Zusammendrücken eines Keimblättchens zurückbleibt. Er
hat nun die Eigenschaft der Erstarrungsfähigkeit. Aus erstarrtem
Nährsaft entstehen die ersten Bläschen, ihre Substanz ist eine
einfache Mischung und besitzt keinerlei innere Struktur. Analog
ist der Vorgang bei den Tieren zu denken. Wolff stützt seine Untersuchung nur auf die Beobachtung der Vorgänge im Hühnerei
und kommt zu dem Ergebnis, „daß die ernährenden Teilchen aus
dem Ei in den Embryo übergehen, daß eine Kraft vorhanden ist,
durch die dieses erfolgt" (§ 168). Zur wesentlichen Kraft und
der Erstarrungsfähigkeit, welche ein hinreichendes Prinzip jeder
Entwicklung sowohl bei Pflanzen als auch bei Tieren sind, treten
akzessorische Prinzipien hinzu, sie tragen nur dazu bei, „den
zureichenden Grund der Entwicklung eintreten zu lassen und sie
einzuleiten, so daß sie also die durch ihre Prinzipien bestimmte
Entwicklung fördern" (§ 244). Sie zerfallen wieder in zwei Klassen:

in Hauptprinzipien und akzidentelle. Zu jenen werden die Bedingungen gerechnet, welche „durch die Erzeugnisse oder irgend welche Wirkungen jenes hinreichenden Prinzips allein oder aber auch von diesen und den allgemeinen Eigenschaften der Körper oder wenigstens der sich entwickelnden Substanz bestimmt werden", diese sind durch äußere Ursachen bestimmt (§ 243). Das Wirken dieser Prinzipien untersucht nun Wolff an der schon gebildeten Pflanze. Er unterscheidet an ihr ausgebildete und in der Ausbildung begriffene Teile, welch letztere auf die Zelle als letzten Bestandteil zurückgeführt werden. Von ihr ausgehend versucht er dann die Bildung einer Pflanze überhaupt zu erklären, indem er zeigt, wie unter dem Einfluß der wesentlichen Kraft die Leitung der Flüssigkeit geschieht, wodurch immer neue Bahnen und neue Strukturteile geschaffen werden, die einen mehr oder minder festen Zustand der Erstarrung erreichen. Werden diese Vorgänge als rein mechanische beschrieben, so erklären sie doch nicht allein die Verschiedenheit, welche zwischen einem winzigen Kraut und einer mächtigen Eiche besteht. Hier muß zugleich auf die verschiedene Erstarrungsfähigkeit des Nährsaftes und die verschiedene Stärke der wesentlichen Kraft zurückgegriffen werden. Wenn Wolff auch glaubt, daß die Gestalt der Pflanze aus dem Grad der Erstarrungsfähigkeit und der wesentlichen Kraft mathematisch berechnet werden könne, so will er doch keineswegs die in der Entwicklung begriffenen Körper als Maschinen aufgefaßt wissen. Die Vorgänge, welche durch die Maschine des Körpers erklärt werden wie Blutbewegung, Atmung, Ausscheidung, Kauen und Schlucken, sind alle nicht geeignet, den Prozeß des Lebens zu erklären, für diesen sind vielmehr charakteristisch: Empfindung, willkürliche Bewegung, Fähigkeit sich selbst beständig zu erhalten, beständig neu aufzubauen und zu wachsen. Allerdings ist er sich bewußt die Vorgänge, die nicht mechanisch begriffen werden können, nicht eigentlich erklärt zu haben, nur den Zusammenhang des Lebens mit der Maschine des Körpers hat er dargestellt, die Frage nach dem Ursprung des Lebens aber kann nur durch die Metaphysik, durch den Gedanken an eine immaterielle Seele beantwortet werden (§ 255 Anm. 1).

7*

So standen die Meinungen einander gegenüber, als Kant das Problem der Entstehung des Kosmos erwog und notwendig dabei auf die Frage nach der Stellung der organischen Wesen innerhalb der anorganischen Natur geführt wurde. Es ist nun charakteristisch, mit welch kritischer Schärfe er den Gegensatz der beiden Erscheinungsreihen hervorhebt. Im Anschluß an ein Wort von Voltaire schreibt er die berühmt gewordenen Sätze nieder: „Ist man im Stande zu sagen: gebt mir Materie, ich will euch zeigen, wie eine Raupe erzeugt werden könne? Bleibt man hier nicht bei dem ersten Schritte aus Unwissenheit der wahren inneren Beschaffenheit des Objekts und der Verwickelung der in demselben vorhandenen Mannigfaltigkeit stecken? Man darf es sich also nicht befremden lassen, wenn ich mich unterstehe zu sagen, daß eher die Bildung aller Himmelskörper, die Ursache ihrer Bewegungen, kurz, der Ursprung der ganzen gegenwärtigen Verfassung des Weltbaues werde können eingesehen werden, ehe die Erzeugung eines einzigen Krauts oder einer Raupe aus mechanischen Gründen deutlich und vollständig kund werden wird." [58]) Sehen wir von einer gelegentlichen Bemerkung in der „Schätzung der lebendigen Kräfte" ab, wo von der Proportion und Ähnlichkeit in dem Bau des menschlichen Körpers gesprochen und gesagt wird, daß es bei ihm möglich sei, aus der Größe eines und des andern Gliedes einen Schluß auf die Größe des Ganzen zu machen [59]), so finden wir eine erste Begriffsbestimmung des Organismus im „Beweisgrund". Kant unterscheidet hier eine notwendige und eine zufällige Ordnung der Natur. Ordnung ist nämlich entweder ableitbar aus einem Gesetze, wie sich z. B. aus der einen elastischen Kraft und Schwere der Luft die Gesetze des Atemholens, die Möglichkeit der Pumpwerke usw. ergeben oder die Vereinbarung dieser Gesetze ist zufällig. Dies ist der Fall bei der Vereinigung verschiedener Kräfte und Organe im Organismus. „Der Mensch sieht, hört, riecht, schmeckt u. s. w., aber nicht ebendieselben Eigenschaften, die die Gründe des Sehens sind, sind auch die des Schmeckens. Er muß andere Organe zum Hören wie zum Schmecken haben. Die Vereinbarung so verschiedener Vermögen ist zufällig und, da sie zur Vollkommenheit abzielt, künstlich. Bei jedem Organ ist wiederum künstliche Einheit.

In dem Auge ist der Teil, der Licht einfallen läßt, ein anderer als der, so es bricht, noch ein anderer, so das Bild auffängt." [60]) So sind wir auf eine letzte Ursache, auf einen weisen Urheber dieser Einrichtungen gewiesen: „Zum mindesten kann die zufällige Ordnung der Teile der Welt, in so fern sie einen Ursprung aus Willkür anzeigt, gar nichts zum Beweise davon beitragen. Z. E. an dem Bau eines Tieres sind Gliedmaassen der sinnlichen Empfindung mit denen der willkürlichen Bewegung und der Lebensteile so künstlich verbunden, daß man boshaft sein muß (denn so unvernünftig kann ein Mensch nicht sein), so bald man darauf geführt wird, einen weisen Urheber zu verkennen, der die Materie, daraus ein tierischer Körper zusammengesetzt ist, in so vortreffliche Ordnung gebracht hat" [61]).

In den Vorlesungen über Metaphysik aus Herders Nachlaß begegnen wir diesen Gedanken, etwas anders gewendet, wieder. Die betreffenden Sätze finden sich zu Sectio VI der rationalen Psychologie, welche überschrieben ist: Animae brutorum. „So bald wir Materie sich selbst bewegen sehen, so urteilen wir, die Materie mag so unförmlich sein, als sie will, daß es ein Tier sei z. E. im Regentropfen sehen wir, was willkürlich usw. Rotzfische: so schleimigt, brennend, doch da wir oft im Wasser sie sich auftuen sehen und also ein inneres principium der Bewegung verraten. Dies principium muß immateriell sein, weil die Materie an sich tot ist und durch ein fremdes Wesen blos bewegt werden muß. — Sehen wir nun ein materiales mit einem immaterialen principio verbunden, das nicht nach den Gesetzen der materialen Bewegung handelt, so Tier z. E. Polyp, Auster; weil wir nun bei uns das innere principium im Denken und Begehren wahrnehmen und von keinem andern inneren principium einen Begriff haben, so wie wir blos äußerliche Zustände erkennen, in welchem Verhältnis sie auf uns wirken: nicht durch inneren Zustand, ausgenommen meinen eignen — also blos nach der Ähnlichkeit urteile ich, daß des andern innerer Zustand im Denken und Empfinden nach meinem, weil meine Handlungen von ihm betrachtet eben so sind, als ihre von mir betrachtet. Ich habe also eben solche Ursache sie nicht vor Maschinen zu halten, als ich mich halte — Hund bewegt sich, fasset, schreit, also sind

Tiere denkende Wesen, die Begierden haben, Gründe von Handlungen. C a r t e s i u s die paradoxe Meinung von Tiermaschinen,
so muß ich auch von Menschen eben so sagen und von mir auch —
nur im größeren Grad — heult jener, so rede ich maschinenmäßig."
Diese Anschauung, welche gelegentlich auch in einer Anmerkung
zu den „Träumen eines Geistersehers" [62]) ausgesprochen wird,
stimmt mit der Formulierung des „Beweisgrundes" darin überein,
daß auch hier die organischen Wesen aus der Welt des Mechanismus
herausgehoben werden dadurch, daß ihnen ein eigentümliches
Prinzip, das der willkürlichen Bewegung, die keines Anstoßes
von außen bedarf, beigelegt wird. Es ergibt sich aber von selbst,
daß diese Vereinigung eines, wie wir sahen, immateriellen Prinzips
mit der Materie eine künstliche ist, welche, wie Kant sich in der
oben zitierten Stelle ausdrückte, zur Vollkommenheit abzielt.

Die Einheit des Erklärungsprinzipes, wie sie sich in der materiellen Welt so glänzend bewährt hatte, versagte also den organischen Wesen gegenüber. Aber trotzdem will Kant auch hier den
„Geist wahrer Weltweisheit" nicht aufgeben, er hält fest an dem
Gedanken „Vieles aus Einem" zu erklären. Er war zu mächtig in
ihm, seine große Auffassung vom Werden alles Zusammengesetzten
aus einfachen Prinzipien drängte zu ihm und deshalb stellt er die
Regel auf: „Man vermute nicht allein in der unorganischen,
sondern auch der organisierten Natur eine größere notwendige
Einheit, als so geradezu in die Augen fällt. Denn selbst im Baue
eines Tieres ist zu vermuten, daß eine einzige Anlage eine fruchtbare Tauglichkeit zu viel vorteilhaften Folgen haben werde, wozu
wir anfänglich vielerlei besondere Anstalten nötig finden möchten.
Diese Aufmerksamkeit ist sowohl der Philosophie sehr gemäß, als
auch der physischtheologischen Folgerung vorteilhaft" [63]). Durch
diese methodologischen Ansichten ist nun Kants Stellung zu den
Zeugungstheorien seiner Zeit bedingt. Im „Beweisgrund" handelt
er über sie.

Nach Ablehnung der Erzeugung eines organischen Wesens als
einer mechanischen Nebenfolge aus allgemeinen Naturgesetzen
fährt er fort: „so bleibt gleichwohl noch eine doppelte Frage
übrig, ob nämlich ein jedes Individuum derselben unmittelbar von
Gott gebauet und also übernatürlichen Ursprungs sei, und nur die

Fortpflanzung, das ist, der Übergang von Zeit zu Zeit zur Auswickelung einem natürlichen Gesetze anvertrauet sei, oder ob
einige Individuen des Pflanzen- und Tierreichs zwar unmittelbar
göttlichen Ursprungs seien, jedoch mit einem uns nicht begreiflichen Vermögen, nach einem ordentlichen Naturgesetze ihres
gleichen zu erzeugen und nicht blos auszuwickeln" [64]). Evolutions-
und Epigenesistheorie werden hiermit kurz charakterisiert und
dann kritisiert. Eine bestimmte Entscheidung fällt Kant eigentlich
hier noch nicht, wenn es auch nicht zweifelhaft bleibt, welche
Lehre seine größere Sympathie hat. Gegen die an erster Stelle
genannte Theorie wird geltend gemacht, daß sie den Ursprung
der organischen Wesen als übernatürlich ansehe und damit den
eigentlichen Boden einer Naturerklärung verlasse. Dieser Vorwurf
gilt auch dann, wenn, um einen immer wiederholten Schöpfungsakt bei Bildung der Individuen zu vermeiden, eine einmalige
Schöpfung und dann eine allmähliche Fortpflanzung angenommen
wird. Der Grad der unmittelbaren göttlichen Handlung ist dadurch
nicht verringert und außerdem werden zwei Prinzipien zur Erklärung gesetzt und deshalb „ist jene natürliche Ordnung der
Auswickelung nicht eine Regel der Fruchtbarkeit der Natur,
sondern eine Methode eines unnützen Umschweifes". Es ist deutlich,
daß Kant den Wunderlichkeiten einer Einschachtelungslehre, wie
wir sie etwa bei Haller fanden, entgehen wollte und von den bei
einer Evolutionstheorie möglichen Ansichten derjenigen den Vorzug
gab, nach welcher „die Bildung der Frucht unmittelbar einer
göttlichen Handlung beizumessen" ist. Der Schwierigkeiten bei
einer Epigenesistheorie wird dann mit den Worten gedacht: „Wie
z. E. ein Baum durch eine innere mechanische Verfassung soll
vermögend sein, den Nahrungssaft so zu formen und zu modeln,
daß in dem Auge der Blätter oder seinem Samen etwas entstünde,
das einen ähnlichen Baum im Kleinen, oder woraus doch ein solcher
werden könnte, enthielte, ist nach allen unsern Kenntnissen auf
keine Weise einzusehen. Die innerlichen Formen des Herrn von
B u f f o n und die Elemente organischer Materie, die sich zu Folge
ihrer Erinnerungen den Gesetzen der Begierden und des Ab-
scheues gemäß nach der Meinung des Herrn von M a u p e r t u i s
zusammenfügen, sind entweder ebenso unverständlich als die

Sache selbst, oder ganz willkürlich erdacht" [65]). Es ist wohl nicht zweifelhaft, daß Kant in den ersten Worten des Zitates der Theorie von C. Fr. Wolff gedenkt und daß er die schwache Stelle aller damals geltenden Lehren von der Epigenesis erkannt hatte. Die empirische Forschung blieb weit zurück hinter der Kühnheit der in ihnen ausgesprochenen Hypothese und so warf man sich denn auch wieder der Metaphysik in die Arme. Trotzdem betont Kant, daß das Vorhandensein dieser Mängel nicht gleich zu der Annahme eines Übernatürlichen führen dürfe, wie man ja das Vermögen des Hefens, seines Gleichen zu erzeugen noch nicht begriffen habe und trotzdem nicht sofort an einen übernatürlichen Grund glaube. Vielmehr bleibt der Epigenesistheorie immer der Vorzug, daß sie auf der Linie einer rein natürlichen Erklärung der Vorgänge bleibt. Sie benutzt den Gedanken der Fruchtbarkeit der Natur und stimmt zu Kants allgemeiner Absicht zu zeigen, „daß man den Naturdingen eine größere Möglichkeit, nach allgemeinen Gesetzen ihre Folgen hervorzubringen, einräumen müsse, als man es gemeiniglich thut" [66]).

Eine erste Anwendung erfahren die im „Beweisgrund" entwickelten Gedanken in dem Aufsatz „Von den verschiedenen Racen der Menschen", welcher zuerst 1775, dann erweitert 1777 erschienen ist. Die Einteilung der Menschen in Rassen hat Kant wohl von Beginn an in seinen Vorlesungen über physische Geographie behandelt [67]). Als Vorläufer seiner Rassentheorie sind hauptsächlich L i n n é und B u f f o n zu nennen. Dieser hatte die geographische Ordnung zur Grundlage genommen und mit dem Unterschied der Farbe kombiniert. Er kam so zu folgender Einteilung: Americanus rufus, Europaeus albus, Asiaticus lucidus, Africanus niger. Zu diesem Unterschiede traten dann hinzu der der Körperform, der Gesichtsbildung, der Haare, dann aber der Gemütsbeschaffenheit. Hier ergab sich der obigen Einteilung entsprechend die Klassifikation in die vier Temperamente: cholericus, sanguineus, melancholicus, phlegmaticus. Dazu traten Angaben über Bekleidung und Denkungsart. Nach dem Schema ist die Ordnung nach der letzteren: Regitur consuetudine, ritibus, opinionibus, arbitrio. Diese Rassen dachte sich Linné nach seinem allgemeinen Prinzip als ursprünglich von Gott geschaffen [68]). Im

Gegensatz dazu versucht Buffon auch hier eine entwicklungsgeschichtliche Erklärung [69]). Er geht aus von der Annahme einer
einzigen Menschengattung und versucht nun die Ursachen der
Rassenbildung zu finden. Die charakteristischen Meikmale einer
Rasse sind ihm: la couleur, la forme et la grandeur, le naturel.
Das wichtigste Kennzeichen ist auch ihm die Farbe, sie führt er
fast ausschließlich auf das Klima zurück, doch will er daneben
auch einen Einfluß der Nahrung und der Sitten gelten lassen [70]).
Die ursprüngliche Farbe ist die weiße. Diese Entwicklung braucht
aber nicht abgeschlossen zu sein, vielmehr ist bei einer Änderung
der die Rassenentwicklung bedingenden äußeren Umstände möglich,
daß die Rassenunterschiede verschwinden oder neue sich bilden[71]).

Kant übernahm nun von Buffon die Regel: daß Tiere, die
mit einander fruchtbare Junge erzeugen zu einer und derselben
physischen Gattung gehören [72]). Sie erlaubt die Menschen als zu
einer Gattung gehörig zu betrachten, die Einheit einer Naturgattung folgt aus der Einheit der erzeugenden Kraft. Die Menschen
zerfallen nun in Rassen, unter solchen sind nicht Arten zu verstehen, die aus der Verschiedenheit der Abstammung entspringen
würden, sondern nur A b a r t u n g e n , welche Verschiedenheiten
aufweisen, die „sich sowohl bei allen Verpflanzungen in langen
Zeugungen unter sich beständig erhalten, als auch in der Vermischung mit andern Abartungen desselbigen Stammes jederzeit
halbschlächtige Junge zeugen" [73]). Als äußeres Anzeichen dient
die Farbe. Es entsteht nun die Frage nach dem Grunde der Entstehung von Rassen, will ja doch Kant ein Natursystem, d. h.
eine Einteilung, welche die Geschöpfe unter Gesetze bringt, geben[74]).
Diese Gesetze können nun nicht rein mechanische sein. Auch hier
reichen sie nicht aus, eine Vorbildung muß angenommen werden.
Wir unterscheiden: Keime und Anlagen. Von beiden Begriffen
erhalten wir Definitionen: „Die in der Natur eines organischen
Körpers (Gewächses oder Tieres) liegenden Gründe einer bestimmten Auswickelung heißen, wenn diese Auswickelung besondere Teile betrifft, K e i m e ; betrifft sie aber nur die Größe
oder das Verhältnis der Teile unter einander, so nenne ich sie
natürliche A n l a g e n ". So liegen in einer bestimmten Vogelart
Keime zu einer neuen Schicht Federn, wenn sie im kalten Klima

leben, das Weizenkorn hat die Fähigkeit oder natürliche Anlage
eine dickere Haut hervorzubringen, wenn es in einem kalten Lande
mehr gegen feuchte Kälte geschützt werden muß. In dieser Vorbildung haben wir eine „Fürsorge der Natur zu sehen, ihr Geschöpf
durch versteckte innere Vorkehrungen auf allerlei künftige Umstände
auszurüsten, damit es sich erhalte und der Verschiedenheit des Klima
oder des Bodens angemessen sei" [75]). So sind die äußeren Bedingungen wohl Gelegenheits-, aber nicht hervorbringende Ursachen.
Bei der Rassenbildung sind es Luft und Sonne, „welche auf die
Zeugungskraft innigst einfließen und eine dauerhafte Entwicklung
der Keime und Anlagen hervorbringen". Die Nahrung reicht dazu
nicht aus, denn „was auf die Zeugungskraft haften soll, muß nicht
die E r h a l t u n g des Lebens, sondern die Q u e l l e desselben,
d. i. die ersten Prinzipien seiner tierischen Einrichtung und Bewegung affizieren". Eine Affizierung, keineswegs eine Modifizierung
der Zeugungskraft ist möglich. Veränderungen des tierischen
Körpers, wie sie etwa durch Luft, Sonne und Nahrung entstehen
können, können nur dann fortgepflanzt werden, wenn sie in der
Zeugungskraft schon gelegen haben, als vorherbestimmt zu einer
gelegentlichen Auswickelung den Umständen gemäß „darein das
Geschöpf geraten kann und in welchen es sich beständig erhalten
soll" [76]). So war der Mensch für alle Klimate und für jede Beschaffenheit des Bodens bestimmt.

Auf den ersten Blick erscheint es, als habe Kant gegenüber
seinen Ausführungen im „Beweisgrund" jetzt die Theorie der
Präformation akzeptiert. Bei näherem Zusehen aber wird klar,
wie genau die eben behandelten Lehren sich in Einklang bringen
lassen mit seinem kritischen Verhalten zu den beiden Zeugungstheorien. Das Unbefriedigende der Epigenesistheorie lag in dem
Mangel eines Nachweises für die gleichförmige Wirkung der
„wesentlichen" Kraft. Diese Schwierigkeit hebt Kant durch den
Gedanken, daß sie sich nur innerhalb eines durch Vorbildung
gegebenen Spielraumes bewegen kann. Die Vorbildung wird aber
dann keineswegs im Sinne einer Präformation gedacht, sondern
durch die vorsichtigeren Ausdrücke „Keim und Anlage" charakterisiert. Die Quelle zu einer solchen Auffassung aber haben wir
schließlich in den der „Naturgeschichte und Theorie des Himmels"

zu Grunde liegenden naturphilosophischen Grundgedanken Kants
zu sehen. Wie in der mechanischen Welt Ordnung und Harmonie
durch die Einheit des Ursprunges entstehen, weil sie in ihm angelegt sind, so auch hier. Die Natur ist reich genug, um Anlagen
ihren Wesen mitzugeben, die erst bestimmten Umständen entsprechend sich entwickeln, eine genaue Präformation kann damit
garnicht gedacht werden, auch widerspricht ihr die von Kant
geäußerte Meinung, daß „Keime erstickt" werden können [77]).
Wenn es erlaubt ist, auf eine spätere Äußerung zu diesem Problem
hinzuweisen, so sei hier aus der zweiten Rezension von Herders
„Ideen", in welcher der Begriff der „genetischen Kraft" in Herders
Sinne erörtert wird, folgendes zitiert: „Rezensent macht sich
von der Bedeutung dieses Ausdrucks im Sinne des Verfassers diesen
Begriff. Er will einerseits das Evolutionssystem, andererseits
aber auch den bloß mechanischen Einfluß äußerer Ursachen als
untaugliche Erläuterungsgründe abweisen und nimmt ein innerlich nach Verschiedenheit der äußeren Umstände s i c h s e l b s t
diesen angemessen modifizierendes Lebensprinzip als die Ursache
derselben an, worin ihm Rezensent völlig beitritt, nur mit dem
Vorbehalt, daß, wenn die von i n n e n organisierende Ursache
durch die Natur etwa nur auf eine gewisse Zahl und Grad von
Verschiedenheiten der Ausbildung ihres Geschöpfes eingeschränkt
wäre, man diese Naturbestimmung der bildenden Natur auch
wohl Keime oder ursprüngliche Anlagen nennen könnte, ohne
darum die ersteren als uranfänglich eingelegte und sich nur gelegentlich auseinander faltende Maschinen und Knospen (wie im
Evolutionssystem) anzusehen, sondern w i e b l o ß e w e i t e r
n i c h t e r k l ä r l i c h e E i n s c h r ä n k u n g e n e i n e s s i c h
s e l b s t b i l d e n d e n V e r m ö g e n s, w e l c h e s l e t z t e r e
w i r e b e n s o w e n i g e r k l ä r e n o d e r b e g r e i f l i c h
m a c h e n k ö n n e n" [78]).
    In diesen Zusammenhang passen einige Sätze aus Kants
Vorlesungen über Metaphysik hinein, die deshalb hier ihren Platz
finden mögen: „Was eine Kreatur sein werde, kann sehr aus der
Analogie geschlossen werden: wenn ich nach einem einförmigen
Wesen schließe: der zuerst Gerstenkorn in Erde warf, dachte:
es werde verfaulen, da ers faulend keimen sahe, so schloß er auf

Obstkern etc. Wo die Natur der Sache gar zu verborgen ist,
um den künftigen Zustand zu wissen, schließe ich aus der
Analogie. Nun finden wir in der ganzen Natur, daß einem Dinge
gegebene Eigenschaften auf größern Nutzen hinauslaufen, als es
hervorbringet. Kein Organ, das bei der Dauer beständig unbrauchbar wäre. Kein Tier Flügel ohne zu fliegen oder leicht zu
laufen. Ein Tier mit Fangzähnen und Klauen raubt, die junge
Ziege, noch unbeholfen, stößt schon, Raupe alles zum Kohlfressen:
als Puppe hat sie in sich Papillon, der nicht umsonst ist, sondern
herausbricht. Keine künstlichen Talente sind umsonst gegeben".
In anderem Zusammenhange heißt es später: „Tiere nur Fähigkeiten vor dies Leben. Instinkte, Organe, Fähigkeiten, so nichts
überflüssig, sondern alle im Gebrauche des Gegenwärtigen".

Die allgemeinen Prinzipien sind entwickelt, auf denen eine
Naturgeschichte der Rassen aufgebaut werden kann. Die Fruchtbarkeit zwischen den Rassen begründet das Postulat einer einzigen
Menschengattung. Die Aufgabe besteht, die Rassen aus ihr sich
entwickelnd zu denken. Auch hier kehrt ein früher schon ver-
werteter Gedanke wieder: die ursprüngliche Anlage muß so reich
gedacht werden, daß aus ihr alle Verschiedenheiten erklärt werden
können, Lokalschöpfungen sind dann entbehrlich. „Ich leite alle
Organisation von o r g a n i s c h e n W e s e n (durch Zeugung)
ab und spätere Formen (dieser Art Naturdinge) nach Gesetzen der
allmählichen Entwickelung von u r s p r ü n g l i c h e n A n l a g e n,
die in der Organisation ihres Stammes anzutreffen waren". Weiter
vermag die Wissenschaft nicht vorzudringen: „Wie dieser Stamm
selbst e n t s t a n d e n sei, diese Aufgabe liegt gänzlich über den
Grenzen aller dem Menschen möglichen Physik hinaus, innerhalb
denen ich doch glaubte, mich halten zu müssen" [79]). So wird der
Gedanke von dem einen Menschenpaare zur Verdeutlichung akzeptiert, in ihm war die g a n z e ursprüngliche Anlage noch
ungeschieden. Die Differenzierung geschah dann in vielen Generationen durch die klimatischen Bestimmungen, so daß im Gegensatz zu der Annahme von Lokalschöpfungen gesagt werden darf:
„Die Entwicklung der Anlagen richtete sich nach den Örtern und
nicht mußten etwa die Örter nach den schon entwickelten Anlagen
ausgesucht werden" [80]). Es sind also nur physikalische Bedingungen,

welche die Entwicklung einer bestimmten Anlage herbeiführen
und da das charakteristische Merkmal für die Rassen die Hautfarbe
ist, so ist ein Zusammenhang zwischen ihr und dem Klima zu
setzen. Ihre Bedeutung für die Erhaltung des Lebens wurde vorher
erkannt und da sie von einer solchen Wichtigkeit ist, kann von ihr
allein ein Einfluß auf die Zeugungskraft in der Fortpflanzung der
Generationen stattfinden. Zum Wesen des Menschen gehört eine
bestimmte Hautfarbe allerdings nicht, deshalb muß sie als erworben
angesehen werden. Aber die unter den klimatischen Einflüssen
entstehende Entwicklung ist nicht eine unbegrenzte. Ihre Grenze
ist darin gegeben, daß sie doch immer nur eine Anlage zur Wirklichkeit führen können, erzeugend, schöpferisch können sie niemals sein, ihre Wirkung ist vielmehr erschöpft, wenn die Anlage
voll entwickelt ist: „Die Keime, die ursprünglich in den Stamm
der Menschengattung zu Erzeugung der Rassen gelegt waren,
müssen sich schon in der ältesten Zeit nach dem Bedürfnis des
Klimas, wenn der Aufenthalt lange dauerte, entwickelt haben,
und nachdem eine dieser Anlagen bei einem Volk entwickelt war,
so löschte er alle übrigen gänzlich aus" [81]). Ein Volk, das in
einem nördlichen Klima bestimmte Rasseeigenschaften erhalten hat,
verliert sie nicht nach einer Wanderung in ein südliches.

Anpassung und Vererbung sind demgemäß die beiden die
Entwicklung des Menschen, rein als tierisches Wesen betrachtet,
bedingenden Prinzipien. Eine Verwertung dieser Einsicht liegt
vor im Gedanken einer künstlichen Selektion. Die Möglichkeit
einer solchen hat Kant in der Vorlesung über physische Geographie
erwogen, ohne sie durchaus abzulehnen. Nach Behandlung des
Problems der Erblichkeit von Verstümmelungen, Abnormitäten
etc. heißt es dort: „Die Tiere schlachten ihren Voreltern sehr
nach. Negers keine Menschen aber schon trotzdem (?) Adel mit
Ahnen der Voreltern. Mensch in Zeugung und Nahrung dem
Tier gleich — also arten sie auch ihren Voreltern nach und lassen
Eltern vorbei. Man sollte also n a t ü r l i c h e n (nicht gesellschaftlichen) Menschenadel machen können: gewisse Familien in
Vorfahren groß, edel, aufrichtig. Bemühung der Fürsten könnte
race assortieren von edler oder starker Art, die unvermischt blieben
und edle Geschlechter geben würden. Maupertuis im Vénus physique

wollte Serail halten, um Menschenrassen zu entdecken — durch
verschiedene Begattung hat man Hunde z. E. Mopse gemacht:
so auch der Mensch, bei dem man das Genie beobachten könnte.
So wie in einem Dorfe lauter weiße Hühner: durch Wegnahme
der bunten".

Neben diesen Phantasien, welche Kant später abgelehnt hat [82]),
mögen andere stehen, welche sich mit dem Verhältnis der Tiere
zu den Menschen beschäftigen und dann, ähnlich wie Leibniz dies
getan hatte, die Möglichkeit einer höheren Entwicklung der Tiere
ins Auge fassen:

„Bei den Tieren finden wir viel Menschenähnliches, also nach
dem Schluß der Analogie, aber dieser kann trügen, z. E. Schlauig-
keit: die Hunde, die den Drücker aufmachten, Schmerzen zeigten...
Biene ihre 6eckigen Bienenzellen — Ordnung im Stock: aber da
diese ihre Kunst nie gebessert wird und gleich bei dem Ursprung
z. E. Bienen so ihnen eingepflanzt ist. Tiere können leicht betrogen
werden z. E. Henne, Stück Kreide. Kann dies alles ohne Bewußtsein erklärt werden, so erkläre man es lieber aus einer einfachen
Kraft — ja es kann z. E. 2 Wölfe, die lauerten. Kam daher, weil
beide hungrig waren, ohne sich verabredet zu haben. Hunde freuen
sich zur Jagd — weil sie von Natur dazu gehen würden... Tier-
listen z. E. Fuchslist wissen alle Jäger nicht zu erklären.... doch
alles dies sind Listen, durch Gewohnheit entstanden: per analogiam rationis. Da dies bei den Menschen an sich vernünftig
sein könnte, so halten sie es vor vernünftig bei sich und also auch
bei Tieren, siehe Reimarus [83]).

Wir könnten uns Tiere mit größerem Instinkt, größeren Fähigkeiten, besseren Organen denken, die z. E. Städte bauten etc.
Also im künftigen Zustande, in dem nach der Ordnung der Natur
(da durch sie nichts erschaffen, nichts vernichtet werden kann)
auch das immaterielle der Tiere bleiben würde: da vielleicht die
Menschen das durch die Tiere tun lassen würden, was sie tun
könnten und vor sie unanständig wäre, da sie durch Vernunft
edle Glückseligkeit haben würden. Das Äußerliche aber, was ihren
Zustand ausmachen muß, wird vielleicht durch Tiere von gesteigerten Fähigkeiten verrichtet werden, deren Fähigkeit immer
gesteigert werden kann, aber nie vernünftig werden kann, wenn

sie auch ins Unendliche gesteigert würde.... Im künftigen Universo
können aber Steigerungen aller Wesen sein nach der Analogie. Da
sich hier schon viel auswickelt".

Man wird den Wert solchen Gedankenspiels nicht allzu hoch
einschätzen dürfen, aber doch nicht verkennen, daß es in den
Konsequenzen der Kantischen Naturphilosophie lag und schon
in der „Naturgeschichte und Theorie" des Himmels einen Platz
fand. Jedenfalls zeigt sich, wie weit seine entwicklungsgeschichtlichen Gedanken ihn führten. Daß er auch in seiner kritischen
Periode gelegentlich ähnlichen Ideen nachging, wird später zu
erwähnen sein.

Die Untersuchung über die Rassen hat aber noch eine über
ihren Gegenstand hinausführende Bedeutung. Sie führt zu einer
klareren Herausarbeitung des Begriffes einer N a t u r g e -
s c h i c h t e.

Gegenüber der vieldeutigen Verwertung dieses Begriffes bei
den Verfassern der allgemeinen Welthistorie, bei Buffon und selbst
in den eigenen Vorlesungen über physische Geographie kommt
Kant in seinen Arbeiten über das Rassenproblem zu einer scharfen
Entgegensetzung von N a t u r b e s c h r e i b u n g und N a t u r -
g e s c h i c h t e. Es sind hier zu berücksichtigen die Aufsätze:
„Über die verschiedenen Racen der Menschen 1775 u. 1777,
Bestimmung des Begriffs einer Menschenrace 1785, Über den
Gebrauch teleologischer Principien in der Philosophie 1788". Eine
Anmerkung in dem ersten Aufsatz gibt folgende Bestimmungen:
„Wir nehmen die Benennungen N a t u r b e s c h r e i b u n g und
N a t u r g e s c h i c h t e gemeiniglich in einerlei Sinne. Allein
es ist klar, daß die Kenntnis der Naturdinge, wie sie j e t z t s i n d,
immer noch die Erkenntnis von demjenigen wünschen lasse, was
sie ehedem g e w e s e n s i n d, und durch welche Reihe von
Veränderungen sie durchgegangen, um an jedem Orte in ihren
gegenwärtigen Zustand zu gelangen. Die N a t u r g e s c h i c h t e,
woran es uns fast noch gänzlich fehlt, würde uns die Veränderung der
Erdgestalt, ingleichen die der Erdgeschöpfe (Pflanzen und Tiere),
die sie durch natürliche Wanderungen erlitten haben und ihre daraus
entsprungenen Abartungen von dem Urbilde der Stammgattung
lehren". Am Schluß des Aufsatzes kehrt dieser Gegensatz wieder

mit dem Vorwurf gegen die Naturbeschreibung, daß sie von der Mannigfaltigkeit der Abartungen nicht den Grund abgeben könne. Auch der in aller Naturerklärung waltenden Einheitstendenz würde eine Naturgeschichte besser entsprechen, da sie „eine große Menge scheinbar verschiedener Arten zu Rassen ebenderselben Gattung zurückführen und das jetzt so weitläuftige Schulsystem der Naturbeschreibung in ein physisches System für den Verstand verwandeln würde" [84]).

In dem zweiten Aufsatz kehrt die genannte Unterscheidung wieder. In der N a t u r b e s c h r e i b u n g kommt es blos auf Vergleichung der Merkmale an, in der Naturgeschichte ist es nur um die Erzeugung und den Abstamm zu tun [85]). Dieser Gegensatz läßt sich auch erläutern an der Terminologie beider Wissenschaften, dann erhalten wir auf der einen Seite die Begriffe: Realgattung, Naturgattung, auf der anderen Seite: Nominalgattung, Schulgattung, Art, Varietät. Der Begriff Rasse mag für die Naturbeschreibung unbrauchbar sein, er ist es aber nicht für die Naturgeschichte, für diese ist er geradezu nötig. Forsters Zweifel an der Möglichkeit einer solchen Wissenschaft werden dann in dem letzten Aufsatz gerade dadurch bekämpft, daß für sie die Forderung einer erschöpfenden Beschreibung der Vorgänge ausdrücklich abgelehnt wird: „Was den bezweifelten, ja gar schlechthin verworfenen Unterschied zwischen Naturbeschreibung und Naturgeschichte betrifft, so würde, wenn man unter der letzteren eine E r z ä h l u n g von Naturbegebenheiten, wohin keine menschliche Vernunft reicht, z. E. das erste Entstehen der Pflanzen und Tiere verstehen wollte, eine solche freilich, wie Herr Forster sagt, eine Wissenschaft für Götter, die gegenwärtig oder selbst Urheber waren, und nicht für Menschen sein. Allein nur den Zusammenhang gewisser jetziger Beschaffenheiten der Naturdinge mit ihren Ursachen in der älteren Zeit nach Wirkungsgesetzen, die wir nicht erdichten, sondern aus den Kräften der Natur, wie sie sich uns jetzt darbietet, ableiten, nur bloß soweit zurück verfolgen, als es die Analogie erlaubt, das wäre N a t u r g e s c h i c h t e und zwar eine solche, die nicht allein möglich, sondern auch z. B. in den Erdtheorieen (worunter des berühmten Linné seine auch ihren Platz findet), von gründlichen Naturforschern häufig genug versucht worden ist, sie mögen nun viel oder wenig damit ausgerichtet haben" [86]). Die Übertragung der in der Kosmogonie und Geologie gewonnenen Anschauungen auf das Rassenproblem ist in diesen Sätzen vollzogen. Die Fragestellung muß dementsprechend eingerichtet werden. Für eine, wenn auch begrenzte, Vielheit: die Rassen wird nach einem gemeinsamen Ursprung geforscht und es muß versucht werden, diese Vielheit aus dem e i n e n Grunde entspringend vorzustellen. Kant unterscheidet 4 Rassen. In bezug auf ihre Bezeichnung ist ein Wechsel der Lehre zwischen den Jahren 1775 u. 1785 zu konstatieren, aber nicht hinsichtlich des Merkmals der Einteilung. Die Hautfarbe ist entscheidend und zwar deshalb, weil sie in der Entwicklung der Zeugungen anerbt. Diese Unterscheidung läßt sich durchführen, da jede der Rassen in Ansehung ihres Aufenthaltes so ziemlich isoliert ist [87]), der Farbenunterschied ist außerordentlich wichtig, da die Haut, als Organ der Absonderung dem Zweck des Ausdauerns der Menschen in einem bestimmten Himmelsstrich dient. Diese Rassen als verschiedene Gattungen aufzufassen, ist unmöglich, da zwischen den Angehörigen verschiedener Rassen fruchtbare Vermischung stattfindet. So werden wir auf den Gedanken e i n e r Menschengattung und in entwicklungsgeschichtlicher Betrachtung e i n e s Menschenstammes geführt. Aber was zwingt an der Einteilung in Rassen in dem Sinne festzuhalten, daß die Rasseneigentümlichkeiten unabänderlich forterben? Eine Antwort wird gegeben durch die Tatsache der „halbschlächtigen Zeugung", des Entstehens eines Mittelschlages. „Der Charakter der Klassen artet in ungleichartigen Vermischungen unausbleiblich an, und es giebt hievon gar keine Ausnahme.... Dieses Anarten ist jederzeit beiderseitig, niemals bloß einseitig, an einem und demselben Kinde" [88]). Das Ergebnis ist also: die Rassen können nur Rassen sein, weil sie miteinander fruchtbar sind, sie müssen aber Rassen sein, weil die beiderseitigen Eigentümlichkeiten anarten. Es kann noch die Frage entstehen, warum es gerade 4 Rassen sind. Kant erkennt an, daß es „Spuren von noch mehreren" gäbe, aber ein Beweis aus der Erfahrung, d. h. aus der Tatsache halbschlächtiger Zeugung, ist bisher noch nicht geführt. Die Lehre von den Rassen steht und fällt also nicht mit der Vierzahl. Bedeutsamer ist die Frage, warum überhaupt

nur eine verhältnismäßig so geringe Anzahl vorhanden ist. Sie
kann erst eine Antwort erhalten, wenn der Unterschied zwischen
Rasse und Varietät deutlich gemacht worden ist. Varietäten, wie
z. B. die durch Erbfolge hervorgerufenen Verschiedenheiten der
Menschen in bezug auf Statur, Gesichtsbildung, Hautfarbe, manche
Gebrechen können wir beobachten, doch fehlt die Notwendigkeit
der Vererbung und, wo sie stattfindet, ist sie nicht halbschlächtig.
Anders liegt es bei den Tieren, wo fast alles, was man an ihnen
Varietät nennen möchte, (wie die Größe, die Hautbeschaffenheit
etc.) halbschlächtig anartet [89]). Daraus scheint eine Schwierigkeit für die Rassentheorie zu entstehen, da wir ja hier den Menschen
in Analogie mit den Tieren denken müssen. Die Lösung dieses
Einwandes offenbart nun in höchst charakteristischer Weise den
allgemeinen metaphysischen Standpunkt Kants: „Um hierüber
zu urteilen, muß man schon einen höheren Standpunkt der
Erklärung dieser Natureinrichtung nehmen, nämlich den, daß
vernunftlose Tiere, deren Existenz bloß als Mittel einen Wert
haben kann, darum zu verschiedenem Gebrauche verschiedentlich
schon in der Anlage ausgerüstet sein mußten; dagegen die größere
Einhelligkeit des Zwecks in der Menschengattung so große Verschiedenheit anartender Naturformen nicht erheischte; die notwendig anartenden also nur auf die Erhaltung der Spezies in
einigen wenigen von einander vorzüglich unterschiedenen Klimaten
angelegt sein durften" [90]). Hier läßt sich ein unmittelbarer Einfluß
der in der Ethik gewonnenen Einsichten konstatieren, seine Bedeutung ist an einer anderen Stelle zu würdigen, hier sei nur noch
der Gedanke entwickelt, welcher zur Rechtfertigung des Erscheinens
von Varietäten aus einem allgemeinen Prinzip führt. Wie schon
in der „Naturgeschichte", nimmt Kant neben der Tendenz zur
Einheit in der Natur eine andere, auf Vielheit der Erscheinungen
gerichtete an. Die Natur will nicht immer die alten Formen repro-
duzieren, deshalb schafft sie Varietäten, welche durch ursprüngliche
Anlagen vorausbestimmt waren. Shaftesburys Gedanke von der
Originalität jedes Menschengesichtes wird als Beleg für diese Ansicht
zitiert. Daher läßt sich die Gesamtabsicht der Natur so bestimmen:
„Die Varietät unter Menschen von eben derselben Rasse ist aller
Wahrscheinlichkeit nach eben so zweckmäßig in dem ursprüng-

lichen Stamme belegen gewesen, um die größte Mannigfaltigkeit
zum Behuf unendlich verschiedener Zwecke, als der Rassenunter-
schied, um die Tauglichkeit zu weniger, aber wesentlichern
Zwecken zu gründen und in der Folge zu entwickeln" [91]). Der
Gedanke von der Konstanz der Rassen wird auch in dem Aufsatz
„Bestimmung etc." gegenüber der künstlichen Selektion verteidigt.
Alle willkürlichen Änderungen organischer Wesen durch Menschen-
hand, wie z.B. das Stutzen der Schwänze an Pferden, sind nicht im
Stande, das uranfängliche Modell der Natur umzuformen, in der
ganzen organischen Natur erhalten sich bei allen Veränderungen
einzelner Geschöpfe die Spezies derselben unverändert [92]).

Einen systematischen Abschluß erfahren diese Lehren in der
„Kritik der Urteilskraft". Das Erklärungsprinzip für die Erscheinung des organischen Lebens wird erkenntnistheoretisch
begründet. Als unterscheidendes Merkmal dient wieder die für
den Menschen bestehende Unmöglichkeit, die Form eines Dinges
nach bloßen Naturgesetzen zu begreifen. Als Definition erhalten
wir den Satz: „Ein organisiertes Produkt der Natur ist dás, in
welchem alles Zweck und wechselseitig auch Mittel ist" [93]). Diese
Bestimmung darf aber nicht in dogmatischem Sinne verwertet
werden, sie gilt nur in Beziehung auf unser Erkenntnisvermögen,
die Möglichkeit der Erzeugung der organisierten Naturprodukte
durch den bloßen Mechanismus wird dadurch nicht beseitigt. Für
die Forschung ergibt sich die Aufgabe, die mechanische Erklärung
soweit wie irgend möglich durchzuführen, weil ohne sie keine
Einsicht in die Natur Dinge erlangt werden kann [94]). Aber dabei
müssen wir uns immer des Begriffes von einem Naturzweck als
eines heuristischen Prinzipes bedienen, da wir die Untersuchung
der Lebensvorgänge allein mit seiner Hilfe anstellen können.
Allerdings verzichten wir damit darauf die Entstehungsweise der
organischen Wesen zu begreifen. Dies ist Kant schwer geworden,
wie ein loses Blatt, das etwa um das Jahr 1785 anzusetzen ist,
es gesteht: „Ich habe auch bisweilen [ausgestr.: öfter] zum Versuch in den Golph gesteuert, blinde Naturmechanik hier zum
Grunde anzunehmen und glaubte eine Durchfahrt zum kunst-
losen Naturbegriff zu entdecken, allein ich geriet mit der Vernunft beständig auf den Strand und habe mich daher lieber auf

8*

den uferlosen Ocean der Ideen gewagt" [95]). Dem entspricht auch,
daß Kant das Bemühen einer komperativen Anatomie rühmend
anerkennt, welche „die große Schöpfung organisierter Naturen
durchgeht, um zu sehen: ob sich daran nicht etwas einem System
Ähnliches und zwar dem Erzeugungsprinzip nach vorfinde".
Dafür spricht die „Übereinkunft so vieler Tiergattungen in einem
gewissen Schema, das nicht allein in ihrem Knochenbau, sondern
auch in der Anordnung der übrigen Teile zum Grunde zu liegen
scheint, wo bewundrungswürdige Einfalt des Grundrisses durch
Verkürzung einer und Verlängerung anderer, durch Einwickelung
dieser und Auswickelung jener Teile, eine so große Mannigfaltigkeit
von Spezies hat hervorbringen können". Daraus fällt „ein obgleich
schwacher Strahl von Hoffnung in das Gemüt, daß hier wohl etwas mit
dem Prinzip des Mechanismus der Natur auszurichten sein möchte".
So entspringt der Gedanke einer einzigen Urmutter und der einer
Stufenordnung, welche vom Menschen bis zur rohen Materie reicht.
Ihr Wirken bei Erzeugung der Lebensvorgänge wird in Analogie
mit der Kristallbildung gedacht. Für die Wissenschaft ergibt
sich daher die Aufgabe: „Hier steht es nun dem A r c h ä o l o g e n
der Natur frei, aus den übriggebliebenen Spuren ihrer ältesten
Revolutionen nach allem ihm bekannten oder gemutmaßten Me-
chanism derselben jene große Familie von Geschöpfen entspringen
zu lassen. Er kann den Mutterschooß der Erde, die eben aus ihrem
chaotischen Zustande herausging (gleichsam als ein großes Tier),
anfänglich Geschöpfe von minder-zweckmäßiger Form, diese
wiederum andere, welche angemessener ihrem Zeugungsplatze und
ihrem Verhältnisse untereinander sich ausbildeten, gebären lassen;
bis diese Gebärmutter selbst erstarrt, sich verknöchert, ihre Ge-
burten auf bestimmte, fernerhin nicht ausartende Spezies eingeschränkt hätte, und die Mannigfaltigkeit so bliebe, wie sie am
Ende der Operation jener fruchtbaren Bildungskraft ausgefallen
war." Dann aber kommt die Einschränkung: „Allein er muß
gleichwohl zu dem Ende dieser allgemeinen Mutter eine auf alle
diese Geschöpfe zweckmäßig gestellte Organisation beilegen,
widrigenfalls die Zweckform der Produkte des Tier- und Pflanzen-
reichs ihrer Möglichkeit nach garnicht zu denken ist. Alsdann
aber hat er den Erklärungsgrund nur weiter aufgeschoben und

kann sich nicht anmaßen, die Erzeugung jener zwei Reiche von
der Bedingung der Endursachen unabhängig gemacht zu haben"[96]).
Der „Geist wahrer Naturwissenschaft" ist hier bei Kant wie in
seiner Frühzeit mächtig. So hat er es auch als einen Fortschritt im Sinne einer einheitlichen Erklärung aufgefaßt, daß
Blumenbach den Versuch machte, der Materie neben der blos
mechanischen B i l d u n g s k r a f t einen B i l d u n g s t r i e b
beizulegen. Der Standpunkt Blumenbachs [97]) ist dem Kants in
vieler Beziehung verwandt. Auch er geht bei seiner Naturbetrachtung aus von Absichten des Schöpfers, die in der Natur zu
finden sind, wie z. B. in der Erhaltung der Arten; ja er glaubt
sogar, daß die Natur, wenn sie in der Ausführung ihrer Absichten
durch Menschen gehindert wird, schließlich dieser überdrüssig
werden könnte, und er erzählt das Märchen von den beschnitten
geborenen Kindern im Orient. Scharf betont er dann den Gegensatz der anorganischen und der organischen Natur. In dieser
ist ein Bildungstrieb wirksam: „Daß in allen belebten Geschöpfen
vom Menschen bis zur Made und von der Ceder bis zum Schimmel
herab ein besonderer, eingeborner, lebenslang tätiger wirksamer
Trieb liegt, ihre bestimmte Gestalt anfangs anzunehmen, dann zu
erhalten, und wenn sie ja zerstört worden, wo möglich wieder-
herzustellen. Ein Trieb (oder Tendenz oder Bestreben, wie man
es nur nennen will), der sowohl von den allgemeinen Eigenschaften
der Körper überhaupt, als auch von den übrigen eigentümlichen
Kräften der organisierten Körper insbesondere gänzlich verschieden ist, der eine der ersten Ursachen aller Generation, Nu-
trition und Reproduktion zu sein scheint, und den ich hier, um
aller Mißdeutung zuvorzukommen, und um ihn von den andern
Naturkräften zu unterscheiden, mit dem Namen des Bildungs-
Triebes (nisus formativus) belege" [98]). Blumenbach gibt selbst zu,
daß die Ursache dieses nisus formativus eine qualitas occulta sei,
seine konstante Wirkung könne man allerdings aus der Erfahrung
beweisen. Er entsteht nach einer größeren Zeit aus der Mischung
der Samenflüssigkeiten und sein Wirken offenbart sich weniger
„in der Länge und Größe und ähnlichen dergleichen körperlichen
Eigenschaften" als in der „ungleich bestimmteren und unveränder-
licheren Gestalt und Bildung". Kant hatte dies Form genannt.

Für die Wirkungsweise dieses Triebes lassen sich Gesetze aufstellen, Blumenbach formuliert deren 6, von denen das erste hier
wiedergegeben sei: „Die Stärke des Bildungstriebes steht mit
dem zunehmenden Alter der organisierten Körper in umgekehrtem
Verhältniß" [99]).

Aus der Annahme eines solchen Triebes geht schon hervor,
daß Blumenbach ein Vertreter der Epigenesistheorie ist. Zu ihr
bekennt sich nunmehr ausdrücklich unter Berufung auf ihn Kant.
Die Zeugungstheorien werden unterschieden in die des Okkasionalismus und die des Prästabilismus. Die erstere, nach welcher
die oberste Welturache „bei Gelegenheit einer jeden Begattung
der in derselben sich mischenden Materie unmittelbar die organische Bildung giebt", wird abgelehnt, da wenn sie angenommen
wird, „alle Natur gänzlich verloren geht und mit ihr aller Vernunftgebrauch". Die Theorie des Prästabilismus wird dann eingeteilt
in die des Evolutionismus und die der Epigenesis, welche auch
die charakteristischen Namen der individuellen und der generischen
Präformation erhalten. Auch die letztere zum Prästabilismus zu
rechnen sieht sich Kant veranlaßt durch die allgemeine Einsicht, daß mechanische Gründe allein nicht imstande sind, die
Konstanz der Arten zu sichern, deshalb muß angenommen werden,
daß „das produktive Vermögen der Zeugenden doch nach den
inneren zweckmäßigen Anlagen, die ihrem Stamme zu Teil wurden,
also die spezifische Form virtualiter präformiert war". Die Evolutionstheorie wird dann mit dem aus dem „Beweisgrund" bekannten Gründen abgelehnt, auch sie vermeidet nicht das Wunder,
ja sie ist sogar gegenüber dem Okkasionalismus im Nachteil, da
sie übernatürliche Anstalten annehmen muß, um die Erhaltung
der Embryonen seit der Schöpfung erklärlich zu machen. Ferner
werden die in der damaligen Literatur so häufig wiederkehrenden
Einwände, welche aus der Tatsache der Bastardzeugung genommen
sind, gegen sie angeführt. Die Vertreter der Epigenesistheorie
können sich dagegen auf Erfahrungsgründe stützen und außerdem
„würde die Vernunft doch schon zum Voraus für ihre Erklärungsart
mit vorzüglicher Gunst eingenommen sein, weil sie die Natur in
Ansehung der Dinge, welche man ursprünglich nur nach der
Kausalität der Zwecke sich als möglich vorstellen kann, doch

wenigstens, was die Fortpflanzung betrifft, als selbst hervorbringend, nicht blos als entwickelnd betrachtet, und so doch mit dem kleinstmöglichen Aufwande des Übernatürlichen alles Folgende vom ersten Anfange an der Natur überläßt" [100]). Allerdings: die Frage nach dem ersten Anfange muß auch bei dieser Theorie unerledigt bleiben.

Am Ende all dieser Untersuchungen tritt die Grundkonzeption der Kantischen Entwicklungstheorie, wie sie zuerst in der „Naturgeschichte" dargestellt wurde, noch einmal klar und deutlich uns entgegen. Auch bei ihrer Anwendung auf die organischen Wesen wird versucht den Gedanken einer logischen Ordnung mit dem eines zeitlichen, mechanischer Notwendigkeit unterworfenen Geschehens zu vereinigen. Aber wie der Mechanismus die Entstehung organischer Wesen nicht erklären kann, so ist es auch nicht möglich nur mit seiner Hilfe zu begreifen, wie die von ihm herkommenden Einflüsse eine Regel ihres Wirkens erfahren können. Vielmehr ließe sich aus ihnen eher unübersehbare Fülle als die zu beobachtende Ordnung erwarten. Eine solche Möglichkeit widerstrebt aber der Idee von der in den Dingen waltenden Vernunft. Ein Plan der Natur ist vorhanden, innerhalb dessen das Geschehen ablaufen muß. Sie hat ihre Wesen reicher ausgestaltet, als es die augenblickliche Notdurft verlangte. Von diesen Anlagen wird nun ein bestimmter Komplex durch rein mechanische Einflüsse entwickelt. Insofern sind die organischen Wesen dann an eine dauernde Form gebunden. Der Entwicklungsprozeß kommt zur Ruhe, wenn die Anpassung vollzogen ist. Dann bleiben die Spezies unverändert bestehen.

Bis hierher war es möglich in einheitlicher Darstellung die organischen Wesen mit Einschluß des Menschen zu betrachten. Kant hatte in der „Naturgeschichte" ausdrücklich an die kleine Rolle erinnert, die dieser im Zusammenhang des reinen Naturgeschehens spielt. Aber schon aus dieser Schrift wurde deutlich, daß damit nicht das letzte Wort gesagt war. Daß der Mensch im Kosmos eine besondere Stellung einnehme, war der Glaubenssatz des Jahrhunderts. Wie es sein Dasein begriff, ist nun zu untersuchen.

Das 18. Jahrhundert übernahm von der Renaissance und den Denkern des 17. Jahrhunderts [101]) das Interesse am Menschen

und den Tatsachen des individuellen Erlebens. Auch die Richtung
auf Gestaltung des persönlichen und staatlichen Lebens auf dem
Grunde dieses Studiums war gegeben. Wo die so gefundenen
Kenntnisse eine systematische Gliederung erfuhren, da geschah
dies mit Hilfe der auf die Körperwelt angewandten Methode. Der
Mensch erschien dann als ein Teil des großen einheitlichen mechanischen Geschehens und wurde in seiner Abhängigkeit von den Bedingungen des Klimas und denen seines Körpers begriffen. Sein
Seelenleben erschien als ein System von Kräften, die einander
beeinflussen, steigern oder unterdrücken und über die der Mensch
schließlich durch seine Vernunft die Herrschaft erlangen muß.
Diese Vernunftanlage galt als das Auszeichnende seines Wesens
in der Schöpfung. Auf ihr beruhte seine Fähigkeit und sein Recht
das Leben einzurichten und mit ihm gleichgearteten Wesen in
eine staatliche Ordnung zu treten, deren Ideal in der harmonischen
Vereinigung der Kräfte ihrer Mitglieder bestand. Die Anthropologie des 18. Jahrhunderts [102]) hat die allgemeinen Prinzipien
dieser Betrachtung festgehalten, nicht ohne sie in mancher Hinsicht zu modifizieren. Sieht man von rein materialistischen Theorien, die doch eigentlich nie recht Bedeutung gewannen, ab, so
darf vielmehr konstatiert werden, daß der Gedanke eines Mechanismus des Seelenlebens nicht mehr so unbeschränkt herrschte.
Der letzte Grund zu dieser Erscheinung lag darin, daß die Fülle
des durch Beobachtung des Seelenlebens in Wissenschaft und
Poesie gewonnenen Materials und seine Bereicherung durch das
Studium der Naturvölker den Rahmen einer so einseitig bestimmten Betrachtungsweise sprengte. Die Analyse des Seelenlebens, wie sie von Locke methodisch ausgebildet und dann
von seinen Nachfolgern in England, Frankreich und Deutschland
geübt und auf das gesamte Gebiet des ästhetischen, ethischen und
religiösen Erlebens angewandt wurde, enthielt in sich ebenso sehr
Grenzenlosigkeit des Erfahrbaren, als sie lehrte gewisse allgemeine
Grundzüge des seelischen Lebens aller Menschen aufzuweisen.
Dieser Gedanke wurde keineswegs aufgegeben, aber an die Stelle
des Gesetzes trat die Idee eines typischen Verhaltens. Den allgemeinen Charakter der Geschlechter, der Lebensalter, der Temperamente, der Berufe und der durch Klima, Sitte und Gewohnheit

bedingten Völker, schließlich der Menschheit versuchte man zu bestimmen. Ebenso untersuchte man das typische Verhalten der Grundtriebe der Seele, ihre egoistischen und ihre altruistischen Empfindungen. Der Gedanke an eine im geistigen Leben waltende Gesetzmäßigkeit machte sich aber besonders da geltend, wo der Blick auf soziale und geschichtliche Erscheinungen gerichtet war. Hier trat das anthropologische Interesse in Beziehung zu dem geschichtsphilosophischen. Die von der Geschichtsphilosophie so gern geglaubte Anschauung, daß das Ganze Gesetzmäßigkeit hervortreten lasse, die an dem Einzelnen nicht beobachtet werden kann, war dann leitender Gesichtspunkt. Ihr Recht glaubte eine solche Ansicht begründen zu können aus einem Plan der Vorsehung, deren Wirken zu begreifen Newton für die Vorgänge der Natur gelehrt hatte. Daß mit diesen Untersuchungen über das seelische Leben zugleich der Gedanke ihrer Anwendung auf die Lebensführung verbunden war, braucht im Hinblick auf das starke pädagogische Interesse des Zeitalters nur erwähnt zu werden. Bedeutsam ist aber, daß das Vertrauen auf die Vernunft als Führerin im Leben doch nicht mehr ein so unbedingtes war und daß aus dem empfundenen Zwiespalt zwischen natürlicher Bedingtheit und Begrenztheit eigenen Könnens einerseits und der Bestimmung des Menschen andererseits eine Sehnsucht nach letzter Befriedigung der Bedürfnisse des Herzens entsprang, welche nur durch über das Dasein in die Unendlichkeit strebende und sie schon verheißende Gefühle erfüllt werden konnte. Die Periode der Empfindsamkeit, deren Wesen damit angedeutet werden soll, gab ein neues psychologisches Interesse. Es war ein außerwissenschaftliches, es betätigte sich in Selbstbiographie, Brief und Roman, es wollte vielmehr das seelische Erleben voll und breit ausströmen lassen, als es in das Bett erkenntnismäßigen Begreifens einzwängen, der Mensch schwelgte feuchten Auges in den hohen Empfindungen von Freundschaft, Liebe, Menschheit und Ewigkeit.

So ist das Bild, das uns die Anthropologie und Psychologie des 18. Jahrhunderts bietet, ein ungemein reichhaltiges und eine Formel für sie kann nur schnellfertige Etikettierungssucht geben wollen. Vom Materialismus, physiologischer Psychologie, Physiognomik führt der Weg über Analyse und Klassifikation der

seelischen Vorgänge bis zu den Bekenntnissen über das eigene
persönliche Erleben, sein Glück und seinen Schmerz. Wie Kant,
der von seinen kosmogonischen und kosmologischen Betrachtungen
herkam, sich zu diesen Problemen stellte, soll nun gezeigt werden.

Die „Naturgeschichte und Theorie des Himmels" hatte die
Existenz des Menschen in die allgemeine Gesetzmäßigkeit des
Werdens und Vergehens im Weltall hineinbezogen. Die Rassentheorie betrachtete ihn im Zusammenhang der klimatischen Bedingungen seines Wohnplatzes. Wird er nun auch nach der Seite
seiner psychischen Veranlagung betrachtet, so zeigt sich auch hier
Abhängigkeit von allgemeinen kosmischen Bedingungen. Diese
Frage erörtert Kant in dem berühmten „Anhang von den Bewohnern der Gestirne" auf Grund der schon erwähnten Theorie,
daß die Materie eines Gestirnes desto feiner ist, je weiter dasselbe
von der Sonne entfernt ist. Da nun aber von dieser so bestimmten
Materie der mit ihr verbundene Geist abhängig ist, spricht Kant
allgemein die Vermutung aus: „daß die Trefflichkeit der denkenden
Naturen, die Hurtigkeit in ihren Vorstellungen, die Deutlichkeit
und Lebhaftigkeit der Begriffe, die sie durch äußerlichen Eindruck
bekommen, sammt dem Vermögen sie zusammenzusetzen, endlich
auch die Behendigkeit in der wirklichen Ausübung, kurz, der
ganze Umfang ihrer Vollkommenheit, unter einer gewissen Regel
stehen, nach welcher dieselben nach dem Verhältniß des Abstandes
ihrer Wohnplätze von der Sonne immer trefflicher und vollkommener
werden" [103]). Deshalb werden sich aus der Stellung der Erde zur
Sonne wichtige Folgerungen für die spezielle Beschaffenheit ihrer
Materie und damit für das geistige Leben der Menschen ergeben.
Die Erde steht in der Mitte zwischen der Sonne und dem am weitesten entfernten Planeten, ihre Bewohner also in der Mitte zwischen
den geistig vollkommensten und unvollkommensten Wesen. Diese
Mittelstellung ist in gewisser Weise verhängnisvoll für den Menschen, seine Doppelnatur läßt ihn am wenigsten den Zweck seines
Daseins erreichen. Während niedere Wesen ihn durch Instinkt,
während höhere Wesen durch ihre höheren geistigen Fähigkeiten
erreichen, ist das Leben des Menschen ein unausgesetzter Kampf
zwischen Geist und Materie. Diese ist aber grob und unlenksam
und beeinflußt die geistige Tätigkeit in zweifacher Weise: „Es

ist aus den Gründen der Psychologie ausgemacht, daß vermöge
der jetzigen Verfassung, darin die Schöpfung Seele und Leibe von
einander abhängig gemacht hat, die erste nicht allein alle Begriffe des U n i v e r s i durch des letztern Gemeinschaft und
Einfluß überkommen muß, sondern auch die Ausübung seiner
Denkungskraft selber auf dessen Verfassung ankommt, und von
dessen Beihülfe die nötige Fähigkeit dazu entlehnt" [104]). Diese
so durch die Vermittlung der Sinne überlieferten Begriffe sind aber
verworren und undeutlich. Hauptaufgabe des Verstandes ist, sie
klar und deutlich zu machen. Dies ist nur möglich durch Verbindung und Vergleichung der Begriffe. Allein auch diese Fähigkeit
ist dem Menschen nur in geringem Maße zu teil geworden. Nur
mit Mühe kann die Seele sich in den Zustand des Nachdenkens
versetzen, es fehlt ihr die hierzu notwendige „Hurtigkeit". Die
Unbiegsamkeit der Fasern und die Trägheit und Unbeweglichkeit
der Säfte sind Hindernisse des Denkens. Diese Abhängigkeit hat
aber nicht nur wichtige Folgen für das Erkenntnisvermögen,
sondern auch für den sittlichen Charakter des Menschen. „Weil
er der Reizung der sinnlichen Empfindungen in dem Inwendigen
seines Denkungsvermögens nicht genugsam kräftige Vorstellungen
zum Gleichgewichte entgegen stellen kann: so wird er von seinen
Leidenschaften hingerissen, von dem Getümmel der Elemente, die
seine Maschine unterhalten, übertäubt und gestört. Die Bemühungen der Vernunft, sich dagegen zu erheben und diese Verwirrung durch das Licht der Urteilskraft zu vertreiben, sind wie
die Sonnenblicke, wenn dicke Wolken ihre Heiterkeit unablässig
unterbrechen und verdunkeln" [105]). So ist die Ausbildung der
Fähigkeiten der einzelnen Menschen abhängig von der Materie
ihres Körpers. Ihre Entwicklung ist deshalb der Zeit und dem
Ziel nach, das erreicht wird, eine verschiedene. Für alle gilt schließlich das Gesetz des Altwerdens, mit dem Abnehmen der körperlichen
Fähigkeiten ist ein solches der geistigen verknüpft. Von diesem
Standpunkte aus kommt Kant schließlich zu dem wenig tröstlichen
Ergebnis: „Wenn man das Leben der meisten Menschen ansieht,
so scheint diese Kreatur geschaffen zu sein, um wie eine Pflanze
Saft in sich zu ziehen und zu wachsen, sein Geschlecht fortzusetzen,
endlich alt zu werden und zu sterben. Er erreicht unter allen

Geschöpfen am wenigsten den Zweck seines Daseins, weil er seine
vorzüglichen Fähigkeiten zu solchen Absichten verbraucht, die die
übrigen Kreaturen mit weit minderen und doch weit sicherer und
anständiger erreichen" [106]).

Charakteristisch für die naturwissenschaftliche Richtung seines
Denkens ist es, daß Kant an dieser Stelle sich auf den Boden
einer physiologischen Psychologie stellt und die seelischen Vorgänge
unbedingt abhängig von den körperlichen vorstellt. Er bedient sich
dabei der Lehre Descartes', wenn er den Körper die Säfte kochen
läßt, die dann Bewegungen im Gehirn hervorrufen. Wird dieser
Umlauf der Säfte geschwächt, so werden nur noch dicke Säfte
erzeugt und die Denkkraft nimmt ab. Nach 11 Jahren, in den
„Träumen eines Geistersehers" hat Kant sich noch einmal über
diese Probleme geäußert. Er erörtert die bekannte Frage nach
dem Sitz der Seele und findet, daß eine einwandfreie Antwort
bisher nicht gefunden worden sei. Die von der damaligen Schul-
philosophie vertretene Ansicht, wonach die Seele ganz im ganzen
Körper und ganz in jedem seiner Teile ist, wird ebenso abgelehnt
wie die Lehre Descartes'. Die Gemeinschaft zwischen Geist und
Körper erscheint ihm geheimnisvoll und es läßt sich sein Bestreben beobachten, ersterem eine gewisse Unabhängigkeit von
letzterem zu sichern. Nicht jede Veränderung auf der körperlichen Seite führt eine solche im seelischen Leben mit sich und
das Prinzip des Lebens kann nicht in toter Materie liegen, es muß
in einem Immateriellen gesucht werden [107]). Diese kritische
Stellungnahme ist dann schließlich zu einer ganz ablehnenden geworden. Als Kant in seinem Brief an Marcus Herz aus dem
Jahre 1773 seinen abweichenden Standpunkt gegenüber der
Platnerschen Anthropologie angibt, heißt es von der physiologischen
Psychologie: „Die subtile und in meinen Augen auf ewig vergebliche Untersuchung über die Art, wie die Organe des Körpers
mit den Gedanken in Verbindung stehen, fällt ganz weg" [108]).

Die Abhängigkeit der psychischen Eigenschaften der Menschen
von seinem Wohnplatz ist damit behauptet. An näheren Ausführungen über die aus der Verschiedenheit der Bedingungen auf
der Erde herfließenden Wirkungen und an einer Abgrenzung

gegenüber anderen Faktoren fehlt es allerdings in den Schriften der vorkritischen Periode. Nur einige wenig bietende, gelegentliche Bemerkungen lassen sich hier anführen. In dem Aufsatz: „Ob die Erde veralte" wird der Gedanke, die Abnahme der geistigen Kräfte bei den neueren Völkern gegenüber den Alten als Beweismittel für ein Älterwerden eines allgemeinen Weltgeistes zu benutzen, mit der Begründung abgelehnt, daß „die Regierungsart, die Unterweisung und das Exempel großen Einfluß in die Gemütsverfassung und die Sitten haben" [109]). Deshalb erscheint es Kant zweifelhaft, „ob dergleichen zweideutige Merkmale Beweistümer einer wirklichen Veränderung der Natur abgeben können". Damit werden für die Entwicklung der Menschen andere Faktoren als die rein physischen anerkannt. Als solche werden dann in einer Anmerkung zu den „Beobachtungen über das Gefühl des Schönen und Erhabenen" genannt: die Zeitläufte, die Regierungsart und das Klima [110]). Welcher von diesen Einflüssen der herrschende ist, wird allerdings nicht untersucht. Eine positive Ansicht erhalten wir schließlich nur „aus dem Entwurf und Ankündigung eines Kollegii der physischen Geographie", wo gesagt wird, daß die Neigungen der Menschen „aus dem Himmelsstrich, darin sie leben, herfließen" [111]).

Hier treten nun ergänzend die Vorlesungen über physische Geographie aus Herders Nachlaß ein. Ich lasse ein größeres Stück im Zusammenhang an dieser Stelle folgen:

„Die O r g a n i s a t i o n des Körpers ist verbunden mit den Anlagen der Erkenntniskräfte zu den Bedürfnissen des Lebens. Nordamerikaner auf der Jagd so s t a r k e n G e r u c h , daß sie das Wild weiter riechen als Europäer sähen. Daher lauter tierische Instinkte, deren Schärfe sie zwar exerzieren — aber nicht zum Vergnügen braucht wie die gesitteten z. E. schöner Geruch ihnen eben nicht schön: aber fein, da sie nicht in Städten eingekerkert sind. Starkes G e s i c h t . Hottentotten von weitem Schiffe, können Fußtapfen auch fast auf Steinen sehen... Sobald unsere Seelenkräfte auf Spekulation gerichtet werden, wird das übrige schwächer. Ein Bauer wird weniger durch Sinne brauchbar, weil er auch schon abgezogen wird, je stärker der innere Sinn etc.

Und wir wissen nicht, wie hoch es der Mensch bringen kann, weil seine Vernunft nicht so exerziert wird. Diese aber kann alles übrige in besondere Proportion oder Disproportion setzen.

Wilde haben viel Stärke (durch Übung der Muskeln), die Fähigkeit zu laufen, sich der Hände zu bedienen — diese durch die Erziehungsmethode ebenso ausgebildet werden, da sie als Tier menschlich (?) g e b i l d e t werden: nicht durch die Nachahmungskunst, so wie Hund als Hund und als Affe gezogen werden kann. Ihre Erziehung ist eben so sorgfältig, nicht aber voll Sorgfalt. Z. E. Kind saugt im Klammern (?), lernen von selbst kriechen und gehen — nicht gewindelt: Hottentotten — greifen hastig mit Händen (Haselquist) Egypter windeln Kinder aber täglich, etliche mal entwickelt und rechte Hand und linken Fuß auf den Rücken gebogen. Unsere Kinder sind Mumien unbewegte Fakiers, die wirklich dadurch steif werden. Daher die der Europäer, die sich dem nähern, auch wohlgebildeter sind z. E. Ungarn, die sich nicht Füße schnüren: daher können wir auf die größere Fertigkeit der Inder schließen z. E. da sie, um vom weiten Feinde zu entdecken weit sehen — vielleicht mag im ursprünglichen Zustande der Mensch viele Instinkte haben, die jetzt nicht unsre sind.

Die in Zona torrida haben nicht feine Empfindungen vor Ordnung und Schönheit, blos Notdurft, die durch F a u l h e i t noch vergrößert wird, diese überwiegt alle übrige Triebe bei den Negers und allen Indianern, die sich vom Spazierengehen keinen Begriff machen können...

Alle in Zona torrida haben eine philosophische Gleichgültigkeit: bescheiden, unparteiisch, gelassen, das aber blos Phlegma und versteckte Bosheit ist und desto mehr z. E. Chineser dem Haß unterworfen.

Alle in Zona temperata haben vehemente Leidenschaften, die plötzlich und gleich offenbar ist z. E. Liebe, Zorn ist auffahrend — die in Zona torrida haben schleichende verborgene Leidenschaften, die desto mehr gefährlich sind...

N e g e r s sind noch überdem außer der Faulheit sehr l ä p - p i s c h , blos durch Zwang zur Arbeit zu bringen, freuen sich an Kinderei, Glaskorallen... sind am ungeartesten alles durch Nachahmung nichts durch eigne Fähigkeit...

Indianer sind feig ... besonders leicht verzweifelnd und dies ist sehr leicht aus der Feigheit zu erklären. Daher sind sie melancholisch und unstandhaft in der Sklaverei der Weißen und auf der See, doch durch gutes Essen zufrieden zu stellen.

Wegen ihrer Faulheit suchen sie ihren Geist lebhaft zu machen durch Branntwein ... durch diese Berauschung werden sie aber rasend, außer aller Fassung, daher mag die Trägheit vielleicht aus der großen Ausdünstung oder Mangel an Lebensgeist kommen. — —

Die in Siam ... weil sie keinen unternehmenden Geist haben, daher kommt die große Despoterei, da sie sich von keiner Republik einen Begriff machen können. ...

Das Alter ist fast überall einerlei. Die Vermehrung scheint in Zona temperata am größten zu sein, in Zona torrida eher am Tier ist und die Unmäßigkeit schwächt den Menschen...

Charactere der Nationen sind sehr vermengt, daher vielleicht die wenigen Unterscheidungen, so daß einige ihn blos der Regierungsart, Erziehung zuschreiben und freilich z. E. Athen und Lazedämon. Aber doch auch Klima z. E. die unvermischten Nationen als Negers haben einen besonderen Charakter. Negers leichtsinnig, zaghaft, faul, Gallier und Franzosen sind noch dieselben z. E. Leichtsinnigkeit der Poesie.

Spanier haben viel Arab. daher ernsthaft (Kontrast mit Franzosen) eifersüchtig.

Engländer eben so einen Nationalcharacter. Dieser kommt auch sehr auf die Lage des Landes [an], auch durch Berge, See. Bei Engländern wird das Kind an kühne Blicke gewöhnt, an schreckhafte Vorstellungen; Körper durchs Klettern abgehärtet, daher Mut, Tapferkeit, da auch ihre Berge leichter zu verteidigen waren und da hier mehr Viehzucht als Ackerbau herrscht, so drückt dies das Portrait der Freiheit ein. Hat das Klima einen solchen Einfluß, daß auch die Gesetzgebung sich darnach richten müsse, die Regierungsart? [112]) Montesquieu Esprit des Loix. In Europa ist solche Zusammenmischung, daß die Gesetze eher den Character als v. v. ändern, alles macht die Nachahmungssucht gleichförmig, große Städte sind sich gleich zwar nicht in Gebräuchen, aber im Ganzen die Einwohner — nur noch etwa auf dem Lande sind sie sich gleich.

Willkürliche Veränderungen der Nationen (verschönern nicht die Nationen, sondern verschlimmern sie) fast alle Nationen wollen ihre Rauhigkeit ändern.

Nahrung. Unserer Tafeln Überfluß macht mit Nationen großen Kontrast, die bei weniger vergnügt sind... Die Art der Nahrung macht sehr viel auf die Gesellschaft und Art derselben. Die ohne Haustiere können nicht ackern: dahero fischen, jagen z. E. in Amerika. Keine Pferde und Rindvieh. Nationen ohne Ackerbau sind frei z. E. Tartaren, ob sie gleich Vieh und Pferde haben. Ackerbau haftet an, macht Mein. Streitigkeiten — Richter — Polizei...

Mexicaner und Peruaner schon Ziegen und Art von Gesellschaft und blos durch die gesitteten Verhältnisse ist große Fruchtbarkeit möglich. Die Wilden leben beschwerlich mit Jagen: brauchen sie auch viele Meilen: ihre Länder sind dadurch, daß jetzo vermehrt sind, verengert und das Land hat stets so viel Völker als es haben kann... Je mehr Ackerbau desto mehr Leute z. E. China kaum Raum: also aus Klima und Lebensart folgt

1. die Zahl der Leute,
2. die Regierungsart.

Daher Jäger nicht despotisch regiert werden können, weil sie nicht glebae adscripti sind... Lappen leben von Renntieren — weil ihr Land gar nicht Ackerbau haben kann, daher werden sie an sich immer Wilde sein."

Demnach stellt sich uns die Entwicklung des Menschengeschlechts dar als eine unter dem Einfluß äußerer Ursachen gesetzmäßig ablaufende Entfaltung ursprünglich im Menschen überall gleichmäßig vorhandener Fähigkeiten. Klima und Lebensart sind die wichtigsten Ursachen. Das erstere gibt den Menschen einer bestimmten Zone einen bestimmten Charakter, eine gewisse psychische Grundstimmung, welche maßgebend ist für die weitere Ausbildung ihrer Fähigkeiten. Insofern dann die Produkte eines bestimmten Landes von dem dort herrschenden Klima und der Bodengestaltung abhängig sind, bestimmen diese die verschiedene Lebensart der Menschen, welche entweder Ackerbau treiben oder als Hirten, Jäger oder Fischer leben. Diese Lebensart bedingt ihrerseits wiederum die Regierungsart eines Landes, welche bei ackerbautreibenden Völkern mehr einen despotischen, bei den anderen mehr einen freien Charakter tragen wird.

In diese so rein von äußeren Ursachen bedingte Entwicklung tritt aber nun ein der bewußte Wille des Menschen, die Nachahmungskunst der Tiere wird bei ihm durch Erziehung ersetzt. Auf dieser Ausbildung seiner vernünftigen Fähigkeiten und einer dementsprechenden Lebensordnung beruht dann die höhere Entwicklung der Menschheit, welche als Gegenbild zwar das Stumpfwerden ihrer instinktmäßigen Fähigkeiten hat, aber das Verlorene ersetzt und noch nicht beendet ist.

Die Frage, wie nun das Endziel der spezifisch menschlichen Entwicklung zu denken sei, hat Kant im Anschluß an Baumgartens Sect. IV der Psychologia rationalis: „Immortalitas animae humanae" behandelt. Dort heißt es: „Keine künstlichen Talente sind also umsonst gegeben. Mensch im Mutterleibe ist unnütz, wird aber geboren. Die Eigenschaften des Menschen reichen sie blos vor dies Leben oder hat er höhere Anlagen und Fähigkeiten? Er kann große Räume fassen, im Unendlichen schweifen, das ihn nichts angeht, in der Zeit vorher irrt er umher, will in die tiefsten Künftigkeiten dringen, die ihn so interessieren. Diese Begierde ist sogar größer als nach den Lebensbedürfnissen selbst. So bald sie das Vergnügen derselben schmecken, so verlieren sie die übrigen und man schätzt sie an andern hoch und verachtet die Vergnügen des Lebens. Solche fühlen die Hoheit der Seele, und diese Begierden nach Dingen, wo w i r n i e h i n k o m m e n, macht uns dies Leben irre. Er besteht im wunderlichen Widerspruch mit diesem Leben. Wäre er vor dies Leben, so braucht er keine Wissenschaften: wehe dem! (Rousseau)... Hirngespinste findet. Keine Wissenschaft an sich kann ihre eigene Ursache versüßen, sie wirkt vor sich mehr schädlich — dem Publikum unnütz — er belohnt sich mit der Achtung anderer — Übel des Leibes, Güter. — Die Wissenschaft quält, reißt vom Vergnügen zurück und ihr Vergnügen ist blos Art der Vorhersehung. Das Leben ist dazu zu kurz: dazwischen keine Proportion. Biber baut sich auf Jahrhunderte an [113]). Mensch ist unersätlich an Wissenschaft und stirbt, sein Nachfolger fängt wieder hitzig an und stirbt, alles ist abgebrochen. Newton stirbt früh...

Status p o s t m o r t e m ist sehr wahrscheinlich, 1. der Zustand der Welt ist ohne vernünftige Wesen gleich dem Nichts.
2. vernünftige Wesen, die aufhören, sind als wenn sie nie gewesen
wären: und wenn ich die Vernichtung erwarten muß, so ist das
Dasein ein Spiel des Urhebers — ich will gar nicht sein! Dies
ist vor eine E m p f i n d u n g vor die W e l t: ist sie nicht ein
Schutt von Trümmern, wo kein Zusammenhang ist, wo stets was
fehlt, wo nicht stets dauernde Wesen es verknüpften: das größte
Leben ist nur vor Narren lang: es ist ein Augenblick, da ich war
und nicht mehr bin: die Kette wird allemal zerrissen und da alle
Stücke der Welt auf den Mittelpunkt der vernünftigen Geschöpfe
sich beziehen, so muß das besondere Dasein der vernünftigen
Geschöpfe die Epochen verbinden, sonst hören ja nur die zukünftigen vernünftigen Geschöpfe von diesen: sie stellen sich
solches als möglich vor — das Ganze verliert also Einheit. Es
müssen also wenigstens einige Geschöpfe sein, die das vorige mit
dem folgenden — Ursache mit Wirkung verbinden können. Hieraus bloß, daß einige vernünftige Wesen usw., obs der Mensch sei
folgt nicht. — Du hast Begriffe und Begierde nach der Ewigkeit:
du siehst keinen Grund dagegen usw., dies ist aber alles schwächer,
denn vielleicht darf das Menschengeschlecht auf diesen Vorrang
nicht Anspruch machen:

a) wie zufällig ist, daß der Mensch geboren wird (verbotene
Ehe, gehinderte Ehe, Embryos sterben) wie zufällig ists, daß er
vernichtet, — oder er wird und vergeht.

b) Einige Menschen haben so wenig als Mensch gelebt, was
werden die vor einen Zusammenhang des vorigen und künftigen
machen können, da sie sich um nichts bekümmerten — also vielleicht einige Menschen wegen des Todes zu bedauern, die Denkungs-
kräfte, Begierde und Anknüpfung zu künftigem Zweck: also nur
von einigen Menschen vermutlich, aber wer ist denn sicher?
Niemand! es ist bloß eine Ausnahme! wird bei mir nicht Schwierigkeit sein? Kann ein Newton es gewiß sein?

...... Also aus der Weisheit Gottes ist aller Beweis kraftlos,
weil ich selbst Gottes Weisheit haben müßte — ich suche also
in der Natur des Menschen, ob Anstalten da sind, die weiter als
für dieses Leben reichen. Ist dies, so urteile ich nach der Ähn-

lichkeit der Naturordnung. Sie, die nichts vergebens gibt — so bleibt nicht eine Ausnahme (wie bei dem Beweis von der Weisheit) sondern sicherer und allgemein: weil ich in der Vergleichung des Menschen überhaupt mit andern Talente und Begierde nach dem Ewigen finde und denn dauert er nach der N a t u r o r d n u n g: — Tiere bloß Fähigkeiten vor dies Leben. Instinkte Organen, Fähigkeiten, so nichts überflüssig: sondern alles im Gebrauch des Gegenwärtigen — Menschengeist aber hat eine heftige Wißbegierde und Leidenschaft, die wenn sie entwickelt würde, alle Dinge des Lebens läppisch macht. Weit edlere große (unnütze) Fragen wickeln ihn ein, die hier nichts nutzen. Bei diesen Fähigkeiten hätte der Schöpfer mit dem größten Weisen das größte Gespött getrieben. Wissenschaften sind zu frühe Auswüchse der Fähigkeiten, die einst erst zu entwickeln [sein] werden. Spekulationen schwächen das moralische Gefühl — die Handlungstriebe: alles das Vergnügen, was sie gibt, ist bloß den einen Trieb zu stillen: den einzigen Trieb zur Wissenschaft und alle anderen verkleinern, verschwinden? schädlich war's, daß er jenen erhob, entwickelte — was ist das Vergnügen gegen die Summe der übrigen? Auch der wollüstige Trieb kann so entwickelt werden und herrschen und vergnügen, ist er aber gut: — Eine ruhige Seele, gesunder Leib, Erquickung nach Arbeit, Unbesorgtheit vors Künftige, das ist Glückseligkeit: bei einem Arbeiter nicht Gelehrten: diese haben gar zu viele Triebe entwickelt, die nie zu sättigen waren und werden unruhig, wurden Selbstmörder — welcher ruhige Arbeiter war dies? — Der Gelehrte, mager, hypochondrisch über unnütze Dinge — (Persius) welches ist Nutzen, lauter Schaden: Bedürfnis: es werden mehr unersättliche erweckt, welch' Unglück vor dies Leben? welche Disproportion zwischen Länge des Lebens und Wissenschaft. N e w t o n statt ein Mensch zu sein wurde ein Affe der Engel [114]) — verlor Vergnügen, Ruhe, befriedigte sich nie ward kindisch, ausgelacht und starb. Sind nicht die Freuden des Lebens, die Freundschaft besser, schöner? O gehe, suche Vergnügen, Essen usw. Du bist und stirbst — was hilft dir Ruhm nach deinem Untergang — also lauter Disproportionen.

[1.] Moralische Beweise von Ungerechtigkeit sind schwach, wer weiß, ob nicht hier der innere Abscheu Strafe genug sei —

dazu zu kurzsichtig. — Der der eine Raupe sterben sieht und einen Papillon in ihr sieht — wird der nicht auf die Veränderung der Raupe schließen: Papillon, nichts unnütz in ihm, junge Hörner werden wachsen und stoßen. Papillon wird fliegen: Mensch wird denken. — Er entwickelt die Fähigkeiten zu früh — entwickelt sie nicht als Zwecke, sondern als Mittel; sie kennen zu lernen und auf Unsterblichkeit zu schließen aus der Natur der menschlichen Seele nichts mit Gewißheit.

2. Aus der Weisheit Gottes muß von allen den Epochen ein Zusammenhang gedacht werden — bei jedem Roman muß Einheit sein und wenn jede handelnde Person abgehauen wird und der Letzte auch von allen Nutzen hätte, so wäre das keine Handlung, bloß Geschichte des ersten. — Ein jeder wird lieber gleich vernichtet werden wollen, wenn eine Vernichtung bevorsteht. Das Leben würde alsdann ein Traum sein, was nützt, daß ich gelebt habe: wozu alle die Sehnsucht, diese Krankheit usw. — also müssen einige vernünftige Wesen übrig bleiben, die die Szenen verbinden, aber müssen sie deswegen Menschen sein — weswegen? weil sie gelebt haben? wo folgt dies? warum haben die meisten gelebt: bloß als eine Nebenfolge der allgemeinen Ordnung — also ungewiß.

3. Aus der Gerechtigkeit Gottes ist vorwitzig, wenn alles verginge, so könnte ich keine Absicht denken, aber ungerecht — wer weiß dies? wenn Cromwell, Chartres in Ruhe stirbt: ist er nicht vielleicht durch seine schwarze Seele — welche Hölle! — schon bestraft — wäre keine Seligkeit, so ist doch schon hier der Tugendhafte glücklich, besser ist's mit Sokrates in Ketten zu sein als usw. Wie zufällig aber ist die Entstehung des Menschen, ebenso zufällig vielleicht auch Untergang: also alles hierdurch ungewiß.

Ich untersuche unter den Kräften, ob er mehr Fähigkeiten hat als er braucht — nichts hat was vergebens — es wickelts aus — ich finde Fähigkeiten, die vor die Kürze des Lebens nicht bloß unnütz, sondern schädlich sind. — Ja nach gesetzter Unsterblichkeit scheint es zwar nicht schädlich aber doch unnütz ... das viele wesentlichere Pflichten verdrängt — bei Menschen sind Talente, die nicht vor dies Leben sind, da er Affe usw. diese... Die diese

Fähigkeiten nicht zu weit entwickeln leben innerhalb der Natur. Die diese Fähigkeiten gar zu weit entwickeln, gehen zu weit und verachten den Ruf der Natur. Obi(ectio?)! Ei das Vergnügen dabei: eine jede Befriedigung der Neigungen auch der schlechtesten ist Vergnügen: wars aber recht, solche schlechte Neigungen zu entwickeln. — Man rechne das Vergnügen und den gegenseitigen Mangel und Leere zusammen — + (mehr) Schaden. Wissenschaften sind also im gar zu großen Maß und Entwicklung schädlich und jetzt erst ein Gegengift. Die menschliche Seele wird also leben: nach d e r O r d n u n g d e r N a t u r (nicht Ratschluß Gottes) so lebt die Raupe nach der Ordnung der Natur."

Diese Ausführungen, welche wie kaum ein anderer Teil der Vorlesungen geeignet sind, uns unmittelbar den lebendigen Vortrag Kants nahe zu bringen und deshalb auch so ausführlich zitiert wurden, schließen das Bild der Kantischen Weltanschauung. Auch für den Menschen gibt es eine Entwicklung vom Niederen zum Höheren, nur diese ist eine besondere, die Ausbildung seiner Vernunft. Aber so hoch ihn diese über die Tiere erhebt, so schwierig ist der Konflikt, in welchen sie ihn bringt, wenn er die Kürze und Abhängigkeit seines irdischen Lebens vergleicht mit der Unersättlichkeit seiner auf das Erkennen gerichteten Wünsche. Aber dadurch, daß dies Erkennen weit hinaus über seine verschwindend kleine Existenz geht, ist ihm auch seine Unsterblichkeit gesichert. Die in ihm angelegten Kräfte weisen über sein irdisches Dasein hinaus und da nach der Naturordnung keine Kraft verloren geht, so wird er nach dem Tode leben [115]). Der diesen Anschauungen zugrunde liegende Begriff von der Natur zeigt deutlich seine Identität mit den metaphysischen Ideen, wie sie in der „Naturgeschichte" und im „Beweisgrund" zum Ausdruck gelangten. In dem Schöpfungsplane ist nicht nur die irdische Existenz des Menschen vorausgedacht. Die Naturordnung ist auch auf seine Bestimmung nach seinem irdischen Leben eingerichtet. Es ist der Standpunkt einer teleologischen,, Naturlehre", von der aus Kant die Stellung des Menschen betrachtet. Deshalb sei an einige Äußerungen in der „Naturgeschichte" erinnert.

Niemals blieb Kant stehen bei der Einsicht in die Nichtigkeit menschlichen Daseins. Mitten in den Phantasien über die Unendlichkeit der Schöpfung findet sich in einem Nebensatz die Bemerkung, daß der Zweck der Natur mit Erschaffung der Welten die Betrachtung durch vernünftige Wesen sei [116]). Und den oben zitierten Worten, die dem Menschen die Vergänglichkeit seiner Existenz so recht zum Bewußtsein bringen sollen, folgt der tröstende Schlußsatz: „Der Mensch würde das verachtungswürdigste [Geschöpf] unter allen zum wenigsten in den Augen der wahren Weisheit sein, wenn die Hoffnung des Künftigen ihn nicht erhübe, und den in ihm verschlossenen Kräften nicht die Periode einer völligen Auswickelung bevorstände" [117]). Und ebenso heißt es am Schluß der „Geschichte und Naturbeschreibung der merkwürdigsten Vorfälle des Erdbebens": „Der Mensch ist nicht geboren, um auf dieser Schaubühne der Eitelkeit ewige Hütten zu erbauen. Weil sein ganzes Leben ein weit edleres Ziel hat, wie schön stimmen dazu nicht alle die Verheerungen, die der Unbestand der Welt selbst in denjenigen Dingen blicken läßt, die uns die größten und wichtigsten zu sein scheinen, um uns zu erinnern: daß die Güter der Erden unserem Triebe zur Glückseligkeit keine Genugthuung verschaffen können!" [118]) Überall klingen Gedanken an, die zu voller Bedeutung erst in späterer Zeit erhoben wurden. Am deutlichsten tritt die Kontinuität in Kants Weltbetrachtung uns entgegen, wenn wir in Erinnerung an den berühmten „Beschluß" der „Kritik der praktischen Vernunft" die Schlußsätze der „Naturgeschichte und Theorie des Himmels" lesen: „Der Anblick eines bestirnten Himmels bei einer heiteren Nacht giebt eine Art des Vergnügens, welches nur edle Seelen empfinden. Bei der allgemeinen Stille der Natur und der Ruhe der Sinne redet das verborgene Erkenntnisvermögen des unsterblichen Geistes eine unnennbare Sprache und giebt unausgewickelte Begriffe, die sich wohl empfinden, aber nicht beschreiben lassen" [119]). Die spätere Schrift stellt neben den bestirnten Himmel das moralische Gesetz. Dies war die Deutung jener Empfindungen.

Es liegt mir viel daran, schon an dieser Stelle auf die Kontinuität in Kants Anschauungen von der Bestimmung des Menschen hinzuweisen. Dies ist notwendig gegenüber einer Ansicht, welche meint, daß in der ersten Epoche seines Denkens ihm der „Mensch nur als Glied neben allen anderen Gliedern des Naturganzen galt" und daß dann in der kritischen Periode diese Meinung „die konträr entgegengesetzte geworden" sei [120]). Die angeführten Stellen widerlegen dies durchaus. Die Bestimmung des Menschen war ihm von Beginn an so wichtig, daß er deshalb den Begriff der Natur, wie ihn die mechanische Welterklärung entwickelt hatte, modifizierte. In dieser Beziehung stimmte er mit seiner Zeit zusammen und drückte nur das aus, dessen die religiöse Empfindung ihn vergewisserte. Er war sich der „Disproportion" in der menschlichen Natur bewußt, aber diese Einsicht führte noch nicht zu dem absoluten Gegensatz von Natur und Freiheit. Dies wird noch deutlicher bei Betrachtung seiner Lehre von der menschlichen Freiheit zur Zeit seiner soeben behandelten naturphilosophischen Ideen. Im Anschluß an die in der Sektio II der „Nova dilucidatio" enthaltenen Untersuchungen über das „Principium rationis determinantis vulgo sufficientis" wird das Problem der Willensfreiheit behandelt.

Hervorgerufen sind diese Ausführungen durch die von Crusius gemachte Unterscheidung zwischen den nach „strikter Notwendigkeit" geschehenden mechanischen Vorgängen und den „aus einer Grundtätigkeit der Freiheit" hervorgehenden göttlichen und menschlichen Handlungen. Diese letzteren hatte Crusius noch genauer ihrem Wesen nach charakterisiert als solche Tätigkeiten, „welche durch die dazu erforderten Bedingungen nicht mehr als vollkommen möglich gemacht werden und daher bei Setzung derselben zwar geschehen aber auch unterbleiben oder anders gerichtet werden können" [121]). Der Grund zu dieser Annahme war die Befürchtung, die Sittlichkeit könne durch die Behauptung einer völligen Determinierung des menschlichen Handelns Schaden leiden, da eine konsequente Zurückführung auf seine letzten Ursachen Gott für das menschliche Tun verantwortlich machen müßte und so jede Zurechnung aufheben würde.

Kant erkennt an, daß dieser Einwurf, welcher gegen die Verteidiger des Determinismus erhoben wird, allerdings ein schwerwiegender sein muß. Es entsteht aber die Frage, ob er auch wirklich berechtigt sei. Dies glaubt er nun verneinen zu dürfen und versucht deshalb zu erweisen, daß das Handeln des Menschen völlig determiniert und trotzdem frei sein könne. Insofern erklärt er sich auch

mit Crusius einverstanden, als er ein Mittelding zwischen völliger
Determinierung und absoluter Willensfreiheit (tritam illam inter
necessitatem absolutam et hypotheticam distinctionem) nicht anerkennen will. Die Annahme einer necessitas hypothetica in specie
moralis, die sich unterscheiden soll von einer necessitas completa,
ist nicht zu rechtfertigen, da es verschiedene Grade der Determinierung nicht geben kann: Quemadmodum vero nihil verius
et certo nihil certius, sic nec determinato quicquam determinatius
concipi potest. Es hat vielmehr an die Stelle dieser falschen Formulierung der Frage eine andere zu treten: ,,Hic vero non quantopere,
sed unde necessaria sint contingentium futuritio, est cardo
quaestionis". Eine Handlung kann nämlich bedingt sein: entweder ,,rationibus extra subjecti appetitum et spontaneas incli-
nationes positis" oder ,,ipsa volitionum appetituumque pro-
pensione" [122]). Der Grad der Determinierung ist in beiden Fällen
derselbe, die Handlung geschieht mit derselben Notwendigkeit,
ob sie nun durch äußere Ursachen aufgenötigt ist oder aus inneren
Motiven entspringt. Aber das eine Mal ist die Handlung frei,
das andere Mal unfrei. Die inneren Ursachen, welche eine Handlung
hervorrufen, sind die durch die allectamenta objecti entstehenden
Begierden und Neigungen. Zwischen diese aber und die wirkliche
Handlung schiebt sich nun ein die vernünftige, die Stärke der
Motive und die Folgen des Handelns abwägende Überlegung.
Die durch die allectamenta objecti hervorgerufene propensio wird
erst zum wirklichen Wollen einer Handlung, wenn die Motive des
Intellekts sich für diese erklärt haben (motiva intellectus voluntati
applicata). Indem aber so die Vernunft bei Abwägung der verschiedenen Stärke der einzelnen Motive diese bald willkürlich im
Bewußtsein erscheinen läßt, bald unterdrückt, kann die Illusion
entstehen, als ob die Vernunft selbst sich erst diese Motive schafft,
obgleich sie doch in Wirklichkeit an die jeweilig vorhandenen
gebunden ist und zwischen ihnen nur wählen kann. Diese Wahl
aber geschieht durch die überwiegende Stärke der Motive auf der
einen Seite gegenüber anderen. Die Vernunft macht das stärkere
Motiv zu dem Bewegungsgrund der nun wirklich werdenden Handlung und, indem sie dies tut, tritt ihre ,,spontaneitas" zutage.
Hierin unterscheidet sich der Mensch vom Tier, welches zu seinen

Handlungen necessitiert wird. Indem er mit Bewußtsein den in ihm vorhandenen Motiven folgt, macht er eine Handlung zu der seinigen. Etwas anderes können aber auch die Verteidiger des liberum arbitrium indifferentiae nicht behaupten wollen, wenn sie sagen, der Mensch handle, weil es ihm so gefalle. Denn hiermit geben sie die innere Determinierung zu, da der lubitus nichts anderes ist, als voluntatis pro allectamento objecti ad hanc potius, quam oppositam partem facta inclinatio". So kommt Kant zu folgender Definition: „Libere agere est appetitui suo conformiter et quidem cum conscientia agere" [123]).

Diese Lösung des Freiheitsproblems ordnet sich sehr wohl ein in das ganze System, das „freie" Handeln der Menschen gehorcht ebenfalls Gesetzen, nur treten an die Stelle äußerer Ursachen innere Motive.

Ein in diesem Zusammenhang bedeutsamer Hinweis auf das Freiheitsproblem findet sich dann in dem „Beweisgrund". Er ist einmal für die Idee der Harmonie des Geschehens äußerst charakteristisch, zeigt aber zugleich, daß sich Kant damals der Tragweite des Freiheitsproblems noch nicht bewußt war. Er befürchtet von den „Handlungen aus der Freiheit, deren Natur nicht gehörig eingesehen wird", daß ihretwegen, da sie „eine Ungebundenheit an sich zu haben scheinen", „übernatürliche Ergänzungen notwendig sein dürften, weil es möglich ist, daß in diesem Betracht der Lauf der Natur mit dem Willen Gottes bisweilen widerstreitend sein könne". Solche Bedenken aber hebt er durch den Hinweis, daß die Kräfte frei handelnder Wesen nicht ganz allen Gesetzen entzogen sind. Hierbei stützt er sich auf die Erfahrungen, welche in den Ergebnissen der Moralstatistik liegen, nach welchen sogar die freiesten Handlungen der Menschen eine Regel zeigen. Kant schließt seine Betrachtung mit den Worten: „Ich begnüge mich mit diesen wenigen Beweistümern, um es einigermaßen verständlich zu machen, daß selbst die Gesetze der Freiheit keine solche Ungebundenheit in Ansehung der Regeln einer allgemeinen Naturordnung mit sich führen, daß nicht ebenderselbe Grund, der in der übrigen Natur schon in den Wesen der Dinge selbst eine unausbleibliche Beziehung auf Vollkommenheit und Wohlgereimtheit befestigt, auch in dem natürlichen Laufe des freien Verhaltens

wenigstens eine größere Lenkung auf ein Wohlgefallen des höchsten
Wesens ohne vielfältige Wunder verursachen sollte" [124]). Auch
hier bieten also Kant die Handlungen aus Freiheit keine besonderen
Schwierigkeiten.

Ergänzend treten nun die diesen Gegenstand betreffenden
Ausführungen in den Vorlesungen hinzu. Vor allem kommen hier
für uns Kants Bemerkungen zu § 725 und 726 des Baumgarten'schen
Kompendiums in Betracht.

725. F r e i h e i t. Die Tiere (per hypothesin) haben ein Vermögen, nach Willkür zu handeln, aber sie können nicht die Beweggründe vorstellen, sind sich nicht bewußt, nach Belieben nach denselben zu handeln. Dies Belieben ist ein Belieben im Belieben
und ist bei Menschen das Wesen der Freiheit: sonst könnte ich
die Seele nicht von den andern nezessitierenden Gründen in der
Natur unterscheiden. Tiere sind nicht Maschinen, aber ? ? ?,
was Maschine muß, wo das Belieben dazwischen gestellt ist ein (?)
Rad mehr. Der Mensch kann darüber noch nachdenken, wenn
schon das Objekt einen Eindruck gemacht hat. Er kann belieben,
vernünftig sich bewußt sein.

Die Größe der Freiheit — alles kommt auf die Gründe an,
insofern man sich derselben bewußt werden kann: je weniger
man sich bewußt ist, desto geringer die Freiheit. Mancher Menschen
Freiheit ist kaum von Tier-Freiheit unterschieden. Andern ist
dies Belieben mehr untergeordnet: je mehr ich sie (?) unterordne
E. durch Übung, desto freier werde ich. Didicisse fideliter etc.
Doch auch Gelehrte sind moralische Sklaven, wenn sie bloß durch
theoretischen Verstand exkoliert werden. Alle Volitiones und
Nolitiones, wenn sie ineffizient gewesen sind, machen einen habitus,
folglich exkoliert der die Freiheit, der sie zu effizieren gewöhnt.
726. Es sind dies [125]) subjektive Gesetze, wie die Gesetze der Bewegung, wenn man handelt (nicht soll). — bei freien Handlungen
wird da die Handlung gezwungen, wenn die Beweggründe gleichsam nötigen? Hier wird der Freiheit nicht Eintrag getan, sondern
nur insofern das Belieben große Gegengründe überwinden muß
und man es also ungern tut: doch nach Freiheit — Einige glauben,
wenn mein Wille von Beweggründen determiniert wird, so handelt
er nicht frei. R(esponsio) Nehmt das vollkommen freieste Wesen.

Es muß den größten Verstand haben, muß notwendig stets das beste einsehen und muß es sich notwendig belieben lassen (sonst nicht der vollkommenste Wille). Es ist also die Freiheit so einem nezessitierenden nexus auf die Handlungen nicht entgegen, sondern das paradoxon, das uns vorkommt dabei, liegt nicht in der Notwendigkeit des nexus, sondern bei Menschen in dem äußern dependieren von andern Prinzipien außer ihnen und dies macht Schwierigkeit".

So zeigt sich denn, wie alle diese Betrachtungen Kants über die Stellung des freien menschlichen Handelns innerhalb des Naturgeschehens noch nicht zu einer Scheidung zwischen den beiden Reichen Natur und Freiheit führen. Auch das menschliche Handeln verläuft gesetzmäßig, die Erfahrung des eigenen Innern und die Ergebnisse der Moralstatistik beweisen dies zur Genüge. Allerdings ist nicht zu verkennen, daß auch jetzt schon Ansätze vorhanden sind, die über diesen Standpunkt hinausdrängen. Etwas Unerklärtes behielten die Handlungen aus Freiheit für Kant in dieser Zeit. Aber diese theoretischen Schwierigkeiten waren doch die geringeren, bedeutsamer war die Frage, ob sich das moralische Bewußtsein des Menschen mit diesem Surrogat von Freiheit abfinden könnte. Wenn er sich auch durch die Fähigkeit, sich seines Beliebens bewußt zu sein, von den Tieren unterschied, was war dadurch gewonnen? Das „Dependieren von andern Prinzipien außer ihm" blieb trotzdem bestehen, ja mußte desto schmerzlicher empfunden werden, je mehr er sich dessen bewußt war. Die Ausnahmestellung des Menschen erwies sich also, von dieser Seite betrachtet, als von zweifelhaftem Werte für sein Glücksbedürfnis. So führte die Behandlung des Freiheitsproblems zu demselben Resultat wie die Frage nach der Unsterblichkeit der Seele. Die letztere war schon in der „Naturgeschichte" gestreift worden und beschäftigte Kant zweifellos schon damals als religiöses Problem. Eine neue Wendung trat dann in den Sätzen aus der Vorlesung über Metaphysik insofern hervor, als besonders quälend der Zweifel an dem Werte der Wissenschaft für menschliches Glück auftrat. Der Name Rousseaus wurde genannt.

Wer Rousseaus Einfluß auf Kant würdigen will, wird immer an das berühmte Fragment erinnern müssen: „Ich bin selbst aus

Neigung ein Forscher. Ich fühle den ganzen Durst nach Erkenntnis und die begierige Unruhe, darin weiter zu kommen oder auch die Zufriedenheit bei jedem Fortschritte. Es war eine Zeit, da ich glaubte, dieses alles könnte die Ehre der Menschheit machen, und ich verachtete den Pöbel, der von nichts weiß. Rousseau hat mich zurecht gebracht. Dieser verblendete Vorzug verschwindet; ich lerne die Menschen ehren und würde mich viel unnützer finden, als die gemeinen Arbeiter, wenn ich nicht glaubte, daß diese Betrachtung allen übrigen einen Wert geben könne, die Rechte der Menschheit herzustellen" [126]). Andere Fragmente und Berichte seiner Biographen geben Zeugnis von der Tiefe dieser Einwirkung. Mit flammenden Worten, wie sie nur der Apostel des Naturevangeliums finden konnte, wurde Kant auf die Würde der menschlichen Natur hingewiesen. Rousseau wollte ein Reformator der Sitten sein und dieser Gedanke ist es gerade, den Kant dann am kräftigsten betont hat. Die in ihm schlummernden sittlichen Instinkte fanden so ein neues erweitertes Feld ihrer Betätigung. Aber Rousseau stellte nicht nur eine Aufgabe, er gab auch in gewissem Sinne eine Lösung. Sein Kampf gegen die Kultur seiner Zeit war gleichzeitig auch ein Kampf gegen die in ihr zutage tretende einseitige Ausbildung und Überschätzung der Vernunft gegenüber dem Gefühl. Indem er die Grenze des durch das Denken allein zu Erreichenden zog, zeigte er andrerseits den Reichtum und die Bedeutung des Gefühlslebens. Indem er die moralisch-religiöse Empfindung als Quelle einer ganz anderen Beurteilung der Wirklichkeit erschloß, gab er dem Gefühlsleben Kants einen ganz anderen Schwung und ließ die Saite, die schon im Schlußwort der „Naturgeschichte" erklang, heller ertönen. Die Wissenschaft, deren der Mensch wirklich bedarf, ist ihm jetzt die: „die Stelle geziemend zu erfüllen, welche dem Menschen in der Schöpfung angewiesen ist und aus der er lernen kann, was man sein muß, um ein Mensch zu sein" [127]).

Wenn auch die Bedeutung Rousseaus für Kant kaum überschätzt werden kann, so muß doch andrerseits auch auf andere Richtungen seiner Denkungsart hingewiesen werden, welche sich in den sechziger Jahren geltend machten, sein anthropologisches Interesse beeinflußten und den Einfluß des Genfer Philosophen modifizierten. Aus der Beschäftigung Kants mit letzten natur-

wissenschaftlichen Problemen entsprang in seinem Innern eine
Abneigung gegen den hohlen Schematismus und die leere Begriffs-
klauberei der Wissenschaften, wie er sie auf der Universität lehrte.
So klagt er in dem Briefe an Lindner vom 28. Okt. 1759: „Ich
sitze täglich vor dem Ambos meines Lehrpults und führe den
schweren Hammer sich selbst ähnlicher Vorlesungen in einerlei
Takte fort. Bisweilen reizt mich irgendwo eine Neigung edlerer
Art mich über diese enge Sphäre etwas auszudehnen, allein der
Mangel mit ungestümer Stimme, sogleich gegenwärtig mich anzu-
fallen und immer wahrhaftig in seinen Drohungen treibt mich
ohne Verzug zur schweren Arbeit zurück" [128]). Eine Ergänzung
seiner Vorlesungen versuchte er durch ein Kolleg über physische
Geographie und später durch ein solches über Anthropologie zu
geben. Er wollte an die Jugend Weltkenntnis vermitteln, deren
Wert ihm eigene Erfahrung gezeigt hatte. Es gibt Menschen,
welche durch ursprüngliche Anlage oder Erziehung Sicherheit im
Leben gewinnen, Kant mußte sie sich nicht nur äußerlich erst
erkämpfen. Er war in den einfachsten Verhältnissen aufgewachsen,
hatte dann als Hofmeister das große Leben in adligen Häusern
kennen gelernt und in seiner Vaterstadt sich zu einem früh ge-
achteten akademischen Lehrer emporgearbeitet. Seine ursprüngliche Schüchternheit hatte er überwunden, er sah auf die menschlichen Dinge von der Höhe seiner naturphilosophischen Anschaungen,
seines philosophischen Denkens und seiner religiösen Überzeugung
von der Vergänglichkeit alles Irdischen. Daraus entsprang ihm
eine Überlegenheit gegenüber dem ernsthaft possierlichen Spiel
des sich so groß dünkenden und doch so kleinen Erdenbürgers.

Kant ließ seine Seele mächtig erschüttern durch Rousseaus
leidenschaftliche Anklagerede. Dann besann er sich auf sich selbst
und las sie mit Vernunft noch einmal. Ihm fehlte das eruptive
Pathos des Genfers, sein Wesen wurde durch die Gedanken von
der Unendlichkeit der Schöpfung langsam und still durchglüht
und sprach sich aus in feierlichen, gemessenen Tönen, die letzte
Innerlichkeit des Empfindens in sich zurückhaltend. Sein Herz
weitet sich, wenn er die unendlichen Himmelsräume fühlend durchmißt. Vom Lärm des Tages entfernt, in der Stille der Nacht ver-
nimmt es nichts von den dämonischen Kräften der Natur, es liest

vom gestirnten Himmel ab die Ordnung alles Geschehens durch ein göttliches Wesen und es empfindet das Glück, den Gedanken der Schöpfung noch einmal denken zu dürfen. Dann ergreift die Seele das Gefühl der Erhabenheit der Natur und der eigenen Würde. Eine letzte Sicherheit ist so gegeben, sie hält stand gegenüber dem Anblick des Alltäglichen, dem Schauspiel des menschlichen Lebens. Denn hier überall ist Verkehrtheit, Kurzsichtigkeit, Eigennutz. So laufen die Menschen wirr durcheinander, ohnmächtige Wesen vor den Gewalten der Natur, ohnmächtig vor der Strenge der sittlichen Forderung, ein Bild, das zu den hohen Gefühlen des denkenden Geistes nicht passen will. Das Problem des Lebens ist damit gestellt. Es ist nicht lösbar. Aber es entsteht ein Ideal, das auf dem Untergrunde der ernsten Farben des Lebens in helleren ein heiteres Bild von ihm entwerfen kann. Allerdings nur durch das Entbehren gelangen wir zur Zufriedenheit. Alle Scheingüter, alles rasch vorüberfließende Glück, alle übertriebene phantastische Erregung muß gemieden, die Leidenschaften müssen durch die Vernunft bezwungen werden. Es werden die Lebensgüter: Vaterland, Freundschaft, vornehme Geselligkeit gewonnen. Mit diesen hohen Empfindungen steht der feiner Organisierte unter den Menschen. Eine sanfte Schwermut lagert auf seinen Zügen, die großmütige Träne fließt aus seinem Auge, er bezahlt mit ihr sein Wissen um die Dinge, deren tiefstes Wesen er durch dieses doch gerade begriffen hat. Und was ihm noch mangeln könnte, gibt die religiöse Gewißheit, das Wissen von der großen Bestimmung nach dem Grabe. Aber dies Gefühl einer Aufgabe ist es eben, das allen Quietismus und alle rührselige Klage verdammt. Die Vorsehung verbietet, an der Menschheit zu verzweifeln, so unerfreulich ihr Bild erscheinen möge. Die Verpflichtung, Erzieher der Menschheit zu sein, wird gefühlt. Ist doch der einzelne eben einer von Allen. Er bewahrt und soll sich bewahren seine Individualität, sein Recht auf den Besitz seiner eigenen Seele, aber er soll diese erweitern zum Gefühl für die Menschheit, nicht in überströmender Empfindung oder im weichlichen Mitleid, sondern in dem Gefühl der Wohlgewogenheit für die menschliche Natur, ein Gefühl, das erhabener, aber kälter ist.

So tritt Kant als Lehrer auf, er wirkt nicht, und dies gilt auch für seine spätere Zeit mehr als man im allgemeinen es glaubt, durch despotische Strenge. Er wirkt mit der ganzen Liebenswürdigkeit der gesellschaftlichen Formen, wie er sie beherrschte, zugleich aber durch den tiefen sittlichen Ernst, der wie ungewollt das Einfachste zu den höchsten Verpflichtungen und Aufgaben in Beziehung zu setzen vermochte. Darin liegt überhaupt das Geheimnis seiner unmittelbaren Wirkung, wie sie in seinen Schriften nicht ganz zum Ausdruck gekommen ist. Es ist der heilige Ernst, der das Menschliche stets im Sinne einer höchsten Aufgabe sah; daß er diesen im täglichen Leben mit der Heiterkeit des überlegenen Geistes zu verbinden wußte, muß die Eigenart seiner Persönlichkeit ausgemacht haben. Und aus dieser Überlegenheit entsprang die feine Ironie, mit der er die Torheiten der Menschen zu behandeln verstand und ihnen eine liebenswürdige Seite abzugewinnen wußte. Und wie keusch ist doch dieser Witz! Er kleidet sich gern in die Form einer möglichst unpersönlichen Ausdrucksweise, so verletzt er niemals, greift nicht grob zu und läßt seine eigentliche Meinung oft mehr erraten als unmittelbar erfassen.

Diese Stimmung war eine andere als die Rousseaus. Es fehlte ihr das Exaltierte und Revolutionäre. So gelangte Kant zu einer anderen Beurteilung der Menschheit und ihrer Geschichte. Auch hinderte ihn sein wissenschaftlicher Takt in die Verirrungen Rousseau'scher Phantastik zu verfallen. Aus den „Beobachtungen über das Gefühl des Schönen und Erhabenen" gewinnen wir den ersten Eindruck von der Eigenart seines anthropologischen Interesses. In unermüdlicher Sammelarbeit hatte er das Material zusammengetragen, wobei er besonders aus den Schriften der englischen und französischen Moralphilosophen und Psychologen, den Reiseberichten und eigener Erfahrung schöpfte. Aus diesen Beobachtungen legte er dann dem Leser Folgerungen für sein eigenes Verhalten nahe.

Sucht man nach den systematischen Begriffen, nach welchen Kant ein Bild des menschlichen Lebens entwirft, so tritt sofort der schon bekannte Naturbegriff uns entgegen. Die Natur ist das Vorbild des Schönen und Edlen, auf sie haben wir zu sehen, wenn

wir in die Mannigfaltigkeit und scheinbare Vernunftlosigkeit des
Geschehens Einheit hineindenken wollen. Wir dürfen dann von
einem Entwurf der großen Natur sprechen, von ihren Absichten,
wie sie solche z. B. in der Neigung der Geschlechter durchsetzt.
Auch die so auseinandergehenden Triebe der Menschen dienen
doch alle „der großen Absicht der Natur" ein Ganzes der moralischen
Natur zu erzeugen. Gutherzige Triebe, Eigennutz und Ehrliebe
wirken doch schließlich zu einer Harmonie zusammen: „Die verschiedenen Gruppen vereinbaren sich in ein Gemälde von prächtigem
Ausdrucke, wo mitten unter großer Mannigfaltigkeit Einheit hervor-
leuchtet, und das Ganze der moralischen Natur Schönheit und
Würde an sich zeigt" [129]). Wie die Ergebnisse der Moralstatistik
als Anzeichen für eine die menschlichen Dinge beherrschende
Gesetzmäßigkeit genutzt werden, ist früher schon gesagt worden.
Dazu treten dann die Untersuchungen, welche das typische Verhalten der Menschen im Auge haben, sie ergeben schließlich eine
anthropologische Charakteristik, welche sich über die verschiedenen
Temperamente, die beiden Geschlechter und die verschiedenen
Völker nach ihrer Nationaleigentümlichkeit erstreckt. Damit
wird der Boden für eine geschichtsphilosophische Betrachtung
geschaffen und das Wort Kants, das er zu seiner Rechtfertigung
gegen Herder gebraucht: „er glaube die Materialien zu einer
Anthropologie ziemlich zu kennen, imgleichen auch etwas von der
Methode ihres Gebrauches, um eine Geschichte der Menschheit im
Ganzen ihrer Bestimmung zu versuchen" [130]), erhält dadurch seinen
rechten Sinn.

Für den Versuch, Kants geschichtsphilosophische Anschauungen in der vorkritischen Zeit zu rekonstruieren, liegt nun in
den „Beobachtungen", in dem kurzen „Abriß einer Geschichte
des Geschmacks" einiges Material vor. Dabei geht er aus von dem
Gedanken einer Kultureinheit, welche zusammengesetzt gedacht
wird aus den Künsten, der Gesetzgebung und den Sitten. Bei
den Griechen und Römern ist in älterer Zeit ein Gefühl für das
Schöne und Erhabene vorhanden, die Kaiserzeit wandelte diese
Einfalt in das Prächtige. Die gesamte antike Kultur zerfiel aber
mit dem Staate. Ganz im Sinne der damaligen Beurteilung des
Mittelalters wird dann der „gothische Geschmack" als ein ver-

kehrter bezeichnet, das Gefühl ist verunartet: „Mönche mit dem Meßbuch in einer und der Kriegsfahne in der andern Hand, denen ganze Heere betrogener Schlachtopfer folgen, um in anderen Himmelsgegenden und in einem heiligeren Boden ihre Gebeine verscharren zu lassen, eingeweihte Krieger, durch feierliche Gelübde zur Gewalttätigkeit und Missetat geheiligt, in der Folge eine seltsame Art von heroischen Phantasten, welche sich Ritter nannten und Abenteuer aufsuchten, Turniere, Zweikämpfe und romanische Handlungen". Nach dieser gänzlichen Zerstörung des menschlichen Genies beginnt dann „in unseren Tagen" ein Aufschwung, der zugleich in Geschmack, Künsten, Wissenschaften und im Sittlichen zutage tritt. Die Hoffnung auf eine solche Aufwärtsbewegung in der Zukunft wird auf die Erziehung gestützt [131]). Wieder tritt hier die Kontinuität des Kantischen Denkens hervor, wenn die spätere Geschichtsphilosophie mit diesen Ausführungen vorläufig einmal verglichen wird. Die prinzipielle Stellungnahme hat sich kaum verändert, wenn auch die systematischen Grundbegriffe in dieser Skizze noch nicht zur Klarheit erhoben sind. Ebenso tritt der starke Einfluß Rousseaus, zugleich aber auch die Abweichung von ihm hervor. Diese Frage muß noch eingehender untersucht werden.

In den Bemerkungen, welche Kant in sein Handexemplar der „Beobachtungen" niederschrieb, liegt das wichtigste Material vor für die Beurteilung des Verhältnisses Kant zu Rousseau, zugleich lassen sich seine geschichtsphilosophischen Lehren in dieser Zeit aus ihnen zu einem Teil rekonstruieren. Mitten in die Probleme hinein führt das Fragment: „Alles geht in einem Flusse vor uns vorbei und der wandelbare Geschmack und die verschiedenen Gestalten der Menschen machen das ganze Spiel ungewiß und trüglich. Wo finde ich feste Punkte d e r N a t u r , die der Mensch niemals verrücken kann und wo ich die Merkzeichen geben kann, an welches Ufer er sich zu halten hat?" [132]) Diese Frage zu entscheiden, ist die wichtigste Aufgabe für den Menschen: „Die größte Angelegenheit des Menschen ist zu wissen, wie er seine Stelle in der Schöpfung gehörig erfülle und recht verstehe, was man sein muß, um ein Mensch zu sein" [133]). Eine Antwort hat Rousseau gegeben. Er „entdeckte zu allererst unter der Mannigfaltigkeit der menschlichen angenommenen Gestalten die tief verborgene Natur des Menschen und das versteckte Gesetz, nach welchem die Vorsehung durch seine Beobachtungen gerechtfertigt wird. Vordem galt noch der Einwurf des Alphonsus und Manes." Dies kann doch nur heißen, daß Rousseau die Lehre von der ursprünglichen Güte der menschlichen Natur verkündigte und alle Kultur als Abirrung des Menschen von der Natur auffassen lehrte. Hier tritt Rousseau neben Newton und das bedeutsame Wort wird ausgesprochen: „Nach Newton und Rousseau ist Gott gerechtfertigt und nunmehr ist Popes Lehrsatz wahr" [134]. Jener hatte die Grundlagen geschaffen, von denen aus die Ordnung und Regelmäßigkeit im Weltall begriffen werden konnten und in Hinblick auf das System des Ganzen waren die Ansprüche des Menschen zurückgewiesen und er als ein Glied im Zusammenhang der Harmonie des Universums begriffen worden. Rousseau befreite Gott von dem Vorwurf das Böse verursacht zu haben und lud sie auf die Schultern des Menschen, der durch eigenen Entschluß vom Wege der Natur abwich. Er stellte zugleich die Forderung, daß die Güte der menschlichen Natur wiederhergestellt werden müsse und so sind für Kant die Kategorien schon jetzt gegeben, der große Plan der Menschheitsentwicklung ist schon jetzt entworfen, mit denen er diese in der „Religion innerhalb der Grenzen der bloßen Vernunft" zu begreifen versucht.

Allerdings ist Kant doch nicht der Ansicht, daß Rousseau schon die letzte Einsicht gewonnen habe. Er nimmt Anstoß an seinen „seltsamen und widersinnigen Meinungen" und drückt den Gegensatz zu ihm so aus: „Rousseau verfährt synthetisch und fängt vom natürlichen Menschen an, ich verfahre analytisch und fange vom gesitteten an" [135]. Er lehnt also die apriorische Konstruktion eines natürlichen Menschen ab und will versuchen durch Analyse des Empfindens und Denkens des Kulturmenschen zur natürlichen Struktur der menschlichen Seele zu gelangen. Wie er in der „Naturgeschichte und Theorie des Himmels" auf einen ursprünglichen Zustand der Materie zurückgeht, so will er hier ein Gleiches tun. Dies wird deutlich aus folgendem Fragment: „Es ist nötig einzusehen, wie sich die Kunst und die Zierlichkeit der gesitteten Verfassung hervorfinden, und wie sie in einigen Weltgegenden (z. B. wo keine Haustiere sind) sich niemals finden, damit man das, was der Natur fremd und zufällig ist, von dem unterscheiden lerne, was ihr natürlich ist. Wenn man die Glückseligkeit des Wilden erwägt, so ist es nicht, um in die Wälder zurückzukehren, sondern nur um zu sehen, was man verloren habe, indem man anderseits gewinnt; damit man in dem Genusse und Gebrauche der geselligen Üppigkeit nicht mit unnatürlichen und unglücklichen Neigungen derselben fest klebe und ein gesitteter Mensch der Natur bleibe. Jene Betrachtung dient zum Richtmaße, denn niemals schafft die Natur einen Menschen zum Bürger und seine Neigungen und Bestrebungen sind bloß auf den einfachen Zustand des Lebens abgezielt" [136]).

Damit ist zugleich gesagt, daß Kant nicht ein so unbedingter Verächter der Kultur ist wie Rousseau. Insofern trennt er sich von ihm, aber er übernimmt für die Beurteilung der Menschheitsentwicklung den Maßstab einer moralischen Wertung. Dieser die spätere Geschichtsphilosophie beherrschende Gesichtspunkt tritt schon jetzt in voller Deutlichkeit hervor. An dem Gegensatz Einfalt und Üppigkeit werden die Charaktereigenschaften des natürlichen und des Kulturmenschen entwickelt. Jener ist einfältig, er hat weniger Bedürfnisse und leichter die Möglichkeit solche zu befriedigen, so etwa in der Geschlechterneigung. Er ist eher imstande seiner natürlichen guten Anlage zu folgen, da die Versuchung geringer ist: „Der natürliche Mensch ohne Religion ist dem gesitteten mit der bloßen natürlichen Religion weit vorzuziehen, da des letzteren Sittlichkeit hohe Grade haben müßte, wenn sie ein Gegengewicht seinem Verderben setzen sollte. Indessen ist ein gesitteter Mensch ohne alle Religion viel gefährlicher" [137]). In der Kultur verlieren die Begierden ihre natürliche Reinheit, der gesunde Egoismus wird dadurch, daß er das Moment der Überlegung, des Raffinements in sich aufnimmt, moralisch schlecht, ja die Kultur erzeugt erst das bewußt egoistische Handeln: „Der im Stande der Natur ist mehr gemeinnütziger und tätiger Empfindungen fähig, der in der Üppigkeit hat eingebildete Bedürfnisse und ist eigennützig. Man nimmt mehr Anteil an dem Übel, vornehmlich der Ungerechtigkeit, das Andere erleiden, als an ihrer Wohlfahrt" [138]). Und wenn das Mitleid durch die weitere

Ausbreitung in der Kultur, wie Hutcheson und auch Kant gemeint hatten, scheinbar gewinnt, so verliert es doch durch den
Mangel an Energie des aus ihm fließenden Wohlwollens, die altruistischen Empfindungen, gesteigert durch Reflexion, werden
zur chimärischen Gutherzigkeit, es sind nur „schimmernde Tugenden", das moralisch Selbstverständliche wird zur Tugend angerechnet.

Diese Vorwürfe lassen sich schließlich alle dahin zusammenfassen, daß mit der Kultur nicht eine moralische Besserung gegeben ist, sie wird nicht an und für sich verworfen, sie soll nur
eine andere Grundlage erhalten. Die Arbeit an einem solchen
Ideal kann aber doch bei der Kultur beginnen, da diese, wenn
auch nicht aus moralischer Quelle, doch einige Güter geschaffen
hat, durch die eine Überlegenheit über den natürlichen Menschen
erreicht ist: „Die Übel der sich entwickelnden Unmäßigkeit der
Menschen ersetzen sich ziemlich. Der Verlust der Freiheit und die
alleinige Gewalt eines Beherrschers ist ein großes Unglück, aber
es wird doch eben sowohl ein ordentliches System, ja es ist wirklich
mehr Ordnung, ob zwar weniger Glückseligkeit, als in einem freien
Staate. Die Weichlichkeit in der Sitte der Müßiggänger und die
Eitelkeit bringen Wissenschaften hervor. Diese geben dem Ganzen
eine neue Zierde, halten von vielem Bösen ab, und wo sie zu einer
gewissen Höhe gesteigert werden, so verbessern sie die Übel, die
sie selbst angerichtet haben." Und anders als Rousseau vermag
Kant [139]) ein ästhetisches Ideal zu würdigen. Unter dem Eindruck
Winckelmanns erscheinen ihm die Alten als Vorbild: „In allem
demjenigen, was zur schönen oder erhabenen Empfindung gehört,
tun wir am besten, wenn wir uns durch die Muster der Alten leiten
lassen; in der Bildhauerkunst, Baukunst, Poesie und der Bered-
samkeit, den alten Sitten und der alten Staatsverfassung. Die
Alten waren der Natur näher; wir haben zwischen uns und der
Natur viel Tändelhaftes oder Üppiges oder knechtisches Verderben. Unser Zeitalter ist das Jahrhundert der schönen Kleinigkeiten, Bagatellen oder erhabenen Chimären" [140]).

Für die Fülle der Gedanken und des Materials, die sich so
allmählich anhäuften, war nun in den Vorlesungen, welche Kant
hielt, nirgends ein rechter Platz. Die physische Geographie schloß

sie nach ihrer Gebietsabgrenzung aus und das Kapitel über empirische Psychologie, welches er im Anschluß an Baumgartens Kompendium in seine Vorlesungen über Metaphysik aufnahm, konnte dem anthropologischen Interesse weder dem Inhalte nach noch in gehörigem Umfange gerecht werden. Die Herderpapiere, welche umfangreiche Bruchstücke aus diesem Teil der Vorlesung enthalten, zeigen, daß Kant sich Paragraph für Paragraph an den Autor anschloß und eine rein theoretische Psychologie ohne Hinweise auf eine durch sie zu erwerbende Weltkenntnis gab. Eine solche hätte ja auch im Vergleich zu der Erörterung metaphysischer Probleme nur schwer ihre Stelle behaupten können. Daß sie unter den anderen, rationalen Wissenschaften an falscher Stelle stehe, hat Kant schon damals empfunden und so faßte er den Gedanken sein Kolleg über Metaphysik mit der Psychologie zu beginnen. In der „Nachricht von der Einrichtung seiner Vorlesungen in dem Winterhalbenjahre 1765—1766" begründet er diese Änderung mit dem Hinweis auf die Notwendigkeit in der Metaphysik analytisch vorzugehen, wie er dies in der Schrift über „Die Deutlichkeit der Grundsätze der natürlichen Theologie und der Moral" zu erweisen versucht hatte. Es entsteht dann folgender Plan der Vorlesung. An erster Stelle steht die empirische Psychologie, „welche eigentlich die metaphysische Erfahrungswissenschaft vom M e n s c h e n ist", sie schließt auch empirische Zoologie in sich, ihr Gegenstand ist also: „alles Leben". Es folgt die Wissenschaft von der „körperlichen Natur", sie handelt vom Leblosen. Daran schließen sich dann Ontologie, rationale Psychologie und die Wissenschaft von Gott und Welt. Wie Kant diesen Plan im einzelnen durchführte, wissen wir nicht, der Gedanke scheint ihn aber längere Zeit beschäftigt zu haben, den schon die Herderpapiere stellen folgendes Programm auf: „Die Metaphysik halte in sich 1. Anthropologie, 2. Physik, 3. Ontologie, 4. Ursprung aller Dinge, Gott und die Welt, also Theologie." Damit stimmt auch die Behandlung der Ethik überein. Kant will, gestützt auf die Versuche des Shaftesbury, Hutcheson und Hume in der Tugendlehre jederzeit das historisch und philosophisch erwägen, was g e s c h i e h t , ehe er anzeigt, was g e s c h e h e n s o l l. Er fährt dann fort: „Ich werde die Methode deutlich machen, nach welcher man den M e n s c h e n

studieren muß, nicht allein denjenigen, der durch die veränderliche
Gestalt, welche ihm sein zufälliger Zustand eindrückt, entstellt,
sondern die Natur des Menschen, die immer bleibt und deren eigentümliche Stelle in der Schöpfung, damit man weiß, welche Vollkommenheit ihm im Stande der r o h e n , und welche im Stande
der w e i s e n Einfalt angemessen sei, was dagegen die Vorschrift
seines Verhaltens sei, wenn er, indem er aus beiderlei Grenzen
herausgeht, die höchste Stufe der physischen oder moralischen
Vollkommenheit zu berühren trachtet, aber von beiden mehr oder
weniger abweicht." [141]) Bekanntlich sind diese Gedankenkeime nicht
zu ihrer vollen Entfaltung gelangt, da die im Jahre 1769 gemachten
neuen Entdeckungen in der Erkenntnistheorie eine andere Begründung der Metaphysik und Ethik mit sich führten. Immerhin
blieben sie für die Moralphilosophie nicht ganz ohne Bedeutung,
wie die Anknüpfung an das Prinzip des „guten Willens" in der
„Grundlegung zur Metaphysik der Sitten" zeigt. Zugleich aber
war mit der Herausarbeitung des kritischen Standpunktes die
Ausscheidung des reichen anthropologischen Materials aus der
Metaphysik dringender geworden und so hat Kant sich zu einem
besonderen Kolleg über Anthropologie entschlossen, das er im
Winter 1772/3 zum erstenmal las.[142]) Ein glücklicher Zufall gibt es,
daß wir aus dieser Zeit einen Brief besitzen, in welchem Kant
seinen Plan entwickelt. Er schreibt an Herz gegen Ende 1773:
„Ich lese in diesem Winter zum zweitenmal ein collegium privatum
der Anthropologie, welches ich jetzt zu einer ordentlichen akademischen Disziplin zu machen gedenke. Allein mein Plan ist ganz
anders [als der Platners]. Die Absicht, die ich habe, ist durch dieselbe die Quellen aller Wissenschaften, die der Sitten, der Geschicklichkeit, des Umganges, der Methode Menschen zu bilden und
zu regieren, mithin alles Praktischen zu eröffnen. Da suche ich
alsdenn mehr Phänomena und ihre Gesetze als die erste Gründe
der Möglichkeit der modification der menschlichen Natur überhaupt." Deshalb wird die physiologische Psychologie abgelehnt.
Dann heißt es weiter: „Ich bin unablässig so bei der Beobachtung
selbst im gemeinen Leben, daß meine Zuhörer vom ersten Anfange
bis zu Ende niemals eine trockene, sondern ... jederzeit eine
unterhaltende Beschäftigung haben. Ich arbeite in Zwischen-

zeiten daran, aus dieser in meinen Augen sehr angenehmen Beobachtungslehre eine V o r ü b u n g der Geschicklichkeit, der Klugheit und selbst der Weisheit vor die akademische Jugend zu machen, welche nebst der physischen Geographie von aller andern Unterweisung unterschieden ist und die Kenntnis der Welt heißen kann."[143]) Damit ist der Charakter der Anthropologie als empirischer und pragmatischer Wissenschaft endgültig festgelegt, die Vorlesungsanzeige vom Jahre 1775 braucht denn auch den letzteren Ausdruck.

Die nächste Folge der neuen Vorlesung ist die Entlastung des Kollegs über Metaphysik. „Empirische Psychologie fasse ich jetzo kürzer, nachdem ich Anthropologie lese",[144]) so schreibt Kant unter dem 20. Oktober 1778 an Marcus Herz. Wie er sie behandelte, läßt sich aus der von Pölitz herausgegebenen Metaphysik[145]) ersehen. Baumgartens Anordnung ist beibehalten und es werden nach einer allgemeinen Einteilung der geistigen Vermögen abgehandelt: das sinnliche Erkenntnisvermögen, das der Lust und Unlust, das Begehrungsvermögen und schließlich die Frage des Kommerziums der Seele mit dem Körper. Zu dieser Zeit führt dann auch die kritische Betrachtung zu der Einsicht, daß die empirische Psychologie nicht in eine Vorlesung über Metaphysik gehöre. Dies wird schon in der Pölitz'schen Nachschrift gesagt, authentischer müssen aber die Bemerkungen der „Kritik der reinen Vernunft" sein, wo Kant erklärt, daß die Idee der Metaphysik eine empirische Psychologie ausschließe, daß man ihr aber aus ökonomischen Bewegursachen ein Plätzchen darin verstatten müsse, „weil sie noch nicht so reich ist, daß sie allein ein Studium ausmachen, und doch zu wichtig, als daß man sie ganz ausstoßen sollte. Es ist also bloß ein so lange aufgenommener Fremdling, dem man auf einige Zeit einen Aufenthalt vergönnt, bis er in einer a u s f ü h r l i c h e n A n t h r o p o l o g i e (dem Pendant zu der empirischen Naturlehre), seine eigene Behausung wird beziehen können"[146]).

Mit dieser Äußerung ist wohl am schärfsten die Wandlung ausgedrückt, welche sich im Denken Kants allmählich vollzogen hatte. Auf der Grundlage der empirischen Psychologie, hervorgerufen durch ein neues Interesse am Menschen, war die Anthropologie entstanden, jetzt erscheint sie geeignet, die Wissenschaft, die ihr ursprünglich als Grundriß diente, in sich aufzunehmen. Eine solche ausführliche Anthropologie hat Kant niemals geliefert, vielmehr hat er den pragmatischen Gesichtspunkt mit aller Entschiedenheit durchgeführt.

Einer besonderen Untersuchung muß es vorbehalten bleiben, das Verhältnis zwischen Psychologie und Anthropologie, welche doch immer in einem systematischen Zusammenhang blieben, im einzelnen klar zu legen. Hier sei nur hervorgehoben, daß das anthropologische Interesse alle Untersuchungen über die Seele als Substanz, über ihr Kommerzium mit dem Körper und alle Fragen der physiologischen Psychologie ausschloß. Auch gehörte in dieses Gebiet nicht hinein die eigentliche Analyse der seelischen Vorgänge, die „systematische Zergliederungskunst" [147]), die Anthropologie übernahm diese Resultate, um sie unter den pragmatischen Gesichtspunkt zu stellen. Anderseits führte dies Interesse auch über den Rahmen einer empirischen Psychologie im Sinne der Schule hinaus. Dies geschah durch das, was Kant anthropologische Charakteristik nennt. Sie behandelte, wie die von Kant selbst herausgegebene „Anthropologie" zeigt, nach einander: Vom Charakter der Person, Vom Charakter des Geschlechts, Vom Charakter des Volks, Vom Charakter der Rasse, Vom Charakter der Gattung [148]). Daß Kants Interesse diesen Gegenständen schon in den 60 er Jahren zugewendet war, hat wohl die vorangehende Darstellung gezeigt.

Es ist nun möglich, Kants Lehre von Welt und Mensch, wie er sie in der vorkritischen Periode ausgebildet, mit einem Blick zu überschauen:

Nach einem vorbedachten Plane schuf Gott die Substanzen und er schuf sie zur Welt. Sie waren kraftbegabt und wirkten auf einander im Raum. Ihr gemeinsamer Ursprung sicherte zugleich die Möglichkeit ihres Kommerziums. Dies ihr Zusammenwirken war auf Harmonie angelegt. Sie besteht in einem großen Zusammenhang, der in lückenloser Reihe von den niedrigsten bis zu den höchsten Wesen führt und die Schönheit der Schöpfung ausmacht. Jedes gehorcht den allgemeinen Gesetzen des Universums, jedes dem ihm eigenen Bildungsgesetz, wie es ihm durch seine Stellung in der Reihe gegeben ist. Dies Reich der Natur zeigt nun den Gegensatz der anorganischen und der organischen Erscheinungen. In der „Naturgeschichte und Theorie des Himmels" versucht Kant die Entstehung des Planetensystems aus dem Chaos durch die beiden der Materie eingepflanzten Kräfte der Anziehung und Zurückstoßung streng mechanisch abzuleiten. Seinen Mittelpunkt bildet die Sonne und die von ihr ausgehende Anziehungskraft bedingt ihrem Abstande von jener entsprechend die Beschaffenheit der Himmelskörper; eine Stufenleiter von den höher ausgebildeten bis zu den noch unausgebildeten Planeten eröffnet sich unserm Blick. Die Erde hat eine mittlere Stelle in dieser Reihe. Von unserem Sonnensystem weitet sich nun der Blick in die Unendlichkeit des Universums, das denselben Gesetzen wie dieses gehorcht. Zur räumlichen Unendlichkeit tritt die zeitliche. Eine durch ungeheure Summen von Jahren sich erstreckende Entwicklung liegt vor dem jetzigen Zustande und ebenso reichen unsere Ideen in eine unermeßliche Zukunft. Überall erblicken wir Werden und Vergehen. Die Erde hat, ehe sie ihren jetzigen Zustand erreichte, Revolutionen durchgemacht, Altersunterschiede sind auf ihr zu beobachten und sie geht einem in uendlicher Entfernung liegenden Untergange entgegen. Wie alles Gewordene entwickelt sie sich, um zu vergehen und Stoff zu neuen Bildungen zu geben. Dies ist das Gesetz der gesamten Natur, deren wunderbarer Reichtum in ihm sich offenbart. In diese Welt des Mechanismus sind die organischen Wesen hineingestellt durch einen besonderen Schöpfungsakt, gebildet nach einem Plan, der auf die Vollkommenheit der in ihnen angelegten Fähigkeiten abzielt. Ursprünglich mit über das nächste Bedürfnis hinausreichenden Eigenschaften ausgestattet, entwickeln sie sich unter dem Einfluß von physikalischen Bedingungen zu bestimmten Arten, welche dann konstant bleiben. Wie in der anorganischen Natur, so stellt sich auch in der organischen gleichförmige Ordnung ein, und wie in jener so herrscht auch in dieser ein rein natürlicher Zusammenhang, aus angeborenen Kräften erzeugen die organischen Wesen ihres Gleichen und vererben ihre Eigenschaften, insoweit diese Einfluß auf ihre Zeugungskraft ausüben, dauernd fort. Diesen Gesetzen gehorcht auch der Mensch als tierisches Wesen. Auch er ist bedingt durch die allgemeine Stellung der Erde innerhalb des Planetensystems und die besonderen Bedingungen seines Wohnplatzes wie sie durch Klima, geographische Verhältnisse, Nahrung usw. gegeben sind. So entstehen die verschiedenen Rassen und die Eigentümlichkeiten der Gemütsart bei den verschiedenen Völkern. Und auch für ihn gilt das Gesetz der Vergänglichkeit alles Gewordenen. Er, dessen Gedanken die unendlichen Himmelsräume durchfliegen, ist gefesselt an eine träge Materie und rücksichtslos geht die Natur in ihrem großen Gange über ihn hinweg wie über das niedrigste Wesen.

Doch bei dieser Einsicht kann der Mensch nicht stehen bleiben. Er betrachtet die ihm gegebenen Kräfte in Hinblick auf eine Natur, die nichts umsonst gegeben hat. Und er findet Fähigkeiten, welche über dies Leben hinausreichen, für welche es nicht ausreichenden Schauplatz der Betätigung bietet. Er ist ein vernünftiges, er ist ein freies Wesen. Deshalb darf er nicht als nur abhängig von der Natur betrachtet werden, durch Ausbildung seiner Vernunftanlage und Übermittelung des Erworbenen auf die Nachkommenschaft in der Erziehung schafft er sich selbst seine Kultur. Zugleich treten in den gesellschaftlichen Verhältnissen Faktoren auf, welche seine reine Naturbedingtheit beseitigen. Eine größere Vielgestaltigkeit, ja Unordnung bietet sich zuerst dem Beobachter. Doch das Streben der Natur zur Einheit und Ordnung läßt sich auch hier entdecken. Die einander entgegengesetzten Triebe der Menschen führen ungewollt zu einer Harmonie und sind die eigentlichen Triebfedern der Entwicklung. Ebenso lassen sich Gleichförmigkeiten bei den scheinbar willkürlichen Handlungen der Menschen aufweisen. Aber wenn das Ganze Harmonie an sich zu zeigen scheint, so bleiben doch die unausgeglichenen Gegensätze der menschlichen Natur im Leben des Einzelnen bestehen. So läßt sich nicht ein sinnvoller Zusammenhang denken zwischen den anscheinenden Zufällen, von denen das Geborenwerden und Sterben der Menschen abhängig ist und der Bedeutung der größten Geister unter ihnen. Diese Gegensätze werden nun durch die Kultur noch verschärft. Sie hebt den Menschen aus dem einheitlichen Leben im Instinkt heraus und entwickelt durch Ausbildung der Vernunft den Gegensatz zwischen ihr und der Sinnlichkeit, zwischen unendlichem Streben und endlicher Bedingtheit. Vor allem aber befriedigt die Kulturentwicklung nicht die Forderungen der Ethik. Sie hatte Rousseau gestellt und damit hatte er das von der Betrachtung der Natur hergenommene System der Theodizee zerstört. Er erklärte die Natur für schuldlos an den sittlichen Mängeln der Menschheit, verzichtete aber zugleich auf ein Verständnis der Kulturentwicklung. Für Kant, der der Kultur nicht jeden Wert absprechen wollte und an einen Fortschritt der Menschheit glaubte, entstand hier das geschichtsphilosophische Problem. Er hielt an der Lösung durch den Theodizeegedanken fest und mußte so versuchen der Kulturentwicklung einen Sinn innerhalb des allgemeinen Planes der Natur abzugewinnen. Dies war für ihn möglich, da er in seinen Begriff von ihr schon bei Erklärung der anorganischen Vorgänge teleologische Prinzipien aufgenommen hatte. Die so entstehenden Probleme hat Kant in der vorkritischen Periode noch nicht mit voller Deutlichkeit gesehen. Er hielt an der Idee einer allgemeinen Harmonie fest und berief sich gerade dann auf sie, wenn es ihm nicht gelingen wollte der Schwierigkeiten Herr zu werden. Auch war er überzeugt, daß eine völlige Lösung des Rätsels menschlicher Existenz im Diesseits nicht möglich sei. Das Unerklärbare in ihr verlor seine Schrecken durch den Gedanken an ein göttliches Wesen, das seine Absichten mit dem Menschen doch insoweit kundgetan, als es ihn mit Eigenschaften ausgestattet hatte, die über das Grab auf ein Jenseits hinauswiesen.

III.

Der Ideenbegriff.

III.

Der Ideenbegriff.

Auf das an Schriften verschiedenartigsten Interesses und Inhalts so reiche 6. Jahrzehnt folgte die große Pause in Kants Schriftstellerei, als deren Frucht dann die „Kritik der reinen Vernunft" erschien. Die entwicklungsgeschichtlichen Theorien traten in dieser Zeit in den Hintergrund und wurden höchstens gelegentlich bei einem Spezialproblem behandelt. Aber das Hauptwerk konnte auf das früher entworfene Weltbild nicht ohne Einfluß bleiben, und besonders an zwei Punkten traten seine Ergebnisse nach dem es beherrschenden doppelten Interesse mit den Lehren der früheren Zeit in Berührung. Kant lieferte einmal eine erkenntnistheoretische Grundlegung für die mathematischen Naturwissenschaften und anderseits zerstörte er die Leibniz-Wolffische Metaphysik. Demnach gab die „Kritik der reinen Vernunft" nicht eine angewandte, sondern nur eine reine Naturwissenschaft und eine Anzahl von Fragen, welche die „Naturgeschichte und Theorie des Himmels" behandelt hatte, gehörten gar nicht zu ihrem Gebiet. In dieser Schrift hatte Kant versucht, Newtons mathematische Naturwissenschaft nach Seiten von Physik und Metaphysik zu ergänzen, jetzt gab er eine erkenntnistheoretische Ableitung ihres wissenschaftlichen Verfahrens. Beide Untersuchungen hatten anscheinend gar keine Berührungspunkte; aber indem das Entspringen der Grundbegriffe reiner Naturwissenschaft aus den Bedingungen des Erkennens nachgewiesen wurde, wurden doch zugleich auch einige Anleihen überflüssig, welche Kant bei der Metaphysik gemacht hatte. Früher glaubte er die Einheit der die Natur beherrschenden Gesetzmäßigkeit nur auf Grund der Annahme eines gemeinsamen Ursprunges aus Gott erweisen zu können, jetzt zeigte er, daß sie im Prinzip der ursprünglichen synthetischen Einheit der Apperzeption gegründet sei. Besonders die Tatsache des Kommerziums der Substanzen hatte ihn zu jener Idee geführt.

Jetzt bewies die „Kritik der reinen Vernunft" die dritte Analogie
der Erfahrung, den Grundsatz der Gemeinschaft, als notwendig
für die Möglichkeit der Erfahrung. Sie zeigte, daß die Synthesis
der Apprehension immer nur ein Nacheinander der Wahrnehmungen liefern könne, nicht aber ein Zugleichsein. Diese Beziehung kann also nur durch einen Verstandesbegriff gedacht werden, der das Zugleichsein als objektiv, d. h. in den Dingen begründet
darstellt. Zu der communio, welche die transzendentale Apperzeption sichert, tritt das commercium im Sinne einer dynamischen
Gemeinschaft.

Die Zerstörung der Metaphysik beseitigte dann die für die
frühere Naturphilosophie wichtigen Begriffe der Schöpfung und der
Monaden und sie leugnete die Möglichkeit eines spekulativen Beweises für das Dasein Gottes. Der Begriff der Schöpfung durfte als
„Begebenheit unter den Erscheinungen nicht zugelassen werden,
indem ihre Möglichkeit allein schon die Einheit der Erfahrung aufheben würde" [1]. Ebenso zeigten die „Metaphysischen Anfangsgründe der Naturwissenschaft", daß der Begriff des Einfachen im
Sinne der Monadologie zur Erklärung auf das Zusammengesetzte
der Erscheinungen nicht angewandt werden dürfe und sie entwickelten einen rein dynamischen Begriff der Materie, wonach das
Wesen dieser durch die beiden Grundkräfte der Zurückstoßungs-
und der Anziehungskraft bestimmt wurde.

Alle diese Abweichungen von den früheren Lehren bedingten
keineswegs ein Aufgeben der in der „Naturgeschichte" entwickelten
Theorie. Sie erhielt zum Teil neue Grundlagen, blieb jedoch ihrem
Inhalte nach durchaus bestehen. Zu einem anderen Ergebnis aber
muß die Überlegung führen, daß der Gottesbegriff in der früheren
Naturphilosophie nicht nur dazu diente, den Zusammenhang der
Wirklichkeit, sondern auch die Harmonie der aus der Einheit des
Ursprungs aller Dinge abgeleiteten Folgen begreiflich zu machen.
Für diesen Gedanken bot der in der transzendentalen Analytik ent-
wickelte Naturbegriff, welcher sie als den „Zusammenhang der
Erscheinungen ihrem Dasein nach nach notwendigen Regeln, d. i.
nach Gesetzen" [2] darstellte, keinen Ersatz. Das Bedürfnis zu einer
solchen Fragestellung war aber bei Kant vorhanden, es hat sich in
den früheren Kapiteln gezeigt, wie sehr seine Weltanschauung von

dem Theodizeegedanken beeinflußt war. Damals wurde dem Beweis von der Harmonie alles Geschehens die Idee der Einheit zugrunde gelegt und dieser Begriff ist es, der zu Problemen führt, die in der Fortsetzung der die Naturphilosophie beherrschenden Gedanken liegen.

Der leitende Begriff ist der der I d e e.

Kant führt ihn in historischer und sachlicher Orientierung ein. Das erstere geschieht durch den bekannten Hinweis auf Plato, das zweite durch die Einordnung in das Begriffsschema, wie es in der Reihenfolge entwickelt wird: Perzeption — Empfindung — Erkenntnis — Anschauung — Begriff (empirischer oder reiner) — Notio — Begriff aus Notionen, der die Möglichkeit der Erfahrung übersteigt: I d e e oder Vernunftbegriff [3]). Die Eigenart des Vernunftbegriffes ergibt sich aus dem Wesen der Vernunft. Ihre Funktion muß gedacht werden als eine Fortsetzung der von Sinnlichkeit und Verstand vollzogenen Einheit des Erkennens. Eine solche ist aber nicht nach Seiten der Form zu denken, da die transzendentale Apperzeption sich als höchste formale Bedingung des Erkennens schon erwiesen hat. Es kann sich nur um eine Synthese der durch die Verstandesbegriffe gewonnenen Inhalte durch einen höheren Inhalt handeln. Er muß in bezug auf jede der aufgegebenen Fragen ein letzter sein, da ja sonst der gewünschte Ruhepunkt des Denkens nicht gegeben werden kann. Es handelt sich also um die Auffindung von „Prinzipien", sie sind „synthetische Erkenntnisse aus Begriffen". Demnach ist Vernunft „das Vermögen der Einheit der Verstandesregeln unter Prinzipien" [4]). Das dieser Aufgabe entsprechende Verfahren heißt Schließen, es läßt sich am Syllogismus darstellen. Die Funktion der Verstandesbegriffe vollendet gedacht, ergibt den Gedanken der Totalität der Bedingungen. Damit ist die Aufgabe, welche die Vernunft stellt, präzisiert, es soll „die Einheit des Verstandes bis zum Unbedingten fortgesetzt werden" [5]). Über die besondere Art dieser Fortsetzung entscheidet der in jedem Fall zugrunde liegende Verstandesbegriff, gemeinsam ist das Ziel: das Unbedingte. Ideen sind „bis zum Unbedingten erweiterte Kategorien" [6]). Die transzendentale Dialektik weist nun nach, daß von den Ideen nicht ein transzendenter, sondern nur ein immanenter Gebrauch stattfinden könne. „So enthält die reine

Vernunft, die uns anfangs nichts Geringeres als Erweiterung der Kenntnisse über alle Grenzen der Erfahrung zu versprechen schien, wenn wir sie recht verstehen, nichts als regulative Prinzipien, die zwar größere Einheit gebieten, als der empirische Verstandesgebrauch erreichen kann, aber eben dadurch, daß sie das Ziel der Annäherung desselben so weit hinausrücken, die Zusammenstimmung desselben mit sich selbst durch systematische Einheit zum höchsten Grade bringen" [7]). Ein solcher Gebrauch der Vernunft könnte zunächst nur als ein rein ökonomischer Grundsatz betrachtet werden und würde sich auf die Ersparung der Prinzipien richten. Aber er würde nicht hinreichen bis zu der Behauptung, daß „die Beschaffenheit der Gegenstände oder die Natur des Verstandes, der sie als solche erkennt, an sich zur systematischen Einheit bestimmt sei" [8]). Auch könnte die Verschiedenheit der Erscheinungen eine so große sein, daß die Anwendung eines solchen nur logischen Prinzipes unmöglich würde. Es setzt vielmehr ein transzendentales voraus, und nach diesem „wird in dem Mannigfaltigen einer möglichen Erfahrung notwendig Gleichartigkeit vorausgesetzt (ob wir gleich ihren Grad a priori nicht bestimmen können), weil ohne dieselbe keine empirischen Begriffe, mithin keine Erfahrung möglich wäre" [9]). Die Ersparung der Prinzipien wird zu einem inneren Gesetz der Natur. Unter diesem Gesichtspunkt behandelt Kant die Begriffe der Grundkraft, Gattung und Art. Neben dieses Prinzip der Homogenität treten dann die beiden anderen der Spezifikation und Kontinuität, und für den Erfahrungsgebrauch ergibt sich die Ordnung: „Mannigfaltigkeit, Verwandtschaft und Einheit". Es ist klar, daß Kant hier die methodischen Richtlinien empirischer Forschung und der Wissenschaften, welche sich auf diese stützen, z. B. auch der Geschichte, angegeben hat und daß der Vorwurf, er habe es daran mangeln lassen, in der Unbedingtheit, in welcher er in der Regel erhoben wird, nicht gilt. Ferner ist deutlich, daß hier als heuristische Prinzipien die Gedanken wiederkehren, welche früher die metaphysische Struktur seiner Naturphilosophie gebildet hatten. So wird auch an dieser Stelle die Wissenschaft von der Metaphysik befreit. Leugnen läßt sich allerdings nicht, daß die von Kant in der „Kritik der reinen Vernunft" nur im Umriß dargestellte Lehre eine Weiterbildung nicht erfahren

hat, obgleich sie doch entwicklungsfähig gewesen wäre. Der Grund
zu dieser Erscheinung lag wohl darin, daß ihm eine Deduktion der
drei Prinzipien nicht gelingen wollte. So sagt er in bezug auf sie
abschließend: „Was bei diesen Prinzipien merkwürdig ist und uns
auch allein beschäftigt, ist dieses: daß sie transzendental zu sein
scheinen, und, ob sie gleich bloße Ideen zur Befolgung des empirischen Gebrauchs der Vernunft enthalten . . . ., sie gleichwohl
als synthetische Sätze a priori objektive aber u n b e s t i m m t e
Gültigkeit haben und zur Regel möglicher Erfahrung dienen, auch
wirklich in Bearbeitung derselben als heuristische Grundsätze mit
gutem Glücke gebraucht werden, ohne daß man doch eine transzendentale Deduktion derselben zustande bringen kann, welche
in Ansehung der Ideen jederzeit unmöglich ist" [10]).

Bemerkenswert ist die kritische Vorsicht, mit welcher Kant
hier den Ideenbegriff verwertet wissen will. Wie so oft ist er aber
auch an diesem Punkte nicht konsequent gewesen. Als er bei Einführung der Lehre von den Ideen sich auf Plato beruft, da stimmt
er diesem bei, wenn er auch in Ansehung der Natur selbst deutliche
Beweise ihres Ursprungs aus Ideen sieht. Und weiter heißt es:
„Ein Gewächs, ein Tier, die regelmäßige Anordnung des Weltbaues (vermutlich also auch die ganze Naturordnung) zeigen deutlich, daß sie nur nach Ideen möglich sind; daß zwar kein einzelnes
Geschöpf unter den einzelnen Bedingungen seines Daseins mit der
Idee des Vollkommensten seiner Art kongruiere (so wenig wie der
Mensch mit der Idee der Menschheit, die er sogar selbst als das
Urbild seiner Handlungen in seiner Seele trägt) daß gleichwohl
jene Ideen im höchsten Verstande einzeln, unveränderlich, durch-
gängig bestimmt und die ursprünglichen Ursachen der Dinge sind,
und nur das Ganze ihrer Verbindung im Weltall einzig und allein
jener Idee völlig adäquat sei" [11]). Je fremdartiger diese Gedanken
im Zusammenhange ihrer Umgebung stehen, desto mehr weisen sie
auf früher Gedachtes hin. Unverändert tritt uns hier die Ansicht
von der intelligiblen Ordnung der Erscheinungswelt wieder entgegen.

Daß diese Ideen, obgleich sie doch zu einer Erörterung drängten,
in dem Hauptwerk vernachlässigt wurden, lag in der Befangenheit,
welche das kantische Denken ergriffen hatte. Die gewagteste
Interpretationskunst wird wohl nicht den Beweis dafür antreten

wollen, daß die Anordnung der Probleme in der transzendentalen
Dialektik aus einer unbeeinflußten, nur durch den notwendigen
Gedankenfortschritt gebotenenen Fragestellung reinlich abzuleiten
sei. Die überlieferte Gliederung der Metaphysik in rationale Psychologie, Kosmologie und Theologie gab die Grundeinteilung und in
den beiden zuerst Genannten zwängte das Schema der Kategorien
die Gedanken in eine ihnen fremde Ordnung und brachte Fragestellungen zustande, die das Fachwerk der Architektonik füllten,
dann aber bald vernachlässigt werden durften. So kam es, daß
die Kosmologie den Zweckbegriff vernachlässigte und so ihren
Namen eigentlich usurpierte. Dies geschah, obgleich der Gedankenfortschritt ihn geradezu forderte. Bei einem Versuch für die durch
die Kategorien gefundene Gesetzmäßigkeit des Geschehens eine
höhere Einheit zu finden, mußte er sich doch ohne weiteres dar-
bieten. War denn wirklich der Rückgang bis zum Unbedingten
sofort geboten? Waren hier nicht die Zwischenstufen vernachlässigt? Allerdings läßt sich auch einsehen, weshalb der Zweckbegriff nach den Ergebnissen der Analytik sich nicht mehr für die
Erfahrungserkenntnis, in der er doch zweifelsohne eine bedeutsame
Rolle spielt, verwerten ließ. Eine Beziehung zur Form der Zeit
im Sinne des Schematismus der reinen Verstandesbegriffe läßt sich
nicht aufweisen, da im Begriff des Zweckes wohl eine Ordnung, aber
nicht eine im zeitlichen Nacheinander zur Darstellung zu bringende
gedacht wird.

Alle die Versuche, den Ideenbegriff für die systematische Erkenntnis der Natur verwertbar zu machen, müssen in ihrer Bedeutung zurücktreten gegenüber der Rolle, welche er auf dem Gebiete der Ethik spielt. In sehr charakteristischer Weise beruft sich
Kant da, wo er die Ansicht vertritt, daß die Ideen nicht Hirngespinste sind, sondern Realität haben, auf „das Praktische" [12]).

Damit tritt ein anderes Interesse als ein rein spekulatives an
den Ideen hervor. Es ist das praktische. Kant führt es ein, als
er nach der Darstellung der Antinomien die Thesis dem Dogmatismus, die Antithesis dem Empirismus zurechnet und nun fragt,
welches Interesse der Mensch an beiden Standpunkten nimmt.
Es heißt dort: „Es zeigt sich ein p r a k t i s c h e s I n t e r e s s e
auf der Seite des Dogmatismus in Bestimmung der kosmologischen

Vernunftideen, woran jeder Wohlgesinnte, wenn er sich auf seinen wahren Vorteil versteht, herzlich Teil nimmt. Daß die Welt einen Anfang habe, daß mein denkendes Selbst einfacher und daher unverweslicher Natur, daß dieses zugleich in seinen willkürlichen Handlungen frei und über den Naturzwang erhaben sei, und daß endlich die ganze Ordnung der Dinge, welche die Welt ausmachen, von einem Urwesen abstamme, von welchem alles seine Einheit und zweckmäßige Verknüpfung entlehnt: das sind so viele Grundsteine der Moral und Religion." [13]) Damit ist Kant in die Erörterung der Fragen eingetreten, welche bisher unberücksichtigt blieben, es beginnt der Versuch eine Versöhnung herzustellen zwischen den Ergebnissen des theoretischen und den Forderungen des praktischen Denkens. Die dritte Antinomie öffnet die Pforte zu einer neuen Betrachtung der Wirklichkeit. Und wenn das Postulat der Freiheit sich auf die Tatsache der im Bewußtsein gegebenen Imperative stützt, so ist damit der Gedanke einer möglichen Beeinflussung der Wirklichkeit durch eine andere Ordnung aufgetreten. Auch die praktischen Ideen sind regulativ, aber doch nicht im Sinne eines bloßen Gedankenfortschrittes, der über die Erfahrung hinausgeht, sondern in dem Sinne, daß sie trotz ihres Ursprunges unabhängig von der Erfahrung die Handlungen des Menschen regeln, welche selbst immer Erscheinungen sein müssen. Nicht eine begriffliche, d. i. zeitlose Annäherung, sondern eine wahrhaft wirkliche, zeitliche Annäherung findet durch sie in Richtung auf die Idee statt. „Die Idee der Tugend liegt jeder Annäherung zur moralischen Vollkommenheit notwendig zum Grunde." [14]) Diese kann aber nie durch das bloße Denken, sie muß durch Handeln erstrebt werden.

Die dritte Antinomie entwickelt nun bekanntlich den Gegensatz von Freiheit und Notwendigkeit, ihr muß das schärfste Interesse zugewandt werden, denn von ihrer Lösung hängt alles Weitere ab.

Die Einordnung der Freiheitslehre in den Zusammenhang der Antinomien, der Weltbegriffe, bedingt in der Thesis den Nachweis der Freiheit als einer „ a b s o l u t e n S p o n t a n e i t ä t der Ursachen, eine Reihe von Erscheinungen, die nach Naturgesetzen läuft, v o n s e l b s t anzufangen" [15]). Als eine solche Reihe wird die der Weltbegebenheiten überhaupt vorgestellt, und es wird also

die Idee der Freiheit zuerst gedacht, um den Ursprung der Welt
begreiflich zu machen. Im Gedanken an diese Möglichkeit erscheint
es Kant dann „auch erlaubt, mitten im Laufe der Welt
verschiedene Reihen der Kausalität nach von selbst anfangen zu
lassen und den Substanzen derselben ein Vermögen beizulegen,
aus Freiheit zu handeln" [16]). Für die Annahme eines ersten Anfanges der Welt wird der Satz geltend gemacht, daß ohne hinreichend a priori bestimmte Ursache nichts geschehe. Seine Anwendung führt aber in der Erscheinungswelt niemals zur Vollständigkeit der Reihe, ohne Annahme eines ersten Anfanges würde
er also mit sich selbst in Widerspruch geraten. Anders liegen die
Dinge, wenn eine Reihe mitten im Lauf der Natur anfangend gedacht werden soll. Hat man sich einmal mit der Idee eines
ersten Anfanges abgefunden, so wird die Erklärung aus Naturursachen weiter gar nicht mehr beeinträchtigt, hier aber findet
eine Kollision mit der Notwendigkeit des Geschehens statt, und
so liegen die eigentlichen Schwierigkeiten bei der menschlichen
Willensfreiheit, denn auf diese kommt es doch eigentlich allein
an; von anderen Substanzen, die ein Vermögen haben aus Freiheit zu handeln, ist ja auch nicht mehr die Rede.

Die Erörterung beginnt mit dem Satze: „Es ist überaus merkwürdig, daß auf diese transzendentale Idee der Freiheit sich der praktische Begriff derselben gründe, und jene in
dieser das eigentliche Moment der Schwierigkeiten ausmache,
welche die Frage über ihre Möglichkeit von jeher umgeben haben."
Freiheit im praktischen Verstande ist nun „die Unabhängigkeit der
Willkür von der Nötigung durch Antriebe der Sinnlichkeit." [17])
Die Sinnlichkeit ist also nicht in jedem Falle ausreichende Ursache
zur Handlung. Da sie aber als Naturanlage, als positive Bedingung,
welche zum Handeln treibt, angesehen werden muß, so muß gegen
diese Energie eine andere ebenfalls positive eingesetzt werden.
Diese kann aber unmöglich aus den Naturbedingungen stammen,
also muß der Grund zur praktischen Freiheit in einer transzendentalen gesucht werden. Die praktische Freiheit wird demnach durch
die Tatsache gegeben, daß die Sinnlichkeit nicht das gesamte
Handeln des Menschen beherrscht, und die transzendentale soll die
Erklärung dieser Erscheinung liefern. Deshalb kann Kant sagen:

„Die Aufhebung der transzendentalen Freiheit würde zugleich alle praktische Freiheit vertilgen. Denn diese setzt voraus, daß, obgleich etwas nicht geschehen ist, es doch habe geschehen s o l l e n, und seine U r s a c h e i n d e r E r s c h e i n u n g also nicht s o b e s t i m m e n d w a r, daß nicht in unserer Willkür eine Kausalität liege, unabhängig von jenen Naturursachen und s e l b s t w i d e r i h r e G e w a l t u n d E i n f l u ß e t w a s h e r v o r - z u b r i n g e n, was in der Zeitordnung nach empirischen Gesetzen bestimmt ist, mithin eine Reihe von Begebenheiten g a n z v o n s e l b s t anzufangen." [18]) So kommen wir zur Definition der transzendentalen Freiheit: „Unter Freiheit im kosmologischen Verstande verstehe ich das Vermögen, einen Zustand v o n s e l b s t anzufangen, deren Kausalität also nicht nach dem Naturgesetze wiederum unter einer anderen Ursache steht, welche sie der Zeit nach bestimmte." [19])

Mit der Unterscheidung der Kausalität der Natur und der der Freiheit ist nun eine Beeinflussung der Vorgänge in der Erscheinungswelt behauptet, wenn auch nicht eine direkte, sondern eine indirekte. „Vernunft ist ein Vermögen, d u r c h welches die sinnliche Bedingung einer empirischen Reihe von Wirkungen zuerst anfängt." [20]) Sie erscheint also nicht selbst, sondern d u r c h sie erscheint etwas. Man könnte verleitet werden, die durch Freiheit beginnenden Reihen im empirischen Geschehen gewissermaßen nur als eine Bereicherung desselben aufzufassen, aber man würde dann das zu postulierende Zusammentreffen beider Kausalitäten in einer bestimmten Handlung nicht verstehen können. Aus demselben Grunde ist auch die übliche, aber doch recht oberflächliche Meinung abzulehnen, nach welcher Kant durch die Idee der intelligiblen Freiheit nur eine andere Betrachtungsweise als möglich habe erweisen wollen. Bei dieser Annahme schwinden allerdings die Schwierigkeiten, ähnlich wie bei der Theorie des psychophysischen Parallelismus, welche so lange höchst plausibel erscheint, als die Frage nach der Möglichkeit einer Übereinstimmung beider Reihen im wirklichen Geschehen nicht gestellt wird. Hätte Kant nur dies gewollt, so wäre er mit der Lehre von der praktischen Freiheit gut ausgekommen. Wenn er auf die intelligible Freiheit zurückging, so zeigte er damit, daß es sich für ihn nicht bloß um ein erkenntnistheoretisches oder gar nur methodologisches, sondern um ein metaphysisches Problem handelte [21]).

So entstehen Schwierigkeiten bei dem Versuch den Ablauf der Ereignisse in der Erscheinungswelt in Einklang mit der Lehre von den Wirkungen aus Freiheit in ihm zu bringen. Die Frage lautet: „ob es ein richtig disjunktiver Satz sei, daß eine jede W i r k u n g i n d e r W e l t e n t w e d e r aus Natur o d e r aus Freiheit entspringen müsse, oder ob nicht vielmehr b e i d e s in verschiedener Beziehung bei einer und derselben B e g e b e n h e i t zugleich stattfinden könne" [22]). Das letztere behauptet Kant, und so ist der Nachweis zu führen, daß Kausalität durch Freiheit in Vereinigung mit dem allgemeinen Gesetze der Naturnotwendigkeit möglich ist. Diese Beziehung wird nun zuerst dargestellt als bestehend zwischen der Freiheit als einem Vermögen und einer einzelnen Handlung. So ist die Unterscheidung des intelligiblen und des empirischen Charakters eines Dinges der Erscheinungswelt zu verstehen. Das Verhältnis beider ist zwar unmöglich näher anzugeben, wir können nur sagen: „ein anderer intelligibeler Charakter würde einen anderen empirischen gegeben haben" [23]), aber daran ist festzuhalten, daß die Erscheinungen so in einer bestimmten Richtung festgelegt sind, d. h. wir haben eine Einwirkung auf die Erscheinungswelt anzunehmen, ja der intelligible Charakter wird die transzendentale Ursache des empirischen genannt [24]).

Unüberwindliche Schwierigkeiten türmen sich auf, wenn dies Verhältnis näher bestimmt werden soll. Es ist verständlich, daß Kant es vermeiden will, die Wirkung der Vernunft in einer einzelnen Handlung unmittelbar zu sehen, so daß jene wie durch einen besonderen Akt auf sie gerichtet ist. Auch der Gedanke der Unzeitlichkeit des intelligiblen Charakters schließt dies aus. Auch würde Kant in Gefahr geraten die Kausalität der Natur zu durchbrechen und das Wunder in Permanenz zu erklären. Er versucht nun dem zu entgehen dadurch, daß er ein einmaliges Wunder, die Gewinnung eines Vermögens durch eine intelligible Tat setzt. Allerdings entgeht er auch so nicht den Schwierigkeiten, denn die Wirkungen einer solchen Tat in der Erscheinungswelt müssen doch in dieser einmal anfangen. Wie verträgt sich dies mit dem ersten Anfang der Welt? Ist nun das Vermögen einmal gegeben, so wird es einzuordnen sein in den Zusammenhang des Naturlaufs, d. h. die Wirkung der Freiheit ist nicht mehr direkt, sondern nur indirekt in den einzelnen Handlungen zu finden. Diese sind durchaus aus empirischen Gründen bestimmt, aber in dem Regressus würde Totalität der Reihe nicht erzielt werden, und insofern wären sie doch wiederum nicht hinreichend bestimmt, genau so, wie wir für die abgeleiteten Ursachen nach einer ersten Ursache fragen und sie schließlich postulieren. Indem Kant der einen Schwierigkeit entgeht, fällt er sofort in eine andere. Eine solche Freiheit ist nutzlos. Dies tritt klar hervor, wenn wir uns auf den Tatbestand besinnen, der zur Formulierung der Idee von der intelligiblen Freiheit geführt hatte: das Sollen. „Daß diese Vernunft nun Kausalität habe, wenigstens wir uns eine dergleichen an ihr vorstellen, ist aus den I m p e r a t i v e n klar, welche wir in allem Praktischen den ausübenden Kräften als Regeln aufgeben. Das S o l l e n drückt eine Art von Notwendigkeit und Verknüpfung mit Gründen aus, die in der ganzen Natur sonst nicht vorkommt".[25]) Diese Imperative wären aber sinnlos, wenn nicht im einzelnen Fall ein ihren Forderungen entsprechendes Können möglich wäre. Das von Kant gewählte Beispiel von der Lüge entspricht auch durchaus dieser Interpretation. Der Tadel, der den Lügner trifft, „gründet sich auf ein Gesetz der Vernunft, wobei man diese als eine Ursache ansieht, welche das Verhalten des Menschen unangesehen aller genannten empirischen Bedingungen anders habe bestimmen können und sollen" [26]). Damit ist das Verhältnis der Vernunft zur Wirklichkeit nicht mehr bloß ein mittelbares, sondern ein unmittelbares: „jede Handlung unangesehen des Zeitverhältnisses, darin sie mit anderen Erscheinungen steht, ist die u n m i t t e l - b a r e Wirkung des intelligiblen Charakters der reinen Vernunft" [27]). So muß die Gefahr beseitigt werden, daß die Vernunft in eine zeitliche Beziehung zur Handlung gesetzt und damit ihres transzendentalen Charakters beraubt wird. Hier hilft die Unterscheidung der mathematischen und der dynamischen Antinomien: „Die Vernunft ist allen Handlungen des Menschen in allen Zeitumständen gegenwärtig und einerlei, selbst aber ist sie nicht in der Zeit und gerät etwa in einen neuen Zustand, darin sie vorher nicht war; sie ist b e s t i m m e n d , aber n i c h t b e s t i m m b a r in An-

sehung desselben." [28]) Dieser Ausweg führt aber in eine neue
Schwierigkeit. Indem an der ausreichenden Verursachung einer
Handlung durch empirische Gründe festgehalten wird, muß gefragt
werden, wie die beiden Arten der Bestimmung des Handelns in
einer Handlung wiedergefunden werden können. Eine solche kann
nicht wirklicher sein als sie ist. An eine Konkurrenz beider Reihen
zu denken wird von Kant ausgeschlossen: „man sieht (im Falle der
Lüge) die Kausalität der Vernunft nicht etwa bloß wie Konkurrenz,
sondern an sich selbst als v o l l s t ä n d i g an, . . . die Handlung
wird seinem intelligiblen Charakter beigemessen, er hat jetzt in
dem Augenblicke, da er lügt, gänzliche Schuld" [29]). Diese Schwierigkeiten sind unlösbar. Die Unterscheidung, durch welche Kant
die dritte Antinomie zu lösen versuchte, hat ihn in eine neue ver-
flochten. Entweder wird das Reich der intelligiblen Freiheit isoliert
gedacht, und dann hat es keine Beziehung zu der Handlung als Erscheinung, oder es hat eine solche, und dann ist die Wirkung der
Freiheit in der Erscheinungswelt nicht unterzubringen. Unfruchtbar erweist sich aber schließlich auch der Hinweis auf einen intelligiblen Charakter. Deutlicher, als Kant dies selbst zugegeben,
kann es nicht ausgesprochen werden: „Man kann nicht fragen:
warum hat s i c h nicht die Vernunft anders bestimmt? sondern
nur: warum hat sie die E r s c h e i n u n g e n durch ihre Kausalität nicht anders bestimmt? Darauf aber ist keine Antwort möglich. Denn ein anderer intelligibler Charakter würde einen andern
empirischen gegeben haben." [30]) Der letztere kann aus den ihn
bedingenden empirischen Ursachen verstanden werden, der erstere
ist weiter nichts als ein Fatum. So erweist sich der Gedanke von
der intelligiblen Freiheit, von dem wir eine Deutung der Erscheinungswelt erwarten durften, als völlig unfruchtbar, ja besonders
feindlich tritt er dem Zweckgedanken gegenüber, da durch die Lehre
von der Zeitlosigkeit des intelligiblen Charakters ein einsehbarer
Zusammenhang zwischen ihm und dem in der Zeit sich vollziehenden und entwickelnden menschlichen Handeln unmöglich erscheint.

Erst wenn wir die Lehre von der Freiheit aus der künstlichen
Konstruktion des Antinomienschemas herauslösen, dürfen wir
hoffen, daß sie ihre Fruchtbarkeit erweist. Wir müssen zurück-
kehren in die Wirklichkeit des Bewußtseins, wo im Sollen ein Zu-

sammenhang zwischen intelligibler und empirischer Welt gegeben
ist oder mindestens hinzugedacht werden muß, wir müssen uns
mit Kants ethischen Lehren zur Zeit der ersten Auflage der „Kritik
der reinen Vernunft" beschäftigen. Daß sie unfertig waren, zeigt
der bekannte Satz: „Ich nehme an: daß es wirklich reine
moralische Gesetze gebe, die völlig a priori (ohne Rücksicht auf
empirische Beweggründe, d. i. Glückseligkeit) das Tun und Lassen,
d. i. den Gebrauch der Freiheit eines vernünftigen Wesens überhaupt, bestimmen und daß diese Gesetze schlechterdings
(nicht bloß hypothetisch, unter Voraussetzung anderer empirischen Zwecke) gebieten und also in aller Absicht notwendig seien.
Diesen Satz kann ich mit Recht voraussetzen, nicht allein indem
ich mich auf die Beweise der aufgeklärtesten Moralisten, sondern
auf das sittliche Urteil eines jeden Menschen berufe, wenn er sich
ein dergleichen Gesetz deutlich denken will." [31]) Die Aufgabe ist
demnach klar vorgestellt, von ihrer Lösung ist Kant noch weit
entfernt; dies läßt sich noch näher einsehen, wenn wir in der ersten
Auflage der „Kritik der reinen Vernunft" lesen, daß die obersten
Grundsätze der Moralität und die Grundbegriffe derselben nicht
in die Transzendental-Philosophie gehören, „weil die Begriffe der
Lust und Unlust, der Begierden und Neigungen, der Willkür usw.,
die insgesamt empirischen Ursprunges sind, dabei vorausgesetzt
werden müßten" [32]). So ist die Klage zu verstehen, daß „in Ansehung der sittlichen Gesetze die Erfahrung (leider!) die Mutter
des Scheines ist" [33]). Demnach kann das in der theoretischen
Philosophie zugrunde gelegte Verhältnis zwischen den apriorischen
Formen und dem a posteriori gegebenen Stoffe des Erkennens
für die praktische Philosophie nicht verwertet werden. So können
die praktischen Ideen auch nicht in einer Fortsetzung der Ver-
standestätigkeit gesehen werden, deren Zweck ja doch immer die
Konstruktion der Wirklichkeit blieb. Eine neue Stellungnahme
ist notwendig und möglich, wie die Lösung der dritten Antinomie
es zeigt. Weil sie aber nicht durch das Schwergewicht der für die
Erfahrungserkenntnis geltenden Bedingungen festgehalten wird,
können Ideen, denen dort sofort die Schwungkraft genommen
wurde, einen aussichtsreicheren Flug antreten. Diesen Gegensatz
hebt Kant gleich zu Beginn der Lehre von den Ideen so hervor:

„So würde man sagen können: das absolute Ganze aller Erscheinungen ist n u r e i n e I d e e , denn da wir dergleichen niemals im
Bilde entwerfen können, so bleibt es ein P r o b l e m ohne alle
Auflösung. Dagegen weil es im praktischen Gebrauch des Verstandes ganz allein um die Ausübung nach Regeln zu tun ist, so
kann die Idee der praktischen Vernunft jederzeit wirklich, ob zwar
nur zum Teil, in concreto gegeben werden, ja sie ist die unentbehrliche Bedingung jedes praktischen Gebrauchs der Vernunft. Ihre
Ausübung ist jederzeit begrenzt und mangelhaft, aber unter nicht
bestimmbaren Grenzen, also jederzeit unter dem Einflusse des Begriffs einer absoluten Vollständigkeit. Demnach ist die praktische
Idee jederzeit höchst fruchtbar und in Ansehung der wirklichen
Handlungen unumgänglich notwendig. In ihr hat die reine Vernunft
sogar Kausalität, das wirklich hervorzubringen, was ihr Begriff
enthält; daher kann man von der Weisheit nicht gleichsam gering-
schätzig sagen: s i e i s t n u r e i n e I d e e ; sondern eben
darum, weil sie die Idee von der notwendigen Einheit aller möglichen Zwecke ist, so muß sie allem Praktischen als ursprüngliche,
zum wenigsten einschränkende Bedingung zur Regel dienen." [34])
Was die rein theoretische Behandlung des Gegensatzes: Notwendigkeit und Freiheit auseinanderzureißen drohte, tritt hier wieder nahe
zusammen. Die Ideen, in denen die Vernunft wahre Kausalität
hat, sind wirkende Prinzipien für das menschliche Handeln. Eine
Deutung der Wirklichkeit wird so möglich, und es steht fest, daß
diese Deutung im Hinblick auf eine intelligible Welt stattfindet,
von der wir doch so viel wissen, daß praktische Ideen in ihr ihren
Ursprung haben. Und weiter: Die Ideen der theoretischen Vernunft erwiesen sich als unbrauchbar, weil der Begriff des Unbedingten die menschliche Erkenntnisfähigkeit übersteigt, und es hat
gar keinen Sinn, von einer zeitlichen Annäherung im Verlauf der
Geschichte des menschlichen Denkens zu sprechen. Anders die
praktischen Ideen. Sie sind durchaus erkennbar, wir besitzen den
Begriff des höchsten Gutes. Eine Annäherung an sie kann nur
eine zeitliche sein: „Die reine Vernunft enthält also, zwar nicht
in ihrem spekulativen, aber doch in einem gewissen praktischen,
nämlich dem moralischen Gebrauche Prinzipien der M ö g l i c h -,
k e i t d e r E r f a h r u n g , nämlich solcher Handlungen, die

den sittlichen Vorschriften gemäß in der Geschichte des Menschen anzutreffen sein könnten." [35]) Die praktischen Ideen übernehmen nunmehr die Führung, und es soll jetzt untersucht werden, welche Ausgestaltung sie in der „Kritik der reinen Vernunft" erfahren. Auffallend ist dabei, daß die ethischen Gebote in einer viel näheren Beziehung zum Streben nach Glückseligkeit gedacht werden, als dies in der späteren Ethik der Fall ist. Die Hauptstelle lautet: „Es ist notwendig, daß unser ganzer Lebenswandel sittlichen Maximen untergeordnet werde; es ist aber zugleich unmöglich, daß dieses geschehe, wenn die Vernunft nicht mit dem moralischen Gesetze, welches eine bloße Idee ist, eine wirkende Ursache verknüpft, welche dem Verhalten nach demselben einen unseren höchsten Zwecken genau entsprechenden Ausgang, es sei in diesem oder einem anderen Leben, bestimmt. Ohne also einen Gott und eine für uns jetzt nicht sichtbare, aber gehoffte Welt sind die herrlichen Ideen der Sittlichkeit zwar Gegenstände des Beifalls und der Bewunderung, aber nicht Triebfedern des Vorsatzes, weil sie nicht den ganzen Zweck, der einem jeden vernünftigen Wesen natürlich und durch eben dieselbe reine Vernunft a priori bestimmt und notwendig ist, erfüllen." [36]) Demnach hat das Sittengesetz zum Bewegungsgrunde die Würdigkeit, glücklich zu sein, es abstrahiert von Neigungen und Naturmitteln, sie zu befriedigen, und „betrachtet nur die Freiheit eines vernünftigen Wesens überhaupt und die notwendigen Bedingungen, unter denen sie allein mit der Austeilung der Glückseligkeit nach Prinzipien zusammenstimmt" [37]). Man erkennt an dieser Formulierung schon deutlich die Absicht, dem Sittengesetz einen rein formalen Charakter zu geben, aber es läßt sich nicht verkennen, daß dies noch nicht gelingen will. Glückseligkeit muß doch immer ein materiales Prinzip sein. Versuchen wir, einen Begriff von ihr zu bilden, so müssen wir die Materialien aus der Natur des Menschen entnehmen. Am nächsten kommt Kant den Formulierungen seiner späteren Ethik in der Idee einer „moralischen Welt, die allen sittlichen Gesetzen gemäß wäre" und in der die freie Willkür der vernünftigen Wesen unter moralischen Gesetzen sowohl mit sich selbst als mit jedes anderen Freiheit durchgängige systematische Einheit an sich hat" [38]). Noch ist es aber nicht gelungen, aus dem Begriff eines vernünftigen Wesens die Formel des kategorischen Imperativs zu deduzieren und die Übereinstimmung zwischen Freiheit und Herrschaft des sittlichen Gesetzes zu zeigen. Es fehlt das Kriterium der zu verlangenden Widerspruchslosigkeit einer geplanten Handlung, wenn sie als Prinzip einer allgemeinen Gesetzgebung gedacht wird. Für dies logische Postulat ist ja eine weitere Ableitung nicht mehr notwendig, es ist mit der Natur eines vernünftigen Wesens schlechthin gegeben, das Wollen-können der „Kritik der praktischen Vernunft" drückt dies Verhältnis sehr schön aus. Da dies Kriterium fehlte, konnte die Immanenz des Sittlichen im Gebiete des rein Logischen nicht gewahrt werden, und da der Weg nach oben verschlossen war, so blieb nur der nach unten übrig, d. h. intelligible Welt und Erscheinungswelt mußten näher aneinandergerückt werden. Dies geschieht dadurch, daß der Begriff der Glückseligkeit Bürgerrecht in jener erhält: „Nun läßt sich in einer intelligiblen, d. i. der moralischen Welt, in deren Begriff wir von allen Hindernissen der Sittlichkeit (der Neigungen) abstrahieren, ein solches System der mit der Moralität verbundenen proportionierten Glückseligkeit auch als notwendig denken, weil die durch sittliche Gesetze teils bewegte, teils restringierte Freiheit selbst die Ursache der allgemeinen Glückseligkeit, die vernünftigen Wesen also selbst unter der Leitung solcher Prinzipien Urheber ihrer eigenen und zugleich anderer dauerhaften Wohlfahrt sein würden" [39]). Es ist die Lehre von der Interessenharmonie in die intelligible Welt projiziert gedacht. Die Vorbereitung auf diese so bestimmte Welt findet naturgemäß im Diesseits statt, und zwischen beiden Welten muß ein Verhältnis gedacht werden, das dieser Idee entspricht. Allerdings betont Kant ausdrücklich, daß moralische Vernunftprinzipien zwar freie Handlungen, aber nicht Naturgesetze hervorbringen können" [40]). Andrerseits läßt sich aus der Natur allein nicht Glückseligkeit als möglich ableiten, eine Vereinigung ist also nur denkbar, „wenn eine höchste Vernunft, die nach moralischen Gesetzen gebietet, zugleich als Ursache der Natur zum Grunde gelegt wird" [41]). Die Brücke zwischen sinnlicher und übersinnlicher Welt ist damit geschlagen, wir dürfen diese „als eine Folge unseres Verhaltens in der Sinnenwelt" betrachten.

Wir schließen weiter auf ein göttliches Wesen, und so dürfen wir denn sagen, daß es als „selbständige Vernunft mit aller Zulänglichkeit einer obersten Ursache ausgerüstet, nach der vollkommensten Zweckmäßigkeit die allgemeine, obgleich in der Sinnenwelt uns sehr verborgene Ordnung der Dinge gründet, erhält und vollführt".

So kommen wir zu dem Gedanken der „ s i t t l i c h e n E i n h e i t a l s e i n e m n o t w e n d i g e n W e l t g e s e t z e " und weiter zu der Meinung von der „zweckmäßigen Einheit aller Dinge" und zu dem Satze: „Die Welt muß als aus einer Idee entsprungen vorgestellt werden, wenn sie mit demjenigen Vernunftgebrauch, ohne welchen wir uns selbst der Vernunft unwürdig halten würden, nämlich dem moralischen, a l s w e l c h e r d u r c h a u s a u f d e r I d e e d e s h ö c h s t e n G u t e s b e r u h t, zusammenstimmen soll" [42]).

Damit ist die Bahn für eine teleologische Betrachtung der Natur freigemacht. Sittliche Einheit wurde ein notwendiges Weltgesetzt genannt, es muß sich also im Wirken der Natur wiederfinden lassen. Denken wir daran, daß wir aus dem Sollen die Bestimmung unseres Daseins begriffen haben, so dürfen wir den Satz wagen: „Die letzte Absicht der weislich uns versorgenden Natur bei der Einrichtung unserer Vernunft ist eigentlich nur aufs Moralische gestellt" [43]). Es ist klar, daß hier ein anderer Begriff der Natur auftritt als der in der Analytik entwickelte. Daß die Meinung von der Fürsorge der Natur Kants Denken auch jetzt noch beherrscht, läßt sich mannigfach belegen. Ich zitiere einige solcher Sätze: „Alles, was die Natur selbst anordnet, ist zu irgendeiner Absicht gut." „Alles, was in der Natur unserer Kräfte gegründet ist, muß zweckmäßig und mit dem richtigen Gebrauche derselben einstimmig sein." [44]) Schließlich wird in dem Abschnitt „Vom Meinen, Wissen und Glauben" die Lehre vom Dasein Gottes zwar zum doktrinalen Glauben gerechnet, aber dann hinzugesetzt, daß „die zweckmäßige Einheit eine so große Bedingung der Anwendung der Vernunft auf Natur ist, daß ich, da mir überdem Erfahrung reichlich davon Beispiele darbietet, sie gar nicht vorbeigehen lassen kann" [45]). Zweifellos hat die „Kritik der reinen Vernunft" für diese Gedanken nicht die erkenntniskritische Grundlage gegeben. Man möchte sie „usurpierte Begriffe" nennen, ihre transzendentale

Deduktion fehlt, aber in geschichtlicher Erinnerung muten sie uns nicht neu an, wir fanden sie vor in der „Naturgeschichte und Theorie des Himmels" und begegnen ihnen jetzt wieder. Wie die Ethik, so war auch die Teleologie noch unfertig geblieben.

Die Konstruktion des Gottesbegriffes auf Grund der Forderung einer Synthese zwischen Sittlichkeit und Glückseligkeit droht den wahren Charakter religiösen Empfindens zu verkennen. Gegen dahinzielende Vorwürfe mußte sich Kant später oft verteidigen. Aber schon in der „Kritik der reinen Vernunft" treffen wir die Wendung von den sittlichen Geboten als zugleich göttlichen. Allerdings nicht dieser Gebotscharakter macht Handlungen zu guten. Die Beseitigung solchen Mißverständnisses kann jedoch nicht der Erkenntnis wehren, daß die sittlichen Gebote, als göttliche betrachtet, in einen anderen Gefühlszusammenhang eingetreten sind. Der Gottesgedanke ist lebendig im Bewußtsein des Menschen, und von da aus dürfen wir nach seinem Wirken in der Geschichte fragen. Wir können von unserem Verstande, selbst nicht in Ansehung der Erfahrung, einen Gebrauch machen, ohne uns Zwecke vorzusetzen. Solche Zwecke erhalten nun ihre letzte Orientierung an den höchsten, an denen der Moralität. „Mit diesen nun versehen und an dem Leitfaden derselben können wir von der Kenntnis der Natur selbst keinen zweckmäßigen Gebrauch in Ansehung der Erkenntnis machen, wo die Natur nicht selbst zweckmäßige Einheit hingelegt hat; denn ohne diese hätten wir sogar selbst keine Vernunft, weil wir keine Schule für dieselbe haben würden und keine Kultur durch Gegenstände, welche den Stoff zu solchen Begriffen darböten. Jene zweckmäßige Einheit ist aber notwendig und in dem Wesen der Willkür selbst gegründet, diese also, welche die Bedingung der Anwendung derselben in concreto enthält, muß es auch sein, und so würde die transzendentale Steigerung unserer Vernunfterkenntnis nicht die Ursache, sondern bloß die Wirkung von der praktischen Zweckmäßigkeit sein, die uns die reine Vernunft auferlegt." Hier wird eine Entwicklung der Vernunft für die Aufgaben des Lebens, welche zu Zwecksetzungen führt, unterschieden von der höchsten Zwecksetzung der Moralität. Jene kann den Begriff einer letzten Einheit aus sich nicht erzeugen dieser wird erst erreicht durch Deduktion aus dem Wesen der

Willkür. Aber sie kommt ihm doch entgegen. Anderseits wird
für die höchste Zwecksetzung zweckmäßige Einheit, die „die Natur
hingelegt hat", postuliert. Beide Betrachtungen bedürfen einander, sie sind beide notwendig. Die „Geschichte der menschlichen Vernunft" bestätigt diese Konstruktion. Es findet sich
„Kenntnis der Natur und selbst ein ansehnlicher Grad der Kultur
der Vernunft" [46]) ohne die Vollendung des Gottesbegriffes. Das
Sittengesetz des Christentums hat dann einen richtigen Begriff
vom göttlichen Wesen zustande gebracht und damit die bisher
erfolglos angestrebte systematische Einheit der Zwecke ermöglicht.
Hier berühren sich apriorische Konstruktion und Geschichte.

Durch den Gegensatz von Natur und Freiheit ist der Gedanke
von der Ausnahmestellung des Menschen im Zusammenhange der
Wirklichkeit zur schärfsten Zuspitzung gebracht worden. Vorbereitet und in verschiedenen Formulierungen ausgesprochen war
er längst, aber jetzt erst führte er zur Zerstörung einer einheitlichen
Auffassung von Natur und Mensch. Aber indem das Sollen einen
Anspruch auf Verwirklichung im Sein erhob, bereitete sich eine
neue Synthese vor. In demselben Sinne wirkte auch das starke
Hervortreten der Glückseligkeitsforderung. Einem solchen Versuche stellte sich der Mechanismus der Natur wie eine un-
durchdringliche Mauer entgegen. Nicht mehr a u s der Natur
war die Stellung und das Ziel des Menschen zu bestimmen, sondern
nur j e n s e i t s ihrer. So trat der Gedanke der Vereinigung
b e i d e r S y s t e m e auf, während früher an e i n e m System
die Versöhnung zweier Prinzipien versucht worden war. Eine
höchste Vernunft, die nach moralischen Gesetzen gebietet, sollte
zugleich der Natur zum Grunde gelegt werden, die sittliche Einheit
sollte ein notwendiges Weltgesetz sein. Kant sieht diese Probleme
noch nicht in ihrer vollen Klarheit, er vermischt mit dem Naturbegriff der transzendentalen Analytik den seiner früheren Naturphilosophie. Aber die teleologischen Fragen treten vorläufig noch
zurück, denn an die Stelle des Gedankens einer Vereinigung zwischen
Mechanismus und Teleologie ist jetzt die Aufgabe einer Versöhnung
von Natur und Freiheit getreten. Jene Probleme werden ihre
Lösung erst erhalten können, nachdem die Hauptfrage beantwortet ist. Sie haben ihre eigene Bedeutung verloren.

Die „Kritik der reinen Vernunft" hatte die Möglichkeit der Freiheit erwiesen, die „Grundlegung zur Metaphysik der Sitten" stellt sich die Aufgabe, das oberste Prinzip der Moral aufzusuchen und festzusetzen. Zur Lösung dieses Problems dient die Bestimmung, daß die Vernunft Kausalität haben soll. Da nun nach den für die Welt der Notwendigkeit gefundenen Ergebnissen der Begriff der Kausalität mit dem der Gesetzmäßigkeit verbunden ist, so muß auch die Kausalität der Vernunft eine solche haben. Dies ergibt sich auch aus dem Begriff des vernünftigen Wesens, aus dem Kant die Formel des kategorischen Imperativs ableitet. So gelangen wir zu dem Satze, daß ein freier Wille und ein Wille unter moralischen Gesetzen identisch sei. Ist diese Idee gefunden, so darf nunmehr der Gedanke der Kausalität der Vernunft, der ja doch aus der Beziehung des Sollens zur Sinnenwelt entsprungen ist, vernachlässigt werden, und es kann die Zweckmäßigkeit der Vernunft für sich unter Ausschluß der die Erscheinungswelt konstituierenden Begriffe, besonders des Begriffes der Zeit, gedacht werden. Sie wird vorgestellt durch die Idee der widerspruchslosen Einstimmung einer einzelnen Maxime zu einer allgemein geltenden Gesetzmäßigkeit, die an und für sich unaufhebbar ist oder deren Aufhebung einen Widerspruch enthalten würde. Solche letzten, schlechthin geltenden Beziehungen müssen gedacht werden, ihr System, das Kant nie ganz ausgebaut hat, wird konstituiert durch den Begriff des höchsten Gutes. Ein neues Reich der ewigen Wahrheiten ist damit gegründet, sich von jenem alten dadurch unterscheidend, daß es ein moralisches ist und daß deshalb sein Aufbau von einem vernünftigen Wesen eingesehen werden kann. Es ergibt sich daraus die einfache Forderung von der Widerspruchslosigkeit aller sittlichen Normen mit den aus dem Begriff des vernünftigen Wesen genommenen Bestimmungen. So konnte früher die Einheit im Wesen der Dinge nicht begründet werden, sie bedurfte zu ihrer Erklärung die Einheit des göttlichen Wesens. Aber wie damals, so entsteht auch jetzt die Schwierigkeit, das Verhältnis einer idealen Ordnung zum Ablauf des Geschehens zu denken. Mit überraschender Deutlichkeit hat Kant dieses von jener abhängig vorgestellt, wenn er sagt: „Die Verstandeswelt enthält den Grund der Sinnenwelt, mithin auch der Gesetze derselben". Und an einer späteren Stelle heißt es: „Hinter den Erscheinungen müssen die Sachen an sich selbst zum Grunde liegen, von deren Wirkungsgesetzen man nicht verlangen kann, daß sie mit denen einerlei sein sollten, unter denen ihre Erscheinungen stehen." Für das menschliche Handeln ergibt sich daraus die Notwendigkeit, das, „was zur bloßen Erscheinung gehört, der Beschaffenheit der Sache an sich selbst unterzuordnen"[47]).

Die „Kritik der praktischen Vernunft" baut auf den Resultaten der „Grundlegung" weiter. Auch hier interessiert vornehmlich die Frage nach dem Verhältnis beider Welten zueinander. Von dem Sittengesetz wird gesagt, daß „es der Sinnenwelt, als einer sinnlichen Natur (was die vernünftigen Wesen betrifft), die Form einer Verstandeswelt, d. i. einer übersinnlichen Natur, verschaffen soll, ohne jedoch jener ihrem Mechanismus Abbruch zu tun". Dies Verhältnis versucht Kant dann näher auszudrücken, kommt allerdings über Bilder nicht fort, wenn er die übersinnliche Natur die „Natura archetypa", die Sinnenwelt die „Natura ectypa" nennt. Das Tertium comparationis ist die Form einer Gesetzmäßigkeit, in welcher jede von beiden gedacht wird. So vorsichtig hier die Worte gewählt sind, so kann doch nicht im Zweifel sein, daß die Welt des Dinges an sich inzwischen zur moralischen Welt geworden ist. Denn trotz aller Kautelen, wie z. B. der Satz „soweit wir uns einen Begriff machen können" eine ist, wird doch deutlich, daß das moralische Gesetz das „Grundgesetz einer übersinnlichen Natur und einer reinen Verstandeswelt ist"[48]). Und das von Kant gebrauchte Bild sagt jedenfalls, daß die Sinnenwelt für Wirkungen, deren Ursache in der Verstandeswelt liegt, Platz haben muß; ihre Gesetzmäßigkeit darf mindestens jener nicht so entgegen sein, daß sie ihr ganz widerspricht, sie soll ja auch „die mögliche Wirkung der Idee der ersteren (übersinnlichen Natur), als Bestimmungsgrundes des Willens, enthalten". Ist aber das sittliche Gesetz als ein immer gebietendes nachgewiesen, ist die Beziehung zu der anderen Welt so unmittelbar auszusprechen, wie Kant es tut, wenn er sagt, daß wir „schon jetzt in der höheren, unveränderlichen Ordnung der Dinge sind"[49]), so müssen wiederum die Fragen nach der Vollendung der sittlichen Idee durch den Menschen, im Zusammenhang seiner zweifachen

Bestimmung, zur intelligiblen Welt führen. Der Gedanke der
Heiligkeit tritt als Richtung gebend auf. Er wird von einem göttlichen Wesen gedacht als ein Zustand, wo die Willkür keiner Maxime
fähig ist, die nicht zugleich objektiv sein könnte. Eine Kollision
mit einer dem sittlichen Gesetz fremden, objektiven Wirklichkeit
findet hier also nicht statt. Als menschliches Ideal muß diese Idee
das Zeitmoment in sich aufnehmen und sich verwandeln in den
Gedanken eines unendlichen Annäherungsprozesses: „Diese Heiligkeit des Willens ist gleichwohl eine praktische Idee, welche notwendig zum U r b i l d e ́ dienen muß, welchem sich ins Unendliche
zu nähern das einzige ist, was allen endlichen vernünftigen Wesen
zusteht und welche das reine Sittengesetz, das darum selbst heilig
heißt, ihnen beständig und richtig vor Augen hält, von welchem
ins Unendliche gehenden Progressus seiner Maximen und Unwandelbarkeit derselben zum beständigen Fortschreiten sicher zu
sein, d. i. Tugend, das Höchste ist, was endliche praktische Vernunft bewirken kann, die selbst wiederum wenigstens als natürlich
erworbenes Vermögen nie vollendet sein kann, weil die Sicherheit
in solchem Falle niemals apodiktische Gewißheit wird." [50])

Neben diesen Gedanken eines durch das Sittengesetz zu bildenden sittlichen Ideals tritt aber noch der andere von der Glückseligkeit. Beide vereint geben den Begriff des höchsten Gutes.
In ihm kommt die nach Totalität strebende praktische Vernunft
zum Abschluß. Er hat also zwei Teile: den Begriff der Tugend und
den der Glückseligkeit. Aber während die Vernunft den ersteren
autonom bildet, muß die Gewißheit des letzteren anders begründet
werden. Da nun offenbar ist, daß Glückseligkeit in der Erscheinungswelt nicht zu finden, so muß die Brücke zur intelligiblen
Welt geschlagen werden. Das höchste Gut ist nun schon insofern
Bestimmungsgrund des Willens, als in ihm das moralische Gesetz
mitgedacht wird. Es darf aber nicht Bestimmungsgrund sein nach
seinem zweiten Teile. Anders ausgedrückt: Tugend und Glückseligkeit sind nicht identisch, letztere läßt sich auch aus ersterer
nicht analytisch ableiten, die beiden Elemente des höchsten Gutes
sind verschieden voneinander. Wie kann eine Synthese zwischen
ihnen gedacht werden? Wir setzen ein Verhältnis von Ursache und
Wirkung. Natürlich ist nur der Fall denkbar, daß Tugend Ursache

und Glückseligkeit Wirkung ist. Diese Möglichkeit ist aber ebenfalls ausgeschlossen, ,,weil alle praktische Verknüpfung der Ursachen und der Wirkungen in der Welt als Erfolg der Willensbestimmung sich nicht nach moralischen Gesinnungen des Willens, sondern der Kenntnis der Naturgesetze und dem physischen Vermögen, sie zu seinen Absichten zu gebrauchen, richtet, folglich keine notwendige und zum höchsten Gut zureichende Verknüpfung der Glückseligkeit mit der Tugend in der Welt durch die pünktlichste Beobachtung der moralischen Gesetze erwartet werden kann" [51]). Die Schwierigkeit löst sich durch die Unterscheidung der beiden Welten. Da der Mensch ,,am moralischen Gesetz einen rein intellektuellen Bestimmungsgrund seiner Kausalität (in der Sinnenwelt) hat, so ist es nicht unmöglich, daß die Sittlichkeit der Gesinnung einen, wo nicht unmittelbaren, doch mittelbaren (vermittelst eines intelligiblen Urhebers der Natur) und zwar notwendigen Zusammenhang als Ursache mit der Glückseligkeit als Wirkung in der Sinnenwelt habe, welche Verbindung in einer Natur, die bloß Objekt der Sinne ist, niemals anders als zufällig stattfinden und zum höchsten Gute nicht zulangen kann" [52]). Die Garantie aber für eine solche Verbindung des Bedingten mit seiner Bedingung ,,gehört gänzlich zum übersinnlichen Verhältnisse der Dinge" [53]).

So sind wir zur Theologie geführt. Es ist nur konsequent, wenn in dem Schöpfungsplane die geforderte Synthese vorbereitet gedacht wird: ,,Diejenigen, welche den Zweck der Schöpfung in die Ehre Gottes setzten, haben wohl den besten Ausdruck getroffen. Denn nichts ehrt Gott mehr als das, was das Schätzbarste in der Welt ist, die Achtung für sein Gebot, die Beobachtung der heiligen Pflicht, die uns sein Gesetz auferlegt." [54] ... Da diese Fähigkeit nur dem Menschen zukommt, so ist er damit den anderen Wesen gegenüber in ein besonderes Verhältnis zur Schöpfung gesetzt. Aber wie ist der Begriff der Schöpfung zu verstehen? Die transzendentale Analytik schloß ihn für die Erscheinungswelt aus, die Dialektik eröffnete aber dann eine andere Möglichkeit. Sie hat Kant in höchst interessanter Weise in der ,,Kritik der praktischen Vernunft" erörtert: ,,Wenn die Existenz in der Zeit eine bloße sinnliche Vorstellungsart der denkenden Wesen in der Welt ist, folglich sie als Dinge an sich selbst, nicht angeht: so ist die

Schöpfung dieser Wesen eine Schöpfung der Dinge an sich selbst . . .
Folglich, wenn ich von Wesen in der Sinnenwelt sage: sie sind er-
schaffen, so betrachte ich sie insofern als Noumenen. So wie es
also ein Widerspruch wäre, zu sagen, Gott sei ein Schöpfer von
Erscheinungen, so ist es auch ein Widerspruch, zu sagen, er sei als
Schöpfer Ursache der Handlungen in der Sinnenwelt, mithin als
Erscheinungen, wenn er gleich Ursache des Daseins, der handelnden
Wesen (als Noumenen) ist . . . die Schöpfung betrifft ihre (der
handelnden Wesen) intelligible, aber nicht sensible Existenz."[55]
Kant gedenkt selbst an dieser Stelle der in seiner Lehre liegenden
Schwierigkeiten. Er hat damit nicht unrecht, und es soll nicht
der aussichtslose Versuch gemacht werden, sie zu heben. Deutlich
muß hier für jeden, der sehen will, werden, daß der Gedanke einer
intelligiblen Ordnung, welche der Erscheinungswelt zum Grunde
liegt, wiederkehrt. Es wird ja geradezu von einer intelligiblen
Existenz handelnder Wesen gesprochen, und da für die Welt, der
sie damit angehören, Zeitlosigkeit gilt, so tritt die Zusammen-
gehörigkeit dieses Gedankens mit der Leibniz'schen Lehre von den
ewigen Wahrheiten, welche der Naturphilosophie zugrunde lag,
zweifellos klar hervor. Da das Handeln solcher Wesen aber nur
in einer Erscheinungswelt stattfinden kann, insofern ein Handeln
immer zeitliches Geschehen ist, so muß diese dementsprechend
eingerichtet gedacht werden. Der göttliche Schöpfungsplan muß
also intelligible und Erscheinungswelt gleichmäßig umfassen.

Durch diese Betrachtung bekommt die Natur gewissermaßen
einen negativen Wert. Sie gibt dem Menschen nicht die Glückseligkeit, aber sie ist ein notwendiges Erfordernis, damit seine sittlichen Kräfte im Gegensatz zu ihr sich betätigen. Damit ist Kant
auf einen Standpunkt gekommen, von dem aus er eine Rechtfertigung der Natur wegen der scheinbaren Unzulänglichkeit der
den Menschen verliehenen Erkenntniskräfte versucht. In dem
Streite, „den jetzt die moralische Gesinnung mit den Neigungen
zu führen hat, ist nach einigen Niederlagen doch allmählich
moralische Stärke der Seele zu erwerben. . . . Bei dem unmittelbaren
Anblicke der furchtbaren Majestät von Gott und Ewigkeit würde
sich die Vernunft nicht allerst emporarbeiten dürfen, ... die mehr-
sten gesetzmäßigen Handlungen würden aus Furcht, nur wenige aus

Hoffnung und gar keine aus Pflicht geschehen, ein moralischer Wert der Handlungen aber, worauf doch allein der Wert der Person und s e l b s t d e r d e r W e l t in den Augen der höchsten Weisheit ankommt, würde gar nicht existieren". So ist die „unerforschliche Weisheit, durch die wir existieren, nicht minder verehrungswürdig, indem, was sie uns versagte, als in dem, was sie uns zuteil werden ließ" [56]). In klaren Linien tritt uns hier der Gedanke einer moralischen Weltordnung entgegen. Daß das Sittliche sei, daß es durch Menschen verwirklicht werde, lag im Plane der Schöpfung, dies ist ihr letzter Sinn und ihre letzte Rechtfertigung. Nun ist es aber auch nicht mehr möglich, Erscheinungswelt und Welt der Dinge an sich wie durch eine Scheidewand getrennt voneinander zu halten. Diese wird das Ziel menschlicher Hoffnungen, und das Verhältnis des Menschen zu ihr nimmt die Form eines sich in die Unendlichkeit erstreckenden Strebens an. Diese Konsequenz zieht Kant auch wirklich, wenn er sagt, daß das Fortschreiten zur Seligkeit schon in diesem Leben möglich sei [57]). Eine solche Kontinuität wird ja auch erfordert durch den Gedanken der Zuteilung des dem einzelnen Zukommenden in einem jenseitigen Leben. Und selbst in dieses hinein dringt die Phantasie, wenn in ihr „ein Anwachs der Naturvollkommenheit und mit ihr der Pflichten" [58]) erwartet wird.

Kants ethische Hauptschriften haben erwiesen, daß sittliche Gesetzgebung unabhängig vom Glückseligkeitsstreben zu begründen sei. Dies Resultat führte zu einer noch schärferen Trennung von Natur und Sittlichkeit. Es konnte ganz und gar darauf verzichtet werden, aus der Beobachtung der Natur Schlüsse auf die Bestimmung des Menschen zu ziehen, da diese ganz selbständig begründet wurde. Da Kant aber auf das Postulat der Glückseligkeit nicht verzichtete und auch nicht gewillt war, sie nur als einen Gnadenakt Gottes aufzufassen, so mußte der Weg zu ihr doch wieder durch das Diesseits gehen. Daraus ergaben sich dann mit Notwendigkeit die soeben entwickelten Folgerungen.

Von einem neuen Gesichtspunkt aus behandelt diese Probleme nun die „Kritik der Urteilskraft". In ihr kommt endlich der so lange vernachlässigte Zweckbegriff zur Erörterung. Aber diese Vernachlässigung, so sehr sie von einem Interesse aus, das die Vollständigkeit von Kants theoretischer Philosophie schon bei Erscheinen der „Kritik der reinen Vernunft" gewünscht hätte, zu bedauern ist, ist doch schließlich die Ursache, daß der Zweckbegriff in die zentrale Stellung gerückt ist, welche er jetzt in dem System der Transzendentalphilosophie einnimmt. Kant selbst bemerkt in der Vorrede zur „Kritik der Urteilskraft", daß im Gegensatz zur ästhetischen Betrachtung der Natur „die logische Beurteilung nach Begriffen allenfalls dem theoretischen Teile der Philosophie, samt einer kritischen Einschränkung derselben, hätte angehängt werden können" [59]). Ein Ansatz dazu war ja schon in der Lehre von den Ideen und in den Erörterungen über die Prinzipien der Homogenität, Spezifikation und Kontinuität gemacht worden. Wenn dann für die theoretische Untersuchung das Prinzip angenommen wurde, „daß das für die menschliche Einsicht Zufällige in den besonderen (empirischen) Naturgesetzen dennoch eine für uns zwar nicht zu ergründende, aber doch denkbare gesetzliche Einheit in der Verbindung ihres Mannigfaltigen zu einer an sich möglichen Erfahrung enthalte" [60]), so lag streng genommen kein Grund vor, eine solche Einheit im Übersinnlichen zu suchen. Erinnern wir uns an die begrifflichen Bestimmungen, welche Kant im „Beweisgrund" dem Organismus gegeben hatte, so zeigt sich, daß eine unabhängige Betrachtung desselben möglich war. Aber nach dem Erscheinen der beiden Kritiken trat Kant nicht mehr unvoreingenommen an das Problem des Zweckes heran. Der systematische Gedanke, dem er einen immer zunehmenden Einfluß gestattete, verlangte eine Einordnung der Urteilskraft in das Schema der Erkenntnisvermögen, und insofern deren Leistungen schon bestimmt waren, indem das Gebiet der Natur durch den Verstand, das der Freiheit durch die Vernunft unter Gesetze gebracht und damit die reinen Begriffe völlig dargestellt waren, blieb der Urteilskraft nur noch die Stelle einer Vermittlung übrig. Methodisch konnte dies nur dadurch geschehen, daß sie die Ideen der Vernunft für die Verstandesbegriffe fruchtbar machte, sachlich nur dadurch, daß sie eine Brücke schlug von der Welt des Sinnlichen zu der des Übersinnlichen. Auch die Tatsache war ja schon gefunden, welche einen solchen Versuch als aussichtsreich erscheinen ließ: es war die Tatsache der Kausalität der reinen Vernunft im moralischen Gesetz: „Ob nun zwar eine unübersehbare Kluft zwischen dem Gebiete des Naturbegriffs, als dem Sinnlichen, und dem Gebiete des Freiheitsbegriffs, als dem Übersinnlichen, befestigt ist, so daß von dem ersteren zum anderen kein Übergang möglich ist, gleich als ob es so viel verschiedene Welten wären, deren erste auf die zweite keinen Einfluß haben kann: so s o l l doch diese auf jene einen Einfluß haben, nämlich der Freiheitsbegriff soll den durch seine Gesetze aufgegebenen Zweck in der Sinnenwelt wirklich machen; und die Natur muß folglich auch so gedacht werden können, daß die Gesetzmäßigkeit ihrer Form wenigstens zur Möglichkeit der in ihr zu bewirkenden Zwecke nach Freiheitsgesetzen zusammenstimme" [61]). Ein anderes Motiv, eine Kritik der Urteilskraft zu unternehmen, lag für Kant noch in der Tatsache der Verwandtschaft der Erkenntnisvermögen, doch trat es an Bedeutung hinter die beiden anderen zurück, von denen dann wieder das metaphysische Interesse die Führung übernahm. Es ist die Frage nach einem Endzweck, nach der Einheit von Natur und Freiheit, welche das eigentliche Thema der „Kritik der Urteilskraft" bildet. Dies ergibt sich mit Deutlichkeit aus Abschnitt IX der Einleitung. Hier werden zuerst Naturbegriff und Freiheitsbegriff scharf voneinander gesondert, dann tritt der Gedanke einer Kausalität durch Freiheit auf. Er kann nur gedacht werden durch den Begriff des Endzweckes, der dann zu einer endgiltigen Einordnung der Urteilskraft in das System der Erkenntnisvermögen führt: „Die Urteilskraft gibt den vermittelnden Begriff zwischen den Naturbegriffen und dem Freiheitsbegriffe, der den Übergang von der reinen theoretischen zur reinen praktischen, von der Gesetzmäßigkeit nach der ersten zum Endzwecke nach dem letzten möglich macht, in dem Begriffe einer Z w e c k m ä ß i g k e i t der Natur an die Hand; denn dadurch wird die Möglichkeit des Endzweckes, der allein in der Natur und mit Einstimmung ihrer Gesetze wirklich werden kann, erkannt" [62]).

Der Begriff des Zweckes wird nun in der „Analytik der teleologischen Urteilskraft" entwickelt durch die Dreiteilung: Naturzweck, Zweck der Natur, Endzweck. Der erstere dient zur Definition des Organismus und ist früher entwickelt worden. Von ihm

gelangen wir zu dem eines Zweckes der Natur und schließlich zu
dem eines Endzweckes: „Es ist also nur die Materie, sofern sie
organisiert ist, welche den Begriff von ihr als einem Naturzwecke
notwendig bei sich führt, weil diese ihre spezifische Form zugleich
Produkt der Natur ist. Aber dieser Begriff führt nun notwendig
auf die I d e e   d e r   g e s a m t e n   N a t u r als eines Systems nach
der Regel der Zwecke, welcher Idee nun aller Mechanismus der
Natur nach Prinzipien der Vernunft untergeordnet werden muß.
Man ist durch das Beispiel, das die Natur an ihren organischen
Produkten gibt, berechtigt, ja berufen, von ihr und ihren Gesetzen
nichts, als was im Ganzen zweckmäßig ist, zu erwarten" [63]). Die
neue Fragestellung ist gerichtet auf die Natur selbst, sie wird übernommen als ein Zusammenhang von Gesetzmäßigkeit und nun
nach seiner Bedeutung gefragt. Da diese unmöglich in ihr liegen
kann, so gehen wir über sie hinaus: „Zu der letztern Behauptung
[Existenz eines Dinges als Zweck der Natur] bedürfen wir nicht
bloß den Begriff von einem möglichen Zweck, sondern die Erkenntnis des Endzwecks der Natur, welches eine Beziehung derselben
auf etwas Übersinnliches bedarf, die alle unsere teleologische Naturerkenntnis weit übersteigt; denn der Zweck der Existenz der Natur
selbst muß über die Natur hinaus gesucht werden" [64]). Doch der
Begriff eines Endzweckes ist vorläufig noch unfruchtbar, und so
bleiben wir bei dem niedrigeren Begriffe eines Zweckes der Natur
stehen. Er führt uns auf die Idee der gesamten Natur als eines
Systems nach der Regel der Zwecke und erlaubt eine teleologische
Interpretation des Wirkens der Natur zu versuchen. Wir gebrauchen solche Sätze wie: „Alles in der Welt ist irgend wozu gut;
Nichts ist in ihr umsonst", wir sprechen von der „Weisheit, der
Sparsamkeit, der Vorsorge, der Wohltätigkeit der Natur" [65]),
wenn auch nicht von der Vorsehung, da wir sie nicht zu einem
verständigen Wesen machen; das Prinzip der Teleologie bleibt ein
inneres Prinzip der Naturwissenschaft, es gehört zur reflektierenden, nicht zur bestimmenden Urteilskraft. Aber sowohl der Begriff des Naturzweckes wie der des Zweckes der Natur führen auf
das Übersinnliche, wenn auch der letztere nicht unentbehrlich ist,
„weil uns die Natur im Ganzen als organisiert nicht gegeben ist" [66]).
Weiter aber entsteht die Frage nach der Ursache der in der Natur

beobachteten Zweckmäßigkeit bei der inneren Einrichtung organischer Wesen. Daß sie, ihre Existenz einmal vorausgesetzt, dem gesetzmäßigen Geschehen der Natur eingeordnet sind, wissen wir, aber ihre Existenz überhaupt ist damit noch nicht erklärt. Sie führt uns auf die Annahme einer verständigen Ursache, allerdings gilt dieser Begriff wieder nur für die reflektierende Urteilskraft, erweist sich dann aber für sie als unentbehrlich: „Wir können nichts anderes als ein verständiges Wesen der Möglichkeit jener Naturzwecke zum Grunde legen: welches der Maxime unserer reflektierenden Urteilskraft, folglich einem subjektiven, dem menschlichen Geschlecht unnachläßlich anhängenden Grunde allein gemäß ist" [67]). Damit taucht zugleich die alte Frage nach dem Verhältnis einer rein mechanischen Erklärung zu einer teleologischen auf. Kant stellt das Problem in der Form einer Antinomie dar, deren Lösung darin besteht, daß die Grenze der mechanischen Erklärung wie früher bei den organischen Wesen gezogen wird. Damit ist ihre Vereinbarkeit geleugnet. So bleibt der Gedanke von einer Natur als eines Systems nach der Regel der Zwecke für die Naturforschung eigentlich unfruchtbar, wie denn auch eine reinliche Scheidung beider Prinzipien energisch verlangt wird: „Eine Idee soll der Möglichkeit des Naturprodukts zum Grunde liegen. Weil diese aber eine absolute Einheit der Vorstellung ist, statt daß die Materie eine Vielheit der Dinge ist, die für sich keine bestimmte Einheit der Zusammensetzung an die Hand geben kann: so muß, wenn jene Einheit der Idee sogar als Bestimmungsgrund a priori eines Naturgesetzes der Kausalität einer solchen Form des Zusammengesetzten dienen soll, der Zweck der Natur auf Alles, was in ihrem Produkte liegt, erstreckt werden. Denn wenn wir einmal dergleichen Wirkung im Ganzen auf einen übersinnlichen Bestimmungsgrund über den blinden Mechanismus hinaus beziehen, müssen wir sie auch ganz nach diesem Produkt beurteilen; und es ist kein Grund da, die Form eines solchen Dinges noch zum Teil vom letzteren als abhängig anzunehmen, da alsdann bei der Vermischung ungleichartiger Prinzipien gar keine sichere Regel der Beurteilung übrig bleiben würde." [68]) Trotz ge-

legentlicher Einschränkungen dieses Prinzips bleibt es doch bei
dieser scharfen Trennung, denn „eine Erklärungsart schließt die
andere aus". Das Übersinnliche erweist sich als eine gefährliche
Zuflucht; gewonnen aus ganz anderen Problemstellungen führt es
dazu, zwei zur gegenseitigen Ergänzung berufene Erklärungsarten
durch eine künstliche Verquickung mit metaphysischen Problemen
auseinanderzureißen. Während Leibniz diesen Gegensatz zu überwinden und eine Überleitung von der Welt des Mechanismus zu der
der Zwecke zu geben versuchte, will Kant nur das Nebeneinander
beider Prinzipien zulassen, allerdings „in der Gewißheit, daß beide
in einem einzigen oberen Prinzip [dem Übersinnlichen] zusammenhängen, ohne daß wir uns davon den mindesten bejahend bestimmten Begriff in theoretischer Absicht machen können" [69]).
Daß seine Geschichtsphilosophie hierbei ohne eine erkenntniskritische Begründung blieb, ist eine weitere Folge dieses metaphysischen Vorurteils.

Die Erörterung des Begriffes „Zweck der Natur" führt nun
weiter zu dem Gedanken eines letzten Zweckes der Natur. Die
Naturreiche lassen sich als nutzbar durch den Menschen nachweisen und dieser wird deshalb letzter Zweck der Schöpfung hier
auf Erden genannt, „weil er das einzige Wesen auf derselben ist,
welches sich einen Begriff von Zwecken machen und aus einem
Aggregat von zweckmäßig gebildeten Dingen durch seine Vernunft
ein System der Zwecke machen kann" [70]). Als mögliche Zwecke,
die die Natur mit ihm anstrebt, lassen sich denken Glückseligkeit
und Kultur des Menschen. Daß erstere nicht das Ziel sein kann,
hat Kant schon früher gezeigt. So bleibt die letztere. Sie ist:
„Hervorbringung der Tauglichkeit eines vernünftigen Wesens zu
beliebigen Zwecken überhaupt (folglich in seiner Freiheit)." Sie
enthält zwei Bedingungen: Geschicklichkeit und Disziplin der
Neigungen. Erstere wird erworben durch die Ungleichheit der
Menschen, durch die Ausbildung der Klassenunterschiede, von denen
die eine die Notwendigkeiten des Lebens in saurer Arbeit und
wenig Genuß besorgt, die andere Wissenschaft und Kunst bearbeitet.
Diese Entwicklung führt aber nur zu einem glänzenden Elend,
wenn auch die Natur ihr Ziel, die Entwicklung der Naturanlagen
in der Menschengattung erreicht. Dazu aber muß eine formale

Bedingung gegeben sein, es ist die bürgerliche Gesellschaft, in der „dem Abbruche der einander wechselseitig widerstreitenden Freiheit gesetzmäßige Gewalt in einem Ganzen entgegengesetzt wird." Zu ihr ist aber schließlich ein weltbürgerliches Ganze erforderlich, dessen Vorbereitung von den Kriegen und ihren Folgen erwartet wird. Der zweite Bestandteil der Kultur, die Disziplin der Neigungen ist negativ möglich durch „die Befreiung des Willens von dem Despotismus der Begierden, wodurch wir, an gewisse Naturdinge geheftet, unfähig gemacht werden, selbst zu wählen". Positiv bereitet uns die Natur vor zu höheren Zwecken, als die Natur sie selbst liefern kann. Allerdings sind mit dieser Disziplin, insofern sie durch Vernunft geschieht, Luxus, Eitelkeit, zu große Steigerung der Wünsche verbunden, aber trotzdem bereiten ihre beiden wichtigsten Erzeugnisse: schöne Kunst und Wissenschaft durch die Verfeinerung, die von ihnen ausgeht, vor „zu einer Herrschaft, in der die Vernunft allein Gewalt haben soll" [71]). Zu diesen höheren Zwecken gelangen wir durch die Erörterung des Begriffes „Endzweck". „Endzweck ist derjenige Zweck, der keines andern als Bedingung seiner Möglichkeit bedarf" [72]).

Der Gedanke vom Endzweck wird, wie es in ähnlichen Fällen früher geschah, eingeführt unter Berufung auf das Zugeständnis des gemeinsten Verstandes. Dieser wird sich des Gedankens nicht entschlagen können, daß die Welt ohne den Menschen eine Wüste und ohne Endzweck sein würde. So wird eine Deutung in Hinblick auf den Menschen versucht. Der Gegensatz von Mechanismus und Teleologie verschwindet vor dieser Betrachtungsweise und zwar in dem Sinne, daß von der mechanischen Bedingtheit und der natürlichen Ausstattung des Menschen als eines organischen Wesens als einem Gegensatze abgesehen wird und beide Begriffe zusammengefaßt werden unter dem der Natur, die dann wieder in Gegensatz tritt zu dem der Freiheit. Hier zeigt sich wiederum die Unfruchtbarkeit der Kantischen Betrachtungsweise und die Lücke in seinem System. Wenn der Gedanke eines moralischen Zweckes der Welt reinlich durchgeführt werden sollte, so mußte der Versuch gemacht werden, die Form der in der Natur auffindbaren Gesetzmäßigkeit aus dem moralischen Postulat abzuleiten. Es mußte sich zeigen, daß nur bei dieser und bei keiner anderen Gesetzmäßigkeit der

Mensch als Endzweck möglich sei, daß nur eine solche Gesetzmäßigkeit als ihr Korrelat den kategorischen Imperativ haben konnte. Es ist sonst nicht viel mehr als ein Wort, wenn Kant von einem Endzweck spricht, denn dieser setzt doch wohl eine Ordnung von Zwecken voraus. Den Menschen Endzweck der Natur nennen, ist nur dann möglich, wenn die Natur als Mittel zu einem solchen Zweck tatsächlich erwiesen wird. Das Verfahren Kants ist aber ein ganz anderes: er bricht die Brücken ab, die von der Natur zum Endzweck führen, um dann doch den Menschen ihren Endzweck zu nennen. Diese Unzulänglichkeit des Systems ist andererseits doch wiederum begründet in der unbedingten Sicherheit, mit welcher Kant auf dem Boden mechanischer Welterklärung stand, aber dann hätte er auch darauf verzichten müssen von einem Endzweck dieses Zusammenhangs zu sprechen. Aber ein solcher Verzicht war nicht möglich, nachdem Kant eine Kausalität aus reiner Vernunft gelehrt und außerdem im Gottesbegriff eine Synthese zwischen theoretischer und praktischer Vernunft geschaffen und den Gottesbegriff auf das Postulat des Sittlichen begründet hatte. Er war eben in der Problemstellung und -lösung nicht mehr frei.

Kant versucht nun zuerst die besondere Stellung des Menschen aus den für ihn möglichen Zwecken zu bestimmen. Nicht als bloßer Betrachter der Welt kann der Mensch angesehen werden, auch kann nicht sein Wohlsein, seine Glückseligkeit der Endzweck der Schöpfung sein. Glückseligkeit kann es nicht aus den bekannten Gründen, Betrachtung nicht, weil in dem bloßen Erkanntwerden durch einen Anderen nicht schon ein Wert des Betrachteten liegt. Dieser muß schon in dem Betrachtenden vorhanden sein, der Gedanke der Natur als eines Systems der Zwecke ist vergessen! Der absolute Wert im Menschen ist ein guter Wille. So kann der Mensch nur als ein moralisches Wesen Endzweck der Schöpfung sein. Aus diesem Satze ziehen wir zunächst die Folgerung, daß wir „wenigstens die Hauptbedingung, die Welt als ein nach Zwecken zusammenhängendes Ganze und als S y s t e m von Endursachen ansehen"[73]) dürfen. Es bleibt hierbei die Schwierigkeit, daß für das Zustandekommen eines guten Willens die Natur als Reich der Notwendigkeit eigentlich nichts Positives leisten kann. Dies drückt Kant einigermaßen vorsichtig durch den Begriff „Hauptbedingung" aus.

So erweist sich eine Ergänzung der Natur als notwendig und diese geschieht durch die Einführung des Gedankens eines göttlichen Wesens. Aber auch hierdurch wird die Schwierigkeit noch nicht gehoben. Im Grunde genommen ist der Mensch als moralisches Wesen ja gar nicht von Gott geschaffen zu denken, da er ja das Moralische aus sich erzeugt, also eines göttlichen Wesens dazu nicht bedarf. Kant bewegt sich hier in den alten Schwierigkeiten. Ist das Moralische im Menschen durch Gott geschaffen, so verliert die Leistung des Menschen ihre Bedeutung, kommt alles auf diese an, so läßt sich die bloße Existenz des Moralischen, da es doch einen Selbstwert haben soll, nicht in die Abhängigkeit von einem schaffenden Gott bringen. Kant hat dies selbst klar bei Entwicklung des Begriffes einer physischen Teleologie im Verhältnis zu dem einer moralischen Teleologie ausgesprochen. Letztere „bedarf, weil die Zweckbeziehung in uns selbst a priori samt den Gesetzen derselben bestimmt, mithin als notwendig erkannt werden kann, zu diesem Behuf keiner verständigen Ursache außer uns für diese innere Gesetzmäßigkeit... Aber diese moralische Teleologie betrifft doch uns als Weltwesen und also mit andern Dingen verbundene Wesen: auf welche letzteren entweder als Zwecke, oder als Gegenstände, in Ansehung deren wir selbst Endzweck sind, unsere Beurteilung zu richten, eben dieselben moralischen Gesetze uns zur Vorschrift machen" [74]).

Die Folgerungen, welche aus dem Gedanken des Systems der Zwecke gezogen werden, sind bescheidene zu nennen. Diese Betrachtung „treibt die Aufmerksamkeit auf die Zwecke der Natur und die Nachforschung der hinter ihren Formen verborgen liegenden unbegreiflich großen Kunst, um den Ideen, die die reine praktische Vernunft herbeischafft, an den Naturzwecken beiläufige Bestätigung zu geben". Auch hier fällt die Wahl höchst unbestimmter Ausdrücke auf. Dann aber heißt es weiter: „Daß ferner, wenn es überall eine absichtlich wirkende und auf einen Zweck gerichtete Welturache gibt, jenes moralische Verhältnis e b e n s o n o t - w e n d i g d i e B e d i n g u n g d e r M ö g l i c h k e i t e i n e r S c h ö p f u n g s e i n m ü s s e , a l s d a s n a c h p h y s i - s c h e n G e s e t z e n (wenn nämlich jene verständige Ursache auch einen Endzweck hat): sieht die Vernunft auch a priori als

einen für sie zur teleologischen Beurteilung der Existenz der Dinge
notwendigen Grundsatz an."

Damit sind wir auf den Kernpunkt der Frage gelangt. Es gilt
die Schöpfung aus der Absicht des Schöpfers zu interpretieren:
„Nun kommt es nur darauf an: ob wir irgendeinen für die Vernunft (es sei spekulative oder praktische) hinreichenden Grund
haben, der nach Zwecken handelnden obersten Ursache einen
E n d z w e c k beizulegen" [75]). Dieser Frage versucht Kant nun
wieder beizukommen durch Berufung auf allgemein menschliche
Erfahrungen: „Umgeben von einer schönen Natur, in einem ruhigen
heitern Genusse seines Daseins, so fühlt er [der Mensch] in sich
ein Bedürfnis, irgend jemand dafür dankbar zu sein"; im Gedränge
von Pflichten, denen er nur durch freiwillige Aufopferung Genüge
leisten kann und will, fühlt er in sich ein Bedürfnis, hiermit zugleich
etwas Befohlenes ausgerichtet und einem Oberherrn gehorcht zu
haben" usw., „mit einem Worte: er bedarf einer moralischen Intelligenz, um für den Zweck, dazu er existiert, ein Wesen zu haben,
welches diesem gemäß von ihm und der Welt die Ursache sei" [76]).
Aber alle diese Sätze können über die Schwierigkeit nicht hinweg-
helfen. Sie beweisen, wenn man die Prämissen zugibt, nur die
Notwendigkeit des Gedankens eines göttlichen Wesens für den
Menschen, aber nicht den Menschen als den Endzweck eines göttlichen Willens. Die moralische Teleologie kommt so auf die Frage
hinaus: „ob sie unsere vernünftige Beurteilung nötige, über die
Welt hinaus zu gehen und zu jener Beziehung der Natur auf das
Sittliche in uns ein verständiges oberstes Prinzip zu suchen, um die
Natur auch in Beziehung auf die moralische innere Gesetzgebung
und deren mögliche Ausführung uns als zweckmäßig vorzustellen" [77]).
Als möglichen Endzweck sehen wir nun den Menschen unter moralischen Gesetzen bezeichnet. Allerdings ist dadurch nicht ein
Schritt weiter getan. Auch die Formulierung Endzweck sei: das
höchste durch Freiheit mögliche G u t i n d e r W e l t [78]) reicht
nicht aus. Erst wenn Kant den Gedanken der Glückseligkeit ein-
führt, bieten sich die Glieder der gesuchten Synthese zwischen
Natur und Sittlichkeit wieder an, denn in jener ist ja doch die Bedingung zu dem höchsten Gut mitgelegen. Beide Erfordernisse
liefert aber nicht die Natur, also müssen wir auf eine moralische

Weltursache schließen. Die Frage, weshalb der Mensch als moralisches Wesen Endzweck der Schöpfung sein könne, ist dadurch immer noch nicht gelöst. Auch hier wieder ist es die Idee der Glückseligkeit, durch die er zu dem Gedanken eines Zustandes kommt, der dann allerdings nicht Leistung des Menschen sein kann. Welt der Natur und Welt der Freiheit rücken so einander näher. Wir kommen zu dem Begriff eines Endzweckes der Schöpfung als derjenigen „Beschaffenheit der Welt, die zu dem, was wir allein nach Gesetzen bestimmt angeben können, nämlich dem Endzwecke unserer reinen praktischen Vernunft, und zwar sofern sie praktisch sein soll, übereinstimmt". Durch das moralische Gesetz haben wir einen Grund, „die Möglichkeit, Ausführbarkeit desselben, mithin auch (weil ohne Beitritt der Natur zu einer in unserer Gewalt nicht stehenden Bedingung derselben die Bewirkung desselben unmöglich sein würde) eine Natur der Dinge, die dazu übereinstimmt, anzunehmen. Also haben wir einen moralischen Grund, uns an einer Welt auch einen Endzweck der Schöpfung zu denken" [79]). Aber dieser Nachweis reicht nicht aus, nur auf ein moralisches Wesen als Welturheber schließen zu können, da bei einem göttlichen Wesen die Trennung zwischen technisch-praktischer und moralisch-praktischer Vernunft nicht vorhanden zu sein braucht, aber nach Beschaffenheit unseres Vermögens müssen wir sagen, daß wir ohne den Gedanken eines Welturhebers, der zugleich moralischer Gesetzgeber ist, nicht auskommen. Hat nun die theoretische Betrachtung eine verständige Weltursache, die praktische eine moralische postuliert, so entsteht die Möglichkeit einer Vereinigung: „Die objektive Realität der Idee von Gott, als moralischen Welturhebers, kann nun zwar nicht durch physische Zwecke a l l e i n dargetan werden; gleichwohl aber, wenn ihre Erkenntnis mit dem des moralischen verbunden wird, sind jene vermöge der Maxime der reinen Vernunft, Einheit der Prinzipien, so viel sich tun läßt, zu befolgen, von großer Bedeutung, um der praktischen Realität jener Idee, durch die, welche sie in theoretischer Absicht für die Urteilskraft bereit hat, zu Hilfe zu kommen." [80]) Allerdings ist das nur ein Denken nach der Analogie. Aber dieser moralische Beweis drängt sich dem Menschen immer wieder auf, eine andere Vereinigung zwischen

Natur und Sittengesetz läßt sich nicht denken, weil ein als
Pflicht aufgegebener Endzweck in ihnen (den moralischen Gesetzen) und eine Natur ohne allen Endzweck, außer ihnen, in
welcher gleichwohl jener Zweck wirklich werden soll, im Wider-
spruche stehen" [81]).

Die Verwertung des Zweckbegriffes für die Behandlung des
Problems Natur und Freiheit zeigt, welche Bedeutung eine neue
Fragestellung für die Lösung längst durchdachter Schwierigkeiten
haben kann. Die „Kritik der Urteilskraft" hat in dem Begriff vom
Menschen als dem Endzweck der Schöpfung Gedanken zu einer
letzten Formulierung gebracht, welche sich von Beginn an bis zu
diesem Werke verfolgen ließen. Der Gedanke von der Ausnahmestellung des Menschen hat nunmehr seine schärfste begriffliche
Fassung erhalten, und es ist die Ethik, welche diese Lösung gab.
Aber doch nicht sie allein. Es hat sich in der ganzen Darstellung
gezeigt, wie unentbehrlich für die Idee des Endzweckes der Glück-
seligkeitsbegriff ist. Er steht an und für sich betrachtet außerhalb der Ethik. Er verlangt eine Zuordnung der Natur zu dem
System der moralischen Ideen, da das Streben nach Glückseligkeit
dem Menschen von dieser eingegeben ist. Dies natürliche Streben
kommt aber einmal in dem Mechanismus der Natur nicht zu seinem
Recht und wird gewissermaßen von ihm zurückgewiesen. Anderseits erlaubt die Ethik nicht, daß es zu einem Motiv für ein im
strengsten Sinne sittliches Handeln werde. Trotzdem hält Kant,
einem instinktiven Bedürfnis und einem Glaubenssatz der Religion
gehorchend, an der Forderung einer Synthese von Sittlichkeit und
Glückseligkeit fest und nimmt durch den letzteren Begriff ein
natürliches Streben als Fundament in den Bau der moralischen
Welt auf. Beide Systeme werden im Übersinnlichen vereinigt
gedacht, während sie doch im Sinnlichen sich immer fliehen oder
fliehen sollen. Aus dieser Paradoxie entspringen all die Schwierigkeiten, mit denen besonders Geschichts- und Religionsphilosophie
zu ringen haben. Dadurch, daß der Begriff des Endzweckes der
Menschen aus dem Naturzusammenhang heraushob, fehlte für sie
ein Ansatzpunkt, von dem aus ihre methodische Begründung
hätte geschehen können. Aber das Eine stand fest: im Schöpfungsplane des göttlichen Wesens mußte eine Vereinigung beider

Systeme gedacht sein. So gab es immer eine letzte Zuflucht in das Übersinnliche, allerdings war dies die Flucht in ein asylum ignorantiae.

Die allgemeinen Begriffe, mit denen Kant das Verhältnis von Natur und Freiheit zu deuten sucht, sind damit entwickelt, es soll nun ihre Anwendung auf Geschichts-, Religions- und Rechtsphilosophie untersucht werden.

13*

IV.

Die Geschichtsphilosophie.

Seit Renaissance und Reformation vollzieht sich ein Prozeß der Loslösung der Wissenschaften von der Herrschaft der religiösen Weltbetrachtung. Es ist geschildert worden, wie die mechanische Welterklärung das mittelalterliche Weltbild zerstörte. Dabei zeigte sich, wie diese neue Wissenschaft von einem kräftigen Gefühl für die Schönheit der Natur und vom Werte des Diesseits getragen wurde. Zugleich gab sie dem in der Renaissance entstehenden Bewußtsein von der Bedeutung des Individuums und seines Erlebens eine kräftige Stütze. Nirgend anders als hier erzielte menschliche Geistesarbeit sichere Erfolge. In der Gewißheit eigenen Denkens und Erkennens lag eine letzte Befriedigung. An Stelle jenseitiger Wertbestimmungen traten diesseitige. Und indem das antike Lebensideal nun in den Umkreis dieses neuen Gefühles trat, erwachte mit Notwendigkeit ein historisches Interesse. Es entsprang aus dem Interesse an der Gegenwart. Macchiavelli gewann seine großen historischen Anschauungen aus der Betrachtung der politischen Kämpfe seiner Zeit und das Gefühl nationalen Zusammenhanges mit dem alten Rom gab ihm ein tiefes Verständnis für die in jenem herrschenden und seine Größe bedingenden Gewalten. Das Emporblühen von Wissenschaft und Kunst in Italien, Frankreich und England regte zu Vergleichen an mit dem antiken Ideal. Der Kampf über den Wert der neuen Kunst im Vergleich zu der alten erfüllte das 17. Jahrhundert. Zugleich regten die Entstehung der nationalen Staaten, das in ihnen erwachende Kulturgefühl, die neuen Gedanken von dem unverbrüchlichen Menschenrechte und die auf diesem Grunde entstehenden neuen politischen Ideale zu Vergleichen mit der antiken Welt an, die doch keineswegs zuungunsten der Gegenwart ausfallen mußten. So verbanden sich schon hier wie in aller historischen Betrachtung unmittelbares Interesse an vergangenem Menschentum mit dem instinktiven Bedürfnis, den eigenen Wert vor ihm zu rechtfertigen.

Die neue Wissenschaft von der Geschichte verwertete ebenso wie die mechanische Welterklärung den Gedanken eines rationalen Zusammenhanges alles Geschehens. Insbesondere gab die naturrechtliche Theorie die Idee einer in allen gesellschaftlichen und politischen Erscheinungen hervortretenden unabänderlichen Ordnung. An ihr prüfte sie die Gesetze der Staaten und maß ihren Wert an dem abstrakten Ideal. Zugleich entzog sie die rechtliche Gliederung des gesellschaftlichen Lebens der vermeintlichen Willkür einer göttlichen Satzung und bereitete so die Möglichkeit einer rein wissenschaftlichen Betrachtung vor. In demselben Sinne wirkte aber vor allem die mechanische Welterklärung. Sie gab den geschichtlichen Untersuchungen den Gedanken von der notwendigen, unzerstörbaren Verknüpfung alles Geschehens. Damit schloß sie alle übernatürliche Einwirkung aus und die unvermischte, rein ursächliche Erklärung führte zum Ausschluß einer Interpretation des historischen Geschehens von einem göttlichen Heilsplane aus, wie ihn Augustinus und zuletzt noch Bossuet und Vico durchzuführen unternommen hatten. Anderseits hatte sich die Geschichte auch wieder ihr eigentümliches Recht gegenüber der Naturwissenschaft zu erkämpfen. Gegenüber deren Exaktheit konnte sie dem bekannten Vorwurf Descartes' nicht entgehen. Wie die Philosophie, so bemühte sich auch die Wissenschaft der Geschichte, dem von der Naturwissenschaft erreichten Ideal nahe zu kommen.

Dies Ziel zu erreichen, boten sich verschiedene Wege. Da das menschliche Geschehen dem allgemeinen Naturgeschehen zugeordnet ist, konnte der Versuch gemacht werden, es in Abhängigkeit von ihm zu begreifen. Dann begann die Untersuchung bei der Betrachtung der planetarischen Bedingtheit des Daseins. Zugleich wurde daraus der Gedanke von der langen Dauer der Menschheitsgeschichte gewonnen. Dann untersuchte man die spezielleren Bedingungen einer besonderen historischen Erscheinung. Es entstanden daraus die Lehren eines Bodinus, Dubos, Montesquieu und der Anderen über den Zusammenhang des Klimas mit dem seelischen Habitus eines Volkes, aus dem sich dann seine gesellschaftlichen und politischen Verhältnisse, seine Sitten,

Religion und Kunst ergaben. Über Ansätze kam man in dieser
Hinsicht kaum hinaus, auch fehlte eine genaue Grenzbestimmung
für diese Einwirkung, an Opposition fehlte es deshalb nicht, wie
besonders das Beispiel des Helvétius es zeigt. Auch andere, damals
gebildete Begriffe dienten dem gleichen Ziele. Ursprünglich nur
ein Mittel der Klassifikation, wurden die äußeren Merkmale der
Unterscheidung bald in Zusammenhang mit den klimatischen
Verhältnissen gebracht und kombiniert mit der Ansicht von der
geistigen Grundstimmung eines Volkes. Immer hielt man dabei
an dem Gedanken von der Einheit des Menschengeschlechts fest.

Das zweite war, daß im Hinblick auf die naturwissenschaftliche Methode und die Sicherheit ihres Vorwärtsschreitens die
Grundlagen der Geschichte als Wissenschaft untersucht wurden.
Man bereitete sich den Boden, indem man die Berichte aus der
Vergangenheit unter Zugrundelegung eines ursächlichen, natürlichen Zusammenhanges prüfte und das Wunderbare ausschloß.
Spinoza hat dies klar gesehen, wenn er in bezug auf die Bibel-
erklärung sagt: „Sicuti methodus interpretandi naturam in hoc
potissimum consistit, in consinnanda scilicet historia naturae, ex
qua, utpote ex certis datis, rerum naturalium definitiones conclu-
dimus: sic etiam ad Scripturam interpretandam necesse est eius
sinceram historiam adornare et ex ea tanquam ex certis datis et
principiis mentem auctorum Scripturae legitimis consequentiis
concludere." [1]) Von da aus drang man in die eigentliche Methodenlehre der Geschichte ein. Man prüfte die Sicherheit der überlieferten
Zeugnisse, indem man den Maßstab der Normalität des Empfindens
bei den Berichterstattern anlegte und Anormales ausschaltete.
Noch tiefer drang man vor, wenn man historische Zeugnisse aus
dem Geist der Zeit zu erklären versuchte. Auch die Hilfswissen-
schaften der Geschichte, wie Diplomatik, Genealogie und Statistik
wurden ausgebildet und lieferten das Gerüst zu einer wissenschaftlichen Begründung der Darstellung.

Schließlich ist des Versuches zu gedenken, das historische
Leben in Analogie mit den mechanischen Vorgängen als bestimmten
Gesetzen unterworfen zu betrachten. Die Geschichte wurde
zur Geschichtsphilosophie. Der allgemeine Grundgedanke, von
welchem dabei ausgegangen wurde, war der von der Gleichheit

der menschlichen Natur bei aller Verschiedenheit ihrer Erscheinungen. Vorbereitet wurden diese Anschauungen durch Descartes' Lehre von der Mechanik der Affekte, deren Methode darin bestand, daß er für die mit Hilfe logischer Unterscheidungen gewonnene Systematik einen gesetzmäßigen Ablauf des Geschehens konstruierte. Spinoza übernahm diese Ideen und baute sie nach der psychologischen Seite durch tiefere Analyse und Verwertung des Assoziationsprinzipes aus. So erhielt die spätere Zeit den Gedanken von der Gesetzmäßigkeit der seelischen Vorgänge, sie verbreiterte aber die psychologische Grundlage. Dies geschah durch die bessere Kenntnis vom Menschen, wie das Studium der Naturvölker sie übermittelte. Dann wurden besonders die Untersuchungen Lockes und seiner Schule für die Grundlegung einer Geschichtsphilosophie wichtig. Und hier war es vor allem der Gegensatz zu Hobbes, der dazu führte, das Vorhandensein ursprünglicher altruistischer Empfindungen neben den egoistischen zu betonen. In ihnen waren zwei Prinzipien gegeben, welche in Analogie mit den anziehenden und abstoßenden Kräften der anorganischen Natur vorgestellt wurden. Daß auch sie einen harmonischen Zusammenhang darstellen mußten, ergab sich als selbstverständliches Postulat, da es in der allgemeinen Weltanschauung wurzelte.

Die Begriffe, mit denen das 18. Jahrhundert die geschichtlichen Erscheinungen zu verstehen suchte, sind damit gegeben [2]). Ihre eigentümliche Richtung aber erhielt die historische Betrachtung aus dem besonderen Kulturgefühl dieses Zeitalters heraus. Es war vornehmlich bestimmt von dem Gedanken der einzigartigen Stellung des Menschen als eines vernünftigen Wesens in der Schöpfung. Besondere Rechte und besondere Pflichten erwuchsen ihm daraus. Beide wurden in wechselnder Stimmung verschieden betont. Neben den Denkern, welche schwelgten in dem Hochgefühle der Ergebnisse menschlicher Wissenschaft und sich schwärmerisch dem Gedanken der Unendlichkeit menschlichen Strebens hingaben, ließen sich andere vernehmen, welche in das Klagelied Pascals von dem „.roi dépossédé" einstimmten und den Zwiespalt empfanden zwischen der dem Menschen gestellten höheren Aufgabe und der Unzulänglichkeit seiner Leistung. Rousseau stand nicht allein mit seiner Anklage gegen die Kultur. Im ganzen aber entnahm das Zeitalter der Aufklärung aus dem es erfüllenden Grundgedanken das positiv Fördernde. Mit der Stellung der Aufgabe traute es sich auch den Mut zu, sie zu lösen oder der Lösung näher zu führen. Diese Tendenzen traten am deutlichsten in den pädagogischen und politischen Forderungen der Zeit entgegen. Sie wird dabei von einem zukunftsfreudigen Optimismus getragen, der aus dem Glauben an die vernünftige, d. h. gute Natur des Menschen entspringt. Ihren Forderungen gilt es zu genügen. Zuerst im individuellen Leben. Mit hoffnungsfroher Begeisterung und einer oft fast kindlichen Zuversicht wendet sich dies Zeitalter der Aufgabe der Erziehung zu, zugleich mit dem Bewußtsein, zum ersten Mal wirklich methodisch vorzugehen. Dies Streben steht aber im Dienste eines noch höheren: der Ausbildung eines Weltbürgertums. In dieses Ideal münden alle die Bemühungen ein, welche der Befreiung der Menschheit dienen sollen. Religiöse und politische Freiheit ist die Forderung, welche die Denker des 18. Jahrhunderts einstimmig erheben.

Aus alledem erwächst das eigentümliche Kulturgefühl der Aufklärung. In einer vernünftig geordneten Welt steht der vernünftige Mensch mit der Aufgabe, seine eigenen Angelegenheiten, sein politisches und soziales Leben vernünftig einzurichten, in der bestimmten Hoffnung, daß dies möglich sei, im Hinblick auf eine Menschheit, die unter den Segnungen einer solchen Ordnung glücklich leben werde, nicht unwillig über die Einsicht, so eigentlich für eine ferne Zukunft zu arbeiten. Doch nicht bloß eine solche Hoffnung ist es, die ihn beseligt, es ist auch die Gewißheit, daß das eigene Zeitalter einen mächtigen Schritt vorwärts in der Entwicklung der Menschheit getan habe. Sind nicht manche Schranken gefallen, die die Kirche, die der Staat aufrichtete, sehen wir nicht freie Menschen ihre Geschicke bestimmen, fühlen wir uns nicht einig mit allen Menschen in der Arbeit für diese Gedanken?

Wenn dies Zeitalter auf die Vergangenheit blickte, so trug es an sie aus dem Glauben an sich selbst einen sicheren Maßstab der Beurteilung heran. Die von ihm gewonnene Freiheit war das Ziel der Entwicklung, und die frühere Zeit wurde abgeschätzt nach dem, was sie für dies Ideal geleistet hatte. So erhielten Geschichtsdarstellung und Geschichtsphilosophie sichere Richtungslinien.

Der Gedanke, daß Menschheitsentwicklung ein Fortschritt sei und
vor allem sein werde, gab der Betrachtung ihre eigentümliche
Geschlossenheit. Und auch die Stadien der Entwicklung lagen
unverrückbar fest. Wie der Einzelne sich vom Kindesalter zum
Mannesalter, vom Leben in Trieben und Sinnen zur Herrschaft
der Vernunft bildet, so ist auch der Gang der Geschichte zu deuten:
aus der Herrschaft der Sinnlichkeit und der Gebundenheit des
Geistes führt der Weg zur Freiheit. Dies zu zeigen und damit
der weiteren Entwicklung zu dienen, ist die Aufgabe der Geschichte.

Bis zum Verdruß ist die geschichtliche Betrachtung der
Aufklärung als einseitig bezeichnet worden. Dieser Vorwurf soll
hier nicht diskutiert, doch soll das summarische Urteil, diese Zeit
sei unhistorisch gewesen, zurückgewiesen werden. Nur wer nach
bekannter Schablone seine Ansicht aus dem rationalistischen Grund-
zug des Zeitalters ohne wirkliche Kenntnis herauskonstruiert,
kann es wiederholen. Die Bekanntschaft mit ihm muß vielmehr
zu der Einsicht führen, daß es die erste Anregung zur historischen
Besinnung aus dem charakterisierten Selbstgefühl entnahm. Daß
dadurch das Urteil verwirrt wurde, daß außerdem die Sammlung
des historischen Materials eine dürftige, ein wirklich kritischer
Standpunkt noch nicht gewonnen war, soll nicht bestritten werden.
Das alles reicht aber nicht zu, um jenen Vorwurf so allgemein auszusprechen. Vergessen werden darf vielmehr nicht, daß die Aufklärung schon die wichtigsten Grundbegriffe historischer Betrachtung geschaffen hat.

Es ist schon angedeutet worden, daß das 18. Jahrhundert die
Geschichte in den Dienst seines Kulturgedankens stellte. Daß sie
praktischen Forderungen dienen, daß sie nicht nur lehren, sondern
auch belehren, daß sie den Menschen bessern müsse, erschien als
ein selbstverständliches Postulat. Auch weniger hoch gestellten
Anforderungen sollte sie genügen. Die Erfahrungen der Vergangenheit sollten genutzt werden für die Aufgaben des täglichen Lebens,
das Schicksal der Großen sollte schließlich den Kleinen helfen, ihr
Lebensschiff behaglich in einen ruhigen Hafen zu bringen. Man
pflegt diese Betrachtung eine pragmatische zu nennen und ebenso
bezeichnet man Bolingbroke als den, der zuerst ihre Grundgedanken entwickelte.

Bolingbroke ist nach seiner ganzen Geistesverfassung und den Erfahrungen seiner Tätigkeit als praktischer Politiker einer rein gelehrten Betrachtung der Geschichte abgeneigt. Er verlangt von der Geschichte, daß sie eine unmittelbare Beziehung auf das Leben habe, deshalb bedeutet ihm alte Geschichte weniger als die neuere, wenn er auch den Wert der römischen Geschichte nicht verkennt. So kommt er zu recht schiefen Urteilen über die antiken Historiker im Verhältnis zu den modernen, unter denen er Macchiavelli, wie nach ihm Hume, die größte Bewunderung zollt. In seinen „Letters on the study and use of history" fragt er zuerst nach dem Interesse, das wir an der Geschichte nehmen. Die Eigenliebe des Menschen scheint ihm die Quelle desselben zu sein. Der Mensch hat das Bedürfnis, das Gedächtnis an seine eigenen Taten und das an die seiner Vorfahren lebendig zu erhalten, der Mensch ist das Objekt aller Geschichte. Ihre Hauptbestimmung ist aber nun die Menschen weiser und tugendhafter zu machen. Gegenüber einer ethischen Unterweisung durch Entwicklung eines Tugendbegriffes hat sie den Vorzug einer größeren Anschaulichkeit durch die Beispiele, die sie der Vergangenheit entnimmt. Sie bereitet so auf das Leben vor, indem sie einen viel größeren Umkreis von Tatsachen umfaßt, als unser eigenes Erleben jemals zeigen würde. Auch gibt sie vollständige, in sich abgeschlossene Bilder, wie eigene Erfahrung sie nicht zeigen kann. In demselben Sinne wirkt auch die historische Gerechtigkeit, da sie ein unparteiisches Urteil fällt, dessen die Mitwelt, weil sie den Charakter einer Persönlichkeit nicht völlig durchschaut, nicht fähig ist. Überhaupt liegt darin ihr Vorzug, daß sie den ursächlichen Zusammenhang und die Verkettung der Dinge darstellt. Schließlich ist das historische Interesse dem philosophischen zu vergleichen. Durch eine umfassende Induktion gelangen wir zu allgemeinen Einsichten über Leben und Menschen: „We ought always to keep in mind, that history is philosophy teaching by examples how to conduct ourselves in all the situations of private and public life; that therefore we must apply ourselves to it in a philosophical spirit and manner; that we must rise from particular to general knowledge, and that we must fit ourselves for the society and business of mankind by accustoming our minds to reflect and mediate on the characters we find described, and the course of events we find related there" [3]). Eine solche philosophische Interpretation gibt entweder der Historiker schon selbst oder der Leser entwickelt seinerseits derartige Ideen.

Dies sind im wesentlichen Bolingbrokes Gedanken, wie sie lose aneinandergereiht ohne in die Tiefe dringende Untersuchung von ihm gegeben werden. Die eigentlichen Fundamente historischer Betrachtung wurden erst durch Montesquieu gelegt.

Montesquieu geht aus von dem Gedanken einer in der Erscheinungswelt angelegten rationalen Ordnung, welche gegenüber dem diese beherrschenden Wechsel eine gleichbleibende, ewige ist. Den Beweis für diese Wahrheit sieht er in der für die physische Welt geltenden Gesetzmäßigkeit. Er hat den naturwissenschaftlichen Problemen in der mittleren Periode seines Denkens Interesse und Arbeit zugewendet, und in den „lettres Persanes" sind es die Leistungen der modernen astronomischphysikalischen Forschung, denen der Morgenländer uneingeschränkte Bewunderung im Gegensatz zu der sonst geübten Kritik zollt. Ihre Vertreter sind der „raison humaine" gefolgt und „ne nous parlent que des lois générales, immuables, éternelles, qui s'observent sans aucune exception, avec un ordre, une régularité et une promptitude infinie, dans l'immensité des espaces" [4]). Im Gegensatz zu diesen Gesetzgebern der Natur stehen die der menschlichen Gesellschaft, ihre Gesetze sind dem Wechsel unterworfen, und es entsteht die Frage, ob nicht auch hier eine Gleichförmigkeit möglich sei. Auch dies Problem wird in der genannten Schrift behandelt, und wir erhalten die charakteristische Antwort: „La justice est un rapport de convenance qui se trouve réellement entre deux choses; ce rapport est toujours le même, quelque être qui le considère, soit que ce soit Dieu, soit que ce soit un ange ou enfin que ce soit un homme." Und nach Erledigung der Einwände kommt Montesquieu zu dem Resultat: „la justice est éternelle et ne dépend point des conventions humaines" [5]). Mechanische Weltbetrachtung und naturrechtliche Theorie treten hier zusammen, und in dem Hauptwerke finden wir Ansätze, für die Vereinigung dieser beiden Prinzipien ein noch höheres zu finden. In dem grundlegenden ersten Kapitel von Buch I heißt es: „Les lois, dans la signification la plus étendue, sont les rapports nécessaires qui dérivent de la nature des choses; et dans ce sens, tous les êtres ont leurs lois: la divinité a ses lois, le monde matériel a ses lois, les intelligences supérieures à l'homme ont leurs lois, les bêtes ont leurs lois, l'homme a ses lois." Den vernünftigen Wesen wohnt die Fähigkeit inne, sich Gesetze zu geben, aber sie sind dabei gebunden an bestimmte Regeln, ebenso wie der Weltschöpfer. Diese Regeln haben Geltung, bevor es vernünftige Wesen gab: „Avant qu'il y eût des êtres intelligents, ils étaient possibles: ils avaient donc des rapports possibles, et par conséquent des lois possibles. Avant qu'il y eût des lois faites, il y avait des rapports de justice possible. Dire qu'il n'y a rien de juste ni d'injuste que ce qu'ordonnent ou défendent les lois positives, c'est dire qu'avant qu'on eût tracé de cercle tous les rayons n'étaient pas égaux." Damit sind wir auf eine dreifache Quelle der Gesetzmäßigkeit im gesellschaftlichen Leben gewiesen: die Natur des Menschen als eines être intelligent, die Natur der sozialen und politischen Beziehungen und die Natur der Rechtsordnungen, welche diese Beziehungen regeln.

Doch bevor wir diesen Zusammenhängen nachgehen, wollen wir uns noch einmal der Parallele zwischen physischer und psychischer Welt erinnern. Wenn Montesquieu den Versuch machte, eine Gesetzmäßigkeit für diese nachzuweisen, so war er ohne weiteres an das Vorbild der Naturwissenschaft gewiesen. Von ihr übernimmt er nicht nur den Gedanken, sondern auch die Form der Gesetzmäßigkeit. An die Stelle der Geschichtsbetrachtung Bossuets, welche sich des übernatürlichen Einflusses der Vorsehung als Erklärungsprinzips bediente, tritt die Geschichte der Tatsachen und ihre Ableitung aus rein natürlichen Bedingungen. Zugleich aber betrachtet Montesquieu das gesellschaftliche Leben in Analogie mit einem System von Kräften. Es gleicht ihm einer Maschine, deren tadelloser Gang an bestimmte Bedingungen gebunden ist und die nur so den gewollten Zweck erreicht. Das Idealsystem der politischen Zustände wird gewissermaßen ausbalanciert wie ein System physikalischer Kräfte für einen gewünschten Ruhezustand, allerdings mit dem Unterschiede, daß im Leben der Menschen es keine Ruhe gibt. Und so ergibt sich ein gewisser Rhythmus des Geschehens, jedes politische System tendiert nach der Erfüllung der in ihm angelegten Möglichkeiten. Die verschiedenen Völker

und Zeiten treten auf Grund natürlicher Bedingungen in einen
solchen systematisch vorherbestimmten Zusammenhang, der ihr
Schicksal nunmehr in eine in ihm liegende Ordnung des Geschehens
zwingt. Sie leben sich in ihm aus und vergehen, sobald die das
System erhaltenden Kräfte nicht mehr in dem durch das Prinzip
geforderten Verhältnis zueinander stehen. Unter dieser Form betrachtet Montesquieu das Römerreich und seine Geschichte. In
den „Considérations" finden sich die systematischen Grundbegriffe,
welche das Hauptwerk entwickelt, schon in Anwendung. Als Bedingung für die Erhaltung eines politischen Körpers wird die Einheit bezeichnet, es ist eine „union d'harmonie, qui fait que toutes
les parties, quelque opposées qu'elles nous paraissent, concurent
au bien général de la société, comme des dissonances dans la musique
concurent à l'accord total. Il peut y avoir de l'union dans un Etat
où l'on ne croit voir que du trouble, c'est-à-dire une harmonie
d'où résulte le bonheur, qui seul est la vraie paix. Il en est
comme des parties de cet univers, éternellement
liées par l'action des unes et la réaction des autres" [6]). Das Gesetz
der Entwicklung des römischen Reiches faßt er dann kurz so zusammen: „Voici, en un mot, l'histoire des Romains: ils vainquirent
tous les peuples par leurs maximes; mais, lorsqu'ils y furent par-
venus, leur république ne put subsister; il fallut changer
de gouvernement, et des maximes contraires
aux premières, employées dans ce gouvernement nouveau, firent
tomber leur grandeur." [7])

Das System, als psychische Erscheinung begriffen, läßt sich
darstellen durch den Begriff des esprit général. Er bedeutet einen
Zusammenhang psychischer Energien, welchen Montesquieu so beschreibt: „Il y a dans chaque nation un esprit général sur lequel la
puissance même est fondée: quand elle choque cet esprit, elle se
choque elle-même, et elle s'arrête nécessairement." [8]) Diese allgemeine Formulierung wird in bezug auf die Römer gelegentlich der
Frage, ob das Glück in ihrer Geschichte die ausschlaggebende Rolle
gespielt habe, so spezialisiert: „Ce n'est pas la fortune qui domine
le monde . . . Il y a des causes générales, soit morales, soit physiques,
qui agissent dans chaque monarchie, l'élèvent, la maintiennent,
ou la précipitent; tous les accidents sont soumis à ces causes . . .

En un mot, l'allure principale entraîne avec elle tous les accidents particuliers."⁹) Aber während Montesquieu die physischen Ursachen in ihren Wirkungen hier kaum untersucht, läßt er desto deutlicher den überwiegenden Einfluß der psychischen hervortreten, ja seine gesamte Darstellung versucht einen solchen für die römische Geschichte nachzuweisen. Ein allgemeiner Satz sagt dies: „plus d'Etats ont péri parce qu'on a violé les mœurs que parce qu'on a violé les lois"¹⁰). Die ursprüngliche Kraft der Römer war gelegen in der Einfachheit ihres Lebens, dem gleichverteilten Besitz, der Vaterlandsliebe, dem nationalen Heer und insbesondere in ihren kriegerischen Tugenden. Durch die konsequente Niederzwingung aller Völker durch die Waffen und die strenge Beobachtung des Grundsatzes, nur mit einem geschlagenen Feinde Frieden zu schließen, wurden die Römer Herren der Erde. Mit der wachsenden Größe des Reiches und der Hauptstadt nahm das römische Volk das Gift in sich auf, dem es erlag. Die fern von der Heimat kämpfenden Legionen verloren die Fühlung mit dem vaterländischen Boden und dem auf ihm gewachsenen Empfinden, der Staatsgedanke verlor damit seine Kraft. Im Innern wirkten zerstörend die Parteigegensätze, und die ursprüngliche Harmonie zwischen Staatsform und gesetzlicher Ordnung wurde zerstört durch die zunehmende Größe des Volkes. Der Verlust aller jener sittlichen Kräfte mußte notwendig zur Auflösung der Republik führen, sie hatte aufgehört zu sein, selbst als es nach dem Tode Cäsars niemand gab, um sofort an ihre Stelle die Monarchie zu setzen. Das Volk hatte seine Freiheit verloren, ohne daß ein Tyrann da war, der sie ihm nahm.

Nach 20 jähriger Arbeit hat Montesquieu sein Hauptwerk „De l'esprit des lois" veröffentlicht. Ein ungeheures, wenn auch nicht kritisch gesichtetes Material hat er verarbeitet, sein Blick reicht über die Bewohner der Erde. Er ist jetzt befähigt, sich das in den „Considérations" an einer einzelnen Stelle behandelte Problem allgemein vorzustellen. Die Prinzipien seiner Geschichtsbetrachtung treten allgemeiner und deutlicher hervor, ohne daß sie jedoch zu absoluter Klarheit und Präzision emporgehoben wären. Ein Blick auf die Gesamteinteilung des Werkes zeigt schon, wie wenig es ihm gelungen ist, eine wirklich genetische Ableitung historischer Erscheinungen zu geben.

Als allgemeinster Begriff tritt auch hier der des „esprit général"
auf, die Faktoren, aus denen er gebildet wird, sind: le climat, la
religion, les lois, les maximes du gouvernement, les exemples des
choses passées, les mœurs, les manières. — A mesure que, dans
chaque nation, une de ces causes agit avec plus de force, les autres
lui cèdent d'autant [11]). Von diesen Einflüssen wird der Mensch
geformt und tritt uns so in den verschiedensten Gestalten entgegen,
aber überall ist es doch dieselbe Menschennatur, die allen diesen
Erscheinungen zugrunde liegt. Wir müssen von dem Menschen der
Natur ausgehen, um den Menschen als Glied eines gesellschaftlichen
Zusammenhanges, eines Volkes und Staates zu verstehen. Dabei
tritt uns sofort seine Doppelnatur entgegen, er ist ein être physique
und ein être intelligent. Als ersteres gehorcht er den unveränderlichen Gesetzen der Natur, als letzteres gibt er sich selbst Gesetze.
Doch auch hierin ist er nicht ungebunden, er folgt seiner vernünftigen Natur. Wir finden zwar nirgend eine genaue Begriffsbestimmung dieses natürlichen Menschen, aber seine Grundeigen-
schaften lassen sich doch aus verschiedenen Äußerungen zusammen-
stellen. Neben der theoretischen Vernunftanlage sind es die Eigenschaften der Freiheit und Gleichheit, der Trieb, sich selbst zu erhalten, gewisse primitive sittliche Instinkte wie das Schamgefühl,
das Gefühl der Verpflichtung gegen Frau und Nachkommenschaft,
das Gefühl der Dankbarkeit. Ebenso gibt es ursprüngliche Menschenrechte wie die Freiheit, das Recht der Notwehr, das Gesetz
des natürlichen Lichtes, qui veut que nous fassions à autrui ce que
nous voudrions qu'on nous fît [12]). Dieser natürliche Zustand wird
für Montesquieu zum Idealzustande, in diesem Sinne sagt er:
„rappeler les hommes aux maximes anciennes, c'est ordinairement
les ramener à la vertu" [13]). Der Platz der Tugend ist aber an der
Seite der Freiheit.

Ebenso finden wir bei den Menschen eine gleiche Affektanlage.
Das Gefühl der eigenen Schwäche, die Furcht, die natürlichen Bedürfnisse und ihre Befriedigung, primitives Sichhingezogenfühlen
zu gleichartigen Wesen, Streben nach Erkenntnis und Mitteilung
beherrschen den Menschen vor Gründung der Gesellschaften.
Diese Affekte begreift Montesquieu wie gleichförmig wirkende
Naturkräfte, er versucht ihr typisches Verhalten zu bestimmen.

Die Affektenlehre des 17. Jahrhunderts wirkt hier deutlich nach.

Die erste Veränderung dieser gemeinsamen Naturanlage geschieht nun durch das Klima. Es übt zuerst Herrschaft über den Menschen aus. Nach dem Vorgange von Bodin und Dubos versucht Montesquieu, einen Zusammenhang nachzuweisen zwischen dem Klima und der allgemeinen Gemütsstimmung eines bestimmten Volkes. Er versucht eine physiologische Theorie dieses Einflusses zu geben, indem er den Einfluß der kalten und der warmen Zone auf den Blutumlauf untersucht. Das Klima beeinflußt dann weiter die Lebensart und die Produktionsverhältnisse. In diesem Zusammenhange erhebt sich Montesquieu zu weltgeschichtlicher Betrachtung, wenn er die Überlegenheit der europäischen Völker auf die große Ausbreitung der temperierten Zone in diesem Erdteil zurückführt. Eine solche fehlt in Asien, die kalte Zone erzeugt starke, die heiße schwache Naturen, so entsteht der Gegensatz der Herren und Knechte, in Europa steht der Starke dem Starken gegenüber, dort ist die Sklaverei, hier die Freiheit herrschend[14]). Doch diese Herrschaft des Klimas ist nicht ganz unabänderlich: „La nature et le climat dominent presque seuls sur les sauvages."[15]) Durch die Kultur befreit sich der Mensch zu einem Teile von dieser Herrschaft, er hat eine eigene Geschichte.

Neben den klimatischen Bedingungen beeinflussen die des Wohnplatzes die Völker. Güte oder Minderwertigkeit des Bodens bedingen die Form der Ansiedlung, die wirtschaftliche Struktur, die Bevölkerungszahl und damit die Regierungsform. Landwirtschaft, Industrie und Handel werden in ihrem Einfluß auf den seelischen Gesamthabitus eines Volkes untersucht, und besonders ist es der Handel, dem Montesquieu die größten Sympathien entgegenbringt: „où il y a des mœurs douces il y a du commerce, et partout où il y a du commerce il y a des mœurs douces"[16]). Zugleich erzeugt er Reichtümer und damit Luxus, und im Gefolge davon fördert er die Künste. Das komplizierte Triebwerk des gesellschaftlichen Mechanismus wird so offenbar. Die natürlichen Bedingungen im Zusammenhang mit den natürlichen Instinkten erzeugen verschiedene Formen des sozialen und wirtschaftlichen

Lebens, welche ihrerseits dann wieder bestimmte geistige Energien
zur Wirksamkeit bringen.

Bis hierher hat vornehmlich der naturwissenschaftlich orientierte Psychologe zu uns gesprochen, wir vernehmen die Stimme
des Juristen und Politikers, wenn wir nach der Bedeutung der Regierungsform in dem dargestellten Zusammenhang fragen. Recht
deutlich tritt hier die Grundansicht von dem Beherrschtsein der
Erscheinungen durch eine rationale Ordnung entgegen. Zwar das
Vorhandensein einer bestimmten Regierungsform zu einer bestimmten Zeit und an einem bestimmten Orte läßt sich durch die dargestellte Ursachenverkettung in jedem Falle erklären, aber unabhängig davon läßt sich diese Form betrachten und aus ihr das
Gesetz ihrer Entwicklung ableiten. An jeder Regierungsform läßt
sich eine nature und ein principe unterscheiden: „Il y a cette différence entre la nature du gouvernement et son principe, que sa
nature est ce qui le fait être tel: et son principe ce le fait
a g i r. L'une est sa structure particulière, et l'autre les passions
humaines qui le font m o u v o i r [17])." Drei Formen der Regierung gibt es: die republikanische, die monarchische und die
despotische. Aus der Natur einer jeden folgen unmittelbare
Gesetze, eine jede hat eine ihr eigentümliche Struktur, deren
Notwendigkeit sich deduzieren läßt, z. B. das Wahlrecht in der
Demokratie.

Ein solches System entwickelt in der Wirklichkeit sein Prinzip,
eine bestimmte „passion". Parallel der obigen Einteilung sind es
la vertu, l'honneur und la crainte. Aber diese Affekte müssen
als sozialpsychische Kräfte eigener Art aufgefaßt werden. In
der „Vorbemerkung" betont Montesquieu ausdrücklich, daß er
z. B. von der vertu politique handle: „que ce que j'appelle la vertu
dans la république est l'amour de la patrie, c'est à dire l'amour de
l'égalité. Ce n'est point une vertu morale ni une vertu chrétienne,
c'est la vertu p o l i t i q u e." Die verschiedenen Arten der Tugend,
der Ehre und der Furcht bestehen in allen Regierungsformen, aber
jede von ihnen besitzt einzig und allein ein bestimmtes, nur in ihr
mögliches und vorkommendes Prinzip, seine Natur erzeugt es sich
ihr adäquat. Wir sahen oben, wie Montesquieu in den „Considérations" diese Begriffe benutzt, um den Untergang des Römerreiches

zu erklären. Das Prinzip bedingt das Schicksal eines Volkes, besonders an despotisch regierten Staaten läßt sich seine Übermacht erweisen: „Le principe du gouvernement despotique se corrompt sans cesse, parce qu'il est corrompu par sa nature. Les autres gouvernements périssent, parce que des accidents particuliers en violent le principe: celui-ci périt par son vice intérieur. Für alle Formen aber gilt der Satz: „Lorsque les principes du gouvernement sont une fois corrompus, les meilleures lois deviennent mauvaises et se tournent contre l'Etat; lorsque les principes en sont saints, les mauvaises ont l'effet des bonnes: la force du principe entraîne tout[18]). Die materialistische Geschichtsauffassung des 19. Jahrhunderts hat diese Gedanken weitergebildet, die Auffassung des in den Regierungsformen waltenden Mechanismus erinnert an Comtes Lehre von der Statik und Mechanik der politischen Kräfte. Auf dieser Einsicht in das Kräftespiel der Gesellschaft baut sich nun Montesquieus Idealverfassung auf. Die Freiheit ist das unveräußerliche Recht des Menschen. Der Gesetzgeber hat die Aufgabe, sie innerhalb des staatlichen Lebens zu erhalten. Dies ist da erreicht, wo eine ungestört funktionierende Gesetzgebung dem Bürger Sicherheit oder das Gefühl einer solchen verleiht. Die Trennung der drei Gewalten: der gesetzgebenden, der vollziehenden, der richterlichen garantiert sie.

Aus dem Vorhergehenden versteht man die Wahrheit des Urteils: „Montesquieu denkt nicht genetisch" [19]). Aber er hat Kategorien geschaffen, welche die historische Betrachtung seiner Zeit nutzen konnte. Und indem er auf die Gleichförmigkeit der Wirkung physischer und psychischer Ursachen hinwies, richtete er den Blick von der unübersehlichen Fülle der Einzeltatsachen, dem Anekdotenkram hin auf die gleichbleibende Struktur des gesellschaftlichen Lebens bei allen Völkern und zu allen Zeiten. Die Fruchtbarkeit dieser Gesichtspunkte hatte er doch auch schon selbst in den „Considérations" erwiesen. Zugleich „tritt in diesem Buche der wirkliche historische Pragmatismus, der von dem lehrhaften, wenn wir so sagen dürfen, pädagogischen, wohl unterschieden werden muß, auf einen großen Gegenstand angewendet und in eine geistvolle, fesselnde Form gekleidet, überhaupt zum erstenmal auf" [20]).

Der erste, welcher auf dem von Montesquieu bereiteten Boden weiterbaute, ist V o l t a i r e [21]) gewesen. Er ist überzeugter Anhänger von Newtons Naturbetrachtung. Dieser ist ihm der Philosoph, welcher keinen Rivalen haben kann, und so versuchte er die Popularisierung seines Systems in der „Philosophie de Newton". Die Gedanken der Notwendigkeit und der Ordnung alles Geschehens übernimmt er von dem Engländer und hat an ihnen durch sein ganzes Denken festgehalten, wenn auch seine Weltanschauung anfangs eine mehr optimistische, später nach den Erfahrungen des Lebens mehr pessimistische Färbung erhielt.

Die Gewißheit der Erkenntnis in der mathematischen Naturwissenschaft ist Voltaire das nicht zu erreichende Ideal in den historischen Wissenschaften. „Toute certitude qui n'est pas démonstration mathématique n'est qu'une extrême probabilité; il n'y a pas d'autre certitude historique." [22]) Unser Bestreben muß sein, die überlieferten Tatsachen so zu bearbeiten und zu untersuchen, daß Wissenschaft entstehen kann. Nichts kann sich ereignen, ohne daß es nicht durch den Herrn aller Dinge bedingt wäre. Die Gleichförmigkeit des Naturlaufes darf nicht unterbrochen gedacht werden. Die Anwendung des Satzes vom zureichenden Grunde führt zur Trennung der Fabel von den wirklichen Tatsachen. Ebenso muß die historische Überlieferung hinreichend beglaubigt sein. Die Vergangenheit aller Völker liegt im Nebel mythologischer Vorstellungen, die Geschichte beginnt erst da, wo gesicherte Nachrichten vorhanden sind. Der Schwierigkeiten, welche sich der Forschung gegenüberstellen, ist sich Voltaire wohl bewußt. In den „Mensonges imprimés" sagt er einmal: „Mais parmi ces mensonges n'y a-t-il pas quelques vérités? Oui, comme il se trouve un peu de poudre d'or dans les sables que les fleuves roulent. On demandera ici le moyen de recueillir cet or; le voici: tout ce qui n'est conforme ni à l a p h y - s i q u e , ni à l a r a i s o n , ni à l a t r e m p e d u c œ u r h u - m a i n , n'est que du sable; le reste qui sera a t t e s t é p a r d e s c o n t e m p o r a i n s s a g e s , c'est la poudre d'or que vous cherchez." [23]) Ferner ist Objektivität die wichtige Aufgabe des Historikers. Oft hat sich Voltaire in dem „Essay sur les mœurs et l'esprit des nations" über dies Erfordernis ausgesprochen, er rechnet es sich als Verdienst an, daß er mit Unparteilichkeit über die Jesuiten sprechen konnte: c'est ainsi qu'un historien doit parler de tout [24]). Schließlich erfordert eine solche Haltung sein großer Plan, er will ein grand tableau de la vie humaine [25]) geben. Die philosophische Absicht seiner Geschichtsschreibung ist damit ausgesprochen. Der Essay ist für Frau v. Châtelet geschrieben, sie war degoutiert von ihrer historischen Lektüre: „Elle cherchait une histoire qui parlât à la raison; elle voulait la peinture des mœurs, les origines de tant de coutumes, des lois, des préjugés qui se combattent; comment tant de peuples ont passé tour à tour de la politesse à la barbarie, quels arts se sont perdus, quels se sont conservés, quels autres sont nés dans les secousses de tant de révolutions." [26]) An Stelle der das Gedächtnis belastenden Aufführung von Tatsachen sollen Kulturzusammenhänge dargestellt werden, welche dem Fortschritt der gesamten Menschheit gedient haben.

Einen gemeinsamen Ausdruck findet nun das gesellschaftliche Leben der verschiedenen Epochen in dem, was Voltaire den esprit du temps nennt: „c'est lui qui dirige les grands événements du monde" [27]). Er setzt sich zusammen aus den Wirkungen von Klima, Regierungsform und Religion. Werden so die Kategorien Montesquieus übernommen, so wird ihr Einfluß doch verschiedentlich anders bewertet. Der des K l i m a s wird als nicht so stark angenommen. Allgemein ist Voltaire der Ansicht, die Natur habe es nicht zugelassen, daß das Leben der Menschen von den physischen Bedingungen abhängt, und im Kap. 197 des Essays, dem Resumé de toute cette histoire, leugnet er die von Montesquieu behauptete Verbindung freiheitlichen Geistes mit der Gebirgslandschaft, und er weist ihm Irrtümer nach. Auch sonst finden sich einschränkende Bemerkungen, aber darum wird der Einfluß des Klimas nicht schlechtweg geleugnet. Es ist z. B. der wesentliche Grund für die verschiedene Entwicklung der orientalischen und der okzidentalischen Völker, die Moral der Inder mußte deshalb eine andere sein als die unsrige, aber die Wirkung des Klimas ist nicht überall eine gleiche: „la mollesse inspirée par le climat ne se corrige jamais, mais la dureté s'adoucit" [28]). Im Zusammenhang mit dem Klima wirkt differenzierend der Unterschied der Rasse. Am eingehendsten hat sich Voltaire mit dieser Frage im Kap. 143 des Essays beschäftigt. Er handelt dort von den Völkern diesseits

und jenseits des Ganges, um im Vergleich zu sagen: „Tous ces
peuples ne nous ressemblent que par les passions et par la raison
universelle qui contrebalance les passions ... Ce sont-là les deux
caractères que la nature empreint dans tant de races l'hommes
différentes et les deux liens éternels dont elle les unit, malgré tout ce
qui les divise. Tout le reste est le fruit du sol, de la terre et de la
coutume" [29]). Diese Gemeinsamkeit weist auf einen gemeinsamen
Ursprung der verschiedenen Rassen und Kulturen hin. Wir erkennen den Zusammenhang mit den allgemeinen Ideen von der
in der Natur waltenden Ordnung, wenn analog auf une seule espèce
de tous les hommes geschlossen wird, „parcequ'ils ont tous les mêmes
organes de la vie, des sens et du mouvement: mais cette espèce
parut évidemment divisée en plusieurs autres, dans le physique et
dans le moral" [30]). Auch die R e g i e r u n g s f o r m spielt nach
Voltaires Ansicht nicht die Rolle, welche Montesquieu ihr zugestehen zu müssen glaubte. In Kap. 178 wird der Zustand Deutsch-
lands unter Rudolf II. und seinen Nachfolgern geschildert, es wird
gezeigt, wie die große Zahl der Fürsten und die religiöse Zerrissen-
heit beinahe notwendig den Untergang bedingten, daß aber dieser
Zustand doch erhalten wurde durch „le génie de la nation" [31]).
Das Prinzip hat also nicht die Macht, das Schicksal eines Volkes
unbedingt zu bestimmen. Ja nicht nur dieses, selbst der einzelne
kann sich über diesen Zwang erheben. Allerdings sind es nur
wenige, die wahrhaft Großen: „tout homme est formé par son siècle;
bien peu s'élèvent au dessus des mœurs du temps" [32]). Italien verdankt seine Größe den seltenen Genies, welche es hervorbrachte,
diese Großen sind es, die ein Volk führen, und wenn der esprit
d'une nation auch aus der Gesellschaft entspringt, so erhält er
doch seine eigentliche Bestimmtheit durch die führenden Geister:
„l'esprit d'une nation réside toujours dans le petit nombre qui fait
travailler le grand, est nourri par lui, et le gouverne" [33]).

    Voltaire hat viel mehr als Montesquieu einen Blick für die
geistigen Mächte in der Geschichte der Menschheit, die causes
morales sind ihm die wichtigeren. Er ist ein Dichter, und sein
Interesse wendet sich den großen Persönlichkeiten zu. Seine
Phantasie erprobt sich nachschaffend an dem Spiel menschlicher
Leidenschaften. Und die Menschen der Vergangenheit sind nicht

tot für ihn, sie sind nicht Beispiele für die Geltung eines Prinzipes, sie sind ihm Freunde oder Feinde in dem großen Kampfe, den er für die Aufklärung der Menschheit führt, er verfolgt sie mit seiner Liebe oder seinem Haß. Er ist nicht so objektiv, wie das von ihm selbst anerkannte Ideal des Historikers es verlangt, er ist Partei-mann, aber nicht für ein besonderes Interesse, sondern für das Interesse der Menschheit, als dessen Wortführer er sich fühlt.

Die R e l i g i o n wurde von Voltaire neben dem Klima und der Regierungsform genannt, aber es ist sicher, daß er damit nicht die Gesamtheit der geistigen Kräfte genügend bezeichnete, welche in seiner Darstellung die Kultur eines Volkes bedingen. Wir müssen ihn selbst korrigieren. Er erkennt als treibende Faktoren die Leidenschaften der menschlichen Natur, insbesondere den Ehrgeiz an, weiter die Gefühle, welche in einer Gesellschaft entstehen; so haben die Gesetze der Ehre bei den kultivierten Völkern unver-änderliche Geltung. Die eigentlich beherrschende Macht aber ist ihm die opinion, die Herrschaft der Kirche beruht darauf, daß sie es verstand, diese in ihre Gewalt zu bekommen. In den dem Essay angehängten „Remarques" sagt er geradezu, daß seine Geschichts-darstellung eine histoire de l'opinion sei [34]). Diese hat einen großen Teil der Erde verändert, sie hat Gesetze geschaffen, sie hat die Kreuzzüge und das Mönchswesen hervorgerufen. Und damit be-rühren wir das Gebiet, wo sie ihre größte Rolle gespielt hat. Die Religion und insbesondere die Kirche verdankt ihr ihre Erfolge. Und nun spricht der Kämpfer gegen Aberglauben und Fanatismus zu uns. Ein Verständnis für religiöses Empfinden und seine unab-weislichen Forderungen werden wir bei Voltaire nicht erwarten, wenn er sich auch bemüht, einer Persönlichkeit wie Luther gerecht zu werden, aber wie fremd ihm das sittlich-religiöse Kämpfen des Mannes blieb, zeigt recht deutlich die Bemerkung, die er bei Be-sprechung der Mißbräuche in der Kirche macht: „que ce n'était pas une raison pour autoriser tant de guerres civiles, et qu'il ne fallait pas tuer les autres hommes, parce que quelques prélats faisaient des enfants, et que des curés achetaient avec un écu le droit d'en faire". [35])

Religion und Freiheit werden einmal die beiden Quellen zu großen Handlungen genannt, in dieser Zusammenstellung ist das

Programm von Voltaires Geschichtsschreibung kurz formuliert,
jene hat in der Vergangenheit geherrscht, diese beginnt zu herrschen
in der Gegenwart und soll es in der Zukunft. Daß der Weg der
Menschheit diesem Ziele sich annähere, ist das Thema von Voltaires
Geschichtsschreibung. Gibt es eine Höherentwicklung des menschlichen Geschlechtes?

Wenn wir auch Grund zu der Annahme haben, daß die Erde
unermeßliche Zeiträume existiert und daß auch das Menschengeschlecht eine lange Lebensdauer hat, so gibt es eine Geschichte
von ihm doch nur für eine kurze Vergangenheit: „le genre humain
tout ancien qu'il est paraît nouveau pour nous" [36]). Die ursprüngliche Menschheit stand der Stufe des Tieres sehr nahe und sie
brauchte lange Zeit, um sich über sie zu erheben; es liegt nicht in
der Natur des Menschen, das zu erstreben, was er nicht kennt,
glückliche Umstände mußten, die Entwicklung beschleunigend,
hinzutreten [37]). Allgemeine Gesetze und besondere Verhältnisse
wirkten zugleich. Damit ist gegeben, daß das Tempo der Entwicklung bei den verschiedenen Völkern ein verschiedenes ist. Die
Völker des Okzidents haben sich langsamer als die des Orients
entwickelt, die europäischen Kulturnationen sind jünger als diese.
Aber wenn jene ihre rasche Entwicklung mit einem raschen Sturz
bezahlten, so läßt sich von der europäischen Kultur eine längere
Dauer erhoffen. Zugleich findet eine Differenzierung in bezug auf
die Inhalte des Kulturlebens statt. In dem Resumé gibt Voltaire
einmal folgende Zusammenfassung: „Jl résulte de ce tableau que
tout ce qui tient intimement à la nature humaine se ressemble d'un
bout de l'univers à l'autre; que tout ce qui peut dépendre de la
coutume est différent, et que c'est un hasard, s'il se ressemble.
L'empire de la coutume est bien plus vaste que celui de la nature;
il s'étend sur les mœurs, sur tous les usages; il répand la variété
sur la scène de l'univers; la nature y répand l'unité; elle établit
partout un petit nombre de principes invariables: ainsi le fonds
est partout le même et la culture produit des fruits divers." [38])
Ist diese Entwicklung eine Aufwärtsbewegung? Voltaire
äußert sich im wesentlichen optimistisch über diese Frage, aber
doch nicht nur optimistisch. Es gehört überhaupt ein leiser,
pessimistischer Unterton zur Grundstimmung des 18. Jahrhunderts,

der geforderten und geglaubten Vernünftigkeit alles Seins wollte die Wirklichkeit doch nie recht entsprechen. Auch ein so kultur-freudiger Mann wie Voltaire kann sich solchen pessimistischen Regungen nicht verschließen. Wir hören ihn klagen: „l'histoire des grands événements de ce monde n'est guère que l'histoire des crimes" [39]) oder: „Si on parcourt l'histoire du monde, on voit les faiblesses punies, mais les grands crimes heureux, et l'univers est une vaste scène de brigandage abandonnée à la fortune." [40]) Die letzte Garantie für eine Aufwärtsbewegung entnimmt jedoch Voltaire wiederum seiner allgemeinen Naturansicht: „nous voyons un amour de l'ordre qui anime en secret le genre humain et qui a prévenu sa ruine totale [41])."

Mächtiger aber noch wirkt in Voltaire das Kulturgefühl des 18. Jahrhunderts. In ihm lebte das Bewußtsein, einer Zeit anzu-gehören, die der Vergangenheit überlegen war. Zwei Feinde standen in dieser aller Entwicklung gegenüber, die Kriege und der Aber-glauben. In jenen siegt die rohe Gewalt; sie entfesseln die mensch-lichen Leidenschaften und, nachdem diese bis zum letzten Extrem der Wut und Raserei sich ausgetobt haben, lassen sie die Völker in Erschöpfung zurück und hemmen den Fortschritt. So wirft Voltaire seinen Haß auf die Fürsten, welche aus Ehrgeiz die Völker zur Schlacht führen, besonders aber auf die Kirche, welche den Aberglauben der Menge für ihre Herrschgelüste ausnützt. Und in dem Aberglauben haben wir die letzte Quelle alles Übels in der Welt zu sehen. Ja, wir dürfen sagen, daß die Geschichte der Menschheit der Weg ist aus der dunklen Nacht des Aberglaubens zum Lichte der Vernunft. Unwissenheit erzeugt Aberglauben, und dieser Fanatismus: „Fanatisme composé de superstition et d'igno-rance a été la maladie de presque tous les siècles." So kommt er zu dem bekannten Verdammungsurteil über das Mittelalter und die Worte, welche er auf die Zeit Ludwigs XI. anwendet, gelten wohl allgemein für diese Epoche: „Il ne faut connaître l'histoire de ces temps-là que pour la mépriser". [42]) Es ist noch nicht lange, daß wir aus dieser Finsternis herausgeschritten sind; erst seit dem 16. Jahrhundert hat sich die Menschheit befreit vom Despotismus der Fürsten und der Kirche. Das große Mittel für diesen und allen Fortschritt aber ist die Aufklärung. „La seule arme contre ce monstre, c'est la raison. La seule manière d'empêcher les hommes d'être absurdes et méchants c'est de les éclairer. Pour rendre le fanatisme exécrable, il ne faut que le peindre" [43]). Die Geschichte wird Voltaire zum Weltgericht. Das 16. Jahrhundert ist für Voltaire überhaupt ein Kultur-zeitalter im wahrsten Sinne des Wortes. In ihm beginnt mit der Besserung der politischen Zustände der Wohlstand zuzunehmen und damit in Zusammenhang werden die Sitten milder. In Italien erblüht die Kunst zu einer solchen Höhe, daß der Vergleich mit der Antike kühnlich gewagt werden darf. Und dieser Ruhm ist höher als der kriegerische, er ist unvergänglich: „c'est la gloire des arts, qui ne passera jamais" [44]). Die Buchdruckerkunst tritt als mäch-tige Feindin der Kirche auf und die wahre Philosophie beginnt mit Galilei. Je näher Voltaire seiner Zeit kommt, desto mehr ver-dichten sich ihm die gesondert laufenden Linien der Entwicklung bei den verschiedenen Völkern und auf den verschiedenen Gebieten des Kulturlebens zu einem großen Ganzen der Menschheitentwick-lung. Es ist der esprit de philosophie, der seinen oft aufgehaltenen, aber doch nicht zurückzuhaltenden Siegeszug antritt. Er durch-dringt und soll durchdringen das ganze Leben der Menschheit. In diesem Sinne glaubt er, daß die philosophie humaine die Reli-gionskriege beseitigen und die Kriege, welche aus unheilvoller Politik entspringen, verhindern wird. Ihr Wirken für die Kultur kann am besten mit den Worten geschildert werden: „C'est elle qui a multiplié les académies dans tant de royaumes et de répu-bliques, qui a étendu l'esprit humain en étendant les connaissances; c'est par ce même esprit qui se communique de proche en proche, que l'on s'est appliqué plus que jamais à l'agriculture et que les sages ont pensé à rendre la terre plus fertile, tandis que les ambi-tieux l'ensenglantaient. Enfin, il est à croire que la raison et l'indu-strie feront toujours de nouveaux progrès, que les arts utiles pren-dront des accroissements, que parmi les maux qui ont affligé les hommes, les préjugés, qui ne vont pas leur moindre fléau, disparaî-tront peu à peu chez tous ceux qui sont à la tête des nations; et que la philosophie partout répandue consolera un peu la nature humaine des calamités qu'elle éprouvera dans tous les temps". Und höchst charakteristisch setzt Voltaire hinzu: „C'est dans

cette vue et dans cette espérance qu'on a donné au public l'Essai . . .
L'humanité l'a dicté et la vérité a tenu la plume" [45]).

Noch einmal tritt uns der leitende Gedanke in Voltaires Geschichtsbetrachtung bedeutend entgegen. Nicht auf vergänglichen
kriegerischen Ruhm, nicht auf die blendende Pracht fürstlicher
Namen und Dynastien: auf die bleibenden, weiterwirkenden Werte,
die die Genien der Menschheit in Gesetzgebung, Wissenschaft und
Kunst geschaffen haben, ist der Blick gerichtet. Daß sie dauern,
daß in ihnen die Entwicklung liegt, dafür bürgt die ewige Ordnung
alles Seins. Aber was in der Vergangenheit hier und da, dann und
wann in die Erscheinung trat, wird in der Gegenwart getragen von
dem allgemeinen Geiste der Menschheit, die sich zu gemeinsamer
Arbeit für die Kultur verbunden hat und verpflichtet fühlt. Die
Vernunft ist Führerin und Leitstern. Sie lehrt die Kräfte der Natur
benutzen, sie befreit die Welt von der Finsternis des Aberglaubens
und den Schrecken religiöser Wut und Verfolgung. Sie erzieht
Fürsten und Völker zum Ideale der Freiheit, um den Menschen
unterzuordnen unter frei gewählte Gesetze der staatlichen
Ordnung, die den Frieden sichern und den Boden schaffen
für die Entwicklung der Künste und für feinere Ausgestaltung des gesellschaftlichen Lebens. An Stelle der Gewalt
herrscht nun die Vernunft, an Stelle der Knechtschaft die Freiheit. Entwicklung zur Vernunft, Entwicklung zur Freiheit ist
der letzte Sinn und die letzte Bestimmung der Menschheitsgeschichte.

Daß Montesquieu auf Kant gewirkt hat, ging aus einem oben
angeführten Zitat aus den Vorlesungen über physische Geographie
hervor. Es zeigte zugleich, daß er die Bedeutung der von dem
französischen Denker für die Entwicklung der Menschheit geltend
gemachten Faktoren in ihrer Konkurrenz mit anderen abzuschätzen
versuchte. Voltaires geschichtsphilosophische Ideen verbreiteten
sich rasch nach England und Deutschland. Auch wenn Kant das
geschichtsphilosophische Hauptwerk nicht gekannt haben sollte,
die in ihm ausgesprochenen Grundgedanken begegneten ihm doch
überall. So auch bei den beiden englischen Historikern und Ge-
schichtsphilosophen, welche in seinen Gesichtskreis eingetreten sind:
Hume und Robertson.

Hume wird immer merkwürdig erscheinen durch seinen unter den Philosophen des 18. Jahrhunderts vielleicht einzigartig ausgebildeten Sinn für Tatsachen. Sein Geist gibt sich ihnen rein hin und stellt sie in ihrer ganzen Wirklichkeit dar. Eine Deutung des Gegebenen wird nicht versucht, es bietet schon an sich ein genügendes Interesse. Tatsachen sammeln, sie vergleichen und gewisse Gleichförmigkeiten des Geschehens daran entwickeln ist ihm Lebensaufgabe. Dabei ist er nirgends nüchtern, nirgends haben wir den Eindruck eines mühselig und peinlich auf Genauigkeit arbeitenden Kopisten. Ich möchte ihn mit Adolf Menzel vergleichen. Übersehen wir den Umkreis des von diesem Dargestellten, die scheinbar unwählerische Manier, alles Gesehene durch Zeichenstift oder Pinsel festzuhalten, so scheint uns Langeweile die notwendige Folge zu sein, aber nirgends wird vor der kleinsten Zeichnung des Unbedeutendsten dies Gefühl eintreten. Sieht man von der aus der Verschiedenheit der Mittel sich ergebenden Verschiedenheit der Wirkungen ab, so ist diesen Männern die Fähigkeit gemeinsam, ihren Enthusiasmus für das Wirkliche in ihre Schilderung zu übertragen, ihr eine durch ihre bloße Wirklichkeit für den Schauenden erhöhte Wirklichkeit zu geben, die ihre Mittel doch nur dieser entnimmt ohne den leisesten Zug zur Idealisierung.

Wie Hume nun alle Erkenntnis aus der Wirklichkeit entnimmt, so entnimmt er sie auch für diese. Denn sie ist ja der einzige Schauplatz unserer Betätigung. In der „Untersuchung über den menschlichen Verstand" hat er allen philosophischen Bestrebungen eine Grenze gesetzt. Transzendente Wahrheiten können nicht gefunden werden, das Höchste, was erreicht werden kann, ist eine aus genauer Beobachtung gewonnene klarere Disponierung des Gegebenen. So läßt sich das Leben auch nur zu einem Teile meistern, es bleibt ein ungelöster und unlösbarer Rest [46]). Aber dieser Versuch muß desto besser gelingen, je größer das Gebiet des Wirklichen ist, das wir überschauen können. So ist das Alter der Jugend überlegen. Besonders wertvoll aber ist die Erweiterung des Erfahrungsbereiches durch die Geschichte: „A man acquainted with history may, in some respect, be said to have lived from the beginning of the world." [47]) Allerdings zeigt auch sie eine verwirrende Vielheit, und das Studium des Menschen mag wohl zu dem Ergebnis führen: „What is man but a heap of contradictions!" [48])

Mit dieser nicht aufzulösenden Verwicklung der Dinge hat sich
Hume als Mensch abgefunden. Wir müssen es ohne Klage tun und
wir werden den sichersten Standpunkt gewinnen, wenn wir unser
Glück auf Dinge stellen, die von uns abhängig sind. So gewinnt
unsere Seele Ruhe, die Ruhe des wahrhaften Philosophen, jene
„agreeable melancholy, which of all dispositions of the mind is the
best suited to love and friendship" [49]). Kant hat in den „Beobachtungen über das Gefühl des Schönen und Erhabenen" sich ebenfalls
zu diesem Ideal bekannt. Ruhig und gelassen steht der Philosoph
dem Getriebe der Welt gegenüber, zugleich aber gerade in der
Stimmung, die zu ihrer Erkenntnis die beste ist. Auch hier zeigt
sich ein besonderer Vorzug der Geschichte. Die Tatsachen der
Vergangenheit berühren sich nicht mit den Leidenschaften der
lebendigen Gegenwart, die Macht des Vorurteils spielt nicht mehr
eine solche Rolle, darin ist die Geschichte selbst der Philosophie
überlegen.

Hume ist Engländer und in ihm lebt das Bewußtsein von der
politischen Mission seines Volkes, es hat die Aufgabe, das Palladium der Freiheit in Europa aufrechtzuerhalten, seine Verfassung
hat sich am meisten dem Idealzustande angenähert, ein freies Volk
erkennt die Gesetze seines eigenen Willens an. So stimmt Hume
mit den französischen Denkern in seinem politischen Ideale zusammen, sie schöpfen alle aus derselben Quelle. Von diesen hat
besonders Voltaire auf ihn gewirkt. Die nähere Betrachtung wird
dies zu erweisen haben, hier gedenken wir noch Macchiavellis.
Ihn hat Hume gern zitiert, er ist wie der Florentiner Realist. Er
sieht mit ihm als die eigentlichen Agentien des Menschheitslebens
die menschlichen Triebe und Leidenschaften an. Die Ideen bedeuten ihm wenig, Zwang, wie er aus den Dingen oder dem Willen
großer Persönlichkeiten stammt, ist die Quelle der Handlungen,
ist das Mittel, um Menschen zu beherrschen. Der Herrscher muß
es verstehen, die niederen Instinkte der Masse zu benutzen und sie
gegeneinander auszuspielen. Damit scheint in Widerspruch zu
stehen, daß Hume sich bemüht die Ursprünglichkeit altruistischer
Empfindungen nachzuweisen und daß er nicht ohne Wärme von

solchen Gefühlen spricht. Trotzdem glaubt er nicht, daß sie bisher
in der Geschichte wirkend gewesen, und auch dem praktischen
Politiker würde er nicht raten, allzusehr auf sie zu bauen, denn
der Mensch ist weiter von der vollkommenen Weisheit entfernt
als das Tier von ihm. Freundschaft hochkultivierter Menschen ist
ihm Lebensbedürfnis und Lebensideal, aber er glaubt nicht, daß
die Masse dieser verfeinerten Empfindungen in der Hitze der Leidenschaften fähig ist, er ist eben Realist, er ist typischer Engländer.

In der „Untersuchung über den menschlichen Verstand" hat
sich Hume am klarsten über die Möglichkeit einer Geschichte als
Wissenschaft und ihren Wert ausgesprochen. Im Zusammenhang
des Problems von Freiheit und Notwendigkeit behandelt er nach
der Betrachtung der Einförmigkeit der Naturvorgänge das geschichtliche Leben: „Allgemein wird zugestanden, daß eine große
Gleichförmigkeit in den Handlungen der Menschen aller Nationen
und Zeitalter besteht, und daß die menschliche Natur in ihren
Prinzipien und Tätigkeiten stets dieselbe bleibt. Dieselben Beweggründe rufen immer dieselben Handlungen hervor: dieselben
Ereignisse folgen aus denselben Ursachen. Ehrsucht, Geiz, Selbstliebe, Eitelkeit, Freundschaft, Edelmut, Gemeingeist: diese Affekte
sind in verschiedenen Mischungsgraden in der menschlichen Gesellschaft verteilt und von Anbeginn der Welt und noch heute der
Quell aller Handlungen und Untersuchungen gewesen, die man je
bei Menschen beobachtet hat . . . Die Menschen sind in allen Zeiten
und Orten so sehr dieselben, daß uns die Geschichte auf diesem
Gebiet nichts Neues oder Fremdartiges berichtet. Ihr Haupt-
nutzen liegt nur darin, die beständigen und allgemeinen Prinzipien
der menschlichen Natur zu entdecken, indem sie die Menschen in
den verschiedensten Verhältnissen und Lagen darstellt und uns
mit Stoff versorgt, aus dem wir Beobachtungen aufstellen können
und die regelmäßigen Triebkräfte menschlichen Handelns und Be-
tragens kennen lernen. Diese Berichte über Kriege, Umtriebe,
Parteiungen und Umwälzungen sind ebenso viel Sammlungen von
Erfahrungstatsachen, aus denen der Politiker oder der Vertreter
der Geisteswissenschaft die Prinzipien seiner Lehre feststellt; in
der gleichen Art, wie der Physiker oder Naturforscher das Wesen
der Pflanzen, Mineralien und anderer äußerer Gegenstände durch

die Erfahrungstatsachen kennen lernt, die er hierzu zusammen-
stellt. Die Erde, das Wasser und die anderen Elemente, die Aristoteles und Hippokrates untersuchten, sind den uns heute zur
Beobachtung vorliegenden auch nicht ähnlicher, als die von Poly-
bius und Tacitus geschilderten Menschen denen sind, die jetzt die
Welt regieren" [50]).

Demnach ist Humes Interesse an der Geschichte mehr ein
philosophisches als ein eigentlich historisches. Er steht in dieser
Hinsicht Montesquieu näher als Voltaire. Aber er entfernt sich
von jenem doch wieder dadurch, daß er vornehmlich Psychologe
ist. Er löst die seelischen Kräfte aus der Geschlossenheit des Zusammenhanges, in dem sie nach Montesquieu wirken sollten, auf
in ihre verschiedenen Bestandteile und sucht die erzeugenden
Einzelursachen nachzuweisen; so gibt es für ihn nicht einen Geist
der Wildheit bei den erobernden Völkern, sondern Armut und
Mangel an Lebensmitteln treiben sie zu ihren Wanderungen. Gern
verweilt Hume bei der Beobachtung der neben der Gleichförmigkeit
überall hervortretenden Verschiedenheit der Menschen in den einzelnen Kulturen und Zeitaltern. Ja, es scheint, als drohe diese
Verschiedenheit den Versuch gleichbleibende Gesetze zu finden
unmöglich zu machen. Aber diese Schwierigkeit liegt doch eigentlich nur vor bei den letzten Verfeinerungen des menschlichen
Lebens in den Individuen. Der Umkreis desselben, der von den
natürlichen Bedingungen beherrscht wird, und andererseits die
Massenbewegungen zeigen eine große Gleichartigkeit des Geschehens. Schließlich entscheidet aber auch hier eine praktische
Überlegung. Was sollte aus der Geschichte werden, wie könnte
Politik eine Wissenschaft sein, wo bliebe die Grundlage der Moral,
wie wäre ein Ästhetik möglich? Die Bedürfnisse der Wissenschaft
und des Lebens verlangen nach einer Zusammenfassung, wir haben
überall nach ursächlicher Verknüpfung zu suchen und es ist anzunehmen, daß sich auch für das individuelle Leben Zusammenhänge
allgemeiner Art aufweisen lassen.

Physische und psychische Bedingungen sind es, welche auch
Hume im sozialen und geschichtlichen Leben nebeneinander wirk-
sam denkt, und zwar in der Weise, daß die ersteren eine geringere
Rolle, besonders bei höherer Kultur, spielen als die letzteren. Inter-

essant ist, wie er sich hier mit Montesquieus in den „Lettres
persanes" entwickelten Ansicht über die größere Volksmenge im
Altertum auseinandersetzt. Er gibt zu, daß der Weltbau ver-
gänglich sei, daß man auf diese Entwicklung die Analogie mit den
menschlichen Lebensaltern anwenden könne und daß der Mensch
wie alle Tiere und Pflanzen an diesen Veränderungen teilnehme.
Aber dann wendet er ein: „But if the general system of things,
and human society of course, have any such gradual revolutions,
they are too slow to be discernible in that short period which is
comprehended by history and tradition. Stature and force of
body, length of live, even courage and extent of genius, seem
hitherto to have been naturally, in all ages, pretty much the same.
The arts and sciences, indeed, have flourished in one period, and
have decayed in another: But we may observe, that, at the time
when they rose to greatest perfection among one people, they
were perhaps totally unknown to all the neighbouring nations; and
though they universally decayed in one age, yet in a succeeding
generation the again revived, and diffused themselves over the world.
As far, therefore, as observation reaches, there is no universal
difference discernible in the human species; and though it were
allowed, that the universe, like an animal body, had a natural progress from infancy to old age; yet as it must still be uncertain,
whether, at present, it be advancing to its point of perfection, or
declining from it, we cannot thence presuppose any decay in human
nature" [51]). Diese allgemeinen physikalischen Bedingungen können
wir also für die Geschichte vernachlässigen, die besonderen, es sind
vor allem die klimatischen, hat Hume gewürdigt, aber doch auch
ihnen wollte er keinen allzu großen Einfluß zugestehen. In dem
Essay „Of national characters" sagt er in bezug auf die Ausbildung
solcher: „As to p h y s i c a l c a u s e s , J am inclined to doubt
altogether of their operation in this particular; nor do J think,
that men owe any thing of their temper or genius to the air, food,
or climate" [52]). Nur auf die gröberen, nicht auf die feineren Organe
des Menschen kann das Klima wirken, er ist dadurch besonders von
den Tieren unterschieden.

    Wichtiger, ja ausschlaggebend ist nun für das gesellschaft-
liche Leben das, was Hume „sympathy or contagion of manners" [53])

nennt. Er ist von den Denkern des 18. Jahrhunderts vielleicht
am tiefsten in die Psychologie der sozialen Erscheinungen eingedrungen. Die aus der Beobachtung der Einzelseele gewonnenen
Ergebnisse überträgt er auf sie. Er sucht zu zeigen, wie auf Grund
der bei allen Menschen gemeinsamen Triebanlage soziales Leben
entsteht, wie in ihm Nachahmung und Wetteifer fördernd wirken,
wie dieses Spiel der Kräfte durch die Formen der Gesellschaft bedingt wird, wie Industrie und Handel, Wissenschaft und Kunst
die Entwicklung bestimmen, überall unter den Volksgenossen
gemeinsame Sitten und gleichförmiges Empfinden erzeugend. Er
hat ein Gefühl für das sichtbar unsichtbare Wirken solcher sozial-
psychischen Kräfte und für das Schwergewicht der durch die Zeit
und Gewohnheit geheiligten Ordnungen.

Es ist von selbst einleuchtend, daß Hume den Gedanken einer
Gründung der Gesellschaft durch einen Sozialkontrakt ablehnen
muß. Das Bedürfnis nach Frieden und Ordnung führte die Menschen zu Vereinigungen, ein Vertrag wurde nicht geschlossen, Gesellschaft war vorhanden, ehe Menschen schreiben konnten. In
diesen erlangte ein Einzelner oder eine kleine Zahl durch Gewalt
die Oberherrschaft und die Zeit hat diese Ordnung sanktioniert.
Mit Voltaire sagt Hume: „it is on opinion only that gouverment
is founded" [54]).

In die Gesellschaft bringt der Mensch als wichtigstes Gut mit
seine körperliche Kraft und seine Leidenschaften: „There is no
craving or demand of the human mind more constant and insatiable
than that for exercise and employment; and this desire seems the
foundation of most our passions and pursuits" [55]). Die Leidenschaften zwingen zur Arbeit, denn „every thing in the world is
purchased by labour; and our passions are the only causes of
labour" [56]). Sie ist die Quelle des Reichtums und die Bedingung
der Größe eines Staates, die Mittel bietet ihr die Erde dar. Hume
versucht eine nationalökonomische Theorie auf diesem Grundgedanken aufzubauen. Er zeigt, wie die verschiedenen Wirtschafts-
formen verschiedene Werte durch Arbeit schaffen. Solange die
Kräfte des größten Teils der Gesellschaft aufgebraucht werden zur
Produktion der für ihren Unterhalt notwendigen Lebensmittel,
werden Tauschwerte nicht geschaffen. Erst wenn durch Ver-

besserung der Arbeitsweise Köpfe und Hände überflüssig und damit frei werden, wird Reichtum angehäuft und die geleistete Arbeit
kann zum Austausch anderer Güter benutzt werden. Die allgemeine Kultur hebt sich, die Gesellschaft tritt in Handelsbeziehung
zu den Nachbarn, Armee und Flotte führen zur Ausbreitung und
zur Gewinnung neuen Reichtums.

Eine solche materielle Kultur bietet die eigentliche Grundlage
für eine geistige, diese ist ohne jene nicht möglich. Wo beide vorhanden sind, stehen sie in Wechselwirkung. „The same age, which
produces great philosophers and politicians, renowned generals and
poets, usually abounds with skilful weavers, and ship-carpenters ...
The spirit of the age affects all the arts ... Profound ignorance is
totally banished, and men enjoy the privilege of rational creatures . . .“ [57]). Der gesellige Verkehr, die Sitten verfeinern sich,
das soziale Empfinden wird stärker, die Menschlichkeit nimmt zu.
„Thus i n d u s t r y , k n o w l e d g e , and h u m a n i t y , are
linked together by an indissoluble chain and are found, from
experience as well as reason, to be peculiar to the more polished,
and, what are commonly denominated, the more luxurious ages.“ [58])
Demnach ist Hume kein laudator temporis acti. Seine „Geschichte
von England“ ist durchaus von dem Gedanken geleitet, daß die
Menschheit in sittlicher, kultureller und politischer Hinsicht den
früheren Zeiten gegenüber vorwärts geschritten sei. Von Tapferkeit und Liebe zur Freiheit mögen die alten Germanen beseelt gewesen sein, aber es fehlte ihnen das Gefühl der Gerechtigkeit und
Menschlichkeit; Falschheit und Treulosigkeit war bei ihnen häufiger
als bei den gesitteten Nationen. Unterdrückung durch die Kirche
und die Fürsten waren die großen Hindernisse des Fortschrittes
im Mittelalter, erst eine Umwandlung der gesamten Kultur durch
Handel, zunehmende Wohlhabenheit des Bürgertums, Fortschritte
der Wissenschaft hat das alte System zerstört. Auch Hume bekennt sich zu seiner Zeit, wenn er abschließend sagt „Die Engländer haben nicht Ursache, durch das Beispiel ihrer Vorfahren
in das Gemälde der unumschränkten Monarchie verliebt zu werden,
oder die unbegrenzte Gewalt des Fürsten und seine unumschränkten
Vorrechte dieser edlen Freiheit, dieser süßen Gleichheit und dieser
glücklichen Sicherheit vorzuziehen, wodurch sie sich jetzt von allen

Nationen der Welt unterscheiden" [59]). Diese Verfassung kommt dem Ideal einer „limited monarchy" am nächsten. Es muß immer das Bestreben sein an Stelle der Willkür eines Einzelnen die Ordnung vernünftiger Gesetze gelten zu lassen, „die Regierung muß imstande sein „bloß allein durch die Macht der Gesetze und Anordnungen, ohne daß eine außerordentliche Fähigkeit bei dem Regenten erfordert würde, Ordnung und Ruhe zu erhalten" [60]). Hume versucht in seiner „Idea of a perfect commonwealth" Prinzipien für die Verteilung der Gewalten aufzustellen, wir können hier nicht darauf näher eingehen und erinnern nur daran, daß diese Staatsform ihre letzte Rechtfertigung aus der Grundlehre von dem Aktivitätsbedürfnis der menschlichen Natur erhält. Der Staat sichert die Freiheit und läßt die Kräfte der Untertanen sich frei entfalten und er wacht darüber, daß ein richtiges Gleichmaß zwischen ihnen bestehen bleibt. Er macht diese Kräfte dem Gemeinwohl dienstbar und erhält sich dies Interesse durch Benutzung der drei „opinions of public interest, of right to power and of right to property", denn auf ihnen „are all government founded, and all authority of the few over the many" [61]).

Nachdem Hume so die ökonomische und soziale Struktur des Staates untersucht hat, wendet er sich zur Analyse der geistigen Kultur. Diese muß in den Umkreis der historischen Betrachtung einbezogen werden. In der „Geschichte von England" sagt er ausdrücklich: „Der Ursprung, der Fortgang, die Vollkommenheit und die Abnahme der Künste und Wissenschaften sind wichtige Gegenstände der Betrachtung und mit einer Erzählung der bürgerlichen Geschichte genau verknüpft. Man kann von den Begebenheiten eines besonderen Zeitpunktes keine hinlängliche Nachricht geben, wenn man nicht den Grad der Zunahme in den Wissenschaften, welchen die Menschen in denselben erreicht haben, in Betracht zieht." [62]) Kulturhistorische Betrachtungen finden wir deshalb überall in seinem geschichtlichen Hauptwerk eingestreut, am eingehendsten aber beschäftigt er sich mit diesen Phänomenen als solchen in dem Essay: „Of the rise and progress of the arts and sciences". Er beginnt mit einer Untersuchung über die Bedeutung des Zufalls, d. h. der verborgenen oder unbekannten Ursachen, im Verhältnis zu dem erkennbaren Kausalzusammenhang in der Ge-

schichte. Dabei glaubt er als allgemeine Regel aufstellen zu können:
„What depends upon a few persons is, in a great measure, to be
ascribed to chance, or secret and unknown causes: What arises
from a great number, may often be accounted for by determinate
and known causes "[63]). Die wirtschaftliche Entwicklung ist die
Leistung der Masse, die geistige die Einzelner. Aber diese sind
doch auch nicht ohne den Zusammenhang mit ihrem Volke, das
Genie wurzelt im Boden des sozialen Lebens: „It is impossible
but a share of the same spirit and genius must be antecedently
diffused throughout the people among whom they arise . . . The
mass cannot be altogether insipid, from which such refined spirits
are extracted" [64]). Die Bedingungen versucht Hume nun anzugeben. Die Sätze, die er aufstellt, geben noch einmal seinen Begriff
der Kultur in prägnanter Formulierung. Der erste lautet: „it is impossible for the arts and sciences to arise, at first, among any people
unless that people enjoy the blessing of a free government" [65]).
Der Despotismus ist absolut kulturfeindlich, das Gesetz muß der
Wissenschaft vorhergehen. Eine freie Regierung entzündet den
Wetteifer, noch mehr wird er gesteigert durch das Nebeneinander
freier Staaten: „nothing is more favourable to the rise of politness
and learning, than a number of neighbouring and independent
states, annected together by commerce and policy" [66]). Das Beispiel Griechenlands beweist die Richtigkeit dieses zweiten Satzes,
das moderne Europa darf sich ähnlicher Zustände rühmen, der
Wetteifer der Kulturnationen, die internationale Kritik fördert die
Entwicklung. Gefahr droht immer, wenn ein Reich zu groß wird,
es kann leicht despotisch regiert werden, während in kleineren
Staaten die Übergriffe der Regierung leicht zu bemerken sind,
überhaupt sind Weltmonarchien hinderlich für den Fortschritt,
weil sie den Wettbewerb einschränken. Einmal entstanden,
können sich Künste und Wissenschaften auch auf einem anderen
Boden entwickeln, besonders in den zivilisierten Monarchien, da
diese ja den republikanischen Geist in sich aufgenommen haben.
Und wie in den Republiken das Genie sich am ehesten durchsetzt,
so kann in der Monarchie ein feiner Geschmack Erfolge erzielen.
Daraus ergibt sich als dritter Satz: „that a republic is most favourable to the growth of the sciences, a civilised monarchy to that

of the polite arts" [67]). Schließlich versucht Hume die Erscheinung des Verfalles von Kunst und Wissenschaft begreiflich zu machen, sein vierter Satz besagt: „that when the arts and sciences come to perfection in any state, from that moment they naturally, or rather necessarily decline, and seldom or never revive in that nation, where they formerly flourished" [68]). Hume bemerkt selbst den Widerspruch seiner Lehre von der Gleichförmigkeit der menschlichen Natur mit dieser Ansicht von der Verschiedenheit der Generationen. Doch er glaubt einige psychologische Ursachen angeben zu können, um diese Erscheinung verständlich zu machen. Die Größe des Geleisteten schreckt den Anfänger zurück, die Kränze sind schon vergeben, die Ehren erteilt, und so wird der Eifer der Jugend erstickt wie Pflanzen, so brauchen auch Künste und Wissenschaften einen frischen Boden, ein erschöpfter kann nichts Vollkommenes hervorbringen.

Es kann kein Zweifel sein, daß Humes Geschichtsbetrachtung von Montesquieu und Voltaire am tiefsten beeinflußt ist. Wie dieser so glaubt auch er an die Entwicklung der Menschheit zur Freiheit. Aber seiner philosophischen Eigenart entsprechend ist er weniger konstruktiv als die französischen Denker. An die Stelle der Gesetzmäßigkeit des Prinzipes setzt er die Gleichförmigkeit der menschlichen Natur und versucht aus den in ihr wirkenden seelischen Kräften die gleichbleibenden Formen des gesellschaftlichen und politischen Lebens abzuleiten. Er ist der größere Psychologe im Vergleich mit jenen.

Im Geiste Voltaires hat auch R o b e r t s o n die Geschichte behandelt. In seiner berühmten Einleitung zur „Geschichte der Regierung Kaiser Karls V." will er nicht so sehr die Ereignisse in chronologischer Abfolge darstellen als vielmehr ihre gemeinschaftliche Verbindung und Abhängigkeit, um zu zeigen, „wie die Wirkung einer Begebenheit oder einer Ursache der andern den Weg gebahnt und ihren Einfluß gefördert habe" [69]). Der kulturgeschichtliche Gedanke leitet ihn also, jedoch zeigt er in der Durchführung dieses Gesichtspunktes eine gewisse Originalität. Er ist mehr Historiker als Voltaire, er hat einen sicheren Blick für die realen Faktoren des Geschehens und sieht im gesellschaftlichen und staatlichen Leben die letzte Bedingung für die allgemeine Kultur

einer Zeit. So beschäftigt ihn die Verbreitung der Gewalten innerhalb eines einzelnen Staates, und von da aus wirft er den Blick auf
die internationalen Beziehungen, um überall die in der Geschichte
hervortretende Verflechtung der Ursachen zu beobachten.

Das merkwürdigste Phänomen der alten Geschichte ist für
Robertson wie für Montesquieu das Wachstum und der Verfall
der römischen Macht. „Die römische Republik hatte die Welt
durch die Weisheit ihrer bürgerlichen Grundsätze und Einrichtungen und durch die strenge Manneszucht im Kriege erobert." [70])
Beides ging unter den römischen Kaisern verloren, und das Reich
wurde vernichtet durch die Völker, deren Freiheit durch die Römer
bedroht oder unterjocht war. Sie brachten die Tugenden roher
Völker mit: Stärke der Seele, Gefühl der persönlichen Würde, Herz-
haftigkeit in Unternehmungen, unüberwindliche Standhaftigkeit in
der Ausführung derselben, Verachtung der Gefahren und des
Todes [71]). Aber diese Tugenden waren ungeeignet für das staatliche Leben, dessen Grundbedingung der Friede ist. Den Haupt-
feind eines solchen erblickt Robertson im Lehnssystem, das den
gemeinen Mann, „den zahlreichsten sowohl als nützlichsten Teil
der Gesellschaft" [72]) knechtete, eine einheitliche Staatsmacht nicht
aufkommen ließ und die Entwicklung der Wissenschaft hemmte.
Es fehlte eben überall die Sicherheit des gesellschaftlichen Zusammenlebens. Aus dieser Barbarei ist die Menschheit allmählich
zur Verfeinerung emporgestiegen. Die wichtigsten Momente des
Fortschrittes sind die Kreuzzüge, das Städtewesen, die Verbesserung
der Rechtspflege und damit in Zusammenhang das Anwachsen
der Regierungsgewalt. Die Kreuzzüge brachten die Kreuzfahrer
in Berührung mit einer höheren Gesittung, zugleich wuchs die
Regierungsmacht durch Ankauf der Güter der in das heilige Land
ziehenden Ritter. In den Städten bildete sich der Geist der Freiheit
aus, eine geordnete Verfassung sorgte für Sicherheit, und der
Handel verlangte eine solche auch auf dem Lande. So wurde die
Gerechtigkeitspflege verbessert und die staatliche Autorität durch
Einführung königlicher Gerichtshöfe gehoben. Die neue Rechtspflege erzeugte eine neue Wissenschaft vom Recht, und diese Betätigung gewann eine eigene Bedeutung neben dem Waffenhand-
werk. Dadurch daß der Handel sich weiter und weiter ausdehnte,

traten die Völker miteinander in Beziehungen, und es wurde für
den einzelnen Staat notwendig, durch eine starke kriegerische Macht
seine Rechte zu sichern, ein Vorgang, welcher wieder zur Stärkung
der Regierungsgewalt führte, während die Macht des Rittertums
auch durch die Ausbildung einer neuen Waffe, der Infanterie, immer
mehr sank. Das Verhältnis der Staaten zueinander war ursprünglich ein feindliches, aber allmählich bildeten sich auch Vereinigungen
und Verabredungen aus, die die gegenseitige Sicherheit garantieren
sollten. Im Laufe des 15. Jahrhunderts entstand der Gedanke des
Gleichgewichts der Macht, die Gemeinschaft unter den Nationen
hat immer mehr und mehr zugenommen. Begünstigt wird diese
Entwicklung durch die ,,erstaunliche Ähnlichkeit der europäischen
Nationen" [73]), die sich allmählich ausgebildet hat.

Robertsons Geschichtsbetrachtung ist letzten Grundes von
einer großen Idee geleitet: der ursprüngliche Zustand der Menschheit ist Gleichheit und Freiheit. Knechtung durch das Lehnssystem
hat sie um diese unveräußerlichen Rechte gebracht und einen Zustand allgemeinster Verwirrung erzeugt: ,,Der Geist der Herrschaft
verdarb den Adel, das Joch der Knechtschaft unterdrückte das
Volk; die edelmütigen Empfindungen, die das Gefühl der Gleichheit
erzeugt, waren vertilgt und nichts mehr war übrig, einer ungezähmt
wilden Gewalttätigkeit den Zügel anzulegen." [74]) Als der höchste
Grad der ,,Ausschweifung" erreicht war, trat nach dem Gesetz des
Kontrastes der Umschwung ein. Die neue Entwicklung erzeugt
allmählich bürgerliche Freiheit und Sicherheit, die Staaten treten
miteinander auf Grundlage der Gleichheit in Beziehungen fried-
licher Art, der Zustand eines Staatenbundes bereitet sich vor.
Anfang und Ziel der Entwicklung gehen in eins zusammen.

Nicht als Historiker, sondern als Philosoph betrachtet Adam
F e r g u s o n die Geschichte der Menschheit. Er gehört seiner
moralphilosophischen Anschauung nach der Gruppe von Denkern
an, welche im Anschluß an Shaftesbury den Versuch machen, das
altruistische Empfinden als ursprünglich nachzuweisen und nach
einer Versöhnung der Interessen des Individuums mit denen der Gesellschaft zu suchen. In seinem ,,Essay on Civil Society" (1766)
unternimmt er es, die Entwicklung des Menschen aus dem primi-
tiven Zustande zur Staatenbildung darzustellen, und untersucht

dann die Gründe des Verfalls derselben. Er schließt sich eng an
Montesquieu an, den er rühmend nennt; auch sein politisches Ideal
verdankt er ihm, wenn er lehrt, daß in der Freiheit, die nur unter
Gesetzen bestehen könne, das Ideal staatlichen Lebens zu erblicken
sei und daß die Gesundheit einer Nation auf den Tugenden ihrer
Glieder beruhe. Ferguson ist kein systematisch klarer Kopf, seine
Formulierungen leiden an Unklarheit und Unbestimmtheit, sein
Stil ist breit und schwerfällig. Im ganzen zeigt er sich als besonne-
ner, historisch orientierter Denker, wie dies zum Beispiel in seiner
Polemik gegen Rousseau hervortritt. So würde er kaum ein besonderes Interesse verdienen, wenn nicht einige seiner Grundgedanken Ideen der kantischen Geschichtsphilosophie vorausge-
nommen hätten. Dazu gehört vor allem die Forderung, daß die
Geschichte der Menschen nicht vom Standpunkte des Individuums,
sondern von dem der Gattung betrachtet werden müsse. Zu einer
solchen Anschauung führt uns die Betrachtung der Natur: „Bei
anderen Klassen von Tieren geht jedes einzelne Tier von der Kindheit zum Alter oder zur Reife fort und es erreicht in dem Umfange
eines einzelnen Lebens alle die Vollkommenheit, die seine Natur
nur erreichen kann: allein bei dem Menschen hat die ganze Gattung
sowohl ihren Fortgang als das einzelne Mitglied, sie bauen in jedem
nachfolgenden Alter auf einen Grund, den sie in dem vorhergehenden
gelegt haben, und in einer Folge von Jahren streben sie zu einer
Vollkommenheit in dem Gebrauche ihrer Kräfte, zu welcher die
Hilfe einer langen Erfahrung erfordert wird und viele Geschlechter
ihre Bemühungen müssen vereinigt haben." [75]) In dieser Entwicklung spielen nun die Triebe der Menschen die entscheidende Rolle.
Die wichtigsten sind der Selbsterhaltungs- und Fortpflanzungstrieb,
dann aber die „vermischte Neigung" von Freundschaft und Feind-
schaft, welche doch schließlich zur Staatenbildung führt. Dabei
ist der Mensch ein Werkzeug in der Hand der Vorsehung. Diese
führt das scheinbar Verderbliche doch zum Guten, so bewirken die
Kriege einen festeren Zusammenschluß der Angehörigen eines
Staates. Dies Spiel der Kräfte vermag der Mensch nicht zu durchschauen, er kann auch nicht hoffen, durch Vernunftgründe die
Leidenschaften der Menschen zu meistern, er muß die Entwicklung dem Geschick überlassen. „Gleich den Winden, die, wir

wissen nicht woher, kommen und wehen, wohin ihnen gelüstet, stammen die Einrichtungen der Gesellschaft von einem dunkeln und entfernten Ursprunge her; sie entstehen lange vor dem Zeitpunkte der Weltweisheit aus natürlichen Trieben, nicht aus g e - k ü n s t e l t e m Nachdenken der Menschen." [76])

Die geschichtsphilosophischen und kulturgeschichtlichen Ideen der Franzosen und Engländer wirkten nun nach Deutschland hinüber. Auch hier wurde das Interesse von der Behandlung eines Sondergebietes geschichtlichen Lebens zur Beobachtung allgemeiner Kulturzusammenhänge, zur Geschichte der Menschheit hingelenkt, und es stand die Forderung an den Historiker, daß er das Einzelne aus der allgemeinen Bedingtheit menschlichen Lebens durch Natur und Gesellschaft begreifen müsse. Winckelmanns „Geschichte der Kunst des Altertums" ist die höchste Leistung, welche diese kulturgeschichtliche Betrachtung in Deutschland erzeugt hat. Doch es kann hier nicht meine Aufgabe sein, in die Einzelheiten dieser Bewegung einzudringen, vielmehr muß es mir darauf ankommen, den näheren Zusammenhang aufzuweisen, in welchem Kants geschichtsphilosophische Anschauungen geworden sind. Und dann muß die Leibniz-Wolff'sche Philosophie einerseits und die universalhistorische Betrachtung anderseits das Interesse vor allem für sich in Anspruch nehmen.

Es ist oben gezeigt worden, wie Leibniz für Kant den großen Rahmen bot für das Bild, das er von dem Geschehen in Natur und Geschichte entwarf. Für die letztere versuchte jener in unermüdlicher Sammelarbeit gesicherte Grundlagen zu schaffen. Das Schicksal dieser Arbeiten ist bekannt. Es lag in der Eigenart dieser Studien begründet, daß sie außerhalb des kantischen Interesses liegen mußten. Ein anderes war es, was seine Anschauung von der Geschichte maßgebend beeinflußte. Leibniz lieferte durch seine Unterscheidung der ewigen und der tatsächlichen Wahrheiten und die Formulierung der für sie geltenden Prinzipien des Widerspruches und des vom zureichenden Grunde das Fundament für all die Untersuchungen, welche in der Folgezeit über die Stellung der Geschichte als Wissenschaft angestellt wurden. Sie erhielten auch noch dadurch eine erhöhte Bedeutung, als das damals herrschende pragmatische Interesse an der Historie zu der Frage nach ihrem Wahrheitswerte führen mußte.

W o l f f teilte in seiner Logik die menschliche Erkenntnis in drei Arten ein: die historische, die philosophische und die mathematische. Der Gegensatz kann am kürzesten so ausgesprochen werden: „Cognitio historica acquiescit in nuda notitia facti, in philosophica reddimus rationem eorum, quae sunt vel esse possunt, in mathematica denique determinamus quantitates, quae rebus insunt. Aliud vero est nosse factum, aliud perspicere rationem facti, aliud denique determinare quantitatem rerum." [77]) Den weitesten Umfang der genannten drei Wissenschaften besitzt die Geschichte, wie es die Definition auch ausdrückt: „Cognitio eorum, quae sunt atque fiunt, sive in mundo materiali, sive in substantiis immaterialibus accidant, historica a nobis appellatur." [78]) Demnach wird alles, was durch die Sinne übermittelt wird, als historische Erkenntnis betrachtet. Anderseits aber kann auch jeder philosophische oder mathematische Satz durch sie als Tatsache übermittelt werden. So ist sie ein wichtiges Hilfsmittel dieser Wissenschaften und dient oft zu ihrer Verbreitung oder auch Bestätigung. Ihrem Erkenntniswerte nach steht sie allerdings auf der niedrigsten Stufe, sie ist die cognitio vulgaris [79]). Doch neben diesem allgemeinen Begriff von der Geschichte kennt Wolff noch einen besonderen. Davon handelt er in dem praktischen Teil seiner Logik. Er gibt dort Regeln für die Abfassung wissenschaftlicher Bücher und teilt sie ein nach der Verschiedenheit des Gegenstandes, den sie behandeln. Es ist entweder das Einzelne oder das Allgemeine. So gibt es eine historische Wissenschaft von den Tatsachen und eine solche von allgemeinen Wahrheiten. Nur die erstere interessiert uns hier. Ihre Gegenstände sind nun entweder die facta naturae oder die facta hominum [80]). Daneben werden als ein besonderer Gegenstand historischer Betrachtung die artes bezeichnet, worunter die Technik verstanden wird. So gibt es drei historische Disziplinen: historiae naturales — facta naturae; historiae artium — opera artis ac artes ipsae; historiae absolute appellatae — facta hominum [81]). Der Name ist von der dritten Art auf die beiden andern übertragen. Die Naturgeschichte besteht aus: historia coelestis, historia meteororum, historia animalium (z. B. piscium, avium, insectorum), historia morborum, Anatomia, Botanica, Psychologia empirica. Ferner gehören dazu die descriptiones experimentorum, allerdings mit der Einschränkung, daß eine Erklärung der Vorgänge nicht versucht werden soll. Die Geschichte der Technik wird eingeteilt nach ihren verschiedenen Zweigen; der historia per eminentiam sic dicta werden schließlich zugezählt die civilis, ecclesiastica, litteraria und privata [82]).

Nach diesen Definitionen und Einteilungen wendet sich Wolff zur Frage nach dem Zweck der einzelnen Arten der Geschichte. Die historia naturalis soll „vel ingenerare animo lectoris rerum naturalium notiones, vel imbuere eundem principiis, quibus in ratiociniis de rebus naturalibus habemus opus" [83]). Analoges wird von der historia artium gesagt, das größte Interesse aber richtet sich auf die historia civilis, welche „status rerum publicarum et summorum imperantium describit; in ea suppeditantur exempla, quibus dogmata politica confirmantur et unde principia prudentiae civilis derivantur, nec non jura summorum imperantium deciduntur" [84]). Unterschieden davon wird dann noch eine „historia universalis", in welcher „intendere quoque possumus, ut nonnisi quaedam notio seriei temporis lectoris animo ingeneretur, in usum historiae specialis finium modo in medium allatorum consequendorum gratia pertractandae" [85]). Näheres wird darüber allerdings nicht gesagt. Ähnliche Bestimmungen erhalten die andern Abteilungen, wobei wohl ein besonderes Interesse in Anspruch nehmen darf: die „historia privata". Sie „suppeditat exempla virtutum et vitiorum, quibus praecepta dirigendi actiones ad suam aliorumque felicitatem confirmantur et unde principia prudentiae privatae derivantur" [86]). Alle diese Zweige der Geschichte, deren gemeinsames Thema die „facta hominum" bilden, haben auch einen gemeinsamen Endzweck, sie sollen hinführen „ad leges providentiae divinae agnoscendas" [87]). Diese Bestimmung entspricht Wolffs allgemeiner Ansicht, daß keine Erkenntnis der Dinge zugelassen werden dürfe, „quae non tandem tendat ad liberarum actionum determinationem atque adeo in felicitate generis humani terminetur".

Es folgt nun eine Betrachtung, die Methodenlehre genannt werden könnte, wenn nicht die Untersuchung allzusehr am Äußer-

lichen haften bliebe. Das Grundgesetz für den Historiker ist, ut
1) non narret, nisi vera, 2) singula eo, quo se invicem secuta fuere,
ordine exponat, nec 3) quicquam eorum praetermittat, quod ad
finem historiae consequendum cognitu necessarium [88]). Dementsprechend wird für die historia naturalis genaue Beobachtung und
Beschreibung verlangt, dann aber in ziemlich bunter Reihenfolge
gehandelt über Abbildungen in natürlichen Farben, richtige Namen-
gebung, Anwendung des Mikroskops, das Erfordernis, daß der
Naturforscher selbst zeichnen kann, daß er die Sprache, in der er
schreibt, beherrscht, über den Wert des Experimentes usw. Dann
wird nach denselben Gesichtspunkten die historia artium behandelt
und als ein Desideratum bezeichnet. Am Beginn der Besprechung
der Geschichte im eigentlichen Sinne wird vor allem das Postulat
der Unparteilichkeit aufgestellt: „In historia civili, ecclesiastica et
literaria sedulo cavendum, ne historicus sua de facto judicia cum
ipso confundat, seu recensioni facti suum de eo judicium sub-
stituat" [89]). Das Thema der historia civilis ist nun der Zustand
der Staaten zu verschiedenen Zeiten, die Mittel, wodurch ein Staat
seine Blüte erhalten kann, die Hindernisse, die dem entgegenwirken,
und vor allem die Unternehmungen der Herrscher und ihre Erfolge.
Die Geschichte dient, so behandelt, der Erreichung des abstrakt
zu begründenden politischen Ideales, indem sie aus der Erfahrung
über Gelingen oder Mißlingen politischer Institutionen berichtet:
„Sufficiet itaque historia ad dogmatum politicorum examen in-
stituendum ... Politicam quoque novis dogmatis augebit, qui pro-
positiones determinatas formare didicit." [90]) Auch sollen die Rechte
der Herrscher durch die Geschichte bestimmt werden, zu diesem
Zweck beschreibt sie: 1) ortus imperiorum atque regnorum, 2)
modum, quo imperantes summam potestatem in hac, vel ista
regione consecuti, 3) matrimonia summorum imperantium, 4) pacta
et conventa cum statibus et 5) foedera atque instrumenta pacis" [91]).
Das Entsprechende hat die historia ecclesiastica für die Kirche zu
leisten, während die historia privata den Zweck erfüllen soll, „ut
dogmata moralia inde confirmentur ac prudentiae privatae principia hinc deriventur" [92]). Deshalb beschreibt sie gute und schlechte
Handlungen und ihren Erfolg, mit der besonderen Bemühung, ihre
Ursachen zu erforschen und daraus Regeln für das Handeln abzu-

leiten. Die Erinnerung an den letzten Zweck der Geschichte,
wonach sie der Erkenntnis der Gesetze göttlicher Vorsehung dienen
soll, führt schließlich zu dem Problem, wie die aus Überlegung
entsprungenen menschlichen Handlungen sich in das Weltgeschehen
einreihen lassen, gemäß der Lehre der Metaphysik: „nexum rerum
in universo summa Dei sapientia esse constitutum ex principio
convenientiae"[93]). Zuletzt behandelt Wolff die Literaturgeschichte.
Sie gibt einmal eine Geschichte der Wissenschaften und zweitens
versucht sie Anweisungen zu einer ars inveniendi zu liefern. In
ersterer Absicht verzeichnet sie die für ein bestimmtes Gebiet vorhandene Literatur, die Lehren eines einzelnen Autors und seine
Methode, in letzterer gibt sie die Biographie der Autoren mit Berücksichtigung der Zeitumstände, zeigt die Fortschritte in der
Vervollkommnung des Wissens und das Schicksal einzelner Lehren.

Überblickt man dies Programm, das Wolff in offenbarer Abhängigkeit von Bacon entwickelt, so wird vor allem in die Augen
springen, daß hier von einem historischen Begreifen der Vergangenheit und einem historischen Interesse in unserem Sinne noch nicht
die Rede ist. Der Wunsch nach einer umfassenden Sammlung und
Inventarisierung der Tatsachen ist vorherrschend und die Paralleli-
sierung von Naturgeschichte, die nach Wolffs Bestimmungen doch
eigentlich nur Naturbeschreibung ist, und Geschichte im eigentlichen Sinne zeigt, wie es auf die Tatsache, aber nicht auf die Entwicklung ankommt. Geschichten, nicht Geschichte hätte die
Ausführung eines solchen Programms gegeben. Nirgends findet sich
ein Wort, das Verständnis verriete von den treibenden Kräften
des historischen Lebens, auch in der Biographie soll es sich ja vornehmlich um Sammlung von Tatsachen handeln. Trotz aller Mahnung zur Unparteilichkeit sind dieser „Geschichte" die Richtlinien
von der Metaphysik vorgeschrieben, sie mündet schließlich in der
Theodizee. „Die Historie soll die Tugenden und Laster, insonderheit
die Klugheit und Torheit durch ihr Exempel lehren."[94]) In diesen
Worten ist kurz ausgedrückt, daß diese Geschichte eine pragmatische ist.

Von Bedeutung für die Folgezeit war aber doch die Forderung
einer genauen Prüfung der Tatsachen und ihrer Darstellung in
einem kausal begriffenen Zusammenhang. „Wahrheit, Vollständig-

keit und Ordnung" [95]) werden die Tugenden der historischen
Schriften genannt. Das Problem der historischen Wahrscheinlichkeit wurde so gestellt, Crusius [96]) hat eingehend sich damit beschäftigt, der Geist der Gründlichkeit zog damit in die Geschichte
ein und er ist es doch gewesen, der zu den großen Resultaten in
Philologie und Bibelkritik geführt hat.

Aus dem Kreise der Männer, welche sich an Wolff anschlossen,
darf noch eine besondere Berücksichtigung G. F. M e i e r beanspruchen, da Kant seinen „Auszug aus der Vernunftlehre" den
Vorlesungen über Logik zugrunde legte und so auf die Frage nach
dem wissenschaftlichen Wert der Geschichte durch ihn geführt
wurde. Allerdings schließt sich Meier im ganzen an Wolff an.
Auch er bezeichnet die vernünftige Erkenntnis als die aus Gründen;
als Beispiel gibt er eine Ableitung des Satzes, daß die Menschen
irren können, mit Hilfe des Syllogismus. Die „gemeine oder historische Erkenntnis" wird dann als eine nicht vernünftige bezeichnet [97]).
Obgleich nun die „allerschönste historische Erkenntnis" von der
vernünftigen unterschieden ist und es auch bleibt, „so ist doch
jene zu dieser unentbehrlich, indem ein Mensch keine vernünftige
Erkenntnis von einer Sache erlangen kann, wenn er nicht vorher
eine historische von derselben besitzt" [98]). Der zugrunde liegende
Gegensatz wird später ausgedrückt als der der dogmatischen und
der historischen Wahrheiten, und es wird gesagt, daß ihre Lehr-
arten verschieden sind, die historischen Wahrheiten „muß man in
der Ordnung denken, in welcher ihre Gegenstände der Räume oder
der Zeit nach miteinander verbunden sind" [99]).

Zu diesen Untersuchungen über den wissenschaftlichen Charakter der Geschichte im Rahmen der Logik traten nun andere,
welche sich vornehmlich den Zweck setzten, ihren Wert zu bestimmen. An einer hervorragenden Stelle hat sich Sigmund Jacob
B a u m g a r t e n über die „Nutzbarkeit" der Geschichte geäußert [100]). Er versucht, von dem verschiedenen Interesse zu
handeln, das sich an sie heftet. Aus ihr wird nach seiner Ansicht
reizende Annehmlichkeit und ein belustigendes Vergnügen geschöpft, und dies soll der Mensch pflichtmäßig erstreben. Die
Seele wird durch Geschichte beschäftigt, und so ist diese brauchbar
zum Unterricht. Hat ja doch Gott sich selbst dieser Lehrart in

der Offenbarung bedient. Indem sie ferner die „Bekanntschaft mit einem weit größeren, auch entfernteren Teil des menschlichen Geschlechtes, als sonst ohne dieselbe möglich sein würde, gewährt", genügt sie einer anderen Verpflichtung des Menschen; er ist gesellschaftlicher Art und zum gesellschaftlichen Leben bestimmt. Gesellschaft aber kann „ohne Andenken und Nachrichten von Begebenheiten weder bestehen noch auch viel weniger alle ihre möglichen Absichten erreichen". Ferner gibt sie dem Menschen Lebensklugheit, befördert die Tugend, indem sie ihm die Vergänglichkeit des Lebens zeigt und ihn zur Resignation, tugendhafter Gemütsruhe, Zufriedenheit und Vergnügsamkeit führt. Ihr höchster Nutzen besteht darin, daß sie die Erkenntnis und den Dienst Gottes befördert, da sie überall „Gewißheit eines tätigen Anteils, aufmerksamer Obhut, genauer Besorgung und Regierung Gottes bei menschlichen Händeln und derselben Abhängigkeit von einer höheren Oberaufsicht" offenbar werden läßt.

Dann bemüht sich Baumgarten, den Wert der „Geschichten" für die einzelnen gelehrten Disziplinen zu erweisen. Zuerst gibt er allerdings als recht fragwürdigen Nutzen an, daß sie „Leute, die weder Fähigkeit noch Lust noch auch Zeit und Gelegenheit zur Gelehrsamkeit haben, unvermerkt zu einiger Kenntnis derselben anführte". Dann aber, daß die Lehre von den Sprachen ohne sie nicht auskommen kann, da Sprachen eben „ihre eigene Geschichte haben, die zur Verständlichkeit und zum Gebrauch derselben in Absicht der Veränderung verschiedener Zeiten und Orte viel beitragen, sondern auch keine Sprache gefunden wird, deren Ausdrücke, Redensarten und Sprichworte sich nicht auf Gewohnheiten, Gebräuche und Begebenheiten beziehen und zur erweislichen Bestimmung ihrer Bedeutungen derselben Geschichte erfordern sollten". Ebenso brauchen Beredtsamkeit und Dichtung die großen Muster der Alten, Weltweisheit und Größenwissenschaft entnehmen ihre Stoffe aus der Natur. Gottesgelehrte bedienen sich der Geschichte zur Verteidigung der Göttlichkeit der heiligen Schrift, Rechtsgelehrte können sie nicht entbehren zur Auslegung der Gesetze. Ein gewisses Verständnis für die Bedeutung historischer Methode ist hier errungen, wenn allerdings auch prinzipielle Klarheit nicht gewonnen ist und wenn auch immer noch das Interesse

an den Tatsachen rein als solchen mit dem der Erklärung aus ihnen
vermischt wird.

Schließlich erörtert Baumgarten den Wert einer allgemeinen
Universalgeschichte im Verhältnis zu der einzelner Abschnitte der
Vergangenheit, um den Vorzug der ersteren, die er auch Völker-
geschichte nennt, zu geben. Sie verschafft eine leichtere Übersicht und stellt den Zusammenhang dar, zu dem die Teile gehören
und aus dem sie erst verständlich werden. Bestimmtere Ausführungen über einen solchen Plan erhalten wir nicht, aber aus dem
Angegebenen läßt sich doch schon ersehen, daß es sich nur um eine
Art Kompendium, einen Abriß handeln konnte, welcher dem Zweck
der leichteren Übersicht dienen sollte.

Diese Idee einer Universalhistorie wurde nun befruchtet
durch die Einflüsse, welche die deutsche Wissenschaft vor allem
von Voltaires Geschichtsbetrachtung erfuhr. Der kulturgeschichtliche Gedanke wurde so der herrschende. Dies tritt deutlich hervor,
wenn wir die zahlreichen Entwürfe zu einer Universalgeschichte
betrachten, welche G a t t e r e r und S c h l ö z e r gegeben haben.
Besonders der erstere hat sich oft und vornehmlich programmatisch
geäußert. Er geht von dem Grundsatze aus, daß „keine Begebenheit in der Welt insularisch" ist. Vielmehr sind sie alle miteinander verbunden. Demnach wäre „der h ö c h s t e G r a d d e s
P r a g m a t i s c h e n die Vorstellung des allgemeinen Zusammenhanges der Dinge in der Welt (nexus rerum universalis)" [101]. Hier
verbindet sich der der damaligen Philosophie geläufige Gedanke
von dem einheitlichen System der Wirklichkeit mit dem kulturgeschichtlichen. Gegenüber dem vorhandenen ungeheuren Stoff
gewinnt der Historiker nun dadurch eine Stellung, daß er die Geschichte begreift als eine „Wissenschaft merkwürdiger Begebenheiten". Als solche sind aber nicht zu betrachten die Kriege,
Schlachten, Mordgeschichten, fabelhaften Histörchen usw., sondern
die Hauptrevolutionen in der Menschheitsgeschichte. Demnach
ist die Universalhistorie „die Historie der größeren Begebenheiten,
der Revolutionen, sie mögen nun die Menschen und Völker selbst
oder ihr Verhältnis gegen die Religion, den Staat, die Wissenschaften, die Künste und Gewerbe betreffen: sie mögen sich in
den alten oder mittleren oder neuen Zeiten zugetragen haben" [102]).

Schlözers „Vorstellung seiner Universalhistorie" faßt das Programm dieser Richtung in prägnanter Formulierung zusammen. Seine Gedanken lassen sich am besten durch den von ihm gegebenen Gegensatz: Aggregat und System der Weltgeschichte entwickeln. „Ein Aggregat entsteht, wenn das ganze menschliche Geschlecht in Teile zerlegt, alle diese Teile vollständig enumeriert und die von einem jeden einzelnen Teile vorhandenen Nachrichten richtig angegeben werden. Davon wird unterschieden das System, in welchem Welt und Menschheit die Einheit ist, und aus allen Teilen des Aggregates einige (Spezialhistorien) in Beziehung auf diesen Gegenstand vorzüglich ausgewählt und zweckmäßig geordnet werden" [103]). Welt und Menschheit sind also das Objekt der Betrachtung. Daraus folgt zuerst der Gedanke, daß die Menschheitsgeschichte in ihrer Abhängigkeit von dem Orte ihres Geschehens behandelt werden müsse, die Revolutionen des Erdbodens, den wir bewohnen, bedingen unser Geschick. Ferner fassen wir die Menschheit als eine Einheit, alle Menschen sind von einer Art. Indem unser Blick nun dies Geschehen über Raum und Zeit ausgedehnt hat, entsteht die Aufgabe der Universalhistorie: „Wir wollen der Geschichte der Menschheit in Osten und Westen und dies- und jenseits der Linie, ihrer sukzessiven Entstehung, Veredlung und Verschlimmerung auf allen ihren Wegen, von Ländern zu Ländern, von Volke zu Volke, von Zeitalter zu Zeitalter, nach ihren Ursachen und Wirkungen nachspüren und in dieser Absicht die großen Weltbegebenheiten im Zusammenhange durchdenken."[104]) Leitendes Prinzip ist dabei die politische Entwicklung; außerhalb des Staates würden die Menschen nie Menschen geworden sein, die politische Verbindung ist die „Mutter der Menschheit". Nur die in dieser Hinsicht tonangebenden Völker sind der Betrachtung wert, es sind dies die erobernden Völker, die Kulturvölker und solche, die beide Eigenschaften in sich vereinigen: die Hauptvölker. Die Geschichte dieser Völker muß nun zuerst begriffen werden, und zwar aus dem Zusammenhang ihrer gesamten Kultur. Als bedingende Faktoren werden genannt: Beschaffenheit eines Landes und Menge der Bürger, Staatsverfassung, Gesetzgebung nach allen Zweigen der Politik, Sitten, Religion und Wissenschaften, Industrie, Landbau, Handel und Manufakturen. Die

16 *

Geschichte der einzelnen Völker wird aber dann unter dem Gesichtspunkt ihres gemeinsamen Wirkens in einem Zeitalter vereinigt. R e a l - und Z e i t zusammenhang werden zu einer Einheit verbunden gedacht. Der erstere stellt sich dar als sichtbare
Verbindung der Ereignisse im Zusammenhang von Ursachen und
Wirkungen, der letztere gibt gewissermaßen nur einen Rahmen
für miteinander nicht sichtbar verbundene Begebenheiten, gibt
aber die Aufgabe, eine Vereinigung für sie zu suchen, auch wenn
sie in verschiedenen Weltteilen geschehen sind. Hier stehen wir
vor der entscheidenden Frage, sie konnte nur beantwortet werden
durch eine allgemeine, für die Menschheit geltende entwicklungsgeschichtliche Ansicht. Allerdings — an dieser Stelle versagt
Schlözer. Dafür müssen wir uns begnügen mit Behauptungen von
dem eigentümlichen Werte seiner Universalhistorie. Als Kultur-
geschichte bedeuten ihr Königsreihen nicht so viel als bedeutende,
die Menschheit revolutionierende Erfindungen, wie z. B. die des
Pulvers, sie vermeidet alle Kleinigkeiten, sie verzichtet auf ängst-
liche Beobachtung der Chronologie, sie gibt nicht erbauliche Betrachtungen, sie will nicht pragmatische Geschichtsschreibung sein.
Sie wendet sich an den W e l t b ü r g e r: „sie wird im Grunde
eine Geschichte der Menschheit: eine neue Art von Geschichte,
die bisher meist von Philosophen bearbeitet worden, da sie Eigentum
des Historikers ist; eine Sammlung von Begebenheiten, die nicht
einzelne Nationen oder einzelne Klassen des menschlichen Geschlechts interessieren, sondern für den W e l t b ü r g e r , den
Menschen überhaupt wichtig sind; eine Wissenschaft, die von aus-
gebreitetem Nutzen und sichtbarem Einfluß in die Psychologie,
Politik, Naturkunde und andere Wissenschaften ist" [105]). Der
Größe des Programmes entsprechend sollte man doch nun auch
noch erfahren, welches Ergebnis diese philosophische Betrachtung
bieten werde. Auch hier bleiben wir unbefriedigt, das „Nil ad-
mirari" ist der Weisheit letzter Schluß. Dann aber verrät uns
Schlözer doch selbst den eigentlichen Charakter der Universalhistorie, wenn er sie eine allgemeine historische Enzyklopädie nennt
und d i e Weltgeschichte die beste nennt, die die meisten zweckmäßig gewählten Fakta enthält. Schließlich erhalten wir eine
Skizze der Universalhistorie. Sie würde beginnen mit einer Vor-

geschichte und als erste Epoche die Zeit von der Sintflut bis zur Gründung Roms behandeln. Mit diesem Ereignis beginnt die Universalgeschichte eigentlich erst, ebenso schließt sie mit dem Ende Roms. Vom Jahre 1520 ist dann eine neue Welt, aber diese neueste Entwicklung kann nur zum Gegenstand der Spezialgeschichte gemacht werden, da sie zu reich ist und ihre Periode noch nicht abgeschlossen ist. Der Historiker kann nur in einer gewissen Entfernung richtig von Gegenständen urteilen.

Wer Schlözers Formulierungen mit denen Kants in seiner geschichtsphilosophischen Hauptschrift vergleicht, wird kaum in Zweifel sein können, daß hier ein Abhängigkeitsverhältnis vorhanden ist. Neben der Gleichheit in den wichtigsten Begriffen tritt auch der die Betrachtung beider Denker beherrschende Gesichtspunkt die politische Entwicklung der Menschheit in den Vordergrund zu stellen, klar zutage. Anderseits will Kant dem philosophischen Betrachter der Geschichte ein eigenes Recht gegenüber dem Historiker sichern. Auch in dieser Hinsicht gab es für ihn Vorbilder in der Geschichtsphilosophie seiner Zeit. Hier ist an erster Stelle an Iselin zu denken.

Die Bedeutung I s e l i n s für die Geschichtsphilosophie des 18. Jahrhunderts in Deutschland besteht darin, daß er in Anlehnung an die geltende Psychologie ein festes Schema psychischer Kategorien verwertet, um zu zeigen, daß sich in ihnen die Geschichte der Menschheit vollziehe. Die Rangordnung der Seelenvermögen in der Individualseele wird zu einer historischen Stufenfolge in der Entwicklung des Gesamtgeistes.

Die allgemeine philosophische Grundlage für die Ideen seines Hauptwerkes „Über die Geschichte der Menschheit" ist durch den Harmoniegedanken seiner Zeit gegeben. Gott ist ihm der ewige Urquell von Ordnung, Harmonie und Ebenmaß. „Die Philosophie und die Religion überzeugen uns, daß aus allen besonderen Verirrungen eine allgemeine Ordnung und Harmonie entstehe". [106]) Die Folgen des Guten sind durch seine wesentliche Natur ewig, das Schlechte ist nur ein Mangel der Realität, es wird „durch sich selbst zernichtet". [107])

Diesen Optimismus überträgt Iselin nun auf die Geschichte der Menschheit. Der Mensch gehört der Natur an und steht unter

ihren Einflüssen. Das Klima bedingt die verschiedene Entwicklung
der Völker, es gibt deshalb vorwärtsschreitende und zurückbleibende.
Aber wichtiger als diese Bedingungen ist das, was den Menschen
auszeichnet: das geistige Leben. Im Gegensatz zu den Tieren, von
denen die Naturgeschichte lehrt, „daß alle, welche wir kennen,
sobald sie erwachsen sind, alle Fähigkeiten, die ihrer Art zukommen,
auf eine beinahe ganz gleichförmige Weise besitzen, und daß keines
zu einer viel höheren Vollkommenheit bestimmt ist",[108]) ist er allein
einer Vervollkommnung fähig. Zwar ist er von allen Kräften
entblößt, wenn er den Schauplatz seiner Wirksamkeit betritt, aber
durch die Ausbildung seines Geistes kann er diesen Mangel ersetzen,
ja er gewinnt die Aussicht in die Unendlichkeit seiner Entwicklung:
„Der große Urheber der Natur hat in die menschlichen Seelen
Samen von Fähigkeiten gelegt, welche frühe oder spät hervor-
keimen müssen und welche vielleicht zu einer Größe bestimmt sind,
von denen wir dermals uns keine Begriffe machen können." [109])

Mit dieser mangelhaften körperlichen Ausrüstung ist zugleich
die Notwendigkeit eines sozialen Lebens gegeben, und so kann
Iselin sagen: „Von allen Dingen, welche den Menschen umgeben,
hat in denselben nichts einen größeren Einfluß als der Mensch
selbst" [110]). Er ist der große Gegenstand der Geschichte. Deshalb
beginnt Iselin mit einer psychologischen Betrachtung des Menschen,
in welcher er die Grundlehren der Leibniz-Wolff'schen Seelenlehre
entwickelt. Denken ist ihre wesentliche Kraft, und als ihre Modifikationen haben wir aufzufassen: die Sinne, die Einbildungskraft,
die Vernunft: „So wird der Mensch durch ein dreifaches Gesetz
beherrscht. Die S i n n l i c h k e i t, welche die Triebe und die
Begierden in einer sanften Bewegung unterhält. Die E i n b i l -
d u n g, welche die Gemütsbewegungen und die Leidenschaften
mit einem heftigen Feuer belebt. Die V e r n u n f t, welche die
stärksten Entschlüsse des Willens mit ihrer gütigen und glücklichen Fackel beleuchtet. Große und wichtige Gesetze, welche
unmittelbar in der Natur der Seele gegründet, allen besonderen
Gesetzen Kraft und Stärke geben, welche durch die mannigfaltigen
Verhältnisse der Menschen gegen einander, und der äußerlichen
Dinge gegen den Menschen erzeugt werden" [111]). Dieses Nebeneinander wandeln wir in der geschichtlichen Betrachtung in ein

Nacheinander um und erhalten so die Stufen der Menschheits-entwicklung. Wir können auf sie auch die Unterschiede der Lebens-alter anwenden, und in genauer Parallele betrachtet Iselin, wie er selbst häufig betont, das Werden des einzelnen Menschen mit dem der Menschheit, wie jener durch den „Stand der Kindheit" hin-durchgehen muß, so auch diese.

Auf dieser Grundlage unterscheiden wir nun den Stand der Natur, den der Wildheit, den der Gesittung. Gerade zur Dar-stellung des ersten Zustandes, wo die historischen Tatsachen fehlen, bedürfen wir der Rekonstruktion durch die aus der Psycho-logie gewonnenen Begriffe. Im Gegensatz zu Rousseaus Träume-reien müssen wir ihn als den niedrigsten ansehen, das große Gesetz in ihm ist die Sinnlichkeit, und damit sind zugleich die engen Grenzen gegeben, in denen das Bewußtsein bei nur sinnlicher Orientierung befangen bleibt. Der unersättliche Trieb der Seele zur Vervollkommnung führt jedoch zu dem zweiten Stande. Es ist der Stand der Wildheit, der der durch Einbildung erhöhten Sinnlichkeit, woraus Zügellosigkeit der Leidenschaften folgt. Von dem dunkeln Gemälde der Verbrechen, des Krieges aller gegen alle, des Raubes zur See und zu Lande, der Treulosigkeit, der Priester-herrschaft und des von ihnen ausgebeuteten und deshalb unter-stützten Aberglaubens heben sich allein leuchtend ab die Eigen-schaften des Mutes und der Tapferkeit. Sie sind Werkzeuge der Freiheit. Die Germanen der Völkerwanderung standen auf dieser Stufe, sie empfanden wohl ein gewisses Glück, es ist aber nur dem des Betrunkenen zu vergleichen: „Jeder Vernünftige wird sich glücklich schätzen, in mildern Zeiten und bei gesittetern Menschen geboren zu sein" [112]).

Im Zusammenhang mit der Verschiedenheit der klimatischen Verhältnisse schreitet die Menschheit verschieden schnell aufwärts zu dem gesitteten Zustande. Es ist der Stand der Vernunft, er wird jedoch vorbereitet durch eine Verfeinerung des Gefühlslebens, an Stelle der häßlichen Leidenschaften treten schöne, die Mensch-heit wird fähig zum Gefühl des Enthusiasmus. Die altruistischen Gefühle erwachen, das erste Gesetz des geselligen Lebens ent-wickelt sich allmählich, das edle Gefühl, welches die Seele des Menschen mit einer reinen und reizvollen Wollust erfüllt, indem

er eine Handlung ausübt, durch welche die Glückseligkeit eines
andern Wesens seiner Art befördert wird" [113]). Es wird Grundsatz, „nur das größte mögliche Wohl der ganzen Vereinigung zu
verlangen" [114]). Es bildet sich ein öffentlicher Geist und „der natürliche und beinahe mechanische Trieb zur Geselligkeit wird immer
mehr veredelt und zur Tugend erhoben" [115]). Zugleich werden die
Grundlagen zur materiellen Kultur gelegt, Eigentum, größere Seß-
haftigkeit, Wachsen der Produktion und Zunahme der Bedürfnisse
rufen sie hervor und bereiten den Boden für Künste und Wissenschaften.

Diese allgemeine Entwicklung wird nun illustriert an der
einzelner Völker. Besonders die Griechen und Römer sind es,
denen das Interesse Iselins sich zuwendet. Dabei ist bemerkenswert, daß er versucht, die griechische Kultur als eine ästhetische
nachzuweisen, die Kategorie „Einbildung" paßt hier vortrefflich.
Die Dichtkunst ist ihm bei den Griechen die Seele des geheimen
wie des öffentlichen Gottesdienstes, die Philosophie wird von der
Einbildungskraft geleitet, die Schaubühne war die erhabenste
Schule bürgerlicher Tugenden. So taucht der Gedanke einer
ästhetischen Erziehung auf: „Es scheint vollkommen richtig zu
sein, daß das Gefühl des sinnlich Vollkommenen der Empfindung
des sittlich Guten vorhergehen müsse; daß Apollo und die Musen
der Minerva immer den Weg bahnen." [116]) Die Schwäche dieser
Kultur liegt nun darin, daß sie nur den Schein der Tugend erzeugt,
sie gibt die „stolze Empfindung einer Freiheit, die aber mehr Aus-
gelassenheit als wahre Tugend zeugte" [117]). Sehr wenig gerecht
wird Iselin den Römern. Sie breiten die Sklaverei aus, die Ursache des Verfalles liegt in dem von Montesquieu entdeckten Mißverhältnis zwischen Staatsform und Ausdehnung des Reiches.
Überhaupt sichert die Zunahme an Größe und an Reichtümern
allein nicht den Fortschritt und klar treten die leitenden Gedanken
dieser Geschichtsphilosophie entgegen, wenn zweierlei Art von
„Polizierung" unterschieden wird: „Die e i n e ist diejenige, durch
welche der Gesellschaft die ä u ß e r l i c h e Gestalt gegeben
wird. Diese ordnet Könige, Richter, Obrigkeiten. Sie ist oft das
Werk einer mittelmäßigen Weisheit und einer überwiegenden G e -
w a l t. Die a n d e r e verbessert die G e i s t e r und die G e -

m ü t e r. Sie ist das Werk der erhabensten V e r n u n f t, und
sie fordert deshalben unendlich mehr Zeit und mehr Mühe." [118])
Das Christentum gibt dann die sicherste Anleitung zur wahren
Glückseligkeit, und hier spricht Iselin einen Gedanken aus, der
seine geschichtsphilosophische Verwertung später bei Kant in der
„Religion innerhalb der Grenzen der bloßen Vernunft" gefunden
hat. Es wird ein zweifaches Christentum unterschieden: „Das
wahre, das i n n e r l i c h e C h r i s t e n t u m ist eine unmittelbare Wirkung der Gottheit. Kein Mensch, keine Philosophie,
keine Vernunft können den wahren Glauben und die wahre Hei-
ligung geben. Sie sind Wundergaben, welche nur den Auserwählten eigen sind, und diese Auserwählten machen allein die
wahre Kirche aus, welche durch alle sichtbaren Gemeinden zerstreut ist. Diese kann kein Gegenstand menschlicher Untersuchung sein . . . Sie ist keiner äußerlichen Form und keiner
äußerlichen Verfassung eigen. — Das ä u ß e r l i c h e C h r i s t e n -
t u m hingegen ist keine unmittelbare Wirkung Gottes. Es besteht
in Gebräuchen, in Zeremonien, in Formeln, welche unter dem
Namen der christlichen Religion von den ersten Jahrhunderten
derselben an bis auf unsere Zeiten den Völkern in mancherlei Ab-
wechslungen vorgeschrieben worden sind. Es ist die Gestalt, es
ist das Kleid, welches die Menschen der erhabensten Lehre gegeben
haben. Es ist die Meinung des Papstes, Luthers, Zwinglis. Es
darf und kann philosophisch geprüft werden." [119])

Nicht sogleich hat das Christentum seine höchsten Wirkungen
ausgeübt. Die europäische Menschheit mußte erst hindurch durch
das Mittelalter, wo Barbarei und Aberglaube herrschten. Den
schwersten Schaden bereitete auch das in ihm herrschende Feudal-
wesen, das eine gesunde Entwicklung der höchsten Herrschergewalt
unmöglich machte. Der eigentliche Fortschritt wird erst möglich
und gesichert durch das Bürgertum, die Städte gaben der Freiheit
eine Stätte. Die Wirkungen eines solchen freiheitlichen Geistes
traten hervor in Renaissance und Reformation, auch die Fürsten
lernten seinen Wert und die große Wahrheit erkennen, daß nur der
Wohlstand und die Freiheit der Völker die Größe, die Ehre und die
Glückseligkeit der Fürsten ausmache" [120]). Es ist selbstverständlich, daß auch Iselin das Verdienst des englischen Volkes preist,

doch ihm ist die Regierungsform viel weniger wichtig als der Geist,
der sie erzeugt hat; wenn Weisheit und Güte die Menschen beherrschen, so ist die Form ziemlich gleichgiltig. Und so versucht
Iselin zu zeigen, wie dieser Geist in der neueren Philosophie seit
Bacon und Descartes sich ausbreitete und wie dies besonders im
18. Jahrhundert durch die Philosophen der Aufklärung geschehen
sei. Dieses Zeitalter hat den Gedanken von der Notwendigkeit
einer Erziehung der Menschheit ausgebildet und damit das Fundament für eine hoffnungsreiche weitere Entwicklung gelegt. Denn
noch steckt die Menschheit vielfach tief in der Barbarei. Auch
erzeugen Reichtum und Überfluß Weichlichkeit und sittliche Verderbnis. Das einzige Mittel dagegen ist die sittliche Vervollkommnung: „es ist keinem Menschen, es ist keinem Staate vergönnt, eine Glückseligkeit zu genießen, welche größer sei als seine
Tugend" [121]). Um dies Ziel zu erreichen, ist eine Ordnung in den
einzelnen Staaten notwendig, welche Religion, Gerechtigkeit, Weisheit herrschen läßt; am besten wird dies erreicht durch eine ver-
besserte monarchische Verfassung, in welcher „die in i h r e r
v o l l k o m m e n e n R e i f e h e r r s c h e n d e V e r n u n f t
ruhigen und bescheidenen Bürgern eine wahre und ungestörte
Glückseligkeit gewährt" [122]). Aber noch gibt es ein großes, letztes
Hindernis: die Kriege, denn solange es solche gibt, ist die
Menschheit noch barbarisch. Die Hoffnung und das Postulat
eines ewigen Friedens entsteht: „Erst wenn viele glückliche Nationen in einer brüderlichen Einigkeit neben einander leben, erst
wenn die Bürger und die Vorsteher derselben keinen Unterschied
der Völkerschaft und der Herkunft unter einander machen, erst
wenn dieselben es als einen Grundsatz ihrer Staatskunst ansehen
werden, keinen Vorteil zu erlangen, der mit dem Nachteile eines
andern Volkes verknüpft ist, erst alsdann werden die Völker eines
Weltteiles der wahren Menschlichkeit sich rühmen können, erst
alsdann wird man sagen können, daß dieselben gesittet seien und
daß unter ihnen die Barbarei aufgehört habe" [123]). „Aber — so
ruft Iselin aus — noch sind die glückseligen Tage weit entfernt".
Wir sind der Barbarei näher als der wahren Menschlichkeit. Europa
befindet sich noch in einer höchst ausgelassenen Jugend. Aufgabe
der Fürsten, Aufgabe aller Menschen ist es eine bessere Zukunft

vorzubereiten. Mit einem Appell an sie schließt Iselin und zugleich mit der Gewißheit, „daß die Folgen des Guten durch seine wesentliche Natur ewig sind"[124]).

Iselins Verdienste um eine „Philosophie über die Geschichte" werden lebhaft anerkannt von T e t e n s[125]). Er zeigt sich in seinen geschichtsphilosophischen Betrachtungen vielfach von dem Schweizer abhängig, aber wie sein Verdienst hauptsächlich auf dem Gebiete der Analyse des Seelenlebens liegt, so ist auch hier die Durchführung einer psychologischen Grundansicht bemerkenswert. Seelisches Leben ist für ihn Tätigkeit, es läßt sich bei allen Lebewesen in steigender Intensität bis zum Menschen verfolgen, in welchem die Selbsttätigkeit die höchste Stufe erreicht. Der Mensch ist ein vernünftiges und deshalb freies Wesen. Von ihm gibt es nun eine Naturgeschichte, welche die körperlichen Bedingungen und ihre Einflüsse auf den Menschen untersucht. In diesem Zusammenhang hat sich Tetens eingehend mit dem Verhältnis des Körpers zur Seele überhaupt und dann mit den Fragen der physischen Geographie und dem Rassenproblem beschäftigt. Die eigentliche Geschichte hat aber dann die Absicht, „uns die Veränderungen in dem äußern Zustande darzustellen, welche das ganze Geschlecht erlitten hat, und wodurch es in seinen mannigfaltigen Arten das geworden ist, was es jetzo ist"[126]). Eine solche Geschichte gibt es noch nicht, ebensowenig aber eine Geschichte der inneren Menschheit, die doch wohl am meisten das Interesse Tetens' erweckt: „Welch ein Projekt würde es sein, der innern Menschheit durch alle ihre abstechenden äußeren Zustände nachzugehen und die Empfindungen, Geisteserhöhungen, Gemütsfähigkeiten und Willenskräfte aufzusuchen, die in jedem derselben vorzüglich entwickelt werden ... Die Zukunft kann vielleicht eine so reizende vollständige Geschichte der Menschheit erwarten und eine Moral, die auf diese gegründet ist." So bekennt auch Tetens sich zu dem pragmatischen Gedanken[127]).

Diesem Plane entspricht wie bei Tetens so oft nicht die Ausführung. Systemlos beschäftigt er sich mit den verschiedensten Fragen und gibt jedem Einfall willig Raum. Sein Grundgedanke ist, daß der Mensch, der das „perfektibelste Wesen" ist[128]), die in ihm vorhandenen Anlagen im Sinne einer immer wachsenden

Selbsttätigkeit der Seele ausbildet. Neben dieser geistigen Entwicklung muß eine körperliche parallel gehen, das Ideal besteht
in einer harmonischen Ausbildung beider. Die Zukunft wird
optimistisch beurteilt, wenn auch die Schäden der Kultur nicht
übersehen werden. Sie bestehen in der zunehmenden Ungleichheit,
die aber doch wieder einen gewissen Ausgleich erfährt: ,,Je mehr
die Gesellschaft in der Kultur fortgeht, desto stärker wird die Verschiedenheit zwischen den Individuen, weil der Einfluß der entwickelnden Ursachen vorzüglich auf besondere Stände geleitet
wird. Aber je mehr die Kenntnisse und Kultur unter der Nation
gemeiner werden, desto mehr nähern sich auch die Einzelnen
wiederum einander." [129]) Daß dies besonders im philosophischen
Zeitalter der Aufklärung geschehe, davon ist Tetens überzeugt [130]).
Schließlich fragt er nach der Möglichkeit menschlicher Glückseligkeit und kommt zu einem Resultat, das Kants Anschauungen
durchaus entspricht: ,,Solange allein auf die Glückseligkeit gesehen wird, deren unsere Natur in diesem Leben fähig ist, sind
Glückseligkeit und die innere Vollkommenheit des Menschen zwei
verschiedene Sachen. Nur die Hinsicht auf eine Zukunft kann
uns berechtigen beide für einerlei zu halten." Auch Tetens kommt
zu der Einsicht, daß es ,,in unserer Natur Kräfte und Bestrebungen
gebe, die nach Punkten hingehen, welche jenseits des Grabes
liegen" [131]).

Wollte man die zahlreichen Stimmen, die wir bei Durch-
wanderung der Geschichtsphilosophie im 18. Jahrhundert ver-
nommen haben, zu einer Einheit verbinden, so würde ihre Gesamtheit zu einem Thema zusammenklingen, dessen Charakter heiter
und freudig sein müßte. Nur leise würden andere, düstere Themen
anklingen und sie würden doch schließlich fortgerissen werden
durch einen freudigen, hoffnungsreichen Siegesjubel, der überall
durchbricht. Aber in dieser Symphonie, wenn sie die Gedanken,
welche die Seele der Menschen im 18. Jahrhundert bewegten, vollständig wiedergeben sollte, würde eine grelle Dissonanz fehlen, welche in diese heitere Welt hineingeworfen wurde; ich meine die große
Anklage, welche R o u s s e a u gegen die Kultur seiner Zeit erhob.

Wer Rousseaus Einfluß auf die Geschichtsphilosophie des
18. Jahrhunderts [132]) zu würdigen versucht, wird zuerst an die Para-

doxien seiner Schrift „Sur les sciences et les arts" denken müssen.
Stärker empfand diese noch seine eigene Zeit, da sie sich ganz
anders als die nach so vielen Interessen hingezogene und so einer
einheitlichen Weltanschauung ermangelnde Gegenwart in ihren
wertvollsten Gedanken getroffen fühlen mußte. Der Glaube des
ganzen Jahrhunderts wurde hier angezweifelt. Man versuchte
diese Kritik als unfruchtbar nachzuweisen, man setzte gegen sie
das Bewußtsein von dem Fortschritt der Menschheit, den man auf
allen Gebieten des Lebens nachweisen zu können glaubte. Auch
war ja dieser Gedanke für die beginnende geschichtliche Forschung
ganz unentbehrlich. Die Widerlegung Rousseaus war auch nicht
allzu schwierig, man hatte anthropologische Kenntnisse genug,
um dem Phantasiegebilde des „homme de la nature" den wirklichen
Naturmenschen gegenüber zu stellen. Die Ironie Voltaires gegen
Rousseaus Lehre war der rechte Ausdruck dieser so lebhaft empfundenen Überlegenheit. Aber in der Kritik der Kultur lag doch
andererseits eine bedeutsame Anregung zu neuer geschichtsphilosophischer Konstruktion, ja sie enthielt den Gedanken, der dem
18. Jahrhundert erst die Gelegenheit gab, sich auf die höchsten
Aufgaben der Menschheit zu besinnen und damit der Arbeit einer
ganzen Zeit den höchsten Ausdruck zu geben. Eine neue Rangordnung der W e r t e war gegeben und die höchste Idee in dieser
war deshalb so fruchtbar, weil sie einer viel schärferen begrifflichen Formulierung fähig war, als die bisher angenommenen.
Die Überlegenheit eines rein abstrakten Ideales gegenüber den
aus der Geschichte gewonnenen Begriffen erwies sich auch hier.
Rousseau beurteilte die menschliche Kultur einzig und allein vom
Standpunkte der sittlichen Forderung. Zwar wurde der Gedanke
von dem moralischen Fortschritt der Menschheit in dem Kultur-
gedanken eines Voltaire und eines Hume schon mitgedacht, aber
er wurde eben nur m i t gedacht als in dieser sich erfüllend oder
erfüllbar. In diesem Zusammenhang trat er auf mit Werten, die
seiner nicht würdig waren, wie denn Voltaire neben der Verbesserung der Sitten zu seiner Zeit doch auch nicht ohne Wohlgefallen
„les plaisirs de Paris" als Zeichen des Fortschrittes aufzählte [133]).
Den beiden genannten Denkern fehlte das Pathos der sittlichen
Entrüstung. Sie waren zu sehr orientiert im Leben, um je an ihm

irre werden zu können. Rousseau ist dies nie gewesen. Er be-
zahlte seine Schwäche mit einem unglückseligen Leben, aber er
erhielt sich die Fähigkeit zur Entrüstung, zum Umwerten aller
Werte und zu dem Glauben an neue, absolute Ideale. Hinzu kam,
daß er als Genfer auch eine freiere Stellung der französischen
Kultur gegenüber einnahm [134]). Er war trotz aller Mängel seiner
Lebensführung ein sittliches Genie. Er empfand die in jeder Kultur
notwendige Antinomie zwischen der durch die Achtung gesellschaftlicher Formen gegebenen Disziplinierung des Lebens und
äußeren Umhüllung der natürlichen Triebe und ihrem Fortdauern
in elementarer, urwüchsiger Kraft. Und wenn er den Gegensatz
zwischen Natur und Kultur erwog, so konnte nach seiner gesamten Gemütsanlage nicht zweifelhaft sein, daß er sich in die
Arme der ersteren, in denen er so oft Ruhe und Entzückung gefunden, warf, die letztere aber mit seinem durch das Gefühl eigener
Verschuldung gesteigerten Haß verfolgte. Die Kultur erschien
ihm als Lüge. Über die Kühnheit dieses Gedankens erschrak
er selbst, er kam über ihn wie eine Erleuchtung und wurde später
gelegentlich wie ein Verhängnis von ihm empfunden: ,,Ich fühlte
meinen Geist von tausend Lichtstrahlen umflossen, ganze Massen
der lebhaftesten Ideen stiegen in mir auf mit einer Gewalt und
Unordnung, daß ich in die unaussprechlichste Verwirrung versetzt
ward; ich fühlte meinen Kopf betäubt bis zur Trunkenheit, heftiges
Herzklopfen beklemmte meine Brust; der Atem versagte mir, als
ich gehen wollte. Ich ließ mich unter einem Baum nieder und ver-
brachte dort eine halbe Stunde in solcher Erregung, daß, als ich
mich erhob, ich meine Kleider von Tränen benetzt fand, ohne daß
ich mein Weinen bemerkt hatte.'' [135])

Als Streiter für die Tugend tritt uns Rousseau in der Preisschrift entgegen: ,,C'est la vertu que je défends devant des hommes
vertueux''. Er prüft die Kultur in bezug auf die in ihr etwa auftretenden sittlichen Leistungen, um sie als ,,apparences de toutes
les vertus'', nicht als wahre Tugenden zu bezeichnen [136]). Dabei tritt
der veränderte Standpunkt in der Beurteilung schon hervor, deutlich spricht er sich darüber in dem ,,Discours sur l'origine de l'inégalité parmi les hommes'' aus. Die Stellung des Menschen zum
Tiere war von den Denkern des 18. Jahrhunderts vor allem durch

die Verschiedenheit der vernünftigen Anlage bestimmt worden. Dagegen sagt nun Rousseau: „ce n'est donc pas tant l'entendement qui fait parmi les animaux la distinction spécifique de l'homme que sa qualité d'agent libre". Er hat im Gegensatz zu ihnen „la faculté de se perfectionner" [137]).

Der verderbliche Einfluß der auf Wissenschaft begründeten Kultur ist schon durch den Ursprung des Wissens gegeben, aus Sünde ist sie entstanden: „les sciences et les arts doivent leur naissance à nos vices." Dagegen hat die Natur uns vor dem Wissen bewahren wollen, „comme une mère arrache une arme dangereuse des mains de son enfant" [138]). Die Kultur zerstört vor allem die primitive Sittlichkeit. Sparta steht höher als Athen, gern will Rousseau die Meisterwerke der Kunst für die heroischen Taten der Spartaner hingeben. Alle bodenständigen Gefühle, die religiösen Empfindungen, der kriegerische Mut und die Liebe zum Vaterlande sind erschlafft. Und wenn Tugend eben „la force et la vigueur de l'âme" ist, so fehlt dem Kulturmenschen diese ungebrochene Kraft des Handelns.

Es laufen nun in der Preisschrift zwei Ideengänge nebeneinander her, ohne daß sie zu klarer Vereinigung gebracht wären. Ihr gemeinsamer Ursprung läßt sich allerdings aufweisen. Rousseau hebt nämlich einmal das Uniformierende der Kultur hervor, andererseits sieht er ihre größte Gefahr in der von ihr geschaffenen Ungleichheit der Menschen. Die Übereinstimmung im Fühlen und Denken des Individuums ist verloren. Wir nehmen allzu sehr Rücksicht auf andere Menschen, wir passen uns ihnen an und versuchen durch die Mittel der Konvention unsere Gedanken zu verbergen. So ist kein Raum zu persönlichem Handeln: „il règne en nos mœurs une vile et trompeuse uniformité et tous les esprits semblent avoir été jetés dans un même moule" [139]). Dies gilt für die wissenschaftliche Produktion, dies gilt für die Kunst, Voltaire wird mit den Worten apostrophiert: „Dites-nous, célèbre Arouet, combien vous avez sacrifié de beautés mâles et fortes à notre fausse délicatesse!" [140]). Der Mensch hat die Kraft des Alleinvorwärtsschreitens verloren, die Kultur erlaubt nicht mehr die große Tat, weil in ihren festen Ordnungen für eine solche kein Raum mehr ist „ce sont les grandes occasions, qui font les grands

hommes" [141]). Die andere Gefahr liegt in der zunehmenden Ungleichheit. Sie bewirkt ebenfalls, daß das Individuum seinen Wert
verliert, es werden nicht mehr Forderungen an ein solches als ein
Ganzes gestellt. An die Stelle kraftvoller sittlicher Betätigung
treten Leistungen von Talenten, in denen der Mensch nur zu einem
Teile zum Ausdruck kommt, besonders aber seine sittlichen Werte
nicht offenbaren kann. Deshalb versagt der moderne Mensch überall da, wo er sich ganz einzusetzen hat oder wo ganze Forderungen
an ihn gestellt werden, das Vaterland kann z. B. nicht mehr auf
ihn rechnen: „Nous avons des physiciens, des géomètres, des chimi-
stes, des astronomes, des poètes, des musiciens, des peintres: nous
n'avons plus de citoyens" [142]). Rousseaus Ideen strömen also in dem
Gedanken zusammen, daß Uniformierung und zunehmende Ungleichheit beide dahin wirken, die ursprüngliche, vor allem die moralische Kraft der Menschen zu brechen und verkümmern zu lassen.

Die Schrift über die Ungleichheit darf eine systematische Begründung und Ausführung der ersten genannt werden. Sie ist
geschichtsphilosophischen Inhalts und hat den Blick auf die allgemeinen Züge der Menschheitsentwicklung gerichtet. So spricht
Rousseau zum Leser mit den Worten: „c'est, pour ainsi dire, la
vie de ton espèce, que je te vais écrire" [143]). Eine solche Geschichte
ist möglich, weil ein Gemeinsames der Anlage in allen Menschen
vorhanden, und weil die Entwicklung eine durchaus notwendige
ist. In der Preisschrift antwortet er auf die Frage, ob die von der
Kultur ausgehende Verderbnis nur ein besonderes Unheil seiner
Zeit sei: „les maux causés par notre vaine curiosité sont aussi
vieux que le monde. L'élévation et l'abaissement journaliers des
eaux de l'océan n'ont pas été plus régulièrement assujettis au cours
de l'astre qui nous éclaire durant la nuit, que le sort des mœurs et
de la probité au progrès des sciences et des arts. On a vu la vertu
s'enfuir à mesure que leur lumière s'élevait sur notre horizon, et
le même phénomène s'est observé dans tous les temps et dans
tous les lieux" [144]). Auch die Ungleichheit muß notwendig sich
herausbilden, es gibt da eine nécessité de ce progrès.

Die Entwicklung der menschlichen Kultur läßt sich im allgemeinen bezeichnen als ein Heraustreten des Menschen aus der
Tierheit zur Herausbildung seiner geistigen Funktionen. Im Sinne

seiner sensualistischen Erkenntnistheorie betont Rousseau lebhaft diese Abhängigkeit von den Sinnen und die Notwendigkeit für den Menschen durch das Leben in ihnen hindurchzugehen: „l'homme commencera par les fonctions purement animales . . ., c'est par l'activité des passions que notre raison se perfectionne" [145]). Mehrere Stadien lassen sich nun in der Gesamtentwicklung unterscheiden. Das erste ist das des reinen Naturzustandes, das zweite das der Jugend, das dritte die Epoche des Verfalles. Zwei Mächte wirken hierbei nebeneinander: die physische Anlage, die den Menschen zur Erhaltung seiner selbst treibt, und das Elementargefühl der pitié, das die Menschen zueinander führt. Diese Anlage erhält eine besondere Modifikation durch die Einflüsse der äußeren Natur insbesondere des Klimas und durch die aus der Natur sich ergebenden Unterschiede wie Alter, Gesundheit, verschiedene Veranlagung des Körpers und des Geistes. Ihre Einflüsse führen also schon zu einer gewissen Ungleichheit unter den Menschen. Sie hat den Menschen nur in geringem Maße für die Gesellschaft ausgestattet, sie unterstützt vielmehr ebenso energisch die gesunde Entwicklung des Einzelnen: „la nature rend forts et robustes ceux qui sont bien constitués et fait périr tous les autres" [146]). Und im Emile heißt es: „l'homme est de tous les animaux celui qui peut le moins vivre en troupeaux" [147]). So ist denn der Erziehungsplan Rousseaus auf die besondere Ausbildung und Verselbständigung des Individuums gerichtet. Das Gesetz der Natur weist den Menschen auf diesen Weg: „l'homme naturel est tout pour lui, il est l'unité numérique, l'entier absolu qui n'a de rapport qu'à lui-même ou à son semblable" [148]). Diese Einheit seines Wesens hat er in der Kultur verloren, er soll sie durch seinen Willen wiedergewinnen, denn „toute méchanceté vient de faiblesse; l'enfant n'est méchant que parce qu'il est faible; rendez le fort, il sera bon, celui qui pourrait tout ne ferait jamais de mal" [149]). Der Begriff der freien Persönlichkeit entsteht so. Alles Unheil für den Menschen ist durch das Mißverhältnis zwischen seinem Wünschen und seinem Können gegeben: „l'homme vraiment libre ne veut que ce qu'il peut et fait ce qu'il lui plaît" [150]).

Diese natürliche Ungleichheit erfährt nun eine Modifikation in der Kultur, in ihr herrscht eine „inégalité de convention". Und nach dem allgemeinen Satze: „Tout est bien, sortant des mains de l'auteur des choses; tout dégénère entre les mains de l'homme" ist diese Modifizierung zugleich eine Depravierung. Aus dem gesunden und guten amour de soi-même wird der amour propre. Er entspringt nicht mehr auf dem Boden des sich allein wissenden Individuums, sondern durch die Vergleichung mit anderen Menschen, die unedlen Instinkte der Rivalität und der Eifersucht erwachen. Auch die pitié naturelle, welche im Naturzustande wirksam hervortreten konnte, weil in diesem die Bedingung ihres Auftretens: die Identifizierung eines Menschen mit dem anderen leichter möglich ist, verliert an Kraft: „c'est la raison qui engendre l'amour-propre, et c'est la réflexion qui le fortifie, c'est elle qui replie l'homme sur lui-même; c'est elle qui le sépare de tout ce qui le gêne et l'afflige [151]).

Diese soziologische Betrachtung wird nun ergänzt durch eine Theorie über die Entstehung und Entwicklung des gesellschaftlichen Lebens. Das Eigentum ist das Fundament der bürgerlichen Gesellschaft. Mit der Vermehrung der Menschen und der damit wachsenden Unsicherheit des Lebensunterhaltes wurde es notwendig, die in den Wäldern herumschweifenden Menschen traten aus ihnen hervor und gingen primitive Verbindungen ein. Dieser Zustand der société naissante war noch ein glücklicher, er ist la véritable jeunesse du monde, aber er begründete doch gegenseitige Abhängigkeit, diese wuchs in der komplizierteren Kultur immer mehr, und damit entschwand die Gleichheit und der Mensch verlor seine Unabhängigkeit: „dès l'instant qu'un homme eut besoin du recours d'un autre, dès qu'on s'aperçut qu'il était utile à un seul d'avoir des provisions pour deux, l'égalité disparut, la propriété s'introduit, le travail devint nécessaire, et les vastes forêts se changèrent en des campagnes riantes qu'il fallut arroser de la sueur des hommes, et dans lesquelles on vit bientôt l'esclavage et la misère germer et croître avec les moissons" [152]). Die Verwertung des Eisens und der Ackerbau sind die eigentlichen Agentien der weiteren Entwicklung: „ce sont le fer et le blé qui ont civilisé et perdu le genre humain." Immer weitergehende Arbeitsteilung wird nötig und die dadurch zunehmende Abhängigkeit erfordert Regeln des gemeinsamen Lebens. Die immer fortwirkende Ungleichheit der Talente führt zur Vermehrung der Ungleichheit. Aus natürlichen und künstlich geschaffenen Bedingungen zugleich muß so ein wilder Wetteifer unter den Menschen entstehen, in dem jeder seinem Vorteil nachjagt. Um ihn zu erreichen, paßt er sich der Gesellschaft an und dadurch kommt verhängnisvoller Zwiespalt in die menschliche Natur: „Être et paraître devinrent deux choses tout-à-fait différentes, et de cette distinction sortirent le faste imposant, la ruse trompeuse, et tous les vices qui en sont le cortège." [153]) Der Zustand der société naissante wird abgelöst durch den fürchterlichsten Kriegszustand. Aus der Unmöglichkeit, in diesem zu verharren, entspringt die Notwendigkeit der Gründung einer bürgerlichen Gesellschaft, zu ihr führte besonders der Egoismus der besitzenden Klassen, die einen Zustand des Friedens bedurften: „Telle fut ou dut être l'origine de la société et des lois, qui donnèrent de nouvelles entraves au faible et de nouvelles forces au riche, détruisirent sans retour la liberté naturelle, fixèrent pour jamais la loi de la propriété et de l'inégalité, d'une adroite usurpation firent un droit irrévocable, et, pour le profit de quelques ambitieux, assujettirent désormais tout le genre humain au travail, à la servitude et à la misère" [154]).

Rousseaus Staatsphilosophie, wie er sie im „Contrat social" formuliert, ist gerichtet auf die Darstellung eines Idealstaates. Er wirft Montesquieu vor, daß er nur von dem positiven Recht bestehender Staaten gehandelt habe, er will im Gegensatz dazu die Prinzipien des Staatsrechts darstellen: „il faut savoir ce qui doit être, pour bien juger de ce qui est" [155]). Das ethische Interesse tritt deutlich wiederum hervor. Es besteht ein Gegensatz zwischen Ideal und Wirklichkeit, welcher in scharfer Antithese oft zum Ausdruck gebracht wird: „l'homme est né libre et partout il est dans les fers" [156]). Rousseau versucht nun eine ideale Vereinigung zwischen den natürlichen Menschenrechten und dem Interesse der Einzelnen zu beschreiben, justice und utilité sollen nicht getrennt sein. Von diesen beiden Begriffen verlangt nur der erste eine Erörterung. Sie darf nicht historisch sein. Recht entspringt nicht aus Gewalt, sondern aus Freiheit, welche das Wesen des Menschen ausmacht, zu ihm so gehört, daß er durch keinen Willensentschluß sie beseitigen kann: „Renoncer à la liberté, c'est renoncer à sa

qualité d'homme, aux droits de l'humanité, même à ses devoirs.
Il n'y a nul dédommagement possible pour quiconque à tout. Une
telle renonciation est incompatible avec la nature de l'homme, et
c'est ôter toute moralité à ses actions que d'ôter toute liberté à sa
volonté" [157]). Wenn die Menschen aus dem oben geschilderten
Kampf aller gegen alle zu einer Assoziation zusammentreten, so
gilt für diese ohne weiteres die Forderung, daß in ihr Freiheit möglich
ist. Der einzelne entäußert sich mit allen seinen Rechten an die
Gesamtheit, wird aber dadurch von niemand abhängig, da er als
Ersatz die Entäußerung der anderen erhält. Dadurch sind liberté
und égalité zugleich gesichert. Die Formel des Vertrages lautet
demnach: „Chacun de nous met en commun sa personne et toute
sa puissance sous la suprême direction de la volonté générale; et
nous recevons encore chaque membre comme partie indivisible du
tout." [158]) Der wichtigste Begriff in diesen Sätzen ist der der
volonté générale. Rousseau nennt ihn toujours constante, inalté-
rable et pure, er stellt ihn in Gegensatz zu der volonté de tous,
welche nur une somme de volontés particulières ist [159]). Er ist
also zeitlos und wird nicht durch die Zahl der Zustimmenden gebildet und wechselt nicht mit ihr: „ce qui généralise la volonté est
moins le nombre des voix que l'intérêt commun qui les unit" [160]).
Man wird diesem Gedanken vielleicht am ehesten gerecht, wenn
man ihn als regulative Idee im Sinne Kants faßt. Das Prinzip des
contrat social ist die Idee einer völligen Vereinigung von Freiheits-
wesen in einem allgemeinen Willen, sie gilt für das staatliche Leben
überhaupt, soweit auch die einzelnen Staaten von ihrer Erreichung
entfernt sein mögen. Was die volonté générale aber nun im einzelnen
Fall gebietet, läßt sich allerdings doch nur aus der Majorität der
Stimmen ableiten, die sich etwa auf einen Gesetzesvorschlag vereinigen. Hier zeigt sich die Schwäche dieser Lehre. Es ist un-
richtig, von einem Mystizismus Rousseaus zu sprechen, ganz deutlich
zeigt sich seine Absicht, eine rein formale Bestimmung zu geben,
wenn von der in dem contrat social mitenthaltenen Zustimmung
des Bürgers zu allen Gesetzen gesprochen und damit gesagt wird,
daß bei einem Gesetze nicht sein Inhalt allein, sondern seine Zugehörigkeit zu der aus der volonté générale fließenden gesetzlichen
Ordnung in Frage steht. Die Frage würde etwa lauten: Läßt sich

dies Gesetz mit dem Prinzip der allgemeinen Gesetzmäßigkeit vereinigen? Wenn dann diese Frage durch den Majoritätsbeschluß
beantwortet wird, so ist dies allerdings eine Inkonsequenz. Es
müßte seine höhere Vernünftigkeit anders als durch die Zahl erwiesen werden; so wird ja doch nur an den gesunden Menschen-
verstand appelliert. Es fehlt in Rousseaus System eine Deduktion
des Rechtes aus dem Begriff der Freiheit, erst Kant hat auf diesen
Grundlagen eine solche zu leisten unternommen.

Das so entstehende politische Ideal ist das republikanische,
es ist als solches nicht an eine bestimmte Staatsform gebunden
und nur durch sie erfüllbar, denn Republik nennt Rousseau „tout
état régi par des lois, sous quelque forme d'administration que ce
puisse être . . . Tout gouvernement légitime est républicain" [161]).
Über die Berechtigung einer bestimmten Staatsform für ein bestimmtes Volk entscheiden dann die seelischen und natürlichen
Bedingungen. Rousseau mündet damit in die Gedankengänge
Montesquieus ein, und es ist nicht notwendig, ihm hierin zu folgen. Er
wirft schließlich noch die Frage nach der besten Regierung auf,
um sie aus dem Grundprinzip, daß jede Vereinigung la conservation
et la prospérité de ses membres anstrebe, so zu beantworten: „Toute
chose d'ailleurs égale, le gouvernement sous lequel, sans moyens
étrangers, sans naturalisations, sans colonies, les citoyens peuplent
davantage, est infailliblement le meilleur" [162]).

Die Bemühungen Rousseaus um den Gedanken eines Idealstaates zeigen deutlich, wie unberechtigt der Vorwurf ist, er sei
ein unbedingter Feind der Kultur überhaupt gewesen, nur die
einseitige Verstandeskultur ist es, die er verdammt. Im Emile
spricht er sich in dieser Hinsicht klar aus, wenn er zwischen le
bonheur de l'homme naturel und le bonheur de l'homme moral [163])
unterscheidet. Emile muß mit den Menschen in der Kultur leben,
aber er soll dies tun als ein homme naturel. Das sittliche Ideal
für einen solchen stellt das Glaubensbekenntnis des Vikars auf,
es enthält das, was Rousseau in seinen früheren Schriften der Verderbnis des menschlichen Herzens in der Kultur entgegengesetzt
hat: Selbständigkeit und Schlichtheit des Empfindens, Hören auf
die innere Stimme des Gewissens, Glaube an Gott und Dienst des
Göttlichen dans la sincérité du cœur. Menschlicher Weisheit letzter

Schluß lautet einfach und schlicht: „Sois juste, et tu seras heureux." [164])

Die Betrachtung der bedeutsamsten geschichtphilosophischen Systeme des 18. Jahrhunderts hat den Zusammenhang zu geben versucht, in welchem Kants Lehren entstanden sind und zugleich ist wohl für den Kenner deutlich geworden, wie unmittelbar sich diese mit den Gedanken seiner Vorgänger berühren. Es war an mehr als einer Stelle möglich, direkte Beziehungen zwischen ihnen und Kant nachzuweisen und eine auf das Einzelne gerichtete Untersuchung könnte mannigfache Übereinstimmungen aufzeigen. Aber ein solches Unternehmen muß doch immer gegenüber der Einsicht in die Gleichartigkeit der Gesamtbetrachtung gering eingeschätzt werden und es ist deshalb hier darauf verzichtet worden. Das Gemeinsame liegt schließlich in dem universalistischen Standpunkte. Aus dem Wesen der menschlichen Natur, welche entweder aprioristisch konstruiert oder anthropologisch und psychologisch untersucht wurde, sollte die Entwicklung im Zusammenhang des allgemeinen Geschehens verstanden werden. Der im Individuum vorhandene und erlebte Gegensatz zwischen Sinnlichkeit und Vernunft diente als Prinzip, durch das dieser Vorgang begriffen wurde. Der Kulturgedanke der Zeit, welcher einen kräftigen Ausdruck in ihren politischen Forderungen fand, gab dann das Ziel der Menschheitentwicklung an, an welches in optimistischsr Hoffnung und im Bewußtsein der eigenen Kraft und der eigenen Leistung geglaubt wurde. Wie Rousseau sich diesen Gedanken entgegenstellte und wie er durch die Forderung einer sittlichen Vollendung ein neues Problem gab, ist soeben gezeigt worden. Kant hatte schon in seiner vorkritischen Periode mit ihm gerungen, jetzt trat er an es heran mit der Idee von den beiden Reichen, dem der Mensch angehört: dem der Natur und dem der Freiheit.

Wer Kants geschichtsphilosophisches Hauptwerk: „Idee zu einer allgemeinen Geschichte in weltbürgerlicher Absicht" liest kann kaum im Zweifel sein, daß lange gehegte Gedanken hier zu einer endgültigen Formulierung gebracht wurden. Ihr Werden läßt sich allerdings nicht mehr bis ins einzelne genau verfolgen, d die Quellen an dieser Stelle besonders spärlich fließen. Dennoch ist es möglich, die in der „Idee" hervortretende Lehre mit Kants früheren Anschauungen zu verbinden.

Es darf wohl mit einiger Sicherheit ein ursprüngliches Interesse Kants an der Geschichte im eigentlichen Sinne des Wortes vorausgesetzt werden. Allerdings war es nicht nur ein rein historisches, sondern vornehmlich wohl ein anthropologisches, wie er denn die Geschichte auch als Hilfsmittel der Anthropologie bezeichnet hat [165]). Nicht die Tatsache als solche, sondern das, was sie lehrte, nutzte er für Welt- und Menschenkenntnis. Damit war seiner Betrachtung der geschichtlichen Tatsachen sofort eine universalistische, eine geschichtsphilosophische Richtung gegeben. Im einzelnen läßt sich eine Kenntnis antiker Geschichte und Kultur und auch der antiken Historiker nicht verkennen, und von den neueren standen ihm besonders Voltaire, Hume und Robertson nahe. Ebenso macht sich eine Beschäftigung mit den Völkern des Ostens, insbesondere ihren Religionen bemerkbar, wie er überhaupt der Geschichte der letzteren größeres Interesse entgegenbrachte. Neben den umfassenden Werken über diese Gegenstände boten ihm dann die Wochenschriften der Zeit reiches historisches Material, da sie aus den verschiedensten Gebieten Darstellungen einzelner Vorgänge oder Persönlichkeiten, besonders aber viel Anekdotisches brachten.

Wenn es hier im wesentlichen das stoffliche Moment war, das ihn anzog, so wurden ihm doch auch die Fragen nach der Behandlung der Geschichte und ihrer Methode nahegeführt. Wie die Logiker der damaligen Zeit überhaupt, so hat sich auch Kant in seinen noch unveröffentlichten Vorlesungen über diese Disziplin mit den Problemen der Geschichte als Wissenschaft beschäftigt. Aus verhältnismäßig früher Zeit besitzen wir nun eine charakteristische Äußerung [166]). Als er sich in der mehrfach behandelten „Nachricht von der Einrichtung seiner Vorlesungen in dem Winterhalbjahre von 1765—1766" über die richtige Methode des akademischen Studiums aussprach, unterschied er die lernbaren Wissenschaften von der Philosophie. Die Methode, diese zu unterrichten, sagt er, müsse eine zetetische sein, da es eine fertige Weltweisheit und Bücher, die sie enthalten, nicht gäbe, man könne nicht Philosophie, sondern nur philosophieren lernen. So treten Mathematik und

Geschichte ihr gegenüber. Letztere umfaßt außer der eigentlichen
Geschichte auch die Naturbeschreibung, Sprachkunde, das positive
Recht usw. Sie sind Tatsachenwissenschaften. Der Gegensatz
zwischen Geschichte und Mathematik wird dann so ausgesprochen,
„daß in allem, was historisch ist, eigene Erfahrung oder fremdes
Zeugnis, in dem aber, was mathematisch ist, die Augenscheinlich-
keit der Begriffe und die Unfehlbarkeit der Demonstration" gelten.
Wenn Kant dann aber weiter sagt, daß Geschichte ohne „physisch-
moralisch und politische Geographie von Märchenerzählungen
wenig unterschieden ist", so läßt dies abschätzige Urteil erkennen,
daß jene Zusammenstellung mit der Mathematik nur nach einem
gewissermaßen von außen herangebrachten Prinzip geschah und
nur in Hinblick auf pädagogische Zwecke erwogen wurde. Es ist
klar, daß die Philosophie, sobald nach Methode und Erkenntniswert
gefragt wird, ihre Stelle neben der Mathematik suchen muß, wie
dies ja auch schon in der „Preisschrift" und weiter in der kritischen
Philosophie überall hervortritt. Es genügt, auf diese allbekannte
Tatsache hier nur hinzuweisen.

Wie oben gezeigt worden, stellte Wolff die Geschichte als eine
Ergänzung neben die rationalen Wissenschaften und wollte ihr
nicht alle Bedeutung für die menschliche Erkenntnis absprechen.
Auch entwickelte er die Möglichkeit, ein und denselben Gegenstand
dogmatisch oder historisch zu behandeln. Es ist nun interessant,
zu beobachten, wie in den „Träumen eines Geistersehers" Kants
Darstellung nach diesem Schema entworfen ist. Auf einen dogmatischen Teil, der sich mit dem Begriff der Geister beschäftigte,
folgte ein historischer, welcher Erzählungen über Geistererscheinun-
gen brachte. Auch in den „Beobachtungen" wurde zur Ergänzung
eine Geschichte des Geschmackes gegeben. Ebenso zeigen die noch
unveröffentlichten Vorlesungshefte und auch die von Jäsche herausgegebene Logik, daß Kant die Geschichte der einzelnen Disziplinen
der systematischen Darstellung vorausschickte. Und in der „Kritik
der reinen Vernunft" bildet „die Geschichte der reinen Vernunft"
den Schluß der Methodenlehre. Allerdings ist es nur ein „flüchtiger
Blick", der auf das Ganze geworfen wird, aber ausdrücklich wird
gesagt, daß eine solche Geschichte zum System gehöre „und künftig
ausgefüllt werden müsse" [167]). So bereitete sich, ich möchte sagen,

unauffällig ein schwerwiegendes Poblem vor, zu dessen Lösung die
kurze Darstellung in dem Hauptwerk schon einen interessanten
Ansatz machte, dessen volle Bedeutung aber erst in der Religionsphilosophie und im „Streit der Fakultäten" in die Erscheinung trat.

Es ist klar, daß durch die Ausbildung des Begriffes von der
Wissenschaft, wie ihn die kritische Philosophie entwickelte, die
Wertung der Geschichte nicht zunehmen konnte. In der systematischen Erörterung, welche Kant in den „Metaphysischen An-
fangsgründen der Naturwissenschaft" gibt, wird als „ e i g e n t -
l i c h e Wissenschaft" nur diejenige bezeichnet, „deren Gewißheit
apodiktisch" ist [168]). Damit scheidet die Geschichte aus dem bezeichneten Umkreis ohne weiteres aus. Eine weitere Behandlung
erfährt sie auch an dieser Stelle nicht, aber bedeutsam sind die
Äußerungen Kants über empirische Psychologie. Sie darf den
Anspruch Naturwissenschaft zu sein nicht erheben, da sie mit
unter das berühmte Interdikt fällt: „Ich behaupte, daß in jeder
besonderen Naturlehre nur so viel e i g e n t l i c h e Wissenschaft
angetroffen werden könne, als darin M a t h e m a t i k anzutreffen ist." [169]) Da Psychologie das Fundament der Geschichte
sein muß, so ist ein Rückschluß erlaubt, und auch die für jene
geltend gemachten Schwierigkeiten finden sich in dieser vor. Kant
sieht nämlich den eigentümlichen Wert der Metaphysik im Sinne
der kritischen Philosophie darin, daß in ihr absolute Vollständigkeit der Erkenntnisse möglich ist, welche den anderen Wissenschaften abgehe, da sie ins Unendliche erweitert werden können.
Dies gilt in erhöhtem Maße natürlich für die Geschichte. Daß in
ihr eine unübersehliche Fülle und Verschiedenartigkeit der Erscheinungen vorhanden sei, hat Kant oft hervorgehoben. Außer
den Stellen aus den vorkritischen Schriften, die schon herangezogen
wurden, sei hingewiesen auf eine Bemerkung in der „Religion innerhalb der Grenzen der bloßen Vernunft", wo die Freiheit als Hindernis
für ein Begreifen der Geschichte bezeichnet wird. Ebenso ver-
zweifelt Kant im „Streit der Fakultäten" an der Lösung der Frage,
ob das Menschengeschlecht vorwärts schreite deshalb, weil „wir es
mit frei handelnden Wesen zu tun haben, denen sich zwar vorher
d i k t i e r e n läßt, was sie tun s o l l e n , aber nicht v o r h e r -
s a g e n läßt, was sie tun w e r d e n ". Ja, gelegentlich hören wir

von ihm über den Gang menschlicher Dinge das Wort, daß „darin,
sowie auch sonst, wenn man ihn im Großen betrachtet, fast alles
paradox ist" [170]).

Dieser Mannigfaltigkeit der Erscheinungen tritt nun zuerst
der „empirische Historiker" gegenüber. Mit der Methode seines
Arbeitens hat sich Kant naturgemäß kaum beschäftigt. Nur gelegentlich spricht er einmal in dem Aufsatz: „Was heißt sich im
Denken orientieren?" davon. Er verlangt, daß die Nachricht von
dem Tode eines großen Mannes, den einige Briefe berichten, erst
durch Zeugnisse der Obrigkeit des Ortes usw. bestätigt werde, ehe
er als Tatsache hingenommen wird. Ebenso kann ich, wenn auch
auf Zeugnisse anderer, wissen, daß eine Stadt Rom in der Welt sei.
So wird ein historischer Glaube zum Wissen, was
bei dem reinen Vernunftglauben unmöglich ist, da der Grund des
Fürwahrhaltens in diesem Falle nur subjektiv ist [171]). In derselben
Gegenüberstellung und in demselben Sinne äußert Kant sich denn
auch in der „Kritik der Urteilskraft": „Ob von uns gleich, was wir
aus der Erfahrung anderer durch Zeugnis lernen können,
geglaubt werden muß, so ist es darum doch noch nicht Glaubens-
sache; denn bei jener Zeugen einem war es doch eigene Erfahrung und Tatsache oder wird als solche vorausgesetzt. Zudem
muß es möglich sein, durch diesen Weg (des historischen Glaubens)
zum Wissen zu gelangen; und die Objekte der Geschichte und
Geographie wie alles überhaupt, was zu wissen nach der Beschaffenheit unseres Erkenntnisvermögens wenigstens möglich ist, gehören
nicht zu Glaubenssachen, sondern zu Tatsachen." [172]) Ein historisches Wissen beginnt nun da, wo es ein gelehrtes Publikum gibt.
Nur ein solches kann z. B. die alte Geschichte beglaubigen, Hume
hat mit Recht bemerkt: „Das erste Blatt im Thukydides ist der
einzige Anfang aller wahren Geschichte." [173]) Nur einmal hatte
Kant Gelegenheit, sich mit den Ergebnissen der historischen
Forschung auseinanderzusetzen: in seiner Religionsphilosophie.
Von ihr soll später gehandelt werden.

Dem empirischen Historiker wird nun in der „Idee" der „philosophische Kopf" gegenübergestellt. Er müßte sehr geschichts-
kundig sein, würde aber doch das Recht eines andern, eines neuen
Standpunktes für sich in Anspruch nehmen. Die Geschichte liefert

ihm nur das Material für seine Ideen, die nicht aus ihr genommen sind. Ganz im Sinne der damals so vielfach erhobenen Klagen wird gesagt, daß „die sonst rühmliche Umständlichkeit, mit der man jetzt die Geschichte seiner Zeit abfaßt, doch einen jeden natürlicherweise auf die Bedenklichkeit bringe, wie es unsere späten Nachkommen anfangen werden, die Last von Geschichte, die wir ihnen nach einigen Jahrhunderten hinterlassen möchten, zu fassen". [174])

So ist ein Standpunkt über den Erscheinungen des geschichtlichen Lebens notwendig, das, was Kant einen „Leitfaden a priori" nennt. Er findet ihn auf Grund der Einsichten, die schon in der vorkritischen Periode gewonnen wurden und die am Schluß des zweiten Kapitels zusammenfassend dargestellt worden sind. Der von der Betrachtung des Kosmos gewonnene Gedanke der allgemeinen Ordnung und Einheit alles Geschehens und die Anschauung von der überall gleichen Natur des Menschen waren die leitenden Ideen. Allerdings konnte die letztere Lehre auch nicht aus den Tatsachen, die die anthropologische Forschung übermittelte, gewonnen werden, da ihre Berichte sich hoffnungslos widersprachen, so daß der Wunsch nach einem „historisch-kritischen Kopf" entstehen mußte. So konnte nur der Gedanke von der Bestimmung des Menschen der leitende sein, und es ist früher gezeigt worden, wie er über das Diesseits hinauswies. Demnach mußte in der Geschichte der Menschheit eine Erscheinungsreihe aufgewiesen werden, die der Bestimmung des Menschen entsprach. Und da seine besondere Stellung in der Natur auf seiner Vernünftigkeit beruhte, so mußte nach einem System gesucht werden, indem diese Vernünftigkeit innerhalb der Erscheinungswelt zum klarsten Ausdruck gebracht wurde. Dies geschah in der b ü r g e r l i c h e n G e s e l l s c h a f t.

So wenig von der Politik des Tages in die Schriften Kants, auch wenn sie populär gehalten waren, eingedrungen ist, so lebendig war doch das Interesse, das er an den großen Vorgängen des politischen Lebens seiner Zeit nahm. Er wurde zum Verkünder des Zeitalters der Aufklärung, das er das Zeitalter Friedrichs nannte. Unter diesem Zeichen ist sein wichtigster geschichtsphilosophischer Aufsatz entstanden. Die mit ihm fast gleichzeitige Schrift: „Was

ist Aufklärung?" durchweht ein starker Zug politischer Begeisterung. Es wird appelliert an die heiligsten Rechte der Menschheit,
und der Kampf gegen die vorwärtsdringende Aufklärung erscheint
ihm als ein Verbrechen gegen die menschliche Natur, „deren ursprüngliche Bestimmung gerade in diesem Fortschreiten besteht".
Dazu ist Freiheit notwendig, die Freiheit „von seiner Vernunft
in allen Stücken öffentlichen Gebrauch zu machen". Und „dieser
Geist der Freiheit breitet sich aus, selbst da, wo er mit äußeren
Hindernissen einer sich selbst mißverstehenden Regierung zu ringen
hat". Daß der Philosoph in diesem Kampfe das Recht freier
Meinungsäußerung haben müsse, ist ein Gut, um das Kant bis in
sein Greisenalter gekämpft hat, wo er zu den tiefsinnigen Gedanken
von der sich immer wieder losringenden Vernunft gelangt. Schon
in den siebziger Jahren hat er die Gedanken aufgezeichnet: „Die
Weisheit muß den Fürsten aus dem Studierzimmer kommen." [175])

Es kann nun kein Zweifel sein, daß Kant den leitenden Gedanken seiner Geschichtsphilosophie aus der naturrechtlichen
Theorie genommen hat und daß er sie, wie sein Zeitalter überhaupt
und wie insbesondere Rousseau, zu einer politischen Forderung
erhob. „Das Naturrecht wird realisiert", so heißt es in einer Notiz
aus dem Nachlaß [176]), und unter dem Eindruck Rousseaus war
das Gefühl der Verpflichtung entstanden, „die Rechte der Menschheit
herzustellen". Besonders wertvoll sind aber einige Reflexionen zur
Anthropologie, welche den siebziger Jahren angehören und die
Entwicklung der kantischen Lehre an manchen interessanten
Punkten zeigen können. Refl. 663 beginnt: „In der Geographie
ist etwas Beständiges, dessen Begriff dient, das Mannigfaltige der
Beobachtung danach zu ordnen, nämlich die in Klimate, in Land
und Meer geteilte Erdfläche. In der Historie ist nichts Bleibendes,
was eine Idee von dem Veränderlichen an die Hand geben könnte,
als die Idee der Entwicklung der Menschheit, und zwar nach dem,
was die größte Vereinigung ihrer Kräfte ausmacht, nämlich bürgerliche und Völkereinheit, und zwar, wie sie mit allen ihren Hilfsmitteln und Wirkungen sich fortpflanzen (Wissenschaft, Religion,
selbst Geschichte alter Völker), wodurch Menschen nach und nach
aufgeklärt werden. Auf die Rechte der Menschen kommt mehr
an als auf die Ordnung und Ruhe." Auch hier klingt am Schluß

stark die politische Forderung an. Sie kehrt mehrfach wieder: „Es ist die Frage, ob überall etwas Systematisches in der Geschichte der menschlichen Handlungen sei. Eine Idee leitet sie alle, d. i. die ihres Rechts" (693) oder: „Bei dem Plan einer Universalgeschichte: Die Natur der bürgerlichen und Staatsverfassung. Die Idee, wenn sie gleich niemals völlig wirklich wird, und zwar die Idee des Rechts, nicht der Glückseligkeit." (695).

Aber auch die Bestimmung des Menschen zur bürgerlichen Gesellschaft kann nicht seine letzte sein, es gibt noch eine höhere, die die Ethik zu begreifen hat. Sie entwickelt den Begriff des Endzweckes. Von dieser doppelten Bestimmung des Menschen handelt Refl. 676. „Der Mensch erreicht wirklich seine ganze N a t u r b e s t i m m u n g , d. i. Entwicklung seiner Talente durch den bürgerlichen Zwang. Es ist zu hoffen, er werde auch seine ganze m o r a l i s c h e B e s t i m m u n g durch den moralischen Zwang erreichen, denn alle Keime des moralisch Guten, wenn sie sich entwickeln, ersticken die physischen Keime des Bösen. Durch den bürgerlichen Zwang entwickeln sich alle Keime ohne Unterschied. Dieses ist die Bestimmung der Menschheit, aber nicht des Einzelnen, sondern des Ganzen." Die letzten Worte enthüllen ein neues Problem. Seine Lösung kann nicht in der Geschichtsphilosophie liegen, sie muß die Religionsphilosophie bringen.

Die Methode und Prinzipien der kantischen Geschichtsphilosophie sind entwickelt, ich wende mich jetzt zur Darstellung der Schriften, in denen sie enthalten ist.

Durch eine Zeitungsnotiz sah sich Kant im Jahre 1784 genötigt, seine geschichtsphilosophischen Ideen auszusprechen. Im 12. Stück der Gothaischen gelehrten Zeitungen vom 11. Februar 1784 wurde folgende Mitteilung gemacht: „Eine Lieblingsidee des Herrn Professor K a n t ist, daß der Endzweck des Menschengeschlechts die Erreichung der vollkommensten Staatsverfassung sei, und er wünscht, daß ein philosophischer Geschichtsschreiber es unternehmen möchte, uns in dieser Rücksicht eine Geschichte der Menschheit zu liefern und zu zeigen, wie weit die Menschheit in den verschiedenen Zeiten diesem Endzwecke sich genähert, oder von demselben sich entfernt habe, und was zu Erreichung desselben noch zu tun sei." In demselben Jahre erscheint, um dieser Notiz einen

„begreiflichen Sinn" zu geben, die „Idee zu einer allgemeinen
Geschichte in weltbürgerlicher Absicht". Es ist ein Versuch einer
philosophischen Geschichte. Sie hätte das gesamte Tatsachen-
material der historischen Forschung zu benutzen, um einen Leitfaden der Beurteilung zu geben. Ein solcher ist notwendig, um
die Fülle der Erscheinungen zu bewältigen, und er soll auch dem
Bedürfnis nach einheitlicher Zusammenfassung im systematischen
Sinne genügen, ein sonst „planloses A g g r e g a t menschlicher
Handlungen" kann so „wenigstens im großen als ein S y s t e m "
dargestellt werden.[177]) Mit dieser Absicht wird aber noch eine
andere verbunden, die den Einfluß des Theodizeegedankens zeigt.
Dadurch daß an Stelle der Regellosigkeit einzelner menschlicher
Handlungen ein einheitlicher Plan auftritt, wird die „Natur —
oder besser die Vorsehung" — gerechtfertigt. „Denn was hilft's,
die Herrlichkeit und Weisheit der Schöpfung im vernunftlosen
Naturreiche zu preisen und der Betrachtung zu empfehlen, wenn
der Teil des großen Schauplatzes der obersten Weisheit, der von
allem diesem den Zweck enthält — die Geschichte des menschlichen Geschlechts —, ein unaufhörlicher Einwurf dagegen bleiben
soll, dessen Anblick uns nötigt, unsere Augen von ihm mit Unwillen
wegzuwenden und, indem wir verzweifeln, jemals darin eine vollendete vernünftige Absicht anzutreffen, uns dahin bringt, sie nur
in einer anderen Welt zu hoffen?"[178]) Vom Standpunkte einer
„t e l e o l o g i s c h e n N a t u r l e h r e " versucht Kant die
Menschheitsgeschichte zu begreifen. Wir werden an das früher
Gesagte erinnert, wenn wir Sätzen begegnen wie: „Die Natur tut
nichts überflüssig, sie ist im Gebrauche ihrer Mittel nicht ver-
schwenderisch, sie zeigt größte Sparsamkeit", und von ihrer Weisheit wird abwechselnd mit der eines Schöpfers gesprochen. Die
allgemeine Ansicht nun: „Alle Naturanlagen eines Geschöpfes sind
bestimmt, sich einmal vollständig und zweckmäßig auszuwickeln",
gibt die Fragestellung. Es wird nach einer Naturabsicht geforscht,
eine solche muß notwendig Einheit des Geschehens produzieren,
und sie läßt sich auch im Spiel der menschlichen Handlungen
finden, wenn auch die größere Kompliziertheit und vielfachere Verursachung dieser Erscheinungen der Untersuchung größere Schwierigkeiten bietet. Und wie früher die kosmologischen Lehren im

Gegensatz zu Epikur entwickelt wurden, so kehrt charakteristischerweise diese Erinnerung hier wieder. Unter den möglichen Ansichten von der Geschichte wird auch die seinige erwähnt und gegenüber dem völligen Verzicht auf Einsicht die Frage aufgeworfen: „ob es wohl vernünftig sei, Z w e c k m ä ß i g k e i t der Naturanstalt in Teilen und doch Z w e c k l o s i g k e i t im ganzen anzunehmen?" [179])

Für die Erfassung des historischen Geschehens lieferte die „Kritik der reinen Vernunft" nun den Gedanken der Notwendigkeit kausaler Verknüpfung der Erscheinungen. Ausdrücklich wird auf eine Erörterung des metaphysischen Charakters der Freiheit verzichtet. Damit ist das zu lösende Problem bezeichnet, es liegt genau in der Fortsetzung des in der „Naturgeschichte und Theorie des Himmels" begonnenen Versuches, Kausalität und Teleologie zu vereinigen. Die Lösung bietet auch hier wieder jener von Kant nie aufgegebene Gedanke von der Natur als eines nach Absichten wirkenden Prinzipes. Dieser Naturbegriff umfaßt die gesamte Existenz des Menschen, die Natur hat neben ihrer höchsten Aufgabe noch übrige „Absichten" [180]) mit der Menschengattung, wir wissen ja aus der „Kritik der reinen Vernunft", daß die letzte Absicht eigentlich nur aufs Moralische gestellt ist. Weil in unmittelbarer zeitlicher Nähe stehend, sei auf die Fragestellung in der „Grundlegung zur Metaphysik der Sitten" hingewiesen. Es wird dort auch von einer Naturabsicht ausgegangen: „In den Naturanlagen eines organisierten, d. i. zweckmäßig zum Leben eingerichteten Wesens nehmen wir es als Grundsatz an, daß kein Werkzeug zu irgendeinem Zweck in demselben angetroffen werde, als was auch zu demselben das schicklichste und ihm am meisten angemessen ist." [181]) Nun wird die Glückseligkeit als vermeintliches Ziel abgelehnt und die Idee von einer anderen, viel würdigeren Absicht entwickelt. Die Vernunft findet ihre höchste praktische Bestimmung in der Gründung eines guten Willens. Nachdem dann die Identität des Moralprinzips des guten Willens mit dem aus dem Begriff eines vernünftigen Wesens deduzierten kategorischen Imperativ nachgewiesen ist, gelangt Kant zu dem Postulat einer intelligiblen Welt, in der sich die höchste Bestimmung des Menschen erst realisiert denken läßt. So wird auch hier ausgegangen von einem metaphysischen Zusammenhange, der durch das Reich der Natur hindurch reicht in das der Freiheit. In beiden dokumentiert sich ein göttliches Wesen. Der Ursprung aus einem System und die Vollendung zu einem solchen haben gemeinsamen Grund.

Der Mensch nimmt in der Natur dadurch eine Sonderstellung ein, daß er eine Vernunftanlage besitzt. Die Eigentümlichkeit dieses Vermögens besteht darin, daß es „die Regeln und Absichten des Gebrauchs aller seiner Kräfte weit über den Naturinstinkt erweitert und keine Grenzen seiner Entwürfe kennt und daß es nicht instinktmäßig, sondern durch Versuche, Übung und Unterricht wirkt, um von einer Stufe der Einsicht zur andern allmählich fortzuschreiten" — eine Leistung, die kein Mensch in einem kurzen Leben vollbringen kann. So erhält das Nacheinanderleben der Generationen Kontinuität, während im Tierreich die Reihe mit der Vollendung jedes einzelnen Individuums abgebrochen wird. Es ergibt sich so der Satz: „Am Menschen sollten sich diejenigen Naturanlagen, die auf den Gebrauch seiner Vernunft abgezielt sind, nur in der Gattung, nicht aber im Individuum vollständig entwickeln." Die Vernunftanlage tritt in ihrer Bedeutung erst recht zutage, wenn wir die tierische Ausrüstung des Menschen für den Kampf ums Dasein betrachten. Seine Hilfslosigkeit fällt dann auf, zugleich aber gelangen wir zu der Einsicht, daß der Mensch seine Kultur sich selbst schafft: „Die Natur hat gewollt: daß der Mensch alles, was über die mechanische Anordnung seines tierischen Daseins geht, gänzlich aus sich selbst herausbringe und keiner anderen Glückseligkeit oder Vollkommenheit teilhaftig werde, als die er sich selbst frei von Instinkt, durch eigene Vernunft, verschafft hat." In bewußter Steigerung werden die Leistungen der Menschheit aufgezählt als: Erfindung seiner Nahrungsmittel, seiner Bedeckung, seiner äußeren Sicherheit und Verteidigung, alle Ergötzlichkeit, Einsicht und Klugheit und sogar die Gutartigkeit seines Willens [182]).

Die Bewegung in der Geschichte wird nun zurückgeführt auf ein Spiel der Kräfte. Die psychischen Energien des Menschen vertreten hier die Anziehungs- und Abstoßungskräfte der Körper im Mechanismus der Natur. Daß dies anscheinend regellose Spiel Einheit vermuten lasse, wird wiederum durch die Erinnerung an die moralstatistischen Tatsachen wahrscheinlich gemacht. Im Sinne des 18. Jahrhunderts wird das gesellschaftliche Leben begriffen aus einem Antagonismus egoistischer und sozialer Triebe, aus einer „ungeselligen Geselligkeit". Gegen die Neigung sich zu vergesellschaften arbeitet der Hang sich zu vereinzeln. Aus beiden resultiert das Streben sich in der Gesellschaft auszuzeichnen als das eigentlich kulturfördernde Moment: „Dieser Widerstand ist es nun, welcher alle Kräfte des Menschen erweckt, ihn dahin bringt, seinen Hang zur Faulheit zu überwinden und, getrieben durch Ehrsucht, Herrschsucht oder Habsucht, sich einen Rang unter seinen Mitgenossen zu verschaffen, die er nicht wohl l e i d e n , von denen er aber auch nicht l a s s e n kann." Stark wird die Bedingtheit dieses Geschehens durch die Naturabsicht betont, widerwillig wird der Mensch zur Entwicklung gezwungen: „Der Mensch will Eintracht; aber die Natur weiß besser, was für seine Gattung gut ist: sie will Zwietracht." Nur so können die Menschen „das Leere der Schöpfung in Ansehung ihres Zwecks, als vernünftige Natur", ausfüllen. Das Ziel dieser Entwicklung besteht in der „Erreichung einer allgemein das Recht verwaltenden b ü r g e r l i c h e n G e s e l l s c h a f t". Es wäre erreicht in einer Gesellschaft, die die größte Freiheit, mithin einen durchgängigen Antagonismus ihrer Glieder und doch die genaueste Bestimmung und Sicherung dieser Freiheit hat, damit sie mit der Freiheit anderer bestehen könne [183]). Zugleich tritt der Mensch aus dem Zustand des Tieres, aus dem der Not. Eine wirkliche Lösung der Aufgabe ist nicht möglich, nur eine Annäherung zum Ideal kann stattfinden, da die Oberhäupter der Menschheit nur Menschen und darum Tiere sind, die einen Herrn nötig haben.

Das Problem einer solchen idealen bürgerlichen Verfassung ist aber nur zu betrachten in Beziehung zu dem eines gesetzmäßigen äußeren Staatenverhältnisses. Dasselbe wird gedacht in Analogie mit dem der Individuen zueinander. Die Unvertragsamkeit kehrt wieder und die Natur braucht den Krieg als Mittel ihrer Absichten nach einer bürgerlicher Verfassung. Das Ideal eines Völkerbundes taucht auf, dessen Zustand höchst charakteristischerweise in einem von mechanischer Betrachtung hergenommenen Bilde gedacht wird: es wäre ein Zustand, „der einem bürgerlichen gemeinen Wesen ähnlich, so wie ein A u t o m a t sich selbst erhalten kann" [184]).

Der Weg der Menschheit ist ein Weg durch Leiden hindurch, das Bild, welches sie dabei bietet, ist nicht erfreulich, Rousseaus Formulierung „wir sind zivilisiert, aber uns für schon moralisiert zu halten, dazu fehlt noch viel" wird akzeptiert. Sind Anzeichen für eine Annäherung vorhanden? Diese Frage kann nur im Vertrauen auf die Naturabsicht bejaht werden. Zeichen einer solchen Annäherung sind in der zunehmenden Künstlichkeit der internationalen Beziehungen und dem Emporkommen bürgerlicher Freiheit zu sehen. Sie wird gefördert durch die Schäden, die der Staat sich selbst durch ihre Störung zuzieht, dann aber liegt sie auf der Bahn der allgemeinen Entwicklung zur Aufklärung. „Diese Aufklärung aber, und mit ihr auch ein gewisser Herzensanteil, den der aufgeklärte Mensch am Guten, das er vollkommen begreift, zu nehmen nicht vermeiden kann, muß nach und nach bis zu den Tronen hinaufgehen und selbst auf die Regierungsgrundsätze Einfluß gewinnen." Dann werden diese Gedanken noch durch einen raschen Blick auf die Geschichte zu rechtfertigen gesucht, es läßt sich dabei „ein regelmäßiger Gang der Verbesserung der Staatsverfassung in unserem Weltteile" entdecken [185]).

Bis hierher entwickelt Kant die Ideen, die in der Geschichtsphilosophie der Aufklärung die herrschenden gewesen waren. Er erscheint als optimistischer Beurteiler der Menschheitsentwicklung. Dann aber tritt bei ihm ein Gegensatz auf, der durch Rousseaus Kritik hervorgerufen worden ist. Schon in den „Beobachtungen" hatte er unter dem unmittelbaren Eindruck der Schriften des Genfers unterschieden zwischen dem Tugendschimmer und der wahren sittlichen Gesinnung. Ebenso auch jetzt. Dasselbe drückt auch die Gegenüberstellung von Z i v i l i s i e r u n g und M o r a l i s i e r u n g aus. Sie läßt sich am besten erläutern an dem Begriff der Kultur, wie Kant ihn jetzt entwickelt. In ihr besteht der gesellschaftliche Wert des Menschen und ihre notwendigen Erfordernisse sind Entwicklung der Talente, Bildung des Geschmackes und Aufklärung. Aber diese Stufe ist nicht die letzte. Wird sie so aufgefaßt, so sind die Vorwürfe Rousseaus gerechtfertigt. Es gibt jedoch noch eine höhere: „die Idee der Moralität gehört noch zur

Kultur". Alle Kulturarbeit dient diesem letzten Zwecke, sie bereitet den Zustand vor, wo „eine p a t h o l o g i s c h - abgedrungene Zusammenstimmung zu einer Gesellschaft in ein moralisches Ganze" verwandelt werden kann [186]). Die Entstehung einer solchen Denkungsart wird von der Aufklärung vornehmlich erwartet. Das nach ihr benannte Zeitalter hat die Bahn freigemacht für eine Selbstbestimmung des Menschen, der Geist der Freiheit breitet sich aus, die langsame Bemühung der inneren Denkungsart der Bürger darf nur nicht durch die kriegerischen Absichten der Staaten gestört werden.

So erscheint der Endzustand der menschlichen Gesellschaft als in unendlicher Ferne liegend. Die Idee tritt als regulatives Prinzip auf. Die moralische Forderung, sowie sie für den Einzelnen gilt, wird als Maßstab zur Wertung der Menschheitsgeschichte angelegt. Die Geschichtsphilosophie entnimmt ihre letzten konstruktiven Gedanken aus der Ethik. Wie dieser letzte Zustand der Gesellschaft zu denken sei, hat Kant nur angedeutet, er erwartet ihn von der „langsamen Bemühung der inneren Bildung der Bürger".

Die Lösung, welche Kant hier den geschichtsphilosophischen Fragen gegeben hat, ist geeignet, lebhaftes Befremden zu erregen. Es gilt deshalb die Gruppierung der Gedanken, welche zu ihr führten, zu verstehen. Es ist schon betont worden, daß das alte Problem der Versöhnung von Kausalität und Teleologie hier wiederkehrt. Die Stellung des Menschen im System des Ganzen war früher auf Grund des Harmoniegedankens bestimmt worden, nicht ohne daß die Lösung an manchen Punkten unbefriedigend sein mußte. Jetzt war sie unmöglich, nachdem Kant den Gedanken der intelligiblen Freiheit ausgesprochen hatte. So konnte zuerst die Erwartung auf eine Versöhnung zwischen Natur und Freiheit entstehen, aber diese Frage wurde sofort durch die ersten Worte der „Idee", wonach es sich nur um die Erscheinungen der Freiheit des Willens handeln sollte, ausgeschaltet. Trotzdem ist sie nicht beseitigt. Denn da die Ansicht von der doppelten Bestimmung des Menschen doch die herrschende war, stellte sich das Problem wieder ein, wie das Sollen im Sein eine Bestätigung finden könne. Nun zeigte die Erörterung des Ideenbegriffes, wie die „Kritik der reinen Vernunft" ihn behandelt, wie unbestimmt sich Kant an

dieser Stelle bisher nur aussprechen konnte. So traten die beiden
Glieder der gesuchten Synthese gewissermaßen nicht mit gleichen
Waffen auf. Die Ethik war noch unvollendet, fertig abgeschlossen
aber war das System der Natur. Und indem Kant nun das Reich
der Erscheinungen, wenn er es für sich betrachtete, ganz allein mit
den in der transzendentalen Analytik gewonnenen Begriffen auf-
baute, unter Ausschluß des Zweckbegriffes, verschloß er sich
eigentlich jeden Zugang zu ihm, wenn er in ihm nach einem Ansatz
für eine Betrachtung auf Grund der ethischen Ideen suchte. Die
in der Geschichte der Menschheit zu beobachtende Gesetzmäßigkeit erlaubte die Anwendung des Prinzipes der Homogenität, aber
dies war eine spekulative, nicht eine praktische Idee. So kam
Kant zu dem sonderbaren Ausweg, der Menschheitsentwicklung
einen immanenten Sinn abzusprechen, gewissermaßen nur eine
Beschreibung der Vorgänge zu geben, auf ein Verstehen ihrer aber
zu verzichten. Der Mensch sank herab zu einem Mittel für die
Natur, die dann allerdings mit der Vorsehung identifiziert wurde.
Aber dieser erweiterte Naturbegriff verwirrte eigentlich die Dinge
noch mehr. Mußten ja doch die Mittel, deren sich die Vorsehung
bediente, von moralischem Standpunkte als minderwertig angesehen
werden, und doch sollte in ihnen ein Plan zu beobachten sein, der
zur anderen, d. h. zur moralischen Bestimmung des Menschen hin-
führte. Egoismus, Eifersucht, die Leidenschaften der menschlichen
Natur, Kriege, falscher Tugendschimmer verdammte die Ethik als
nicht moralisch und die Formulierung des sittlichen Gebotes sollte
von ihnen auch nicht den geringsten Beisatz enthalten, während
doch die Vorsehung sich ihrer bediente, um den Menschen mit
Zwang zur moralischen Vollendung vorzubereiten. Die bürgerliche Gesellschaft als Erscheinung betrachtet, trug kein sittliches
Moment in sich, während der Staatsgedanke transzendent begründet wurde. Es ist klar, daß hier im Stillen noch ein Motiv
arbeitete, das der früheren Epoche des Kantischen Denkens angehörte: der Theodizeegedanke. Aber mit der Zerströung des Natur-
begriffes im früheren Sinne und Herausbildung des neuen der
transzendentalen Analytik war die alte Lösung unmöglich geworden. Wenn Kant an diesem Punkte nicht zur Klarheit kam,
mußten seine geschichtsphilosophischen Lehren, was ihre prin-

zipielle Grundlage betraf, immer unbefriedigend bleiben. Damit ist eine der Richtungslinien angegeben, welche die weitere Darstellung zu verfolgen hat.

Einen Anlaß zur erneuten Äußerung über die prinzipiellen Fragen der Geschichtsphilosophie gab das Erscheinen von Herders „Ideen zur Philosophie der Geschichte der Menschheit". In der Rezension des ersten Teiles ist besonders die Erörterung über die Stellung des Menschen in der Natur wertvoll. Herder hatte nach der Analogie der Natur, welche Stufenfolge der von ihr geschaffenen organischen Wesen bis hinauf zum Menschen lehrte, den Tod des Individuums nur als Durchgangspunkt zu einer höheren Steigerung desselben bezeichnet. Kant hebt dagegen den Unterschied einer solchen Steigerung gegenüber der Stufenfolge mit aller Deutlichkeit hervor unter Berufung auf die Erfahrung, nach welcher nirgends in der Natur eine Steigerung durch den Tod stattfindet, da die Palingenesie der Maden oder Raupen nicht durch den Tod, sondern durch den Puppenzustand geht. „Es ist also zwischen der Stufenerhebung eben desselben Menschen zu einer vollkommenen Organisation in einem andern Leben und der Stufenleiter, welche man sich unter ganz verschiedenen Arten und Individuen eines Naturreiches denken mag, nicht die mindeste Ähnlichkeit." Kants Ansicht dagegen ist die, daß „die Natur uns nichts anderes sehen läßt, als daß sie die Individuen der völligen Zerstörung überlasse und nur die Art erhalte" [187]). Nur aus moralischen Gründen dürfe man vielleicht auf ein Fortleben des Individuums schließen. Wie es zu denken sei, wird hier nicht gesagt, aber es ist vielleicht zweckmäßig, eine Äußerung aus der „Kritik der praktischen Vernunft" herbeizuziehen. Zur Erörterung des Postulats der Unsterblichkeit wird eine Anmerkung gemacht, in welcher zuerst die Überzeugung von der Unwandelbarkeit der Gesinnung im Fortschreiten zum Guten als von Gottes Gnade abhängig gedacht, dann aber folgendes gesagt wird: „Auch natürlicherweise darf derjenige, der sich bewußt ist, einen langen Teil seines Lebens bis zu Ende desselben im Fortschritte zum Bessern, und zwar aus echten moralischen Bewegungsgründen, angehalten zu haben, sich noch die tröstende Hoffnung, wenn gleich nicht Gewißheit, machen, daß er auch in einer über dieses Leben hinaus fortgesetzten Existenz bei diesen

Grundsätzen beharren werde, und wiewohl er in seinen eigenen
Augen hier nie gerechtfertigt ist, noch b e i d e m v e r h o f f t e n
k ü n f t i g e n A n w a c h s s e i n e r N a t u r v o l l k o m m e n -
h e i t , m i t i h r a b e r a u c h s e i n e r P f l i c h t e n es jemals
hoffen darf, dennoch in diesem Fortschritte, der, ob er zwar ein ins
Unendliche hinausgerücktes Ziel betrifft, dennoch für Gott als
Besitz gilt, eine Aussicht in eine s e l i g e Zukunft haben" [188]).
Der Gegensatz des Lehrers zu seinem ehemaligen Schüler wird hier
offenbar.　Er beruht doch nicht nur auf einer verschiedenen naturwissenschaftlichen Ansicht, er wurzelt in der Verschiedenheit der
allgemeinen Weltanschauung beider.　Herders Theorie war nur
möglich auf dem Grunde einer pantheistischen Betrachtung, die
Kant stets ablehnte und besonders ablehnen mußte, nachdem er
das intelligible Wesen des Menschen entdeckt hatte.　Nun war es
nicht mehr möglich, den Menschen n u r als Mittel zur Vollendung
eines Planes der Natur anzusehen, das Sittengesetz verbot ja doch
ihn bloß als Mittel zu behandeln.　Auf solche Schwierigkeiten war
ja Kant selbst in seinen geschichtsphilosophischen Betrachtungen
gestoßen, er hat es als befremdend bezeichnet, „daß die ältern
Generationen uns scheinen um der späteren willen ihr mühseliges
Geschäft zu treiben, um nämlich diesen eine Stufe zu bereiten, von
der diese das Bauwerk, welches die Natur zur Absicht hat, höher
bringen könnten; und daß doch nur die spätesten das Glück haben
sollen, in dem Gebäude zu wohnen, woran eine lange Reihe ihrer
Vorfahren (zwar freilich ohne ihre Absicht) gearbeitet hatten, ohne
doch selbst an dem Glück, das sie vorbereiteten, Anteil nehmen zu
können" [189]).　Rätselhaft ist diese Erscheinung, aber doch nur
so lange, als das Individuum nur zu einer Tiergattung gehörig angesehen wird, die Schwierigkeit löst sich, wenn wir daran denken, daß
diese Existenz nicht seine Bestimmung ausmacht.　Dann tritt der
Gedanke der persönlichen Unsterblichkeit als aus persönlicher
Leistung entspringend auf, unverlierbar haftet sie dem Individuum
an.　Früher mochte wohl Kant von einem Fortleben auf anderen
Gestirnen träumen, aber hatte er nicht die Geltung des Mechanismus auch für sie behauptet und inzwischen den Gegensatz: Natur
und Freiheit bis zur letztmöglichen Schärfe ausgebildet?　Was er
sich aber dann unter einem „verhofften künftigen Anwachs der

Naturvollkommenheit" dachte, wird sich nicht entscheiden lassen, sind wir doch mit diesen Phantasien in das Gebiet Kantischer Privatmeinungen geraten.

Diese Lösung des durch den Gegensatz Menschheit und Individuum aufgegebenen Problems ist nicht geeignet, der Kantischen Geschichtsphilosophie zu einer gesicherten Grundlage zu verhelfen. Zweifellos entspringen die das gesellschaftliche Leben bedingenden Kräfte aus den Individuen. Als vernünftige Wesen können sie aber nicht nur als Mittel gebraucht werden, ihre Existenz wird deshalb als über diesen Zusammenhang in eine intelligible Welt hinausreichend gedacht. Und zwischen mit wird eine Verbindung vorgestellt. So führt das Individuum gewissermaßen ein Doppelleben. Einesteils wird es in den Zusammenhang des geschichtlichen Lebens hineinbezogen und bildet hier ein Glied in der Kette, andererseits reicht seine Existenz unmittelbar in jene Welt hinein. Menschheitsentwicklung und Individualleben fallen somit auseinander. Hiermit ist eine weitere Schwierigkeit gegeben, die in der Folgezeit fortwirkte und zur Problemstellung der Religionsphilosophie führte.

Methodisch wichtig sind ferner Kants kritische Bemerkungen über die mangelnden erkenntnistheoretischen Grundlagen Herders. Er wirft ihm Metaphysik vor und betont in den „Erinnerungen des Rezensenten" usw., daß der Ausgangspunkt für eine Geschichte der Menschheit die Anthropologie sein müsse, deren Materialien und Methode ihres Gebrauches er zu kennen glaubt. Im Gegensatz zu den metaphysischen Ideen Herders und der Vergleichung des Skelets des Menschen mit dem von anderen Tiergattungen ist er überzeugt, daß eine solche Geschichte „allein in den Handlungen des Menschen gefunden werden könne, dadurch er seinen Charakter offenbart". Am wenigsten könne ein solcher Weg „gar auf eine Bestimmung für eine andere Welt führen" [190]). Ergänzt wird diese Betrachtung durch eine Auseinandersetzung über den Begriff der Glückseligkeit. Kant gibt zu, daß „in allen Epochen der Menschheit, so wie auch zu derselben Zeit in allen Ständen eine Glückseligkeit stattfindet, die gerade den Begriffen und der Gewohnheit des Geschöpfs an die Umstände, darin er geboren und erwachsen ist, angemessen ist", aber diese Glückseligkeit ist nur ein Schattenbild, einen wahren Begriff von ihr erhalten wir nur in Hinblick auf das Ganze: „was aber den W e r t n i c h t ihres Z u s t a n d e s , wenn sie existieren, sondern ihrer E x i s t e n z selber, d. i. warum sie eigentlich da seien, betrifft, so würde sich hier nur allein eine weise Absicht im Ganzen offenbaren" [191]). Wie eine solche Betrachtung angestellt werden muß, hat die „Idee" gezeigt, die Maßstäbe der Beurteilung nimmt Kant eben her von der letzten Bestimmung des Menschen, von welcher aus die Weltgeschichte zu deuten ist. Daß in dieser nun ein Fortschritt stattfinde, wird hier stark betont: „Die Bestimmung des menschlichen Geschlechts im Ganzen ist u n a u f h ö r l i c h e s F o r t s c h r e i t e n , und die Vollendung derselben ist eine bloße, aber in aller Absicht sehr nützliche Idee von dem Ziele, worauf wir, der Absicht der Vorsehung gemäß, unsere Bestrebungen zu richten haben." [192])

Eine Fortsetzung erfahren Kants geschichtsphilosophische Ideen in dem Aufsatz „Mutmaßlicher Anfang der Menschengeschichte" (1786). Er entstand wohl im Anschluß an die Rezensionen der Herderschen „Ideen". In der zweiten hatte er auf den „Zusammenhang der in den Ideen entwickelten Hypothese über die mosaische Schöpfungsgeschichte" mit Herders älterer Schrift „Älteste Urkunde des Menschengeschlechts" hingewiesen, eine Schrift, welche in zwei Briefen an Hamann von ihm scharf kritisiert worden war [193]). Auch Kant versucht eine Deutung einer heiligen Urkunde, aber nicht im Sinne der gewagten und phantastischen, jeder Wissenschaft Hohn sprechenden Herderschen Symbolik, sondern jene Erzählung dient ihm nur zur Einkleidung seiner Gedanken, und zugleich wird die Einschränkung gemacht, daß er eine bloße Lustreise mache, aber doch in der Einbildung, „als ob mein Zug, den ich auf den Flügeln der Einbildungskraft, obgleich nicht ohne einen durch Vernunft an Erfahrung geknüpften Leitfaden, tue, gerade dieselbe Linie treffe, die jene historisch vorgezeichnet enthält" [194]). Damit ist die Stimmung gegeben, aus der heraus diese und einige andere der kleinen Schriften Kants nach 1781 zu verstehen sind. Das von ihm so oft empfundene Bedürfnis populär zu schreiben erwachte erneut in ihm. Er wollte sich auch wohl gelegentlich unabhängig von der schweren Rüstung der philosophischen Begriffssprache freier ergehen und ausruhen in der Beschäftigung mit leichteren Problemen, für die er doch immer die Lösung in der

„Kritik der reinen Vernunft" mitgefunden hatte. Gerade die entwicklungsgeschichtlichen Gedanken seiner Frühzeit beschäftigten
ihn von neuem, er versuchte sie in Einklang zu bringen mit den
Grundgedanken seiner Ethik. Den so entstandenen Schriften wohnt
ein eigentümlicher Reiz inne. Wir erfreuen uns an der stolzen
Souveränität eines Geistes, der über den Dingen steht und das Bedürfnis empfindet, aus reiner Höhe zur Menschheit mahnend und
belehrend zu treten. Ein Pädagoge des Menschengeschlechts spricht
zu uns. Und mit der Leichtigkeit des Stoffes scheint Kant auch
die Leichtigkeit seines schriftstellerischen Ausdruckes wieder zu
gewinnen. Diese kleinen Aufsätze sind oft stilistische Meisterwerke.
Und wer könnte sich dem feinen Spiel seines Witzes entziehen, wer
wird nicht gern dem eleganten Zuge seiner Gedanken folgen, die
leuchtenden Blitze seines Geistes nicht bewundern, die Lösungen
mehr ahnen lassen, als sie wirklich geben? Er blieb auch hier
kritischer Philosoph, aber er wollte es der durch wissenschaftliche
Behutsamkeit gezügelten Phantasie nicht verbieten, Gebiete,
welche bisher nur von dem Glauben angebaut waren, für die wissenschaftliche Hypothese zu gewinnen.

So beginnt denn die Betrachtung mit Berufung auf die Erfahrung, die Mutmaßungen, die mitgeteilt werden, stützen sich auf
den Analogieschluß von der Gleichförmigkeit der Natur, von
welcher vorausgesetzt werden darf, daß sie „im ersten Anfange
nicht besser oder schlechter gewesen, als wir sie jetzt antreffen" [195]).
Dieser Anfang ist von der Natur gemacht, von ihm aus soll die
Geschichte auf dem Wege der Begriffe, d. h. philosophisch betrachtet werden. Die Stadien, welche in der Entwicklung der
Menschheit unterschieden werden, sind folgende: Erstens ein Zustand gänzlicher Rohigkeit, dessen Betrachtung aber wegen seines
durchaus hypothetischen Charakters ausgeschlossen wird. So beginnt Kant mit dem Zustand des Paradieses oder in begriffliche
Sprache übersetzt, dem des Instinktlebens. „Der erste Mensch
konnte also stehen und gehen; er konnte sprechen, ja reden."
Damit sind die bekannten Ideen Herders abgelehnt. Zwei Instinkte beherrschen den Menschen: der zur Nahrung und der zum
Geschlecht. Sie beide werden modifiziert durch die Einwirkung
der Vernunft und im Zusammenhang mit den früheren Ansichten

wird ihr Einfluß nach der schädlichen und nach der förderlichen
Seite hin betrachtet. Den Nahrungstrieb beeinflussend, erweckt
die Vernunft Lüsternheit, erzeugt naturwidrige Neigungen, die als
Üppigkeit bezeichnet werden. Den Geschlechtstrieb beeinflussend,
erzeugt die Vernunft Verlängerung des sinnlichen Reizes, zugleich
aber seine Mäßigung; die unmittelbare Erfüllung und Befriedigung
der Triebe findet nicht mehr statt. „Weigerung war das Kunst-
stück, um von bloß empfundenen zu idealischen Reizen, von der
bloß tierischen Begierde allmählich zur Liebe und mit dieser vom Gefühl des blos Angenehmen zum Geschmack für Schönheit anfänglich nur an Menschen, dann aber auch an der Natur überzuführen"[196].
Die beginnende Sittsamkeit wird dann weiter die Grundlage aller
Geselligkeit. Von nun ab übernimmt die Vernunft die eigentliche Leitung, sie erweitert den Horizont durch die „überlegte Erwartung des Künftigen", eine Zwecksetzung nach entfernten Zielen
wird möglich. Zugleich aber beginnen die Qualen aus der Besorg-
nis vor der Zukunft und vor dem Tode. Der vierte und letzte
Schritt geschieht dann durch die Beherrschung und Benutzung
der Tiere zu den Zwecken des Menschen. Eine Grenze ist aber
durch die Existenz anderer Menschen gesetzt, sie dürfen nicht als
Mittel, sondern müssen zugleich als Zweck behandelt werden:
„Und so war der Mensch in eine G l e i c h h e i t mit allen ver-
n ü n f t i g e n W e s e n, von welchem Range sie auch sein mögen,
getreten; nämlich in Ansehung des Anspruchs s e l b s t Z w e c k
z u s e i n, von jedem andern auch als ein solcher geschätzt und
von keinem bloß als Mittel zu anderen Zwecken gebraucht zu
werden. Hierin und nicht in der Vernunft, wie sie bloß als ein
Werkzeug zu Befriedigung der mancherlei Neigungen betrachtet
wird, steckt der Grund der so unbeschränkten Gleichheit der Menschen selbst mit höheren Wesen, die ihm an Naturgaben sonst über
alle Vergleiche vorgehen möchten, deren keines aber darum ein
Recht hat, über ihn nach bloßem Belieben zu schalten und zu
walten." Mit dieser Einsicht ist der Mensch entlassen aus dem
Schoß der Natur. Die Sehnsucht nach verlorenem Frieden und
Glück mag zuweilen über ihn kommen: aber es lagert sich zwischen
ihm und jenem eingebildeten Sitz der Wonne die rastlose und zur
Entwicklung der in ihn gelegten Fähigkeiten unwiderstehlich

treibende Vernunft und erlaubt es nicht, in den Stand der Rohigkeit und Einfalt zurückzukehren, aus dem sie ihn gezogen hatte" [197]).

Diese Entwicklung läßt sich in einer Formel kurz aussprechen
als der „Übergang aus der Vormundschaft der Natur in den Stand
der Freiheit". Zugleich tritt der Mensch aus dem Stande der Un-
schuld in den des Lasters. „Die Geschichte der N a t u r fängt
vom Guten an, denn sie ist das Werk G o t t e s ; die Geschichte
der F r e i h e i t vom Bösen, denn sie ist M e n s c h e n w e r k".
Zugleich tritt eine Antinomie hervor zwischen der Entwicklung
der Gattung und der des Individuums, für jene bedeutet der
Wechsel einen Fortschritt vom Schlechteren zum Besseren, nicht
aber für das Individuum, auf der sittlichen Seite erduldet es Fall,
auf der physischen Übel und Strafe. Diesen Gegensatz zwischen
der Natur- und der Kulturbestimmung aufgewiesen zu haben, ist
Rousseaus Verdienst. Nur der Blick auf das Ganze kann Anlaß
geben, „die Weisheit und Zweckmäßigkeit der [Natur-]Anordnung
zu bewundern und zu preisen". Aus ihr läßt sich auch das letzte
Ziel der sittlichen Bestimmung der Menschengattung angeben:
„vollkommene Kunst muß wieder Natur werden" [198]).

Diesem Anfang hat Kant einen Beschluß der Geschichte angehängt. Die folgende Periode wird durch Arbeit und Zwietracht
bestimmt. Der Mensch zähmt die Tiere und sucht seinen Unterhalt entweder im Hirtenleben oder im Ackerbau. Die letztere
Wirtschaftsform drängt zur Einrichtung des Eigentums, zur Seß-
haftigkeit, zum Zusammenschluß in Dorfschaften und Städten,
damit in Zusammenhang zur Arbeitsteilung und Herausbildung
der Kultur, welche Geselligkeit und bürgerliche Sicherheit, zugleich
aber Ungleichheit unter den Menschen erzeugt. So endigen wir an
dem Punkte, wo die „Idee" begann. Es entsteht wiederum die
Frage nach dem Fortschritt der Menschheit und sie wird wiederum
beantwortet mit dem Hinweis auf das von den Kriegen herkommende
Unheil, die aber doch ein unentbehrliches Mittel sind, die Menschheit vorwärts zu bringen, bis eine vollendete Kultur einmal den
ewigen Frieden geben wird. Optimistisch klingt der Aufsatz in
den Worten aus: „Und so ist der Ausschlag einer durch Philosophie
versuchten ältesten Menschengeschichte: Zufriedenheit mit der
Vorsehung und dem Gange menschlicher Dinge im Ganzen, der

nicht vom Guten anhebend zum Bösen fortgeht, sondern sich vom
Schlechtern zum Bessern allmählich entwickelt; zu welchem Fortschritt denn ein Jeder an seinem Teile, so viel in seinen Kräften
steht, beizutragen durch die Natur selbst berufen ist." [199])

Wenn man diesen Aufsatz seiner phantasievollen Sprache ent-
kleidet, so liegt seine Bedeutung [200]) einmal in einer Bereicherung
der Kantischen Geschichtsphilosophie, da die Stadien der Entwicklung des Menschen vom Instinkt zur Vernunft, ähnlich wie bei
Iselin, dargestellt werden. Von besonderem Werte ist ferner die
klare Stellungnahme zu Rousseaus Ideen und die damit im Zusammenhang auftretende Wendung zur Religionsphilosophie. Die
Frage nach der Entwicklung der Menschheit beginnt in das Stadium
einzutreten, indem das entscheidende Kriterium für ihre Beantwortung die Begriffe Gut und Böse abgeben. Daß mit dieser
Wendung das Verhältnis des Individuums zur Gattung erneut zum
Problem wurde, ist eine notwendige Folge. Und ebenso ist deutlich, daß die Entscheidung durch die Ergebnisse der Ethik beeinflußt sein mußte.

Das eine der beiden wichtigsten Probleme, welche bisher ungelöst geblieben war, das Theodizeeproblem, erhielt nun seine Lösung
in der „Kritik der Urteilskraft".

Ihre Ergebnisse, welche oben im Zusammenhang mit denen der
beiden anderen Kritiken behandelt worden sind, sollen hier nur
nach ihrer Bedeutung für die Geschichtsphilosophie gewürdigt
werden. Da tritt denn als das wichtigste die Unterscheidung hervor
zwischen: „letzter Zweck der Natur" und „Endzweck". Der Mensch
ist ersteres, insofern „er das einzige Wesen auf der Erde ist, welches
sich einen Begriff von Zweck machen kann". Er bleibt aber dabei
doch immer noch ein von der Natur bedingtes und zum System des
Ganzen gehöriges Wesen. So genügt seine Naturbestimmung
a l l e i n noch nicht, um ihn letzten Zweck zu nennen. Dies wird
erst dadurch möglich, daß wir ihn als Endzweck begreifen. „Als
das einzige Wesen auf Erden, welches Verstand, mithin ein Vermögen hat, sich selbst willkürliche Zwecke zu setzen, ist er zwar
betitelter Herr der Natur und, wenn man diese als ein teleologisches
System ansieht, seiner Bestimmung nach der letzte Zweck der
Natur; aber immer nur bedingt, nämlich daß er es verstehe und

den Willen habe, dieser und ihm selbst eine solche Zweckbeziehung
zu geben, die unabhängig von der Natur sich selbst genug, mithin
Endzweck sein könne, der aber in der Natur gar nicht gesucht,
werden muß [201])." „Endzweck ist der Mensch, insofern in ihm
nur als Subjekt der Moralität die unbedingte Gesetzgebung in
Ansehung der Zwecke anzutreffen ist" [202]). Diese Unterscheidung
beseitigt den Naturbegriff, welcher, wie wir oben sahen, neben
dem der „Kritik der reinen Vernunft" von Kant benutzt wurde,
ohne daß das Recht, ihn anzuwenden, erwiesen worden wäre.
Wenn in der „Idee" gesagt werden konnte, „daß eine vollkommen
gerechte bürgerliche Verfassung die höchste Aufgabe der Natur
für die Menschengattung sei, weil die Natur nur vermittelst der
Auflösung und Vollziehung derselben ihre übrigen Absichten mit unserer Gattung erreichen kann", [203]) so ist diese
Ausdrucksweise streng genommen jetzt nicht mehr möglich. Allerdings darf nicht vergessen werden, daß neben dieser Wendung
auch die von der Anordnung eines weisen „Schöpfers" steht. So
konnte sich Kant auch in der „Kritik der Urteilskraft" ausdrücken.
Und sieht man deshalb von dem Worte ab, so ist klar, daß der
Unterschied zwischen letztem Zweck und Endzweck der Sache
nach schon in der „Idee" enthalten ist. Die „übrigen Absichten"
können doch nur aufgefaßt werden im Sinne der moralischen Bestimmung des Menschen, und schon hier ist gesagt, daß die Her-
stellung einer weltbürgerlichen Verfassung nur ein Mittel ist zu
einem über sie hinausgehenden höheren Zweck. Dasselbe drückt
auch der Gegensatz von Zivilisierung und Moralisierung aus.

Die nächste Folge der charakterisierten Unterscheidung ist
nun, daß eine scharfe Abgrenzung zwischen dem, was die Natur
leisten, und dem, was der Mensch tun muß, um Endzweck zu sein,
versucht wird. Allein kann die Natur Glückseligkeit geben, aber
dann würde der Mensch, wenn er sie zu seinem ganzen Zwecke
machen würde, unfähig sein, seiner Existenz einen Endzweck, der
über die Natur hinausgeht, zu setzen. So ist letzter Zweck der
Natur mit dem Menschen seine Kultur, die besteht in der Errichtung eines weltbürgerlichen Ganzen und in der Disziplin seiner
Neigungen. Beide sind Bedingungen und Vorbereitungen für den
Endzweck, aber nicht dieser selbst. In beiden ist der Mensch

tätig, da ja, wie wir schon aus der „Idee" wissen, die Natur gewollt hat, daß er alles, was über die mechanische Anordnung seines
tierischen Daseins geht, „sich durch eigene Vernunft verschafft".
Daß dies Ziel nicht direkt, sondern indirekt erreicht wird, ist auch
jetzt Kants Ansicht. „Ehrsucht, Herrschsucht und Habsucht"
des Staates und ihrer Leiter sind zwar Hindernisse gegen die
Errichtung eines weltbürgerlichen Ganzen, sie dienen aber doch
schließlich diesem Ziele durch die Kriege und ihre Folgen, welche
aus ihnen sich ergeben. Ich setze die Stelle her, um die Übereinstimmung mit den Gedanken der „Idee" deutlich zu machen:
„Der Krieg ist, so wie er ein unabsichtlicher (durch zügellose
Leidenschaften angeregter) Versuch der Menschen, doch tief ver-
borgener, vielleicht absichtlicher der obersten Weisheit ist, Gesetzmäßigkeit mit der Freiheit der Staaten und dadurch Einheit eines
moralisch begründeten Systems derselben, wo nicht zu stiften,
dennoch vorzubereiten, unerachtet der schrecklichen Drangsale,
womit er das menschliche Geschlecht belegt, und der vielleicht
noch größeren, womit die beständige Bereitschaft dazu im Frieden
drückt, dennoch eine Triebfeder mehr (indessen daß die Hoffnung
zu dem Ruhestande einer Volksglückseligkeit sich immer weiter
entfernt), alle Talente, die zur Kultur dienen, bis zum höchsten
Grade zu entwickeln [204]." Es ist die alte Ansicht, daß ein sinnvoller Zusammenhang zwischen dem der Notwendigkeit gehorchen-
den politischen und kulturellen Leben der Menschheit und dem
durch die reine praktische Vernunft aufgegebenen Ideal nicht aus
der Beobachtung der Tatsachen gewonnen werden kann, wenn nicht
die Natur teleologisch interpretiert wird, wodurch sie dann dem
Endzweck dienstbar angesehen wird. Dieser Standpunkt ist aber
jenseits der Natur gegeben, und wenn Mechanismus und Teleologie
vereinigt gedacht werden sollen, so ist dies nur im Übersinnlichen
als möglich vorzustellen, und wir sprechen dann von einer obersten
Weisheit, die beides umfassen kann.

Dem entspricht auch durchaus das Ergebnis, zu welchem
Kant in seiner Schrift „Über das Mißlingen aller philosophischen
Versuche in der Theodizee" gelangt. Die Fragestellung der „Kritik
der Urteilskraft", welcher diese Abhandlung ja auch zeitlich nahe
steht, kehrt wieder, wenn von einer „K u n s t w e i s h e i t in der

Einrichtung" dieser Welt im Gegensatz zu einer „m o r a l i s c h e n
W e i s h e i t , die in eine Welt überhaupt durch einen vollkommensten Urheber gelegt werden könnte", gesprochen wird. Von der
E i n h e i t i n d e r Z u s a m m e n s t i m m u n g beider haben
wir keinen Begriff, und Kant glaubt, beweisen zu können, daß
wir auch zu ihm nie zu gelangen hoffen können. Seine
„Begründung" lautet: „Ein Geschöpf zu sein und als Naturwesen
bloß dem Willen seines Urhebers zu folgen; dennoch aber als frei-
handelndes Wesen, (welches seinen von äußerem Einfluß unabhängigen Willen hat, der dem ersten vielfältig zuwider sein kann)
der Zurechnung fähig zu sein und seine eigene Tat doch auch
zugleich als die Wirkung eines höheren Wesens anzusehen: ist
eine Vereinbarung von Begriffen, die wir zwar in der Idee einer
Welt, als des höchsten Gutes, zusammen denken müssen; die
aber nur der einsehen kann, welcher bis zur Kenntnis der übersinnlichen (intelligiblen) Welt durchdringt und die Art einsieht,
wie sie der Sinnenwelt zum Grunde liegt: auf welche Einsicht allein
der Beweis der moralischen Weisheit des Welturhebers in der
letzteren gegründet werden kann, da diese doch nur die Erscheinung
jener ersten Welt darbietet, — eine Einsicht, zu der kein Sterb-
licher gelangen kann" 205). Also: Kant zweifelt nicht, d a ß eine
intelligible Welt der sinnlichen zu Grunde liegt, aber w i e dies
Verhältnis zu denken, liegt nicht in den Grenzen des menschlichen
Erkennens.

So hat die „Kritik der Urteilskraft" die erwartete methodische
Begründung der Geschichtsphilosophie nicht gegeben. Ja dadurch,
daß sie den Theodizeegedanken aufhob, verschärfte sie noch mehr
die schon vorhandenen Schwierigkeiten. Eine Rechtfertigung der
Natur war nicht mehr das Ziel, es blieb nur der Gedanke einer Zuordnung ihrer zu einem außer ihr liegenden Endzweck. Dies war
ein Postulat der praktischen Vernunft. Es war nicht nötig, aber
auch nicht möglich, es an der Erfahrung zu erweisen. Nur der
Hinweis auf die Einheit beider Reiche in einem Übersinnlichen gab
eine, allerdings ungenügende, Antwort. Sie verwickelte außerdem
den Gedanken des göttlichen Schöpfers in neue Schwierigkeiten.

Die Probleme der Geschichtsphilosophie sind von Kant nun
noch vielfach erörtert worden, so in dem Aufsatz: „Über den

Gemeinspruch: Das mag in der Theorie richtig sein, taugt aber
nicht für die Praxis." Die drei Teile, aus denen er besteht, werden
durch den Gedanken zusammengehalten, daß von der Theorie aus
eine Wirkung in der Erfahrung möglich sein solle und auch wirklich sei.

Unser Interesse heftet sich an den letzten von ihnen, in welchem
das Verhältnis der Theorie zur Praxis im Völkerrecht in kosmo-
politischer Betrachtung erwogen wird. Die Frage: „Ist das menschliche Geschlecht im Ganzen zu lieben, oder ist es ein Gegenstand,
den man mit Unwillen betrachten muß", wird geschichtsphilosophisch untersucht in der charakteristischen Formulierung: „sind
in der menschlichen Natur Anlagen, aus welchen man abnehmen
kann, die Gattung werde immer zum Bessern fortschreiten und
das Böse jetziger und vergangener Zeiten sich in dem Guten der
künftigen verlieren" 206)? Damit ist schon gegeben, daß nur eine
metaphysische Konstruktion die Antwort geben kann. Sie fällt
im Gegensatz zu Mendelssohn bejahend aus und zwar zuerst im
Hinblick auf „die Moralität eines weisen Welturhebers und
Regierers". Es ist unmöglich, daß er Laster sich häufen lasse, um
recht viel strafen zu können. Kant verwertet nun die Bedingung,
welche er in der „Kritik der Urteilskraft" an die Bezeichnung
des Menschen als des letzten Zweckes der Natur geknüpft hatte,
zu der Annahme, „daß, da das menschliche Geschlecht beständig
im Fortrücken in Ansehung der Kultur als dem Naturzwecke desselben ist, es auch im Fortschreiten zum
Besseren in Ansehung des moralischen Zwecks
seines Daseins begriffen sei, und daß dieses zwar bisweilen unterbrochen, aber nie abgebrochen sein werde". Der Gegensatz der Zivilisierung und Moralisierung ist also hier beibehalten,
aber es wird versucht, beide Ziele als neben- und miteinander
erreichbar darzustellen. Gestützt wird diese Ansicht in höchst
charakteristischer Weise für letztere durch die „angeborene Pflicht,
in jedem Gliede der Reihe der Zeugungen so auf die Nachkommenschaft zu wirken, daß sie immer besser werde (wovon also
auch die Möglichkeit angenommen werden muß)
und daß so diese Pflicht von einem Gliede der Zeugungen zum
andern sich rechtmäßig vererben könne". Das Sollen beansprucht

also hier nicht nur ein Können für den Einzelnen, sondern für die Menschheit als geschichtliche Erscheinung. Die Zweifel aus den Tatsachen der Geschichte sind nicht überzeugend, so lange nicht das Vergebliche einer Arbeit für den sittlichen Fortschritt erwiesen wird. Dies ist bisher nicht gelungen und „so kann ich die Pflicht gegen die Klugheitsregel, aufs Untunliche nicht hinzuarbeiten, nicht vertauschen". Auch lassen sich eher Beweise für das Gegenteil geben, Kant beruft sich wiederum auf sein Zeitalter, das „ansehnlich zum selbst Moralisch-Besseren fortgerückt sei" [207]). Die Frage nach der Garantie dieses Fortschreitens wird dann unter Berufung auf das, was „die menschliche Natur in uns und mit uns tun wird" beantwortet. Der Ausdruck ist auffallend, wird aber bald dadurch korrigiert, daß an seiner Stelle die V o r - s e h u n g genannt wird, „weil höchste Weisheit zur Vollendung dieses Zwecks erfordert wird". Von ihr kann ein Erfolg erwartet werden, der aufs Ganze geht, „da im Gegenteil die Menschen mit ihren E n t w ü r f e n nur von den Teilen ausgehen, wohl gar nur bei ihnen stehen bleiben und aufs Ganze als ein solches, welches für sie zu groß ist, zwar ihre Ideen, aber nicht ihren Einfluß erstrecken können" [208]).

Auf dieser Grundlage wird dann ein Zusammenhang zwischen Zivilisierung und Moralisierung in der Weise gedacht, daß letztere zum Teil als eine mittelbare Folge der ersteren vorgestellt wird. Es werden die Ideen von einer aus dem Unheil der Kriege notwendigen weltbürgerlichen Verfassung entwickelt und die Meinung ausgesprochen, daß aus der Selbstliebe jedes Zeitalters, die gegen Kriege spricht, doch ein Fortschritt selbst im moralischen Sinne entspringen könne. Das soll nur Hypothese und Meinung sein, da die beabsichtigte Wirkung „nicht gänzlich in unserer Gewalt steht", aber schließlich dürfen wir der Vorsehung vertrauen, denn: „Die Entgegenwirkung der Neigungen, aus welchen das Böse entspringt, unter einander verschafft der Vernunft ein freies Spiel, sie insgesamt zu unterjochen und s t a t t d e s B ö s e n , w a s s i c h s e l b s t z e r s t ö r t , das Gute, welches, wenn es einmal da ist, sich fernerhin von selbst erhält, herrschend zu machen." Hier hat das Gute den Charakter eines metaphysischen Prinzipes angenommen, die Geschichte der Menschheit ist seine Offenbarung.

Das Böse dient ihm nur, es ist nicht positiv, es zerstört sich selbst.

So schließt dieser Aufsatz mit der Wiederholung des Vertrauens auf die Theorie, in das Sollen und seinen Einfluß auf die „Erdengötter", zugleich auch auf die Natur der Dinge: „Bei dieser letzteren wird dann auch die menschliche Natur mit in Anschlag gebracht, welche, da in ihr immer noch Achtung für Recht und Pflicht lebendig ist, ich nicht für so versunken im Bösen halten kann oder will, daß nicht die moralisch-praktische Vernunft nach vielen mißlungenen Versuchen endlich über dasselbe siegen und sie auch liebenswürdig darstellen sollte" [209]).

In diesem Aufsatz sind die religionsphilosophischen Ideen, wie sie die „Religion innerhalb der Grenzen der bloßen Vernunft" entwickelt, zur vollen Geltung gekommen. Damit dringen Begriffe in die Geschichtsphilosophie ein, die ihr früher fremd gewesen waren. Sie sollen in dem systematischen Zusammenhang, in welchem sie auftreten, an einer späteren Stelle dargestellt werden, hier seien nur ihre nächsten Einwirkungen konstatiert. Zum erstenmal tritt uns der Versuch entgegen, die Entwicklung des Individuums in Verbindung zu setzen mit der der Gattung. Die vorher gesondert verlaufenden Reihen werden jetzt miteinander in Berührung gebracht. So erwartet Kant nun auch einen Erfolg von der Arbeit des Einzelnen für die Gesamtheit. Entwicklung in Ansehung des Naturzwecks und Entwicklung in Ansehung des moralischen Zwecks werden als zugleich geschehend gedacht, und es wird nach Übergängen zwischen ihnen gesucht. Nun wird auch möglich, den Gottesbegriff, der als Postulat des moralischen Bewußtseins aufgestellt worden war, geschichtsphilosophisch zu verwerten. Die Unmöglichkeit einer Entwicklung zum Schlechteren wird ja doch aus dem Gedanken an die Moralität des höchsten Regierers abgeleitet. So erweist die Gottesidee wiederum ihre vereinigende Kraft. Und wie früher aus ihr der Gedanke der Harmonie abgeleitet wurde, so jetzt der, daß das Gute siegen muß, das Böse aber sich selbst zerstört.

Seit dem soeben besprochenen Aufsatze hat das Problem des Fortschreitens des Menschengeschlechts das Denken Kants immer wieder beschäftigt. Er fühlte das Ende herannahen, und, wie er nun selbst die Summe seines Lebens zog, wandte sein Geist sich den letzten Dingen zu. Er fragt nach dem „Ende aller Dinge" (1794). Doch will er dieser Betrachtung nur dann einen Sinn zukommen lassen, wenn nach dem moralischen Lauf der Dinge gefragt wird, da die Dauer der Welt nur einen Wert hat, insofern „als die vernünftigen Wesen in ihr dem Endzweck ihres Daseins gemäß sind" [210]). Es gibt ein natürliches Ende aller Dinge, wenn unter natürlich das verstanden wird, „was nach Gesetzen einer gewissen Ordnung, welche es auch sei, mithin auch der moralischen, notwendig folgt" [211]). So ist denn, obgleich „in den Fortschritten des menschlichen Geschlechts die Kultur der Talente, die Geschicklichkeit des Geschmacks (mit ihrer Folge, der Üppigkeit) der Entwicklung der Moral voreilt", doch zu hoffen, daß die sittliche Anlage der Menschheit sie überhole. Dieses Ziel will Kant dann wiederum der Vorsehung anvertrauen, wobei er die interessante Wendung braucht, man müsse, „wo es schlechterdings unmöglich ist, den Erfolg aus gewissen, nach aller menschlichen Weisheit genommenen Mitteln mit Gewißheit vorauszusehn, eine Konkurrenz göttlicher Weisheit zum Laufe der Natur auf praktische Art glauben, wenn man seinen Endzweck nicht lieber gar aufgeben will" [212]).

Diese Gedanken lassen sich nun weiter verfolgen in Kants Schrift „Zum ewigen Frieden". Die Idee einer weltbürgerlichen Gemeinschaft der Nationen erhält hier eine rechtsphilosophische Begründung, zugleich aber kehren die geschichtsphilosophischen Betrachtungen wieder, in denen eine Garantie für ihre Verwirklichung gesucht werden soll. Die „große Künstlerin Natur" leistet diese Gewähr, sie wird „als Nötigung einer ihren Wirkungsgesetzen nach uns unbekannten Ursache, S c h i c k s a l ", als tiefliegende Weisheit einer höheren, auf den objektiven Endzweck des menschlichen Geschlechts gerichteten und diesen Weltlauf prädeterminierenden Ursache, V o r s e h u n g genannt. Diese für die theoretische Philosophie überschwängliche Idee ist in praktischer Absicht „dogmatisch und ihrer Realität nach wohl gegründet". In einer Anmerkung wird sogar der Begriff der Vorsehung nach seinen verschiedenen Bedeutungen entwickelt. K a n t unterscheidet eine g r ü n d e n d e , eine w a l t e n d e und eine l e i t e n d e Vor-

19*

sehung. Die erstere dient ihm zur Erklärung „der im Mechanismus
der Natur ihrer Existenz schon zum Grunde liegenden Form, die wir
uns nicht anders begreiflich machen können, als indem wir ihr den
Zweck eines sie vorher bestimmenden Welturhebers unterlegen".
Sie ist in den Anfang der Welt zu legen, im Laufe der Natur wird
sie die waltende genannt, sie erhält diesen nach allgemeinen Gesetzen als Zweckmäßigkeit und dient „zu besonderen, aber von den
Menschen nicht vorherzusehenden, sondern nur aus dem Erfolg
vermuteten Zwecken". Die leitende Vorsehung oder Fügung,
welche zur Erklärung einzelner Zwecke dienen soll, wird abgelehnt,
da damit das Wunder anerkannt werden würde. Überhaupt wird
der Gedanke einer besonderen Vorsehung aus prinzipiellen Gründen
zurückgewiesen, da die Einheit der Naturerklärung damit aufgehoben würde; kein einziges Ding ist von der allgemeinen Vorsehung,
der allgemeinen gesetzmäßigen Ordnung ausgenommen zu denken.
Allerdings darf neben eine rein mechanische Erklärung von Vorgängen, wie z. B. die der Zuführung des Holzes an die Eisküsten
durch die Meerströme, auch eine teleologische treten, „die auf die
Vorsorge einer über die Natur gebietenden Weisheit hinweist".
Abzulehnen ist schließlich auch der Gedanke eines concursus dei
zu einer Wirkung in der Sinnenwelt, während in moralisch-praktischer Absicht, z. B. in dem Glauben, daß Gott den Mangel unserer
eigenen Gerechtigkeit, wenn nur unsere Gesinnung echt war, auch
durch uns unbegreifliche Mittel ergänzen werde, wir also in der
Bestrebung zum Guten nicht nachlassen sollen, der Begriff des
göttlichen concursus ganz schicklich und sogar notwendig ist [213]).

Analog der Unterscheidung einer gründenden und einer waltenden Vorsehung wird nun zuerst der Zustand, in den die Natur das
Menschengeschlecht setzte, untersucht. „Ihre provisorische Ver-
anstaltung besteht darin: daß sie 1. für die Menschen in allen Erd-
gegenden gesorgt hat, daselbst leben zu können; 2. daß sie sie
durch Krieg allerwärts hin, selbst in die unwirtbarsten Gegenden
getrieben hat, um sie zu bevölkern; 3. durch ebendenselben sie in
mehr oder weniger gesetzliche Verhältnisse zu treten genötigt
hat." [214]) In der diesen Sätzen beigegebenen Erläuterung rückt
Kant einer anthropomorphen Teleologie bedenklich nahe, wenn er
deutlich einen Zweck darin hervorleuchten sieht, daß die Bewohner

der Polargegenden in den dort vorhandenen Tieren ihre Nahrung finden. Am meisten aber erregt die Natur Bewunderung durch die schon erwähnte Lieferung des Holzes für Gegenden, in denen nicht Bäume wachsen. Weiter wird dann in bekannter Weise geschildert, wie die Menschen aus der gesetzlosen Freiheit des Jagd-, Fischer- und Hirtenlebens in den Zustand des Ackerbaues und damit in gesellschaftliche Ordnung treten. Hat die Natur so dafür gesorgt, daß Menschen überall leben k ö n n e n , so hat sie anderseits gewollt, daß sie überall leben s o l l e n . Ihr Mittel ist der Krieg, er scheint „auf die menschliche Natur gepfropft zu sein, und sogar als etwas Edles, wozu der Mensch durch den Ehrtrieb, ohne eigennützige Triebfedern, beseelt wird, zu gelten". Selbst Philosophen haben ihm eine Lobrede gehalten, was Kant selbst aber doch nicht tun will.

Dies alles hat die Natur „ f ü r i h r e n e i g e n e n Z w e c k " in Ansehung der Menschengattung als einer Tierklasse getan. Nun wird erst die Frage, die das Wesentliche der Absicht auf den ewigen Frieden betrifft, gestellt: „was die Natur in dieser Absicht beziehungsweise auf den Zweck, der dem Menschen seine eigene Vernunft zur Pflicht macht, mithin zu Begünstigung seiner m o r a l i s c h e n A b s i c h t tue und wie sie die Gewähr leiste, daß dasjenige, was der Mensch nach Freiheitsgesetzen tun sollte, aber nicht tut, dieser Freiheit unbeschadet auch durch einen Zwang der Natur, daß er es tun w e r d e , gesichert sei, und zwar nach allen drei Verhältnissen des öffentlichen Rechts, des S t a a t s - , V ö l k e r - und w e l t b ü r g e r l i c h e n Rechts". 215) Nach dieser Ordnung wird gezeigt, wie der Krieg von außen ein Volk zu einem Zusammenschluß, zu einer Staatserrichtung führt, in welcher die Natur die egoistischen Neigungen der Einzelnen zum Gleichgewicht und damit zur Annäherung an eine gute (republikanische) Staatsverfassung bringt, von welcher die gute moralische Bildung eines Volkes zu erwarten ist. Im Verhältnis der Völker zueinander macht sich das Streben zur Absonderung dann wieder geltend, ein Streben, dem die Natur durch die Verschiedenheit der Sprachen und Religionen entgegenkommt, auf diese Weise das Entstehen einer für die Entwicklung der Menschheit verderblichen Universalmonarchie verhindert, zugleich aber wiederum zu einem Gleichgewicht der Kräfte führt. Der Handelsgeist, aus dem Eigennutz entsprungen, hat dann ebenfalls eine Tendenz zum Frieden und führt zum Weltbürger-recht. „Auf die Art garantiert die Natur, durch den Mechanismus in den menschlichen Neigungen selbst, den ewigen Frieden." [216])

Die Entwicklung dieser Idee führt in einem Anhang wiederum zur Erörterung des Verhältnisses von Theorie und Praxis. Die „pöbelhafte Berufung" auf die Erfahrung bringt Kant in Harnisch. Der a priori begründete Rechtsbegriff gerät in Gefahr von dem Ge-danken, daß der Staat auf Gewalt begründet sei und daß sie in ihm herrschen müsse, verdrängt zu werden. Aber dagegen spricht entscheidend die Freiheit und das darauf gegründete moralische Gesetz. Zu verlangen ist deshalb ein politischer Moralist, der die jeweiligen Zustände und Gebrechen seines Staates an dem Natur-recht, „so wie es in der Idee der Vernunft uns zum Muster vor Augen steht", mißt [217]). Zu einer solchen Anschauung reicht aller-dings nicht aus, die Menschen kennen gelernt zu haben. D e r Mensch muß erkannt werden, ein höherer Standpunkt der anthro-pologischen Betrachtung, der den Menschen als freies Wesen in sich schließt, wird dazu erfordert. Staatsklugheit reflektiert auf die Schwächen der menschlichen Natur, die Staatsweisheit orien-tiert sich an der Idee des a priori gegebenen allgemeinen Willens, dessen Ziele, wie erwiesen, sich mit dem Mechanismus der Natur vereinigen lassen. Politik muß von dem reinen Begriff der Rechts-pflicht ausgehen im Vertrauen und in der Sicherheit, daß das Gute doch schließlich siegt. „Das moralische Böse hat die von seiner Natur unabtrennliche Eigenschaft, daß es in seinen Absichten (vor-nehmlich im Verhältnis gegen andere Gleichgesinnte) sich selbst zuwider und zerstörend ist, und so dem (moralischen) Prinzip des Guten, wenngleich durch langsame Fortschritte, Platz macht." [218]) So schließt Kant in optimistischer Stimmung: „der ewige Friede ist keine leere Idee, sondern eine Aufgabe, die nach und nach auf-gelöst, ihrem Ziele (weil die Zeiten, in denen gleiche Fortschritte geschehen, hoffentlich immer kürzer werden) beständig näher kommt". Er hofft auch auf „eine noch größere, obzwar zur Zeit schlummernde moralische Anlage im Menschen" [219]), für welche einen — wenn auch nur schwachen — Beweis die Anerkennung des Rechtsbegriffs durch die Staaten liefert.

Es ist offenbar, daß die Grenzen, welche die „Kritik der Urteilskraft" zwischen „Naturzweck" und „Endzweck" so peinlich gezogen hatte, jetzt nicht mehr eingehalten werden. Es findet eine
entschiedene Hinwendung zu metaphysischen Vorstellungen statt,
ohne daß allerdings die Lösungen, welche gegeben werden, vor dem
Forum kritischen Denkens bestehen könnten. Es ist nun möglich, in den Problemen, die Kants Philosophie noch zu lösen
hatte, die Gründe zu einer solchen Wandlung aufzuweisen.
Am Schluß der Vorrede zur „Kritik der Urteilskraft" heißt
es: „Hiemit endige ich mein kritisches Geschäft. Ich werde
zum Doktrinalen schreiten" usw. Damit war für ihn die Aufgabe
entstanden, eine Beziehung zwischen Theorie und Praxis herzustellen. Indem er nun die Idee einer Vernunftreligion und die eines
Vernunftrechtes a priori begründete, mußte er zeigen, daß sie den
Erscheinungen, in denen sie gelten sollen, auch wirklich zugrunde
liegen. Sie verloren damit ihre Unwirklichkeit, und eine Synthese
wurde notwendig, da hier eine Flucht in die intelligible Welt nicht
möglich war, wie bei der Frage nach der Fortdauer der Persönlichkeit. Und da nun in diesen Systemen der Einzelne zur Betätigung
gelangt, aber doch zugleich ihnen angehört, so war es möglich, sie als
in gemeinsamer Entwicklung begriffen darzustellen. Der Vereinigungspunkt lag aber schließlich in den praktischen Ideen. Diese
wiesen dann wieder auf den Zusammenhang zwischen Natur uud
Freiheit. So kamen aus der angewandten Philosophie Motive,
welche verlangten, das alte Problem, das nur auf der Höhe der
reinen Philosophie gelöst worden war, neu zu bearbeiten. Das
Tragische aber war, daß das Alter Kants Geisteskräfte so bald ver-
minderte, daß er selbst einen Weg aus der neuen Fragestellung
nicht mehr finden konnte.

Noch einmal wird die Frage: ob das menschliche Geschlecht im beständigen Fortschreiten zum Besseren sei, erörtert
im zweiten Abschnitt des „Streits der Fakultäten". Sie
betrifft die Sittengeschichte, nicht die Naturgeschichte. Sie wird
behandelt in Hinblick auf „das G a n z e der gesellschaftlich auf
Erden vereinigten, in Völkerschaften verteilten Menschen" [220]).
Eine solche Geschichte würde eine wahrsagende sein, und da der
Fall, daß sie möglich ist, weil der Wahrsagende sie selbst macht,

ausgeschlossen ist, so muß der Versuch, aus der Erfahrung ein
Urteil zu schöpfen, gemacht werden. Die drei Behauptungen des
Terrorismus, des Eudämonismus, des Abderitismus sind aufgetreten.
Erstere ist unmöglich, da der Verfall ins Ärgere im menschlichen
Geschlechte nicht beständig fortwährend sein kann; die eudämo-
nistische Vorstellungsart ist abzulehnen, da das Quantum des mit
dem Bösen im Menschen vermischten Guten ein gewisses Maß
des letzteren nicht überschreiten kann; die Hypothese des Abderitismus schließlich würde das menschliche Leben in ein Possenspiel
verwandeln. Die Unmöglichkeit die Frage zu beantworten ergibt
sich aus dem Dualismus der menschlichen Natur. Die physische
Anlage könnte eine Epoche des Rückganges im Fortschritt, die
moralische eine Wendung zum Besseren nach einer solchen zum
Ärgeren hervorrufen. Es handelt sich um freihandelnde Wesen.
Nur die Vorsehung könnte Naturgesetze und freie Handlungen
vereinigt denken. Dem Menschen ist dies nicht möglich, da er
die Mischung des Bösen mit dem Guten in seiner Anlage nicht
kennt. Wenn nun aber doch an irgendeine Erfahrung im Menschengeschlechte angeknüpft werden muß, so muß es eine Begebenheit
sein, die auf eine Beschaffenheit und ein Vermögen in ihm hin
weist, „U r s a c h e an dem Fortwirken desselben zum Besseren
zu sein". Die so entstehende Aufgabe wird so formuliert: „Also
muß eine Begebenheit nachgesucht werden, welche auf das Dasein
einer solchen Ursache und auch auf den Akt ihrer Kausalität im
Menschengeschlechte unbestimmt in Ansehung der Zeit hinweise
und die auf das Fortschreiten zum Besseren als unausbleibliche
Folge schließen ließe, welcher Schluß dann auf die Geschichte der
vergangenen Zeit (daß es immer im Fortschritt gewesen sei) ausgedehnt werden könnte, doch so, daß jene Begebenheit nicht selbst
als Ursache des letzteren, sondern nur als hindeutend, als G e -
s c h i c h t s z e i c h e n angesehen werden müsse und so die T e n -
d e n z des menschlichen Geschlechts im ganzen, das ist nicht nach
den Individuen betrachtet, sondern wie es in Völkerschaften und
Staaten geteilt auf Erden angetroffen wird, beweisen könnte"[221]).
Diese Begebenheit, die französische Revolution, wird nicht be
trachtet nach den Ereignissen, welche mit ihr in Verbindung auf-
traten, auch nicht nach den Taten der Urheber, sondern nach der

Denkungsart der Zuschauer. In ihr „findet sie eine Teilnehmung
dem Wunsche nach, die nahe an Enthusiasmus grenzt und deren
Äußerung selbst mit Gefahr verbunden war, die also keine andere
als eine moralische Anlage im Menschengeschlecht zur Ursache
haben kann" [222]). Damit tritt das Phänomen aus dem zeitlichen
Ablauf der Erscheinungen heraus, aus dem Lauf der Dinge hätte
es nie erklügelt werden können, da dieser immer nur die Notwendigkeit physischer Bedingung zeigt, und es „allein vereinigt Natur
und Freiheit nach inneren Rechtsprinzipien im Menschengeschlechte,
konnte aber, was die Zeit betrifft, nur als unbestimmt und Begebenheit aus Zufall verheißen". Dann aber ist weiteres Wirken von
einer solchen Begebenheit aus anzunehmen, sie vergißt sich nicht,
und es ist ein auch für die strengste Theorie geltender Satz: „daß
das menschliche Geschlecht im Fortschreiten zum Besseren immer
gewesen sei und so fernerhin fortgehen werde" [223]). Diese Entwicklung über alle Völker des Erdteils ausgedehnt gedacht, eröffnet
den Ausblick in eine unabsehliche Zeit. Allerdings wird dieser
Fortgang nicht die Grundlage der Moralität im Menschengeschlechte
vergrößern. Diese ist unveränderlich, nur „eine Art von neuer
Schöpfung (übernatürlicher Einfluß)" könnte sie ändern. So ist
allein eine Zunahme des Quantums der Legalität der Handlungen
anzunehmen: „Es wird der Gewalttätigkeit von Seiten der Mächtigen
weniger, der Folgsamkeit in Ansehung der Gesetze mehr werden.
Es wird etwa mehr Wohltätigkeit, weniger Zank in Prozessen, mehr
Zuverlässigkeit im Worthalten usw. teils aus Ehrliebe, teils aus
wohlverstandenem eigenen Vorteil im gemeinen Wesen entspringen
und sich endlich dies auch auf die Völker im äußeren Verhältnis
gegeneinander bis zur weltbürgerlichen Gesellschaft erstrecken" [224]).
Diesen Vorgang denkt sich Kant nicht als Revolution, sondern
als Evolution, und er nimmt an, daß eine solche ihren Ausgangspunkt von oben, nicht von unten nehmen werde. Nur nach einem
überlegten Plane der obersten Staatsmacht kann das gesamte Er-
ziehungswesen zu diesem Ziele eingerichtet werden. Allerdings
läßt sich von Menschen schließlich doch nur eine negative Weisheit
erwarten, die in der Einsicht von der Verderblichkeit der Kriege
und in dem Bestreben, sie zu vermeiden, besteht. Zu ihr muß
eine positive Weisheit, d. h. die Vorsehung, hinzutreten.

Auch in dieser Abhandlung ist der Einfluß der Religionsphilosophie auf die geschichtsphilosophische Betrachtung nicht zu verkennen. Es wird eine ursprüngliche Anlage zum Guten im Menschen angenommen, auf welche dann die Zukunftshoffnung gegründet wird. Als eine zur Anthropologie wichtige Bemerkung wird die Ansicht ausgesprochen, daß wahrer Enthusiasmus, wie er sich bei den Zuschauern der französischen Revolution gezeigt hat, „aufs Idealische, und zwar rein Moralische, geht". So wird auf ein Vermögen und eine Tendenz des menschlichen Geschlechts geschlossen, deren Verhältnis zum Ablauf des Geschehens zu bestimmen allerdings große Schwierigkeit macht. Es wird von einer „moralischen, einfließenden Ursache" gesprochen, sie steht jenseits der Verknüpfung der Erscheinungen. Aber über ihr Eintreten in diese erfahren wir nichts Bestimmtes. Nur das ist zweifellos, daß eine allmähliche Entwicklung des guten Prinzips in der Geschichte anzunehmen ist; wie es aber zu dem Mechanismus des Geschehens sich verhalte, bleibt dunkel. Ja, im Gegensatz zu dem Versuch nach einer Synthese in den beiden vorhergehenden Aufsätzen, tritt uns dieser noch einmal in seiner ganzen Selbständigkeit entgegen, wenn die Möglichkeit eines Abbruches der menschlichen Entwicklung durch Naturrevolutionen zugegeben wird: „Für die Allgewalt der Natur, oder vielmehr ihrer uns unerreichbaren obersten Ursache ist der Mensch wiederum nur eine Kleinigkeit. Daß ihn aber auch die Herrscher von seiner eigenen Gattung dafür nehmen und als eine solche behandeln, indem sie ihn teils tierisch, als bloßes Werkzeug ihrer Absichten, belasten, teils in ihren Streitigkeiten gegeneinander aufstellen, um sie schlachten zu lassen, — das ist keine Kleinigkeit, sondern Umkehrung des E n d z w e c k s der Schöpfung selbst." [225]) Der zweite Satz steht hier, um auf die ungelösten Schwierigkeiten der Kantischen Geschichtsphilosophie noch einmal hinzuweisen. Nach den Bestimmungen der „Kritik der Urteilskraft" sollte der Mensch letzter Zweck der Natur sein und ihre Absicht mit ihm die Entwicklung zur Kultur. Hier wird die Möglichkeit zugestanden, daß sie ihn vernichtet, ehe er sein Ziel erreicht hat, und damit wird jener Betrachtung eigentlich ihr Sinn genommen. Daß das Wesen des Menschen mit dieser Zerstörung nicht vernichtet sei, ist doch der einzige Trost, der übrig bleibt, es bleibt ja immer noch das Vertrauen auf Gott, dessen Pläne der Mensch allerdings nicht durchschauen kann.

Diese Abhandlung befriedigt von allen geschichtsphilosophischen Untersuchungen Kants vielleicht am wenigsten. Sie trägt deutlich die Spuren des Alters. Die Gedanken werden nicht mehr von der Strenge kritischer Prüfung im Zaum gehalten. Metaphysische, oft in das Gebiet des Mystischen sich verirrende Ideen wechseln ab mit einem bodenlosen Skeptizismus und mit oft gewollt erscheinenden Entschlüssen eine positive Lösung zu geben. Kant war des Treibens auf der „Schaubühne der Eitelkeit" gründlich satt. Die Erfahrungen des eigenen Lebens, der Blick auf die Weltzustände, dies alles ließ die pessimistischen Stimmungen, welche ihm nie fremd gewesen waren, noch stärker hervortreten. Gelegentlich half wohl eine ironische Bemerkung [226]) darüber hinweg, aber immer schwerer mußte er bei zunehmendem Alter das Mißverhältnis zwischen Wollen und Können empfinden. Von diesen Stimmungen mag hier eine Briefstelle Zeugnis geben. Kant schreibt an Garve, welcher ihm von seinen Leiden berichtet hatte, am 21. September 1798: „Ich weiß nicht, ob, bei einer gleichen Bestrebung meinerseits, das Los, was mir zugefallen ist, von Ihnen nicht noch schmerzhafter empfunden werden möchte, wenn Sie sich darin in Gedanken versetzten; nämlich für Geistesarbeiten, bei sonst ziemlichem körperlichen Wohlsein, wie gelähmt zu sein: den völligen Abschluß meiner Rechnung, in Sachen, welche das Ganze der Philosophie (sowohl Zweck als Mittel anlangend) betreffen, vor sich liegen und es noch immer nicht vollendet zu sehen; obwohl ich mir der Tunlichkeit dieser Aufgabe bewußt bin: ein tantalischer Schmerz, der indessen doch nicht hoffnungslos ist."

Eine letzte Darstellung geschichtsphilosophischer Gedanken enthält schließlich die „Anthropologie in pragmatischer Hinsicht" vom Jahre 1798. Sie soll hier nur insofern betrachtet werden, als sie das bisher gegebene Bild bereichern kann. Mit ihrem Thema ist ja gegeben, daß sie sich ausführlicher mit der Ausstattung des Menschen für das Leben beschäftigt. Ein gern gebrauchtes Wort begegnet uns wieder: das von der Weisheit der Natur. So heißt es am Schluß des Abschnittes über den Charakter des Geschlechts: „Die Natur hat auch in diese ihre Ökonomie einen so reichen Schatz

von Veranstaltungen zu ihrem Zweck, der nichts Geringeres ist
als die Erhaltung der Art, hineingelegt, daß bei Gelegenheit näherer
Nachforschungen es noch lange Stoff genug zu Problemen geben
wird, die Weisheit der sich nach und nach entwickelnden Naturanlagen zu bewundern und praktisch zu gebrauchen." [227]) Dieser
Plan wird besonders aufgezeigt an dem Verhältnis der beiden Geschlechter. Die Frau muß für den Mangel an Kraft gegenüber dem
Manne einen Ersatz durch Kunst erhalten. Ihre Schwäche empfahl
sie dem Schutze des Mannes, und die Natur machte sie durch ihre
feineren Empfindungen zu seinem Beherrscher [228]). Auch für
die Erhaltung der Lebenskraft im Menschen hat sie gesorgt, sie
spiegelt ihm, der von Natur faul ist, Gegenstände als wirkliche
Zwecke vor, z. B. Erwerbungsarten von Ehre, Gewalt und Geld,
„sie will von Zeit zu Zeit stärkere Erregungen der Lebenskraft,
um die Tätigkeit des Menschen aufzufrischen, damit er nicht im
bloßen G e n i e ß e n das Gefühl des Lebens gar einbüße" [229]). Als
ein vernünftiges Tier ist der Mensch von den anderen Tieren unterschieden. Er hat eine technische, pragmatische und moralische
Anlage. In bezug auf die erstere wiederholt Kant die aristotelische
Lehre, „daß die Hand den Menschen als ein vernünftiges Tier charak-
terisiere", und er sieht „in ihrem zarten Gefühl einen Hinweis, dadurch die Natur ihn nicht für eine Art der Handhabung der Sachen,
sondern unbestimmt für alle, mithin auch für den Gebrauch der Vernunft geschickt gemacht hat" [230]). Bei Bestimmung der pragmatischen Anlage begegnen wir dann wieder dem Gedanken, daß nicht
das Individuum sein Ziel erreiche, sondern daß die Gattung in einem
durch Generationen reichenden Fortschreiten begriffen sei. Die Frage
nach der moralischen Anlage wird dann im Sinne der Religionsphilosophie beantwortet. Als Ergebnis dieser Betrachtungen
können die Sätze gelten: „Der Mensch ist durch seine Vernunft
bestimmt, in einer Gesellschaft mit Menschen zu sein und in ihr sich
durch Kunst und Wissenschaften zu k u l t i v i e r e n, zu z i v i -
l i s i e r e n und zu m o r a l i s i e r e n, wie groß auch sein tierischer
Hang sein mag, sich den Anreizen der Gemächlichkeit und des
Wohllebens, die er Glückseligkeit nennt, p a s s i v zu überlassen, sondern vielmehr t ä t i g, im Kampf mit den Hindernissen, die ihm von
der Rohigkeit seiner Natur anhängen, sich der Menschheit würdig zu

machen." [231]) Das Mittel der Menschheitsentwicklung nach dem Endzweck ihrer Bestimmung hin ist dann wieder „die bürgerliche, auf
dem Freiheits-, zugleich aber auch gesetzmäßigen Zwangsprinzip zu
gründende Verfassung". Sie erwartet der Mensch von der Vorsehung,
die in höchst charakteristischer Weise bezeichnet wird als „eine Weisheit, die nicht die s e i n e , aber doch die (durch seine eigene Schuld)
ohnmächtige I d e e seiner eigenen Vernunft ist". Auch die Verbindung mit religionsphilosophischen Gedanken kehrt hier wieder,
wenn von dem sich erhaltenden „ G u t e n aus dem innerlich mit
sich selbst immer sich veruneinigenden B ö s e n " gesprochen
wird. Und schließlich tritt der Vorsehungsgedanke in universaler
Geltung uns noch einmal entgegen: „Vorsehung bedeutet ebendie-
selbe Weisheit, welche wir in der Erhaltung der Spezies organisierter, an ihrer Zerstörung beständig arbeitender und dennoch sie
immer schützender Naturwesen mit Bewunderung wahrnehmen,
ohne darum ein höheres Prinzip in der Vorsorge anzunehmen, als
wir es für die Erhaltung der Gewächse und Tiere anzunehmen schon
im Gebrauch haben." [232])

Am Ende einer langen Reihe von Einzeluntersuchungen wendet
sich der Blick noch einmal zum Anfange zurück, um das Ganze
einheitlich zu erfassen.

Das neue Moment, das seit dem Erscheinen der „Kritik der
reinen Vernunft" das Denken Kants beherrschte, war der Gegensatz
von Natur und Freiheit. Insofern in ihm die letzte Einsicht über
die dem Menschen erfaßbare Wirklichkeit gewonnen wurde, mußten
alle Teilsysteme, die mit diesem Gegensatz in Berührung kamen,
von der Lösung dieses letzten Problemes sich abhängig erweisen.
Die gesonderte Behandlung des Ideenbegriffes sollte deshalb die
Grundlage geben für die Darstellung der Geschichts-, Religions-
und Rechtsphilosophie.

Die erste der hiermit angegebenen Fragen versuchte dies Kapitel zu beantworten. Es ergab sich, daß Kant die Idee einer Geschichtsphilosophie in den siebziger Jahren, wahrscheinlich im Anschluß an die Universalhistorie dieser Zeit, erfaßt hat. Von den
Gedanken, welche aus seiner Naturphilosophie in sie eingingen,
war der wichtigste der Entwicklungsbegriff. An ihm hat er dauernd

festgehalten. Im Sinne seiner kosmogonischen Lehren faßte er das Menschengeschlecht als eine Einheit und versuchte zu zeigen, wie die Menschengattung die in sie von der Natur gelegten eigentümlichen Anlagen entwickelt, dabei von der Voraussetzung ausgehend, daß diese Entwicklung notwendig zur Entfaltung und Vollendung aller Kräfte des Menschen führen müsse. Und indem er nun in der Vernunftanlage die wesentliche Eigenschaft des Menschen und damit die Fähigkeit sah, sich frei zu entschließen, begriff er die Kultur als sein eigenes Erzeugnis. Damit verband er den Gedanken, daß der Mensch zur Gesellschaft bestimmt sei, und so ordnete er die Gesamtentwicklung unter die Idee der Gründung einer das Recht verwaltenden bürgerlichen Gesellschaft, die ihm als die Form erschien, welche die gesamte Kultur umfaßte und sicherte. Die allgemeinen politischen Gedanken seiner Zeit erhoben dies Prinzip zugleich zu einem Ideal. Aber schon in der vorkritischen Periode war die Einsicht herrschend gewesen, daß die Bestimmung des Menschen über das Dasein hinausweise. Die kritische Philosophie gibt hierfür den Gegensatz Natur und Freiheit, und die Ethik gelangt zu der klarsten Formulierung dieses Gedankens in dem Begriff des Endzweckes. Indem Kant nun von der Höhe der moralischen Forderung aus die menschlichen Dinge beobachtet, kommt er zu der Einsicht, daß das Handeln der Menschen zu dem vorgestellten Ziele nicht führe. So wird die Entwicklung denn dem „maschinenmäßigen Gange" der Natur überlassen, die dann allerdings als nach Absichten handelnde aufgefaßt wird und als Vorsehung erscheint. Dieser Begriff erfährt aber dann in der „Kritik der Urteilskraft" eine kritische Erörterung, welche dazu führt, zwei Reihen der Entwicklung anzunehmen, die eine zur Kultur, die andere zur moralischen Bestimmung. Vereinigt werden sie gedacht im Übersinnlichen, und das göttliche Wesen als Schöpfer betrachtet, erscheint wieder wie früher als das die Einheit in den Anlagen des Menschen vorbereitende und garantierende Prinzip. Damit ist eine Synthese aufgegeben, die um so dringlicher erscheint, als die Probleme der Religionsphilosophie in den Zusammenhang der geschichtsphilosophischen Betrachtung eintreten. Die erstere gelangt bald zur Herrschaft und liefert die nunmehr für die Menschheitsgeschichte geltenden Kategorien des Bösen und des Guten.

Zugleich verlangt sie eine Anerkennung der Entwicklung des Individuums im Zusammenhang mit der der Gesamtheit. Noch einmal
tritt das Problem der Freiheit bedeutend hervor. Eine Lösung
dieser neuen Fragen hat Kant nicht mehr geben können. Und
diese Unsicherheit findet ihren Ausdruck in der zunehmenden Verwertung des Begriffes vom Übersinnlichen.

Kants Geschichtsphilosophie bewegt sich in der Sphäre der
Ideen. Trotzdem sind zwei bedeutsame Vorgänge seiner Zeit nicht
ohne Einfluß auf sie gewesen. Zu Beginn steht sie unter dem
Zeichen der Aufklärung, am Ende unter dem der französischen
Revolution. Beide sind ihm Beweismittel für die Idee von dem
Vorwärtsschreiten der Menschheit. Aber die erstere nimmt er als
Erscheinung, um unmittelbar aus ihr Zukunftshoffnungen abzu-
leiten, die zweite als Geschichtszeichen, das hinweist auf ein jene
Hoffnungen garantierendes übersinnliches Prinzip. In diesem
Gegensatz kommt die Entwicklung der Kantischen Geschichts-
philosophie bedeutungsvoll zum Ausdruck.

V.

Die Religionsphilosophie.

Die Unterscheidung einer Vernunftreligion von einer geoffenbarten, wie Kant sie in der „Religion innerhalb der Grenzen der bloßen Vernunft" gibt, stellt sich als ein neuer Lösungsversuch eines alten Problems dar. Überall da, wo neben einer positiven Religion das wissenschaftliche Denken sich selbständig entwickelt, entsteht von diesem aus die Forderung nach einer Rechtfertigung jener auf dem Boden eines sonst erfolgreichen Gebrauchs der menschlichen Erkenntniskräfte. Ebenso wird die positive Religion einer Begründung ihrer Sätze durch eine wissenschaftlichen Anforderungen genügende Beweisführung in ihrem eigenen Interesse nicht entraten wollen. Die Ansprüche wissenschaftlichen Denkens werden aber besonders dann nicht zu übergehen sein, wenn eine Kollision mit bisher als sicher geglaubten Lehren der Religion stattgefunden hat. Dies war der Fall, als in der neueren Zeit das System einer mathematisch begründeten Naturwissenschaft mit der Forderung auftrat, dem modernen Menschen ein Weltbild zu übermitteln. Ihre Ergebnisse mußten mit den aus der Bibel entnommenen Sätzen in Widerspruch geraten. Die Lehre des Kopernikus wirkte in diesem Sinne und bedrohte zugleich all' die Gefühle, welche mit den biblischen Erzählungen verknüpft waren. Die Autorität des Buches der Bücher war damit an einer wichtigen Stelle in Frage gestellt und von da aus richtete sich die Kritik, indem die mechanische Weltbetrachtung ihr Weltbild zu immer festerem Abschluß brachte und zugleich das Denken mehr und mehr schulte, gegen die Fundamente des Glaubens, dadurch daß sie Weissagung und Wunder als unmöglich bestritt. Diese Bewegung war an und für sich nicht religionsfeindlich. Die Begründer der modernen Naturwisenschaft entnahmen sogar ihre letzten systematischen Gedanken, wie den von der qualitativen Einheit des Universums, zum Teil aus religiösen Anschauungen. Auch brachte diese neue

20*

Wissenschaft den Gottesbegriff zu einer größeren Verfeinerung und reinigte ihn von den Einflüssen alten Aberglaubens. Das 17. und 18. Jahrhundert verbanden mit dem Gedanken der gesetzmäßigen Ordnung des Geschehens die Bewunderung für den allmächtigen Urheber und Regenten des Weltalls. Allerdings wurde dem Göttlichen sein Daseinsrecht innerhalb des als notwendig begriffenen Zusammenhanges bestritten, es wurde aber doch als unentbehrlich für die Möglichkeit und das Begreifen dieses Zusammenhanges gedacht. Und indem ihm alle die Äußerungsweisen genommen wurden, die vom menschlichen Standpunkte aus als willkürliche aufgefaßt werden mußten, wurde die göttliche Leistung in der Vorausberechnung und Vorherbestimmung des Geschehens höher eingeschätzt. Vor dem Gedanken dieses allgemeinen Verhältnisses Gottes zur Welt mußten allerdings die Lehren von seiner besonderen Verbindung mit ihr und den Menschen an Bedeutung verlieren. So entstand die Jdee einer für alle Menschen geltenden Vernunftreligion und trat neben die Lehre von einer allgemein vorhandenen natürlichen Moral und von einem natürlichen Recht. Inhaltlich war sie ärmer als die positiven Religionen, aber sie bot doch wieder ein Neues durch die starke Betonung der sittlichen Verpflichtung des Menschen seinem Gotte gegenüber. Daß Verehrung des Göttlichen in dem guten Lebenswandel bestände, war an und für sich nichts Neues, aber dadurch, daß die Bedeutung übernatürlicher Gnadenwirkungen für die Erreichung des Heils herabgemindert wurde, mußten die praktischen Postulate erhöhten Wert erhalten.

In demselben Sinne wirkte eine Bewegung, die an und für sich ganz andere Ziele verfolgte. Die Reformation führte eine stärkere Betonung und Zuspitzung der Dogmen und Unterscheidungslehren mit sich und die so entstehenden Händel konnten nach ihrem letzten Ergebnis doch nur den Beweis von der Unmöglichkeit einer wissenschaftlichen Begründung des Dogmas erbringen. Das 17. Jahrhundert ist erfüllt vom Gezänk der Theologen und vom Kampf um den wahren Glauben. Immer wieder machten sich innerhalb der größeren Gemeinschaften zentrifugale Tendenzen bemerkbar. In diesem Sinne wirkte zur Zeit des Mittelalters und der Renaissance und Reformation die Mystik. Überall versuchten religiös gestimmte Naturen das Verhältnis der menschlichen

Seele zu Gott in seiner ganzen Unmittelbarkeit und Ursprünglichkeit herzustellen. Zu solchen Gemütern mußten die schlichten
Erzählungen des Evangeliums lebendiger sprechen als das wider-
liche Gezänk der Theologen, und so entstand das Bedürfnis nach
einem wahren Christentum auf dem Grund der biblischen Überlieferung.

Alle diese Bewegungen fanden nun im 18. Jahrhundert einen
gemeinsamen Ausdruck in den Lehren des Deismus [1]). Er versuchte die Forderung der Vernunft zu befriedigen, er stützte sich
damit auf Wissenschaft und kam in seiner Entwicklung wohl auch
zu einem die Masse ausschließenden Standpunkte, zur Unterscheidung einer esoterischen und einer exoterischen Religion. In
seinen Resultaten war er jedoch volkstümlich und versuchte eine
allgemeingültige, für jedermann verständliche Lehre zu begründen.
Er trat in die große Kulturbewegung der Aufklärung, und in dem
Kampfe um politische Befreiung stand das Freidenkertum auf der
Seite der demokratischen Ideale und gewann so eine starke Macht-
stellung in der Masse. So befriedigte er zugleich die Forderungen
der Vernunft und die Sehnsucht nach Toleranz und religiösem
Frieden.

Herbert v. Cherbury hat das Programm dieser deistischen
Bewegung in seinen berühmten fünf Sätzen bereits ausgesprochen.
Ihre Anerkennung bei allen Menschen begründete er einmal in der
allgemeinen Vernunftanlage, dann aber versuchte er, Gründe für
diese Erscheinung in der Gleichförmigkeit der natürlichen Bedingungen und Vorgänge nachzuweisen, innerhalb deren sich das
menschliche Leben überall auf der Erde abspielt. So legte er die
Fundamente zu einer natürlichen Geschichte der Religion und
strebte danach, seine Anschauungen auf eine breite historische
und anthropologische Grundlage zu stellen. Denker des Mittelalters und der Renaissance waren ihm vorgegangen, sie stellten,
ebenso wie die deutschen Humanisten, Sokrates und Plato neben
Christus und die Apostel. Neben die Offenbarung Gottes in der
Natur trat die in der Geschichte. So sind Vernunft und historische
Forschung hier Bundesgenossen. Kritisch aber stand die Vernunft
der Geschichte gegenüber, die in den Evangelien erzählt wurde,
soweit die mitgeteilten Tatsachen dem Laufe des natürlichen

Geschehens widersprachen. Sie ging auch über zur immanenten
Kritik der Überlieferung und wies ihr unlösbare Widersprüche nach;
Spinoza und Bayle hatten hier vorgearbeitet. Man begann mit den
Hilfsmitteln historischer Methode, wie sie Bodinus und Spinoza
gefordert hatten und wie die beginnende Geschichtsschreibung sie
übte, die biblischen Schriften zu untersuchen, man prüfte das
Verhältnis des Alten und Neuen Testaments, geleitet zugleich von
dem Gedanken, das letztere von den Einflüssen des ersteren zu
säubern. Die Ergebnisse, zu denen man kam, waren verschiedene,
obgleich der Grundsatz, daß die Vernunft alleinige Richterin sein
müsse, doch unverrückbar feststand. Es war möglich, den Forderungen der Vernunft zu genügen, indem man die Mysterien als
übervernünftig ihrem Einspruchsrecht entzog und sie doch in ihrem
Rechte nichts Widervernünftiges zu dulden beließ. Oder es wurde
versucht, die christliche Lehre für eine Vernunftreligion zu adap-
tieren, wobei das allzu Widerstrebende entweder als nur aus der
Zeit der Überlieferung zu begreifen fortgelassen oder durch
eine gewandte allegorische Auslegung auf seinen wahren,
d. h. der Vernunft entsprechenden Sinn gebracht wurde. Es
entstand dann aber die Aufgabe, die Verderbnis der ursprünglichen
Religion, wie diese in dem Urchristentum vorlag, verständlich zu
machen. Der Gedanke von einer natürlichen Religion erhielt damit
eine Erläuterung durch eine bestimmte historische Erscheinung.
Ungewollt gewissermaßen stützte sich der deistische Religionsbegriff
auf Geschichte. Allerdings war diese Generation noch weit entfernt
von einem richtigen Verständnis des Werdens einer Religion. Aus
der Erfahrung von den religiösen Kämpfen des Tages übernahm
sie den Gedanken des herrschsüchtigen Priesters, der aus eigenem
Interesse und aus Rücksicht auf den Nutzen des Staates den
natürlichen Glauben zum Aberglauben verunstaltet hat und mehr
Beobachtung kirchlicher Vorschriften als sittlichen Lebenswandel
verlangt. An diesem Punkte setzten dann auch radikale Anschauungen ein, welche schlechthin eine Trennung zwischen Vernunft und Offenbarung verlangten und letztere herabwürdigten
zu einem Erziehungsmittel für die große Masse. Auch hier bot die
Betrachtung anderer Religionen reiches Material und bereitete die
Frage nach einer natürlichen Geschichte der Religion vor, wie

sie dann Hume zu lösen versuchte. Eine ungeheure, kaum übersehbare Literatur von Schriften und Gegenschriften entstand. Die Bewegung ging von England aus, Locke, Toland, Collins, Tindal, Chubb sind hier die bedeutendsten Namen, in Frankreich ist es vor allem Voltaire, welcher sich zu ihr bekennt.

Eigentümlich lagen die Verhältnisse in Deutschland. Entscheidend war, daß das Denken hier unter dem Eindruck eines großen Systems stand und in seinem Rahmen alle Probleme zu betrachten gewohnt war. Die Frage nach dem Verhältnis von Vernunft und Offenbarung wurde auf dem großen Hintergrunde des Theodizeegedankens untersucht. Die letzte Formel, welche Leibniz fand, war die von dem Reiche der Natur und dem der Gnade. Die Lehren der Religion, welche zu diesem hinzuführen versprachen, wurden so im Zusammenhang mit dem göttlichen Weltplane gedacht, sie erhielten eine metaphysische Deutung. Kant nahm diese Gedanken auf der von ihm geschaffenen Grundlage der Freiheit wieder auf. Hinzu kam, daß das Empfindungsleben der deutschen Menschheit durch die Reformation mächtig erregt war und eben durch den Pietismus erregt wurde. Die religiöse Sehnsucht ergriff mit Innigkeit den Gedanken von der Gewißheit der Erlösung, wie sie durch die übernatürliche Erscheinung Christi verheißen war. Gern wurden so Lehren akzeptiert, welche die theoretische Möglichkeit wundertätiger Wirkung zu erweisen suchten. Die Folge mußte sein, daß das Verhältnis des Denkens der Offenbarung gegenüber viel freundlicher sein mußte und daß man sich bemühte, von ihr möglichst viel zu erhalten.

Leibniz hat schon eine solche Versöhnung zwischen natürlicher Religion und Christentum angestrebt [2]). Das Wesen der Frömmigkeit besteht nach ihm in der Liebe zu Gott und dem Nächsten. Ohne eine wirkliche Betätigung in beiden schien ihm Religion nicht bestehen zu können. Von ihr unterschied er die Formalitäten der Gottesverehrung, welche als zeremonielle Handlungen und Glaubensartikel auftreten. Beiden wohnt nur ein geringer Wert inne, sie sind nur Mittel zum Schutze der wahren Religion, werden aber nicht für die Sache selbst gehalten; sonst wird die Religion durch äußere Formen erstickt und das göttliche Licht durch die Ansichten der Menschen verdunkelt. Die wahre, natürliche Religion hat Christus gelehrt und zur herrschenden gemacht, das Christentum ist d i e Religion. Aber bei dieser Identifizierung bleibt Leibniz nicht stehen, er versucht auch die positiven Lehren des Christentums zu verteidigen, besonders in seiner Auseinandersetzung mit Bayle. Er geht dabei von dem Grundgedanken aus, daß das Licht der Vernunft nicht weniger eine Gabe Gottes sei als das Licht der Offenbarung und daß deshalb zwischen beiden, da sie Wahrheiten sind, nicht ein Widerspruch bestehen könne [3]). So bekämpft er Bayles Satz, daß ,,Wahrheit und namentlich Glaubenswahrheit unwiderleglichen Einwürfen ausgesetzt sein dürfe" [4]). Er verteidigt die Mysterien der Dreieinigkeit, des Sündenfalles, der Erbsünde, des Abendmahls usw. Dabei bedient er sich seiner logischen Erfindung von dem Unterschied der ewigen und der tatsächlichen Wahrheiten, welch' letztere auf die Wahl Gottes zurückgehen. So ist die Möglichkeit von Wundern zuzugeben, da Gott die Naturgesetze zeitweilig aufheben kann. Einen Beweis für die Wahrheit der Mysterien können wir allerdings nicht führen, wir können sie verstehen, aber nicht begreifen, doch dies ist ja auch bei vielen Dingen der Natur der Fall: ,,es genügt, d a ß d i e S a c h e s o i s t (τὸ ὅτι), wenn wir auch das W a r u m (τὸ διότι) nicht kennen, das Gott sich allein vorbehalten hat". [5]) Außerdem können die Mysterien als übervernünftig der Vernunft nicht widerstreiten [6]).

W o l f f steht im ganzen auf demselben Boden, wenn er auch in bezug auf die Erklärung der Mysterien sich vorsichtiger verhielt [7]). Die theologia naturalis hat nach ihm die Aufgabe, überall die Übereinstimmung ihrer Lehren mit der Bibel aufzuzeigen, auch dient sie dem Verständnis der heiligen Schrift durch den Nachweis der ewigen Bestimmtheit aller Dinge durch Gott. Zugleich verdankt sie aber der Offenbarung Wahrheiten, welche sie selbst nicht gefunden haben würde. Natürliche und geoffenbarte Religion widersprechen nicht einander, sondern stützen sich gegenseitig. Die Schwierigkeit, die Mysterien der letzteren in Einklang mit der Vernunft zu bringen, wird auch von Wolff durch die Erklärung überwunden, daß das Übervernünftige darum doch nicht widervernünftig sei. Bedeutsam für die Folgezeit ist, daß er die natürliche Theologie in seiner Metaphysik als die Krönung des ganzen

Systems bezeichnet und so ihr die Stelle bestimmt, die sie dann
in den Lehrbüchern und Vorlesungen seiner Schule und auch in
Kants metaphysischen Vorlesungen einnahm. Auch der Inhalt
dieser Disziplin wurde festgelegt. Die natürliche Theologie handelt
zuerst vom Dasein Gottes, das sie zu beweisen versucht, und gibt
dann eine Darstellung der göttlichen Eigenschaften. Das Verhältnis Gottes zur Welt wird mit Hilfe des Begriffes der Vorsehung
behandelt, wobei Gelegenheit ist, über Offenbarung und Wunder
zu sprechen. Die entstehenden Fragen werden im großen mit
Hilfe des Leibniz'schen Theodizeegedankens, im kleinen mit Hilfe
einer anthropomorphen Teleologie gelöst, welche die anfänglich
so laut verkündigte Lehre von der unabänderlichen Ordnung der
Dinge zu einem Teil wieder aufhebt.

Auf dem Boden der Wolff'schen Betrachtung steht auch
B a u m g a r t e n , dessen Behandlung der ,,theologia naturalis"
in seinem Kompendium der Metaphysik [8]) die Vorlage für Kants
Vorlesungen über diesen Gegenstand bildete. Ihre Abgrenzung
von der theologia revelata geschieht durch die Bestimmung:
,,Theologia naturalis est scientia de deo, quatenus sine fide co-
gnosci potest" (§ 800). Ihre Objekte sind 1. conceptus Dei, 2. operationes Dei (§ 802). Im ersten Teil werden die Begriffe von Gottes
Existenz, Intellekt und Willen abgehandelt, im zweiten Schöpfung
und Vorsehung. Zu dieser wird auch die Offenbarung gerechnet.
Sie ist einmal Offenbarung in der Natur (revelatio latius dicta,
§ 982 f.), anderseits revelatio strictius oder strictissime dicta. Die
erstere gibt etwas kund, was die revelatio latius dicta auch, aber
nicht ,,aeque bene" finden kann, die letztere übermittelt die ,,in-
cognoscibilia" oder ,,mysteria". Die Stellung der Vernunft zu
beiden Arten ist die, daß die erstere mit ihr übereinstimmen muß,
die letztere sie überschreitet. Beide widersprechen ihr nicht.

Durchaus konservative Tendenzen verfolgt auch C r u s i u s
in seinem ,,Entwurf der notwendigen Vernunftwahrheiten". Er
betrachtet die Wunderwerke als zur göttlichen Fürsorge gehörig
und versteht darunter ,,eine übernatürliche und außerordentliche
Wirkung Gottes in der Natur". Diese Wundertätigkeit Gottes ist
notwendig, damit die freien Handlungen der Menschen der Absicht
des Schöpfers auf Ordnung alles Geschehens entsprechen. Sie

muß immer einen besonderen Zweck haben, und so ist z. B. die
Erscheinung Christi aus den Zeitumständen als notwendig zu verstehen. Gott ist stets die Ursache der Wunder und er bestätigt,
wenn er sie durch Engel oder Menschen ausführen läßt, dadurch
ihre Sendung. Den Erzählungen der Bibel von solchen will Crusius
Glauben schenken, wie er denn auch meint, daß der Schöpfungs-
bericht der Bibel mit der wissenschaftlichen Theorie übereinstimme[9]).

Dieser harmonisierenden Richtung in der deutschen Philosophie wirkten aber nun fortdauernd entgegen die Lehren der
englischen und französischen Deisten. Sie wurden in zahlreichen
Übersetzungen verbreitet und fanden ihre Vertreter in Männern
wie Sack, Spalding und Jerusalem. Sie wirkten vornehmlich dahin,
eine von der Theologie unabhängige Moral zu begründen, ohne
daß sie doch die letzten Konsequenzen ihres prinzipiellen Standpunktes zogen. Allmählich drangen auch die Lehren der französischen Materialisten und ihre religionsfeindlichen Tendenzen
nach Deutschland hinüber. Gegen sie trat der Mann auf, welcher
jenen irenischen Tendenzen und Halbheiten den stärksten Stoß
versetzen sollte: R e i m a r u s. Seine Schrift über „Die vornehmsten Wahrheiten der natürlichen Religion", welche zuerst
1754 erschien und die noch im Jahre 1790 von Kant als ein „noch
nicht übertroffenes Werk" [10]) bezeichnet wird, nimmt den Kampf
gegen den sich von Frankreich her ausbreitenden Unglauben auf.
Es ist aber leicht einzusehen, daß Reimarus schon mit diesem
Buch aus dem Rahmen der üblichen Religionsphilosophie heraus-
tritt. Er steht durchaus auf dem Boden einer physischen Teleologie. Die Offenbarung Gottes in der Natur erscheint ihm als
die ungleich wichtigere, sie gibt dem christlichen Glauben seine
eigentliche Stütze. Die Beweise aus der Schrift können allein nichts
ausrichten, ebensowenig sind metaphysische Demonstrationen
geeignet, Glauben zu erwecken oder zu erhalten. So wird denn von
der Stellung des Menschen in der Natur gehandelt und sie bestimmt
in Vergleichung derselben mit der der Tiere. Die besonderen Absichten Gottes mit ihm sollen so entdeckt werden. Dabei geht
Reimarus trotz mancher Mißgriffe mit Erfolg darauf aus, den
Gottesbegriff von anthropomorpher Betrachtung zu reinigen. Das
Weltbild, das er entwirft, ist an früherer Stelle charakterisiert

worden, der Wert der Religion für das menschliche Leben, so wie
sie sich ihm darstellt, erhellt aus folgenden Worten: „Alles übrige
Wissen ist angenehm genug und bringet auch seinen vielfältigen
Nutzen; aber ohne Religion ist es nur ein tändelnder Zeitvertreib,
der unser Gemüt nicht ersättiget, nicht beruhiget. Diese allein
zeigt uns das Urbild aller Vollkommenheit, die Quelle alles Segens
und Glückes und den Zusammenhang aller Dinge mit einer äußersten
großen Absicht, welche auch unser Wohl befasset, und uns mit
unzweifelhaftem Vertrauen auf eine gnädige und weise Führung
und mit Hoffnung auf unsere ewige glückselige Dauer erfüllet.
Diese bringt unsere Begierden zur Ordnung und Einigkeit: sie
lehrt uns den nützlichen Gebrauch alles inneren Vermögens und
alles äußerlichen Guten: sie macht uns zufrieden mit uns selbst,
liebreich gegen andere, beliebt bei Menschen und dem höchsten
Wesen angenehm." [11]) Es ist deutlich, daß Reimarus ebenso wie
in seiner Naturphilosophie sich hier in den Gedankenkreisen
Shaftesburys bewegt und seinen Religionsbegriff nach ihm und
seinen Nachfolgern gebildet hat.

Der in den „Vornehmsten Wahrheiten" usw. ausgebildete
Begriff von Gott und seinem Verhältnis zur Natur liefert nun
Reimarus eine der schärfsten Waffen, die er in dem berühmten
3. Fragment von der „Unmöglichkeit einer Offenbarung, die alle
Menschen auf eine gegründete Art glauben könnten", verwendet.
Jede Offenbarung widerspricht dem „ordentlichen Weg der Natur"
und läßt Gottes Werke als unvollkommen und verbesserungsbedürftig
erscheinen. Diese Einsicht kann nicht aufgegeben werden zugunsten
der in der Bibel vorhandenen Wundererzählungen. Vielmehr
müssen sie „nach den Regeln einer glaubwürdigen Geschichte beurteilt werden". Das Resultat dieser Untersuchung ist dann die
Einsicht, das weder das Alte noch das Neue Testament glaub-
würdige Nachrichten von Offenbarungen enthalten. Über diesen
Nachweis geht Reimarus dann noch dadurch hinaus, daß er den
Versuch macht, die Entstehung der in der Bibel enthaltenen Erzählungen zu schildern. Es ist bekannt, wie er dabei neben mancher
richtigen Einsicht in den Fehler einer unhistorischen Betrachtung
verfällt, die allzu oft die Erklärung aus bewußtem Betruge der
Priester annimmt.

Zwei Männer sind es nun, welche im letzten Drittel des 18. Jahrhunderts auf dem Grunde einer geschichtsphilosophischen Konstruktion die Offenbarung zu begreifen suchen: Lessing und Kant.

L e s s i n g s tiefsinnige Deutung der an die Menschheit gekommenen Offenbarung ist ein Beispiel dafür, wie das Genie einer alltäglich gewordenen, im Besitze eines jeden befindlichen Wahrheit einen ungeahnten Sinn abgewinnen kann. In der Literatur des 18. Jahrhunderts war die Erkenntnis allgemein verbreitet, daß für das Verständnis der biblischen Erzählungen die besonderen kulturellen Verhältnisse des Volkes, das sie übermittelt hat, berücksichtigt werden müßten. Damit war im besten Falle eine für die Bibelforschung wertvolle methodische Einsicht gewonnen worden, welche aber doch oft dazu dienen mußte, den Wert jener Erzählungen herabzusetzen oder ihre Eliminierung zu veranlassen. Lessing versucht sie aus einem Erziehungsplane des göttlichen Wesens zu begreifen. Zu dieser ersten Umformung tritt noch eine andere. Daß Vernunft und Offenbarung übereinstimmen, war, wie wir sahen, ein selten erschüttertes Postulat. Vernunft galt dann als ein in sich fertiges, seinem Inhalt nach auszuschöpfendes Vermögen, dessen Aussagen über Gott und sein Verhältnis zur Welt in einer vollständigen Deduktion dargestellt werden konnten. Zwischen einer solchen Vernunft und der Offenbarung konnte es eigentlich eine Versöhnung immer nur durch Inkonsequenz und eine Verwischung der Gegensätze geben. Lessing gelangt in seiner „Erziehung des Menschengeschlechts" dazu dadurch, daß er die Vernunft als sich im Menschengeschlecht allmählich entwickelnd auffaßt und ihre Fähigkeit, die durch die Offenbarung gegebenen Geheimnisse gedanklich zu überwinden und damit überflüssig zu machen, als erst allmählich erworben vorstellt. So entspricht ein bestimmter Inhalt einer zu einer bestimmten Zeit auftretenden Offenbarung einem bestimmten Zustande der geistigen Fähigkeiten eines Volkes, in dem die Anlage vorhanden ist, von der Stufe seiner Entwicklung, auf der es eine Erkenntnis noch als Offenbarung besitzt, zu einer höheren aufzusteigen. Zwei Stadien der Erziehung hat Lessing aufgestellt: die Offenbarung im Alten und die im Neuen Testament. Dem rohen jüdischen Volke, das im Zustand des

Kindesalters und in den Grenzen der Sinnlichkeit befangen war, trat Gott zuerst als Gott seiner Väter entgegen, „um es nur erst mit der Idee eines auch ihm zustehenden Gottes bekannt und vertraut zu machen" (§ 11). Als Mittel der Erziehung diente in dieser Zeit die Ankündigung von Lohn und Strafe. Die Vernunft formte nun allmählich den Gedanken von dem größten der National-götter zu dem Gedanken e i n e s Gottes um. „Die Offenbarung hatte die Vernunft geleitet, und nun erhellte die Vernunft auf einmal die Offenbarung" (§ 36). Es fehlte die Verheißung der Unsterb-lichkeit. Sie geschah erst, als das erste Elementarbuch des Glaubens ausgeschöpft und damit überwunden war, durch Christus, der dem Knaben, welcher seine Vernunft zu gebrauchen gelernt hatte, diese Lehre brachte. Von diesen geschichts-philosophischen Be-trachtungen aus versuchte nun Lessing in seiner großartigen Weise eine Deutung der Lehren von Dreieinigkeit, Erbsünde und Genug-tung des Sohnes, welche das neue Elementarbuch enthielt: „So wie wir zur Lehre von der Einheit Gottes nunmehr des Alten Testa-mentes entbehren können; so wie wir allmählich zur Lehre von der Unsterblichkeit der Seele auch des Neuen Testaments entbehren zu können anfangen: könnten in diesem nicht noch mehr dergleichen Wahrheiten vorgespiegelt werden, die wir als Offenbarung so lange anstaunen sollen, bis sie die Vernunft aus ihren anderen ausge-machten Wahrheiten herleiten und mit ihnen verbinden lernen?" (§ 72.) Diese Lehren wurden geoffenbart, um Vernunftwahrheiten zu werden. So erhalten wir den Gedanken einer im Menschen-geschlecht sich entwickelnden Vernunft, deren Ziel Lessing in einer vollendeten Moralität erblickt: „Nein, sie wird kommen, sie wird gewiß kommen, die Zeit der Vollendung, da der Mensch je überzeugter sein Verstand einer immer bessern Zukunft sich fühlet, von dieser Zukunft gleichwohl Beweggründe zu seinen Handlungen zu erborgen nicht nötig haben wird, da er das Gute tun wird, weil es das Gute ist, nicht weil willkürliche Belohnungen darauf gesetzt sind (§ 85). Sie wird gewiß kommen, die Zeit eines n e u e n e w i g e n E v a n g e l i u m s , die uns selbst in den Elementar-büchern des neuen Bundes versprochen sind (§ 86)". In diesen letzten Ideen stimmt Lessing mit Kant überein, zu seiner Religions-philosophie wollen wir jetzt uns wenden.

Kants religiöse Anschauungen wurden in seiner Jugend durch den Pietismus beeinflußt, wie er im elterlichen Haus und in der von F. A. Schulz geleiteten Schule herrschte [12]). In seiner Erinnerung sah er den Wert dieser Richtung in der moralischen Erziehung [13]), die sie ihren Anhängern gab, zu ihren Übertreibungen in Buß- und Gebetsübung, in gesteigertem Gefühl der Sündhaftigkeit und in Verneinung des Lebens hat er sich immer ablehnend verhalten. Ein Zug von Resignation ist aber doch in Kants Weltbetrachtung aus diesen Einflüssen übergegangen. Daß dies Leben ein Durchgangspunkt sei, daß den Menschen nach dem Tode ein Jenseits erwarte, daß er deshalb nicht am Diesseits hängen dürfe, vielmehr mit stiller Sehnsucht nach jenem ausschauen müsse, war auch seine Meinung. In einem Trostschreiben aus dem Jahre 1760 an eine um ihren früh verstorbenen Sohn trauernde Mutter ist die Stimmung des Weisen einmal so geschildert worden: „Vernünftig in seinen Entwürfen, aber ohne Eigensinn, zuversichtlich auf die Erfüllung seiner Hoffnung, aber ohne Ungeduld, bescheiden in Wünschen, ohne vorzuschreiben, vertrauend, ohne zu pochen, ist er eifrig in Leistung seiner Pflichten, aber bereit mit einer christlichen Resignation sich in den Befehl des Höchsten zu ergeben, wenn es ihm gefällt, mitten unter allen diesen Bestrebungen ihn von der Bühne abzurufen, worauf er gestellt war."[14])

Aber nicht nur eine religiöse Stimmung gab der Königsberger Pietismus dem jugendlichen Kant, er lehrte ihn auch die Möglichkeit einer Übereinstimmung zwischen Glauben und Vernunft. Schulz hatte sich die Aufgabe gestellt, den Pietismus mit Wolffscher Philosophie zu versöhnen. Wie weit Kant dieser Versuch interessierte, als er bei seinem früheren Schuldirektor Dogmatik hörte, wissen wir nicht; zu Beginn seines philosophischen Denkens spielten diese Fragen wohl kaum eine größere Rolle. Ihn beschäftigte, wie wir oben gesehen haben, die viel höher gelegene Frage nach der Versöhnung einer rein mechanischen Erklärung der Naturvorgänge mit dem Gottesgedanken; es ist auch gezeigt worden, wie aus diesen Ideen sein „Beweisgrund für das Dasein Gottes" entstanden ist. Die Wirkung seiner Naturphilosophie auf seine religiösen Anschauungen mußten zur Entwicklung eines von allem Anthropomorphismus gereinigten Gottesbegriffes führen, der alle übernatürliche Beeinflussung des Geschehens ausschloß, vielmehr die Größe des Schöpfers in der im Wesen der Dinge angelegten Ordnung sah. Der sinnfällige Eindruck dieses gewaltigen Zusammenhanges im Anschauen des gestirnten Himmels und das Gefühl von der Erweiterung menschlichen Seins im Durchdenken des All erzeugten dann religiöse Stimmungen, wie sie am Schluß der „Naturgeschichte" und an dem der „Kritik der praktischen Vernunft" mächtig und gehalten zugleich anklingen. Wie diese Empfindungen in den sechziger Jahren eine Steigerung durch Rousseau erfuhren, ist früher geschildert worden.

In unmittelbarer zeitlicher Berührung [15]) mit dem „Beweisgrund" steht die Preisschrift über die „Deutlichkeit der Grundsätze der natürlichen Theologie und Moral". Wenn auch das Thema im wesentlichen ein erkenntnistheoretisches ist und deshalb ein ausgeführtes System der natürlichen Theologie nicht erwartet werden darf, so hat Kant doch in einem kurzen Abriß über seine Art ihrer Behandlung Aufschluß gegeben [16]). Die natürliche Religion gibt den Begriff der alleinigen ersten Ursache, ihn entwickelt die Metaphysik mit Hilfe des höheren von einem schlechterdings notwendigen Wesen. Die Eigenschaften eines solchen ergeben sich, wenn alle dieser Definition entsprechenden Merkmale fortgelassen werden, wie z. B. die Beschränkung in Raum und Zeit. Dann werden die Begriffe von Gottes freiem Handeln, Vorsehung, Gerechtigkeit und Güte abgehandelt. Für diese gibt es nur eine moralische Gewißheit, während jene metaphysische Erkenntnis sehr gewiß ist.

Bei dieser Übersicht folgte Kant dem Plan, nach dem Baumgarten die natürliche Theologie darstellte. Interessant ist aber für uns die Unterscheidung einer natürlichen Religion von der metaphysischen Behandlung des Grundbegriffes der Theologie. Was wir uns unter jener zu denken haben, ist nun durch einige Stücke aus den Herder-Papieren zu erläutern. Im Anschluß an Baumgartens Lehre von den „Finiti spiritus extra hominem" [17]), welcher willkürliche Begriffe ohne Erfahrung vorgeworfen werden, untersucht Kant die Frage, wie Vorstellungen von Geistern entstehen. Als Motive werden Zufälle, insofern sie vom Lauf der Natur abweichen, genannt, dann Nacht, Traum und Sinnestäu-

schungen, für welche der Mensch nach Ursachen fragt. Weiter
wird dann von den verschiedenen Arten des Geisterglaubens gehandelt und das Übernatürliche mancher Erzählungen natürlich
erklärt, so z. B. das niedergedrückte Gras auf dem Blocksberg
durch einen Nachtfrost, nicht durch einen Hexentanz. Im Zusammenhang dieser Untersuchungen geht Kant dann über zur
Theologia naturalis. Ich gebe — mit einigen Auslassungen —
die Aufzeichnungen Herders:

　　„Von der Psychologie der anderen Geister ist zur Theol. naturalis
nur ein Schritt, weil alle Völker jene Götter genannt haben, nicht
was wir nennen. wir also den gemeinen Begriff von Gott voraussetzen. Vorurteile — praesumtion — Der Gang des Verstandes
zu unseren Begriffen.

　　Mensch im Zustande der wilden ? ? gesellschaftlichen
Verfassung voll Mangel. dachte man bei Wirkungen nicht auf
Ursache. Der Begriff von Gott ging verloren. Die Ursache war
ohne Nutzen vor ihn. Daher blos Suchung der Wirkung. Der
Trieb des Bedürfnisses herrschte damals und dieser ließ alle die
Untersuchungen weg. In den gesitteten Verfassungen gibts mehr
Ruhe — Bequemlichkeit — vor höhere Triebe einiger Menschen —
um aber den Trieb der Faulheit, der diese Untersuchung verhinderte,
zu überwinden, mußten Triebe der Ehre sein, auch bei dieser Untersuchung die Ursache. Indessen hat sich der Begriff von einem
Gott auch bei ungesitteten so hervorfinden müssen. Bei außer-
ordentlichen Vorfällen, Erdbeben, Ungewitter, wo wider ihm
Gegenmittel fehlen, wird er stutzig und erdenkt sich zu einigem
Trost ein Mittel, erdenkt sich eine (sich ähnliche) Ursache davon,
um an ihm blos eine Hülfe wider Furcht zu haben. So sind auch oft
bei uns Hülfsmittel wider Furcht uns selbst außerhalb der Furcht
töricht.

　　Also Ursprung von Gottes Begriff ist Furcht: dazu kommt
Einsamkeit. je größer. Wilde oft einsam, jetzt mehr gesellig,
1. zum wenigsten Menschen in der Nähe 2. Finsternis damals auch.
ohne Mittel. Die Unglücksfälle darinnen mußten ihm einen Gottes
Begriff erregen. Wilden ist also der 1ste Gott schrecklich — scheußl.
Gestalt — Zorn besänftigen. Wilden ist also der erste Gott nicht
eben gut, das Gute müssen sie sich erwerben. das Böse käme aber

von jenem. Die erste Haupteigenschaft der Götter ist Macht, dadurch, nicht durch Güte sind sie den Römern und Griechen schrecklich, verehrungswürdig, aber nicht moralisch gut. Jupiter Ehebrecher, Venus macht Vulcan zum Hahnrei, Merkur lügt wie Zeitungsschreiber........ schreckliche Götter. Neger schwarzer und weißer Gott, jener neidisch, tückisch, der ihm kein guts gibt (denn ihre Faulheit glaubt ihre Mühe hätt' es verdient) — Diese Übel, die vielerlei sind, geben vielerlei Götter. Daher kam der Wahn von den über bleibenden Seelen, die wenn sie von einem so sehr leidenden Körper befreit wären, glücklich, mächtiger würden — und also Gegenstände der Furcht und Hoffnung sein müßten. Griechen und Römer Theogonie ist fast allen bekannt, denn diese sahen schon auch die günstigen Weltbegebenheiten als Folgen mit einem spekulativen Kopf an, so entstand Vulcan, Pluto etc. — alle Unvollkommenheit der Götter macht nichts, da sie mächtigere Wesen waren — .... In der Folge der Zeit mußte e i n Gott sein, der der erste war: da behalfen sie sich mit der absoluten Notwendigkeit. Der Weltstoff ewig und in dem auch Götter. Das Nichts kam ihnen nicht in den Sinn. Schöpfung ist bei ihnen blos Umformung — nicht Hervorbringung — Jamblichus in seinen Mysteriis der Egypter führt schon Einen (ἕνα) an: eine blinde Ursache: von dieser endlich αἰωνες, die Ursache der Welt: jener wenig mit der Welt, sondern seine Unterursachen blos: von jenem wissen z. E. auch Nordamerikaner nichts und wollen auch nichts wissen, sie glauben, daß er in sich gekehrt, ruhe, und andere wirken lasse....... So muß bei allen Ausschweifungen endlich Einheit sich finden. Den πολυθεισμος accommodierte man durch einen Gott. Porphyr sagte endlich: alle Untergottheiten wären Kräfte der obersten Gottheit. Wenn ich dem Pfade der Natur gemäß bis aufs oberste komme, so setze ich dem also nichts neben an — aber was hat der denn vor Eigenschaften? — nach ihren Empfindungen müßten sich die Vorzüge steigern: daher Indianer Gott fand und machten endlich gewisse Sekten — Chinesen! — die höchste Vollkommenheit im Nichts (dunkler Begriff von Geist), dem sie sich in Finsternis nähern. Siamer (fast einerlei mit Sinesen) glauben im Unermeßlichen ein Licht, aus dem Funken in Körper — insonderheit Lamas geht und wieder zurückkehrt. Das ist blos

Phantasietraum, eine Chimäre, die sich endlich per analogiam rationis verfeinigt (nicht aber Vernunftgrund) und endlich Einheit. ist dies aber ein Glaube Gottes — ein Begriff von Gott ist der so allgemein? Nein! — Daher oft kein Wort — —. Der Ursprung des Begriffes von Gottes Verstand ist durch die Zusammenstimmung der Dinge der Welt, da sie einen weisen Urheber verraten, blos: nicht aber aus der Zufälligkeit. Zu der Möglichkeit oder Unmöglichkeit des Gegentheils erhebt sich nicht der gemeine Verstand, sondern alles beständige hält er vor notwendig. Das was den Menschen zur Betrachtung des Urhebers reizte, ist die Kunst und Regelmäßigkeit in der Welt, z. E. die Geschicklichkeit der Tiere, Lauf der Sterne, von denen man einem jeden die Regierung eines besonderen Gottes, nachher aber eines einzigen zuschrieb. Dazu kam die Zufälligkeit der Bewegung, die eine fremde Kraft und Stand der Ruhe voraussetzt und also auch ein erster Beweger, der ist aber nicht selbst todt (Körper-Materie), sondern anders — Also nicht die Entstehung der Materie an sich, sondern ihre Zusammensetzung und Bewegung zeigte eine Ursache und auch diese schwer. Aus Schmeichelei, Furcht, Heuchelei, nicht aus dem Grund in der Sache legte man ihm Allmacht, Allgüte bei. Hätte er alles mögliche erschaffen: aufs beste, so wäre er allmächtig, aber das weiß man nicht. Unsere Seele bestimmt lieber immer etwas am Grade ungewisses. vor große Macht lieber Allmacht! — aber ob eins oder viel wären, das konnte man nicht sehen, sie steigerten teils jenen bis zur Allmacht, dem die andern untergeordnet wären — teils gaben sie jedem einen besonderen Distrikt. Der Schluß auf Einheit ist also blos aus den Tiefen der Philosophie. Der Begriff von Gottes Existenz ist also kein Erfahrungs-, sondern willkürlicher Begriff — Daher standen ihrem Wahn sich Eigenschaften, Grad, Zeit, Raum, Einheit, Vielheit zu erdichten frei. Schränkt man den Gottes Begriff aufs höchste Wesen ein, so ist das wieder willkürlich — da ich mir (wie Mathematiker) willkürlich denke und denn erst beweise. Welcher Begriff paßt also aus allen diesen willkürlich zusammengeordneten auf den gemeinen Begriff der Menschen von Gott am besten? Man denkt sich die letzte Ursache, freiwirkend die Dinge der Welt: dies ist der wahre Begriff — der allgemein ist und auf den die Bewegung und Ordnung führte: konnte ich mir unter Gott die h ö c h s t e V o l l k o m m e n h e i t denken, so ist es wohl willkürlich, aber wenn es nicht Ursache der Welt ist, so wäre es nach dem gemeinen Begriff vor mich nicht Gott. Ich denke mir die Ursache voraus und frage alsdenn erst, ob diese das höchst Vollkommene hat und der Begriff liegt also im gemeinen Begriff nicht unmittelbar, hingegen denkt man sich eine letzte Ursache. selbst: notwendig — frei.... also deus est causa libera mundi independens. Jetzo Erklärung der natürlichen Theologie, sie ist 1. subjectiv. wenn sich die Menschen dahin gesteigert haben, den Begriff von Gott nach ihres Verstandes natürlichem Gange, das was alle Nationen gemein haben — ohne ob sie recht haben. blos Wahn. 2. objectiv. die wahre Idee von Gott, sofern sie wahr aus dem Verstande fließt und der Mensch hätte bekommen sollen, diese Beweise nie aus göttlichen Zeugnissen (dieses Erkenntnis ist historisch nicht aber philosophisch, ob es gleich sehr wahr sein kann) sondern aus der Vernunft."

Von dem Folgenden sind nur noch einige Bruchstücke erhalten. In ihnen werden die Beweise für das Dasein Gottes behandelt und dann in Anlehnung an Baumgarten Gottes Eigenschaften. Das Mitgeteilte läßt Kants Standpunkt deutlich hervortreten. Er betrachtet die Religion von einem anthropologischen Gesichtspunkte aus, unterscheidet aber davon die Bestimmung des Gottesbegriffes aus reiner Vernunft. Seine Anschauungen haben eine große Ähnlichkeit mit den von Hume in seiner „Natural history of religion" entwickelten, ohne daß doch ein Einfluß mit Sicherheit nachweisbar wäre. Auch zur Frage nach der Stellung von Vernunft und Offenbarung liegt schon eine Äußerung vor, die den Gegensatz der historischen und der philosophischen Erkenntnis enthält und welche jener Wahrheit nicht abstreiten will.

Nicht viel später begegnen wir dann einer anderen Lehre, welche im Mittelpunkte der „Religion innerhalb der Grenzen der bloßen Vernunft" steht. In einigen Aufzeichnungen des Handexemplars der „Beobachtungen" handelt Kant über das Verhältnis von Religion und Moral. Letztere ist hier schon das Kriterium der ersteren: „Die natürliche Sittlichkeit muß der Probierstein aller Religion sein". Ihr Inhalt besteht in der Maxime: „man muß gut sein und das Übrige erwarten." Damit stimmt auch das überein, was in zwei Fragmenten über die Wege der christlichen Religion zur Besserung der Moralität gesagt wird. Es kann entweder mit der Offenbarung der Geheimnisse oder es kann mit der Verbesserung der Moralität begonnen werden und in diesem Fall die Offenbarung folgen. Kant entscheidet sich für die zweite Methode, da man im anderen Fall „die moralische Besserung als einen Erfolg nach der Ordnung der Natur nicht erwarten könne" [18]). So sollen zuerst die Sitten für den Posten in dieser Welt zu guten gemacht werden.

Zum erstenmal erhalten wir einen Einblick in das System der rationalen Theologie aus den von Pölitz im Jahre 1821 herausgegebenen Vorlesungen über Metaphysik, welche wohl kurz vor dem Erscheinen der „Kritik der reinen Vernunft" anzusetzen sind [19]). Es wird hier von Kant die Theologie als Zweck und Endabsicht der Metaphysik bezeichnet und wie in den Herder-Papieren als ihr Thema die Frage nach der Ursache der Welt angegeben. Der theologia rationalis ist entgegengesetzt die theologia revelata, nicht naturalis. Vielmehr tritt diese im Zusammenhang folgender Einteilung auf [20]). Die theologia rationalis ist die Erkenntnis Gottes durch die Vernunft, insofern diese nun reine, empirische und praktische Vernunft ist, entstehen drei Arten der Theologie: die theologia transscendentalis, th. naturalis, th. moralis. Die erstere ist der Grund der natürlichen und der Moraltheologie, sie ist „eine Erkenntnis vom Urwesen durch bloße Begriffe der reinen Vernunft". Die zweite schöpft aus empirischen Quellen, und zwar entweder aus dem inneren Sinn oder aus dem äußeren. In ersterem Falle denkt sie Gott in Analogie mit den menschlichen seelischen Vermögen, sie gelangt daher in Gefahr des Anthropomorphismus, vor dem sie die Begriffe der transzendentalen Theologie bewahren. Aus der Beobachtung der Natur entspringen dann Kosmologie und Physikotheologie. Die Moraltheologie schließlich handelt von Gott als dem summum bonum. Sie gibt den Inhalt der natürlichen Religion, welche nichts mehr enthält als einen Glauben an einen heiligen Gesetzgeber, gütigen Regierer und gerechten Richter [21]). Sie dem gemeinen Manne zu übermitteln ist die Aufgabe einer populären Theologie, welche ihren Gegensatz an einer gelehrten

hat. Sie kann populär sein, da sie sich auf Quellen gründet, die
jeder gemeine Verstand einsieht, sie soll eine Anweisung in der
Religion sein und muß mit der Moral verbunden werden, sie ist
sehr wichtig, da „die ganze Welt eine Erkenntnis von Gott haben
will und muß" [22]).

Auf diese in ihrer Gliederung soeben skizzierte reine rationale
Theologie folgt im Anschluß an Baumgartens Einteilung die angewandte rationale Theologie. Sie handelt: Von der Schöpfung,
von der Erhaltung und Regierung, vom letzten Zwecke der Welt.
Aus diesem Abschnitt ist von besonderer Bedeutung Kants Auseinandersetzung mit dem Problem des Bösen in der Welt. Die
Frage wird gelöst durch den bekannten Gedanken von den unvoll-
ständigen Teilen im Gegensatz zur Vollkommenheit des Ganzen.
Aber Kant sieht in dieser „Lösung" eigentlich keine Lösung, er
sagt, der Satz vom Optimismus haue den Knoten in der Untersuchung ab, da man ihn nicht lösen könne. So ist es auch mit der
Frage: warum Gott nicht eine bessere Welt erschaffen habe, und
ähnlichen Problemen. Man verstrickt sich in immer neue Schwierigkeiten und da „macht man es lieber kurz und sagt: Weil die Welt
einen vollkommensten Urheber hat, der das summum bonum origi-
narum ist, so ist die Welt im ganzen das höchste erschaffene Gut,
und die Übel sind nur in den Teilen zu finden" [23]). Aber damit ist
zugleich eine neue Schwierigkeit gegeben: Wie sind die freien Handlungen der Menschen zu denken neben Gott als dem Schöpfer?
Auch in diesem Fall gibt es keine Lösung, „der Begriff der Freiheit
haut hier gleichfalls den Knoten ab" [24]). Mit einer solchen Antwort weicht man aber doch nur einer Schwierigkeit aus, fällt aber
dafür sofort in eine neue. Gott ist freigesprochen von dem Vorwurf, Urheber des Bösen zu sein, zugleich aber verliert er, der
doch das summum bonum ist, jede Beziehung zu den guten Handlungen der Menschen. Bei diesem Standpunkt läßt sich nicht
beharren, und so wird wieder der Knoten durchhauen: „Weil das
Gute Realität, das Böse aber nur eine Einschränkung der Realität
ist, Gott aber der allgemeine Grund aller Realität ist, so ist er
auch Urheber des Guten" [25]). Dieser Satz erfährt dann aber bald
noch eine Einschränkung. Gott ist nur eine konkurrierende Ursache, während er in Ansehung der Natur causa solitaria ist. „Die

Unzulänglichkeit des Geschöpfes bedarf einer Mitwirkung, denn alle freien Geschöpfe, wenn sie noch so frei sind, können doch nichts hervorbringen, als nur durch Einschränkung, sowohl in Ansehung der Natur und der physischen Handlungen, als auch in Ansehung der moralischen Handlungen" [26]). So ist eins der wichtigsten Probleme der kantischen Religionsphilosophie, die Frage nach der Möglichkeit einer Theodizee in Konkurrenz mit der Freiheitsforderung noch nicht gelöst und dies dürfte wohl als ein neuer Beweis dafür gelten, daß das von Pölitz zugrunde gelegte Heft vor das Erscheinen der ,,Kritik der reinen Vernunft" anzusetzen ist. Die Bedeutung der Moraltheologie ist noch nicht ganz zur Geltung gekommen, wenn allerdings auch schon gesagt wird, daß sie den wesentlichen Inhalt der natürlichen Religion enthalte. Das Hauptwerk selbst nun gibt eine der oben wiedergegebenen Einteilung [27]) der Theologie entsprechende, hebt dann aber den einzigartigen Wert der Moraltheologie vor der spekulativen hervor. Weder die transzendentale noch die natürliche Theologie kann den Begriff eines einigen Wesens liefern: ,,Dagegen wenn wir aus dem Gesichtspunkte der sittlichen Einheit als einem notwendigen Weltgesetze die Ursache erwägen, die diesem allein den angemessenen Effekt, mithin auch für uns bindende Kraft geben muß, so muß es ein einiger oberster Wille sein, der alle diese Gesetze in sich befaßt" [28]). So erhält die spekulative Theologie von der Moraltheologie den Begriff Gottes, welchen sie dann in alter Weise entwickelt.

Es ist früher gezeigt worden, daß der Gedanke der Glückseligkeit in der ,,Kritik der reinen Vernunft" für die Begründung der Ethik noch unentbehrlich ist. So wird denn auch die Unsterblichkeit der Seele aus der Unbefriedigung im Diesseits und dem Hoffen, das immer ,,auf Glückseligkeit geht", abgeleitet. Im Verlauf der reineren Ausbildung des Begriffes vom Sittengesetz war es für Kant unmöglich, auf diesem Standpunkte zu verharren [29]). Die Idee der Unsterblichkeit wird zum Postulat. Da den Zustand der Heiligkeit, d. h. ,,die völlige Angemessenheit des Willens zum moralischen Gesetze, kein vernünftiges Wesen der Sinnenwelt in keinem Zeitpunkte seines Daseins erreichen kann, er aber doch als praktisch notwendig gefordert wird", so kann nur ein ins Unendliche gehender Progressus dieser Idee genügen [30]). So muß die Seele

unsterblich sein. Darauf wird dann in bekannter Weise das Dasein
Gottes postuliert. Diese Vollendung der Moraltheologie hat aber
noch die weiterreichende Folge, daß das Recht die intelligible
Welt als eine moralische zu begreifen, jetzt eigentlich erst begründet ist. Zugleich ist klar, wie Kant über die kritische Grenz-
setzung hinausgeht und uns zwingt, mit dem Gedanken des Progressus ins Unendliche eine zeitliche Entwicklung in der den Formen der Anschauung entzogenen Welt anzunehmen.

Doch diese Ideen gehören nicht in das Gebiet der Religionsphilosophie, wie die „Religion innerhalb der Grenzen der bloßen
Vernunft" es umschreibt. Nicht übergangen werden sollen aber
die „Vorlesungen über die philosophische Religionslehre", welche
Pölitz im Jahre 1817 veröffentlicht hat [31]). In ihnen findet
sich die alte Grundeinteilung: transzendentale, naturale und moralische Theologie, doch mit dem Unterschiede, daß die beiden ersteren
koordiniert und der letzteren gegenübergestellt sind. Dies entspricht der Bedeutung, welche die Moraltheologie inzwischen durch
die Ausbildung der kantischen Ethik erhalten hatte. Ebenso
fehlt auch jetzt der Teil der natürlichen Theologie, welcher aus
dem inneren Sinn geschöpft ist.

Von besonderer Bedeutung ist nun, daß wir in dieser
Vorlesung zum erstenmal eine Behandlung der Frage nach
der Möglichkeit einer Offenbarung finden. Sie ist entweder
eine i n n e r e oder eine ä u ß e r e, welch letztere durch Werke
oder durch Worte stattfindet. Die innere ist die Offenbarung Gottes durch unsere eigene Vernunft. „Sie muß der Probierstein sein, woran ich erkenne, ob eine äußere Offenbarung
Gottes sei und mir Gott anständige Begriffe an die Hand gebe" [32]).
Die Betrachtung der Natur allein führt nicht zum Begriff Gottes,
wie die Erfahrung zeigt, da bei den meisten Völkern ein höheres
Wesen „zum Schreckbild der Phantasie oder zum Gegenstande
einer abergläubischen zeremoniellen Verehrung und einer heuch-
lerischen Hochpreisung" gemacht worden ist. Hat die Ethik den
wahren Gottesbegriff geliefert, so kann die Naturerkenntnis sehr
wohl dazu dienen, den „reinen Verstandesbegriffen mehr Anschaulichkeit und Eindruck auf sinnliche Menschen zu geben" [33]). Dieselbe Funktion hat die innere Offenbarung gegenüber einer äußeren

Offenbarung durch Worte, denn Worte sind nur Zeichen der Gedanken. Die Vernunfttheologie prüft auch sie, und selbst bei einer vermuteten unmittelbaren Erscheinung Gottes kann nur durch jene entschieden werden, ob Gott selbst oder ein anderes mächtiges Wesen erschienen sei. Nimmt man die Möglichkeit einer Offenbarung an, so ist zuzugeben, daß sie auf den reinen Gottesbegriff führen kann, aber eine solche wörtliche Offenbarung wird durch die Tradition geändert und verliert ihre Einfachheit, sie wird „gelehrter, ob sie gleich im Anfange ganz einfach war" [34]). Eine Prüfung durch „ausgebreitete Gelehrsamkeit" wird notwendig, wobei nach der Vernunftreligion der Wert jener wörtlichen Offenbarung bestimmt werden muß. Es entsteht die Frage, ob es Offenbarung geben könne. Sie wird als „höhere Offenbarung" von den Glaubenssachen der Vernunftreligion unterschieden. Damit ist dieser auch das Recht einer Entscheidung der Frage genommen, sie kann die Möglichkeit weder leugnen noch beweisen. So wie wir Gottes Plan nicht kennen, können wir auch nicht wissen, mit welchen Mitteln er ihn durchführt. Andererseits „kann meine Vernunft es eben so wenig einsehen, wie etwas für die ganze Menschheit zu ihrer Wohlfahrt notwendig sein soll, welches doch nicht in ihrer Vernunft schon lieget, sondern alle Vernunft übersteiget" [35]). Die Lehren, welche die Offenbarung mitteilt, sind Geheimnisse zu nennen. Solche gibt es auch in der Vernunfttheologie, wie z. B. die Lehre von der absoluten Notwendigkeit Gottes. Ein Geheimnis ist es auch, wie dem Menschen, der doch immer nur die Würdigkeit glücklich zu sein in seinem Leben erringen kann, von Gott, der ihm als gerechter Richter gegenübertritt, die volle Glückseligkeit gegeben werden könne, d. h. die göttliche Gnade, der wir doch bedürfen, ist ein Geheimnis. Nach alledem kommen wir in bezug auf die Geheimnisse der Offenbarung zu dem Ergebnis: „Ob auch in einer Offenbarung Gottes durch Worte Geheimnisse möglich sind, ist nach dem, was wir bereits gesagt haben, nicht zu läugnen; ob es wirklich dergleichen gebe, gehört nicht mehr vor die Vernunfttheologie" [36]).

Ein besonderes Interesse verdienen d i e Teile der Vorlesung, welche die Frage nach dem Ursprung des Bösen behandeln. Das Problem wird in der Moraltheologie erörtert, da die Existenz des

Bösen als Einwand gegen die Heiligkeit Gottes verwertet wird. Die Untersuchung beginnt mit dem Hinweis auf die besondere Stellung des Menschen unter den Geschöpfen, er sollte die Kultur seiner Talente und die Güte seines Willens sich selbst zu danken haben. Er mußte aus dem rohen Zustand hervortreten und seine Instinkte durch die Vernunft überwinden. Dies konnte nicht ohne Fehltritte geschehen, die er sich selbst zu verdanken hat. Böse wurde sein Handeln erst dann, als er seine Verbindlichkeit kannte und doch seine Vernunft den Instinkten unterordnete. So ist „die erste Entwicklung unserer Vernunft zum Guten" der Ursprung des Bösen". Es hat also selbst keinen Keim, es ist nur eine Nebenfolge, es ist bloß eine Negation, eine Einschränkung des Guten, nicht etwa ein Mittel zum Guten. Es muß betrachtet werden im Zusammenhang der menschlichen Entwicklung. Dann ist es „die unvollständige Entwicklung des Keims zum Guten". Gott will nicht das Böse, sondern vielmehr „die Fortschaffung des Bösen durch die allgewaltige Entwicklung der Keime zur Vollkommenheit". So ist das Böse als in der menschlichen Gattung auftretend nachgewiesen. Nun wird aber gefragt, wie es in die Individuen komme und die Antwort gegeben: „Dies ist wegen der durchaus nötigen Schranken bei den Geschöpfen gerade eben so viel als wenn man fragte: Woher ist der Teil des Ganzen?" Es bleibt noch die Schwierigkeit, ob nicht Gott der Urheber aller Handlungen und also auch der bösen sei. Dieser Einwurf wird als transzendental bezeichnet, und deshalb wird auf die Lehre von der Freiheit verwiesen, die die rationale Psychologie zu behandeln hat. An einer späteren Stelle erfahren wir dann, daß ein vernünftiges Wesen ganz frei und unabhängig von allem Naturmechanismus handeln könne.

Nach alledem zeigt uns die Vorlesung Kants Lehre vom Ursprung des Bösen auf einem früheren Stadium seines Denkens, in einer unentwickelteren Form als die „Religion innerhalb der Grenzen der bloßen Vernunft" sie gibt. Es war ihm noch nicht gelungen, eine metaphysische Lösung des Problems zu geben, obgleich die Fragestellung schon vorhanden war. Vor allem fehlte der Nachweis eines Ursprungs des Bösen im Individuum, den doch die Ethik verlangte. Er mußte auf die allgemeine Beschaffenheit der

menschlichen Gattung zurückgeführt und aus der Zugehörigkeit
des einzelnen zu ihr abgeleitet werden. In Parallele mit dieser
Lösung des Ursprungsproblems wurde auch die Frage nach der
Überwindung des Bösen behandelt, auch sie liegt in der Entwicklung der Gattung, die aus einem göttlichen Plane begriffen wird.
Wie das Individuum in sich eine Umkehr vom Bösen zum Guten
erfahren könne, ist damit nicht beantwortet. Es ist deutlich, wie
die stärkere Betonung des geschichtsphilosophischen Gedankens
gegeben ist mit der Unfertigkeit der Lehre von dem Ursprung
und der Überwindung des Bösen im Individuum.

Eine systematische Behandlung erfuhren diese Probleme nun
in Kants religionsphilosophischem Hauptwerk. Er folgte nur dem
Bedürfnis seines Zeitalters und seinem eigenen, wenn er den Versuch machte, die Grundlehren der christlichen Religion mit seinem
kritischen System in Zusammenhang zu bringen [37]). Eine Philosophie, welche dies nicht leistete, hätte dem Vorwurf, daß sie unvollendet sei, nicht entgehen können. Kant besonders geriet in eine
solche Gefahr, da, wie die Verfolgungen seiner Philosophie es
zeigten, oft nur die zerstörende, nicht die aufbauende Wirkung seines
Denkens beachtet wurde. Dem Bedürfnis nach einem positiven
Glauben genügte auch nicht seine Ethik, da sie ja in der Moraltheologie nur die Lehren von Freiheit, Unsterblichkeit, Gott entwickelte und sicherte und schließlich in den etwas farblosen Gedanken
von den sittlichen Pflichten als göttlichen Geboten auslief. Die Heils-
tatsachen der christlichen Lehre blieben dabei unberücksichtigt
und insbesondere das Problem der Erlösung war nicht behandelt,
ja es mußte eine gewisse Unsicherheit über die Möglichkeit einer
solchen herrschen, da der so oft betonte rein ideale Charakter des
kategorischen Imperativs jede Frage nach den Folgen des Handelns
abstieß. Allerdings war durch das Postulat von der notwendigen
Zusammenstimmung des Prinzips der Sittlichkeit mit dem der Glückseligkeit jenes Problem im Prinzip gelöst, aber die Erfüllung des ihr
zugrunde liegenden Bedürfnisses war in ein Jenseits verlegt. So
erhielt das zu unmittelbarer Gewißheit drängende religiöse Verlangen des diesseitigen Menschen keine rechte Befriedigung. Daß
Kant solchen Gefühlen nicht unempfindlich gegenüberstand, hat
sich mehrfach gezeigt.

So hat er es denn mit voller Deutlichkeit an mehreren Stellen ausgesprochen, daß die in der „Religion innerhalb der Grenzen der bloßen Vernunft" gelieferte Vernunftreligon nicht rein aus der Vernunft gewonnen sei und auch nicht gewonnen werden könne: „In der gegenwärtigen Schrift wird das Ganze einer Religion überhaupt, sofern sie bloß aus der durch moralische Ideen geleiteten Vernunft entwickelt werden kann, vorgetragen. Ich kann gar nicht in Abrede ziehen, daß in dieser Bearbeitung die christliche Glaubenslehre beständig ins Auge gefaßt worden, nicht um sie nach dem Kerne ihrer Schrift (anders als bloß mutmaßlich) zu erklären, oder sie auch nach ihrem inneren Gehalte auf den Inbegriff jener Vernunftlehren einzuschränken, sondern, da es die Philosophie schwerlich dahin bringen dürfte, sich zu versichern, sie habe ein Ganzes derselben nicht bloß im allgemeinen umfaßt, sondern auch in seinen besonderen Bestimmungen (im Detail) aufgeführt, wenn nicht schon ein auf Religion abzweckendes, viel Jahrhunderte hindurch bearbeitetes, bisweilen wohl mit unnützen Zusätzen versehenes, indessen doch auf alle erdenkliche Bestimmungen derselben Bezug nehmendes Werk (eine heilige Schrift mit ihren Auslegungen) da wäre, welches die Vernunft auf Untersuchungen leiten kann, darauf sie von selbst nicht gefallen wäre." Durch diese Worte ist das Abhängigkeitsverhältnis der Vernunftreligion von der Bibel ausgesprochen, es ergibt sich mit Notwendigkeit aus dem Bedürfnis ein Ganzes einer Religion zu geben und aus der Unmöglichkeit, ein solches rein aus der Vernunft zu deduzieren. Aber über diese so gezogene Grenze ist Kant, wie er gesteht, noch hinausgegangen, er hat versucht, noch andere in der Bibel enthaltene, nicht notwendig zu jenem Ganzen gehörige Lehren für die Vernunftreligion zu sichern — oder anders ausgedrückt, zu erhalten: aus einer Vorliebe heraus und geleitet von der Idee, daß jene Gedanken so eine längere Dauer haben werden, da sie nach ihrer Umformung eher „dem vernünftelnden Teil der Menschen" genügen, „der, wie es sehr charakteristisch heißt: bei zunehmender Kultur, man mag ihn niederdrücken, so sehr man will, allmählich sehr groß wird" [38]). Das angegebene Verhältnis soll auch, wie die Vorrede zum „Streit der Fakultäten" uns belehrt, durch den Titel ausgedrückt werden: nicht „aus bloßer Vernunft",

sondern „innerhalb der Grenzen der bloßen Vernunft", d. h. es
wird nur das vorstellig gemacht, „was im Text der für offenbart
geglaubten Religion, der Bibel, a u c h d u r c h b l o ß e V e r -
n u n f t erkannt werden kann" [39]).

So darf Kants Stellung zur Bibel für die folgende Betrachtung
das erste Interesse für sich in Anspruch nehmen. Das Verhältnis
zu diesem heiligen Buche kann nun ein dreifaches sein [40]): das
der Vernunftreligion, das der Gelehrsamkeit, das des inneren
Gefühles. Das Recht der Auslegung, das die beiden ersten in
Anspruch nehmen, erfährt nun die Konkurrenz des letzteren.
Doch dieser „Prätendent" ist zurückzuweisen. Die Annahme
eines unmittelbaren göttlichen, im Gefühl sich offenbarenden Einflusses ist abzulehnen, der Schwärmerei würde Tür und Tor geöffnet werden und das sonst unzweideutige moralische Gefühl
würde Gefahr laufen, durch die Verwandtschaft mit jedem anderen
phantastischen um seine Würde gebracht zu werden. Aber wenn
auch nicht zur Auslegung, so kann das innere Gefühl doch zur
Sicherung des göttlichen Ursprungs der heiligen Schrift dienen.
Wie Lessing, so erhebt sich hier Kant über sein Zeitalter, wenn
es für den Glauben im Gefühl eine letzte, sichere Begründung erblickt. So heißt es in der „Religion": „Nun kann man freilich nicht
in Abrede ziehen, daß „wer ihrer Lehre folgt, und das t u t , was
sie vorschreibt, allerdings finden wird, daß sie von Gott sei, und
daß selbst der Antrieb zu guten Handlungen und zur Recht-
schaffenheit im Lebenswandel, den der Mensch, der sie liest, oder
ihren Vortrag hört, fühlen muß, ihn von der Göttlichkeit derselben
überführen müsse" [41]). Noch schöner spricht sich Kant im „Streit"
aus: „Die Beurkundung einer solchen Schrift, als einer göttlichen,
kann von keiner Geschichtserzählung, sondern nur von der er-
probten Kraft derselben, Religion in menschlichen Herzen zu
gründen, und wenn sie durch mancherlei Satzungen verunartet
wäre, sie durch ihre Einfalt selbst wieder in ihre Reinigkeit herzustellen, abgeleitet werden" [42]).

So bleiben nur die beiden anderen Arten der Auslegung übrig.
Zwischen ihnen ist dem Resultate nach der Unterschied, daß die
Auslegung in einer Vernunftreligion allein a u t h e n t i s c h ,
die durch die Schriftgelehrsamkeit nur d o k t r i n a l ist. Letztere

stellt sich die Aufgabe, „den Kirchenglauben für ein gewisses Volk zu einer gewissen Zeit in ein bestimmtes, sich beständig erhaltendes System zu verwandeln" [43]). So dient sie einer Urkunde, auf die eine bestimmte Kirche aufgebaut ist. Ihre Leistung ist zuerst eine negative, da sie zu zeigen versucht, daß ein Ursprung der heiligen Schrift aus göttlicher Offenbarung nicht unmöglich sei. Dann aber tritt sie als Auslegerin auf, um dem Ungelehrten den Sinn der Schrift darzustellen. Um dies Verständnis zu gewinnen, bedarf sie „ausgebreitete historische Kenntnis und Kritik, um aus dem Zustande, den Sitten und den Meinungen (dem Volksglauben) der damaligen Zeit die Mittel zu nehmen, wodurch dem kirchlichen gemeinen Wesen das Verständnis geöffnet werden kann" [44]). Die Ergebnisse einer solchen Forschung sind nun anscheinend für die philosophische Auslegung ohne Bedeutung, da das Historische an und für sich gleichgiltig ist. Das Verhältnis ist ja doch dies, daß der Kirchenglaube, den die gelehrte Forschung begründet und erhält, zu seinem höchsten Ausleger den reinen Religionsglauben hat. Aber andererseits schöpft der letztere doch, wie wir oben sahen, aus der Schrift und wird so Ergebnisse der Kritik annehmen, welche zur Ausscheidung von Elementen führen, die dem Kirchenglauben einer bestimmten Art fremd sind. Dann aber stellt Kant das Verhältnis von Kirchenglaube und reinem Religionsglauben nicht bloß im Sinne jener Überordnung des letzteren über den ersteren dar, sondern auch im Sinne einer historischen Abfolge, wie sie in der Idee von dem allmähligen Übergang des Kirchenglaubens zur Alleinherrschaft des reinen Religionsglaubens gedacht wird. So gewinnen die Ergebnisse der Schriftgelehrsamkeit doch eine nicht geringe Bedeutung und sind hier kurz zu berücksichtigen.

Kants Verhältnis zur Bibelkritik seiner Zeit ist leider bisher noch nicht quellenmäßig untersucht, die Resultate seiner Studien lassen sich aber kurz zusammenfassen. Die Bibel ist in Parallele zu stellen mit den heiligen Schriften der Völker, welche als Dichtungen zu betrachten sind. Ihre Authentizität als Wort Gottes läßt sich nicht beweisen: „Wenn Gott zum Menschen wirklich spräche, so kann dieser doch niemals w i s s e n , daß es Gott sei, der zu ihm spricht. Es ist schlechterdings unmöglich, daß der

Mensch durch seine Sinne den Unendlichen fassen, ihn von Sinnen-
wesen unterscheiden und ihn woran k e n n e n solle" [45]). Der
Versuch, den Gedanken der Inspiration auf den gesamten Inhalt
der Bibel zu übertragen, kann ihren moralischen Wert nur herab-
setzen. Historische Überlieferung setzt ein gelehrtes Publikum
voraus, das es in dem Volke, dem Jesus angehörte, nicht gab;
so fehlt eine unmittelbare Überlieferung für sein Leben und die
Entstehung seiner Lehre, ihre Geschichte hat sich mehr als ein
Menschenalter verspätet. In die Lehre sind dann jüdische Elemente eingeflossen, da ihre ersten Ausbreiter ihr nur so Eingang
verschaffen konnten; in einem Fragment wird gesagt: „Wer mag
wohl der Redakteur der biblischen Schriften gewesen sein?" Die
Antwort lautet: „Es muß ein Judenchrist gewesen sein" [46]). Eine
solche geschichtliche Darstellung hat nun aber doch einen gewissen
aus der Natur des Menschen und den historischen Umständen zu
begreifenden Wert. Dem Bedürfnis des Menschen zu den „höchsten
Vernunftbegriffen und Gründen immer etwas S i n n l i c h -
H a l t b a r e s " zu erlangen, wird so genügt, der Geschichts-
glaube dient zur Belebung der reinen Religionsgesinnung, Offenbarung beschleunigt die Kenntnis der Religion. Schließlich war
eine Schrift notwendig, um den Inhalt des Kirchenglaubens unverändert in der Folge der Zeit erhalten zu können [47]).

Mit dieser so überlieferten Schrift beschäftigt sich nun weiter
der philosophische Ausleger. Er versucht eine Deutung, die auf
den buchstäblichen Sinn verzichtet, ja ihm vielleicht Gewalt an-
tut, aber doch immer den Vorzug hat, daß sie die Erzählungen
auf einen Sinn bringt, „der mit den allgemeinen praktischen Regeln
einer reinen Vernunftreligion zusammenstimmt", während der
erstere „entweder schlechterdings nichts für die Moralität in sich
enthält, oder dieser ihren Triebfedern wohl gar entgegenwirkt"[48]).
Als Gegenstände einer solchen „biblischen Auslegungskunst" bezeichnet Kant im „Streit" die Lehre von der Dreieinigkeit, die
von der Menschwerdung einer Person der Gottheit, die Auferste-
hungs- und Himmelfahrtsgeschichte, die Einsetzung des Abend-
mahles usw. [49]) Damit überschreitet der Philosoph aber eigentlich
das ihm eigene Gebiet, er wird zum Exegeten, zu welchem Amt
ihn nur eine besondere Vorliebe führt. Kant hat sich von einer

solchen in seinen kleinen Aufsätzen mehrfach leiten lassen, hier ist die Erinnerung notwendig, daß diese Lehren doch nicht unbedingt zu einer reinen Vernunftreligion gehören.

Das Problem, welches die Religion innerhalb „der Grenzen der bloßen Vernunft" zu lösen hat, hat sich im Zusammenhang dieser Betrachtungen dargestellt.

Die Vorrede zu ihr setzt da ein, wo die Untersuchung nach Formulierung des Sittengesetzes beginnen muß. Schon die „Kritik der reinen Vernunft" hatte als dritte die Frage aufgestellt: „Was darf ich hoffen?" Sie ist notwendig, da wir wissen müssen, was aus unserem Rechthandeln herauskommt und da ohne alle Zweckbeziehung gar keine Willensbestimmung im Menschen stattfinden kann. Allgemeiner formuliert ist es die Frage nach einer „Verbindung der Zweckmäßigkeit aus Freiheit mit der Zweckmäßigkeit der Natur, deren wir gar nicht entbehren können". Die Moraltheologie hatte gezeigt, daß eine Lösung dieser Frage nur durch den Gedanken eines göttlichen Wesens möglich sei, und so führt „Moral unumgänglich zur Religion, wodurch sie sich zur Idee eines machthabenden moralischen Gesetzgebers außer dem Menschen erweitert, in dessen Willen dasjenige Geschenk (der Weltschöpfung) ist, was zugleich der Endzweck des Menschen sein kann und soll"[50]).

Die Stellung der kantischen Religionsphilosophie im System ist damit gegeben und zugleich ihre Unabhängigkeit von der biblischen Theologie. Ihr Standpunkt ist ein überhistorischer und nur „zur Bestätigung und Erläuterung ihrer Sätze benützt sie die Geschichte, Sprachen, Bücher aller Völker, selbst die Bibel"[51]). Im Prinzip ist damit der absolute Charakter des Christentums geleugnet, wie denn auch die Bibel ohne besonderes Vorrecht neben dem Zendavesta, den Vedas, dem Koran genannt wird[52]).

Die praktische Vernunft führt aber nicht nur zur Religion hin, sie gibt auch für sie die konstituierenden Begriffe des „Guten" und „Bösen". Diese werden aber nicht mehr aus dem Begriff einer reinen praktischen Vernunft deduziert, sondern die Erscheinungen, auf die sie angewandt werden, die menschlichen Handlungen und ihr Erfolg sind Gegenstand der Untersuchung. Dabei handelt es sich aber nach der ganzen Fragestellung nicht um das

Begreifen der einzelnen guten oder bösen Handlung, sondern um
die Erscheinung des Guten und Bösen in menschlichen Handlungen
überhaupt. Da aber nun nach dem Prinzip der Autonomie der
sittlichen Gesetzgebung das Gute und Böse individuelle Taten der
Persönlichkeit sind und ihr zugerechnet werden müssen, so ist
eine Beziehung zwischen dem Guten und Bösen überhaupt und
dem individuellen Guten und Bösen herzustellen. Der kategorische
Imperativ hatte die Brauchbarkeit einer Maxime zum' Prinzip
einer allgemeinen Gesetzgebung gefordert und ein so orientiertes
Bewußtsein zum allgemeingesetzgebenden gemacht, aber doch
nur auf Grund von Bestimmungen, die sich in der rein idealen
Sphäre gedachter Verallgemeinerung subjektiven Wollens bewegten, deren Möglichkeit dann schließlich von der Forderung
der Übereinstimmung mit einer irgendwie feststehenden, geltenden
Norm abhängig war. Das Böse wurde danach zu einem Nichtigen,
weil logisch Widerspruchsvollen. Religion aber wendet sich stets
an den wirklichen Menschen, in seiner Geschichte tritt Gutes und
Böses zutage, wie läßt sich trotz individueller Veranlassung der
Handlungen ein Allgemeines zu ihnen in der Geschichte finden?
Dies Allgemeine kann nur in dem Charakter des Menschengeschlechts gesucht werden, von dessen Erscheinungen Geschichte
handelt. Der überleitende Gedanke ist bei Kant wiederum der
der G a t t u n g. Mit der Einführung dieses Begriffes ist die reli-
gionsphilosophische Betrachtung auf den Boden der Geschichtsphilosophie gestellt und zugleich das Recht gegründet, sie an dieser
Stelle zu behandeln.

Die soeben bestimmte Aufgabe versucht nun das erste Stück
der „Religion", das „von der Einwohnung des bösen Prinzips
neben dem guten oder über das radikale Böse in der menschlichen
Natur" handelt, zu lösen. Kant beginnt mit der Geschichte, um
aus ihrer Betrachtung in bezug auf die Frage nach dem Fortschritt
der Menschheit in moralischer Hinsicht folgende Problemstellung
zu geben: „ob nicht ein Mittleres wenigstens möglich sei, nämlich,
daß der Mensch in seiner Gattung weder gut noch böse; oder allenfalls auch eines sowohl als das andere, zum Teil gut, zum Teil
böse sein könne" 53). Seine Stellung ist eine mittlere zwischen
dem Optimismus und dem Pessimismus, welche aus der Beurteilung

des Menschengeschlechts und seiner Entwicklung entspringen
können und entsprungen sind. Durch die Einführung des Gattungs-
begriffes ist Kant nun in die Gefahr geraten, die Mitwirkung des
individuellen Faktors des Handelns zu unterdrücken und damit
die Möglichkeit der Zurechnung zu verlieren. Diese Schwierigkeit
entwickeln folgende Sätze: „Der Mensch ist v o n N a t u r böse,
heißt soviel als: dieses gilt von ihm in seiner Gattung betrachtet;
nicht als ob solche Qualität aus seinem Gattungsbegriffe (dem
eines Menschen überhaupt) könne gefolgert werden (denn alsdann
wäre sie notwendig), sondern er kann nach dem, wie man ihn durch
Erfahrung kennt, nicht anders beurteilt werden, oder man kann es,
als subjektiv notwendig in jedem, auch dem besten Menschen,
voraussetzen“ [54]). Von diesen beiden Möglichkeiten gilt für eine
reine Religionslehre naturgemäß nur die letzte, und so muß der
leicht mißverständliche Begriff „Natur“ anders als sonst gefaßt
werden. So will denn Kant unter Natur des Menschen verstanden
wissen „nur den subjektiven Grund des Gebrauchs seiner Freiheit
überhaupt (unter objektiven moralischen Gesetzen), der vor aller
in die Sinne fallenden Tat vorhergeht“. So ist allerdings die Freiheit
der Handlung gerettet, aber zugleich die postulierte Allgemeinheit
einer solchen Tat wieder in Frage gestellt. Ja überhaupt: die
Aufgabe ist unlösbar. Denn wenn dieser Grund vor aller in die
Sinne fallenden Tat vorhergeht, so muß er unerforschlich genannt
werden, wie Kant auch dies zuzugeben später gezwungen ist. Damit sinkt aber seine Beweisführung aus der Höhe einer transzendentalen Deduktion herab in die Niederungen der Erfahrung.
Der Vernunfturprung des Bösen kann nur insofern postuliert
werden, als Wirkungen aus ihm in der Erfahrung sich bemerken
lassen, und wenn wir diese zeitlich zurückverfolgen, so gelangen
wir schließlich zu einem Zeitursprung, zu dem Gedanken des An-
geborenseins: „Weil aber der erste Grund der Annehmung unserer
Maximen, der selbst immer wiederum in der freien Willkür
liegen muß, kein Faktum sein kann, das in der Erfahrung gegeben werden könnte: so heißt das Gute oder Böse im Menschen bloß in d e m Sinne angeboren, als es vor allem in
der Erfahrung gegebenen Gebrauche der Freiheit zum Grunde
gelegt wird und so als mit der Geburt zugleich im Menschen

vorhanden vorgestellt wird: nicht daß die Geburt eben die Ursache davon sei" [55]).

Somit sind wir jetzt auf die anthropologische Nachforschung
gewiesen, und diese läßt uns, wenn wir nur nach in der Gattung
überall sich geltend machenden Einflüssen fragen, „die sich unmittelbar auf das Begehrungsvermögen und den Gebrauch der Willkür beziehen", drei Anlagen unterscheiden: die für die Tierheit,
die für die Menschheit, die für die Persönlichkeit [56]). Sie gehören
zur Möglichkeit der menschlichen Natur, aber durch sie wird der
subjektive Faktor wiederum ausgeschaltet. Ihn setzen wir ein,
wenn der Begriff des „Hanges" eingeführt wird, denn Hang ist
„der subjektive Grund der Möglichkeit einer Neigung (habituellen
Begierde), sofern sie für die Menschheit überhaupt zufällig ist".
Er wird als „Prädisposition zum Begehren" bezeichnet und in
einem „losen Blatt" wird auf das Unbewußte in ihm hingewiesen [57]).
Dementsprechend ist nun der Hang zum Bösen gelegen „in dem
subjektiven Grunde der Möglichkeit der Abweichung der Maxime
vom moralischen Gesetze". Warum aber die oberste Maxime
überhaupt verderbt ist, obgleich doch die Tatsache, daß es so ist,
auf unsere eigene Tat zurückgeführt werden muß, können wir
ebensowenig weiter einsehen als wir nicht die Ursache einer Grundeigenschaft, die zu unserer Natur gehört, angeben können. Es
ist offenbar, wie Kant sich hier in Schwierigkeiten verwickelt sah,
aus denen es keine Lösung gab. Der Begriff des Guten war nun
einmal a priori deduziert, der Gedanke der eigenen Tat mußte festgehalten werden und doch mußte von einem Hang in der menschlichen Natur gesprochen werden, der aber trotzdem nicht zu ihrem
Wesen gehören sollte, schließlich aber wieder als Grundeigenschaft
bezeichnet werden mußte und „im Menschen gewurzelt erschien."
Nach allen Mühen kann die Frage, wie wir uns eines solchen Hanges
gewiß halten können, nur beantwortet werden durch den Hinweis
auf die „Menge schreiender Beispiele, welche uns die Erfahrung
an den Taten der Menschen vor Augen stellt". Den förmlichen
Beweis sollen wir uns ersparen können, Berichte über die Völker
im Naturstande müssen genügen [58]).

Bei diesem Ergebnis kann sich Kant aber doch nicht be-
ruhigen. Die eigentliche Beschaffenheit eines Hanges kann, da er

aus Freiheit erfolgt, aus der Erfahrung nicht begriffen werden, es muß der Versuch gemacht werden, ihn aus dem Begriffe des Bösen, sofern es nach Gesetzen der Freiheit möglich ist, a priori zu deduzieren. Für Lösung dieser Frage steht nun längst der Gegensatz Vernunft und Sinnlichkeit, moralisches Gesetz und selbstische Neigung zur Verfügung und durch eine rigoristische Ausdeutung dieses Gegensatzes gelangt Kant zu dem Gedanken von der Verkehrtheit des menschlichen Herzens, welche darin besteht, daß der Mensch die Triebfedern der Selbstliebe und ihrer Neigungen zur Bedingung der Befolgung des moralischen Gesetzes macht, da das letztere vielmehr als oberste Bedingung der Befriedigung der ersteren in die allgemeine Willkür als alleinige Triebfeder aufgenommen werden sollte. Worin der Charakter des Bösen einer solchen falschen Unterordnung zu suchen sei, ist allerdings damit nicht klar gestellt. Die im Gegensatz stehenden Prinzipien, Vernunft und Sinnlichkeit, können jedes für sich betrachtet es nicht sein, letztere ist deshalb nicht dafür schuldig zu sprechen, da die den Menschen treffende Schuld der Natur zugeschoben werden müßte, ein Gedanke, der mit Kants Naturauffassung in klarem Widerspruch steht. So muß von einem Vernunfturprung des Bösen gesprochen werden, obgleich doch die Vernunft Quelle des moralischen Gesetzes ist. Aus diesen Schwierigkeiten gibt es wieder keinen Ausweg und so heißt Kants letztes Wort: „Der Vernunfturprung dieser Verstimmung unserer Willkür in Ansehung der Art, subordinierte Triebfedern zu oberst in ihre Maximen aufzunehmen, d. i. dieses Hanges zum Bösen, bleibt uns unerforschlich" [59]).

So unbefriedigend diese Lösung auch sein mag, der Versuch, welcher zu der voraufgehenden Fragestellung führte, ist von größter Bedeutung für die Erkenntnis der die nun einsetzende geschichtsphilosophische Betrachtung konstituierenden Begriffe. Gut und Böse, das sind die Gegensätze, welche aus Bejahung und Verneinung des a priori begründeten Sittengesetzes entwickelt wurden, und sie wurzeln doch schließlich in der Doppelheit der menschlichen Natur: Vernunft und Sinnlichkeit. Diesen Gegensatz muß die Transzendentalphilosophie schlechthin anerkennen, sie kann ihn nicht weiter deduzieren.

Mit der Setzung eines guten und eines bösen Prinzips in der menschlichen Natur ist ihr Kampf gegeneinander gegeben. Er läßt sich nun darstellen nach seiner formalen und nach seiner materialen Seite hin. Im ersteren Fall handelt es sich nur um „intelligible moralische Verhältnisse" [60]), im zweiten um Geschichte. Die Lösung des ersten Problems hat dann für die folgende, zweite Betrachtung die Bedeutung, daß sie ihr eine regulative Idee liefert.

Es muß demnach zuerst gezeigt werden, ob ein Übergang vom Bösen zum Guten zu denken möglich ist. Dies muß der Fall sein nach einem Grundgedanken der kritischen Philosophie, wonach die Vernunft Fragen, die sie aufgegeben hat, auch lösen muß. Aufgegeben ist das Ideal der Menschheit in ihrer ganzen moralischen Vollkommenheit, sie ist Endzweck der Schöpfung. Die begriffliche Zuspitzung des Gegensatzes Gut und Böse bringt es aber nun mit sich, „daß die Entfernung des Guten, was wir in uns bewirken sollen, von dem Bösen, wovon wir ausgehen, als unendlich und sofern, was die Tat, d. i. die Angemessenheit des Lebenswandels zur Heiligkeit des Gesetzes, betrifft, als in keiner Zeit erreichbar angesehen werden muß." Es ist also notwendig, eine außerhalb aller Zeit zu betrachtende Wirklichkeit aufzuweisen, welche die gesuchte Möglichkeit in sich schließt. Dies ist die Gesinnung, welche übersinnlich ist. Ihr Inhalt läßt sich auch unabhängig von allem Zeitgeschehen darstellen, da er besteht in der „allgemeinen und lauteren Maxime der Übereinstimmung mit dem Guten" [61]). Ein Herzenskündiger in seiner reinen intellektuellen Anschauung kann den Fortschritt zum Guten als ein vollendetes Ganze ansehen. Noch bleibt die Frage: Kann der durch das radikale Böse in Verschuldung geratene Mensch göttliche Verzeihung erlangen? Die Schuld muß abgetragen werden, und dies geschieht in der Sinnesänderung, die ein Ausgang vom Bösen und ein Eintritt in das Gute ist. Hierin haben wir eine Aufopferung und die Übernahme einer langen Reihe von Übeln des Lebens zu sehen, die der neue Mensch in der Gesinnung des Sohnes Gottes, nämlich bloß um des guten Willen erträgt. Dadurch wird er moralisch ein anderer (als intelligibles Wesen), bleibt aber als physisches immer noch strafbar, es ist also ein Akt der Gnade, wenn wir durch das göttliche Wesen „aller Verantwortung entschlagen werden" [62]).

Für eine Religion aus bloßer Vernunft ist hiermit die Aufgabe gelöst, da in der Beweisführung kein historisches Moment eine Rolle spielte, die „Religion innerhalb der Grenzen der bloßen Vernunft" setzt sich aber in diesem Abschnitt noch auseinander mit der Person Christi. Man spürt es der Darstellung an, wie sehr Kant hier vermeiden wollte, Anstoß zu erregen. Oft muß ein Nachsatz zurücknehmen, was ein Vordersatz behauptet hatte, wird doch zum Beispiel die Ansicht von Christus als einem natürlichen Menschen behauptet, dann aber abgeschwächt durch den alle ähnlichen übertreffenden Satz: „obzwar dadurch eben nicht schlechthin verneint würde, daß er nicht auch wohl ein übernatürlich erzeugter Mensch sein könne" [63]). Es gehört nicht zu unserem Thema und lohnt nicht der Mühe, auf diese Künsteleien einzugehen, es ist hier nur notwendig, das Wesentliche des Gedankenganges zu verstehen. In der Auffassung von Christus als einem vollkommenen Menschen, seinem Leiden und Sterben kommt das Bedürfnis des Menschen zum Ausdruck, übersinnliche Beschaffenheiten faßlich zu machen. „Das ist der S c h e m a t i s m u s d e r A n a l o g i e (zur Erläuterung), den wir nicht entbehren können." Verboten aber ist, „diesen in einen S c h e m a t i s m u s d e r O b j e k t s b e s t i m m u n g (zur Erweiterung unseres Erkenntnisses) zu verwandeln; dies wäre Anthropomorphismus" [64]). So steht Kant trotz aller Einschränkungen und Kautelen in seiner Darstellung durchaus auf der Ansicht, daß die Geschichte Christi zur Erläuterung „intelligibler moralischer Verhältnisse" uns dienen kann. Die Übersinnlichkeit dieser Beziehungen ist der letzte Grund für die Annahme eines übernatürlichen Geschehens. Die Erzählungen vom Leben Jesu werden ausgelegt mit Hilfe der Begriffe, in denen der Kampf des Guten mit dem Bösen dargestellt worden ist. Die Erscheinung Christi verliert vollkommen ihre eigentlich religiöse Bedeutung. Die Vernunft enthält eben die Idee eines Gott moralisch wohlgefälligen Menschen in sich, eines Beispiels bedarf es nicht. Entschieden wird der Gedanke der Stellvertretung abgelehnt, da er das Grundprinzip der kantischen Ethik von der persönlichen Verpflichtung gegenüber dem Sittengesetz aufheben würde.

Wie schon angedeutet, liefern die Ergebnisse des zweiten

Stückes die regulative Idee für die Darstellung der historischen
Erscheinung des Kampfes des Guten mit dem Bösen in Voraus-
sicht des Sieges des ersteren über das letztere. Es handelt von
dem Sieg des guten Prinzips über das Böse und die Gründung
eines Reiches Gottes auf Erden. Zuerst werden die Formen, an die
dieser Kampf gebunden ist, entwickelt und dann eine Geschichte
der in ihm hervortretenden Ideen gegeben.

Durch seine eigene Schuld lebt der Mensch in dem gefahr-
vollen Zustand, der Knechtschaft des Sündengesetzes anheim zu
fallen. Diese Gefahren stammen nicht aus seiner eigenen rohen
Natur, sondern aus denen, in die das gesellschaftliche Leben ihn
verstrickt. Ein später, aber immer noch lebendiger Einfluß
Rousseaus läßt Kant hier Worte finden, die dieser nicht härter aussprechen konnte: „Es ist genug, daß sie [Menschen] da sind, daß
sie ihn umgeben und daß sie Menschen sind, um einander wechselseitig in ihrer moralischen Anlage zu verderben und sich einander
böse zu machen." Wie die Gefahr, so kann aber auch die Rettung
nur von der Gesellschaft kommen: „Die Herrschaft des guten
Prinzips, sofern Menschen dazu hinwirken können, ist, soviel wir
einsehen, nicht anders erreichbar, als durch Errichtung und Ausbreitung einer Gesellschaft nach Tugendgesetzen und zum Behuf
derselben; einer Gesellschaft, die dem ganzen Menschengeschlecht
in ihrem Umfange sie zu beschließen durch die Vernunft zur Aufgabe und zur Pflicht gemacht wird" [65]). Nach dieser Einführung
beginnt die geschichtsphilosophische Konstruktion eines ethischen
gemeinen Wesens, das in Analogie mit der Vorstellung einer bürgerlichen Gesellschaft gedacht wird. Aus dem ethischen Naturzustand,
in dem ein jeder sich selbst das Gesetz gibt, soll der Mensch heraustreten, da dies ein Zustand der unaufhörlichen Befehdung des
guten Prinzips durch das böse ist. Noch ist aber aus dieser Forderung nicht die Notwendigkeit des Eintretens des Individuums
in die ethische Gemeinde abzuleiten. Wiederum muß hier der
Begriff der Gattung aushelfen, dessen Deduktion doch nirgends
in der Transzendentalphilosophie zu finden ist. Vergebens werden
wir nach ihr suchen für den Satz: „Jede Gattung vernünftiger
Wesen ist objektiv, in der Idee der Vernunft, zu einem gemeinschaftlichen Zwecke, nämlich der Beförderung des höchsten als

eines gemeinschaftlichen Guts, bestimmt". Kants Ethik war den
umgekehrten Weg gegangen, in ihr war die Selbstgesetzgebung
der sittlichen Persönlichkeit erweitert gedacht worden zur allgemeinen Gesetzgebung. Die geschichtsphilosophische Ansicht von
dem Kampf des Guten mit dem Bösen läßt hier das Individuum
durch seine Zugehörigkeit zur Gattung bestimmt sein. Ein anderer
Ausdruck für diese Notwendigkeit ist es, wenn jetzt eine „Pflicht
von ihrer eigenen Art, nicht des Menschen gegen Menschen, sondern
des menschlichen Geschlechts (!) gegen sich selbst" auftritt [66]).
Sie kann naturgemäß nicht aus irgendeiner gegebenen Vereinigung
von Menschen, etwa einem Volke, das nur Legalität der Handlungen beanspruchen kann, entspringen, sie ist nur von einem göttlichen Willen abzuleiten, der aber wiederum nicht als Mensch auftritt, sondern seine Sanktion aus der Übereinstimmung mit der
ethischen Idee erfährt: „Nur ein solcher kann als oberster Gesetzgeber eines ethischen gemeinen Wesens gedacht werden, in Ansehung dessen alle w a h r e n P f l i c h t e n , mithin auch die
ethischen z u g l e i c h als seine Gebote vorgestellt werden müssen.
. . . . . Dieses ist der Begriff von Gott als einem moralischen Welt-
herrscher" [67]).   Die gesuchte Gemeinschaft kann deshalb ein
Volk Gottes und zwar nach Tugendgesetzen genannt werden, die
Gesetzgebung ist bloß innerlich.

Von der Höhe dieser Idee wird nun die Art ihrer Verwirklichung
durch den Menschen abgeschätzt. Die Schwäche der menschlichen
Natur ist schuldig zu sprechen für ihre unvollkommene Realisierung: „Wie kann man erwarten, daß aus so krummem Holze
etwas völlig Gerades gezimmert werde?" [68])   Eine solche unzu-
reichende Vereinigung stellt nun die sichtbare Kirche dar.   Sie
bleibt dadurch noch tiefer unter dem Ideal, als jener r e i n e Reli-
gionsglaube nicht zu ihrer Gründung ausreicht, die Schwäche der
menschlichen Natur verlangt Fakta, und damit nimmt diese Idee
historische Tatsachen in sich auf. Die das Verhältnis zum sittlichen
Gebot fälschende Anschauung von einem Dienste Gottes tritt auf
und macht aus einer Angelegenheit des Menschen eine Angelegenheit
Gottes.   Der Gegensatz der r e i n m o r a l i s c h e n und der
b l o ß s t a t u t a r i s c h e n Gesetze, welche auf Offenbarung gestützt werden, entsteht. Diesem Aufgeben des Standpunktes einer

reinen Vernunftreligion entspricht es nur, wenn in Parallele damit
das Verhältnis des Menschen zu Gott eine besondere, zufällige
Form annimmt, wenn er sich als Bürger in einem göttlichen Staat
auf Erden beträgt und Gott in einer Kirche (als einer Gemeinde
Gottes) verehrt. Der entstehende Gegensatz heißt dann reiner
Vernunftglaube — Kirchenglaube. Die Einrichtung einer Kirche
verlangt dann für ihre Dauer eine Schrift, auf die eine einzelne
Glaubensform sich stützt. Der Anerkennung dieser Erscheinungen
widersetzt sich nun immer wieder die Einsicht: „Es ist nur e i n e
R e l i g i o n.‟ Zur Rechtfertigung der verschiedenen Arten des
Glaubens kann zuerst wieder das natürliche Bedürfnis aller Menschen
dienen, „zu den höchsten Vernunftbegriffen und Gründen immer
etwas S i n n l i c h - H a l t b a r e s, irgendeine Erfahrungsbestä-
tigung u. dgl. zu verlangen‟ [69]). Da aber der moralische Wert
eines solchen Mittels nicht feststeht, so muß der Kirchenglaube
zu seinem höchsten Ausleger den reinen Religionsglauben haben.
Wird der Wert jenes durch diesen bestimmt, so kann die prinzipielle Frage gestellt werden: „ob ein historischer (Kirchen-)
Glaube jederzeit als wesentliches Stück des seligmachenden über
den reinen Religionsglauben hinzukommen müsse, oder ob er
als bloßes Leitmittel endlich, wie ferne diese Zukunft auch sei,
in den reinen Religionsglauben übergehen könne‟ [70]). Kant stellt
diese Frage in einer Antinomie dar, in welcher sich die Sätze gegen-
übertreten: „der Glaube (nämlich der an eine stellvertretende
Genugtuung) wird dem Menschen zur Pflicht, dagegen der Glaube
des guten Lebenswandels, als durch höheren Einfluß gewirkt, zur
Gnade angerechnet werden — der g u t e L e b e n s w a n d e l,
als oberste Bedingung der Gnade, ist unbedingte P f l i c h t,
dagegen die höhere Genugtuung eine bloße G n a d e n s a c h e‟ [71]).
Die Lösung geschieht durch die Erinnerung, daß ja nicht die Erscheinung des Gottmenschen Gegenstand des Glaubens ist, sondern
das in unserer Vernunft liegende Urbild, welches wir ihm unterlegen. Es ist also eine und dieselbe Idee, einmal als in Gott, das
andere Mal als in uns befindlich betrachtet. Damit ist prinzipiell die
völlige Unabhängigkeit des reinen Vernunftglaubens vom Kirchenglauben behauptet. Der Begriff des letzteren ist vielmehr dem des
ersteren unterzuordnen. Dies Verhältnis läßt sich dann wieder

als regulative Idee aufstellen für die Betrachtung der geschichtlichen Tatsachen: „Es ist eine notwendige Folge der physischen und zugleich der moralischen Anlage in uns, welch' letztere die Grundlage und zugleich Auslegerin aller Religion ist, daß diese endlich von allen empirischen Bestimmungsgründen, von allen Statuten, welche auf Geschichte beruhen, und die vermittelst eines Kirchenglaubens provisorisch die Menschen zur Beförderung des Guten vereinigen, allmählich losgemacht werde, und so reine Vernunftreligion zuletzt über alle herrsche." [72]) Diesen historischen Ablauf stellt Kant dann dar in dem überlieferten Schema der Lebensalter. Seinem Inhalte nach ist es ein allmählicher Übergang des Kirchenglaubens zur allgemeinen Vernunftreligion. Dieser Vorgang kann auch als Offenbarung begriffen werden: „In dem Prinzip der reinen Vernunftreligion, als einer an alle Menschen beständig geschehenden göttlichen (ob zwar nicht empirischen) Offenbarung, muß der Grund zu jenem Überschritt zu jener neuen Ordnung der Dinge liegen" [73]). Dem Zurückschauenden stellt sich an diesem Punkte ein großer Überblick dar: die Idee der reinen praktischen Vernunft fand ihre Realisierung in Gott, das Göttliche realisiert sich im historischen Ablauf, die Idee ist zur wirkenden Kraft in der Geschichte geworden.

Die bisherige Betrachtung hat nur das Schema einer Geschichte, nicht wirkliche Geschichte gegeben. Mit dieser beschäftigt sich Kant in der „historischen Vorstellung der allmählichen Gründung der Herrschaft des guten Prinzips auf Erden". Eine solche kann nun immer nur eine allgemeine historische Darstellung des Kirchenglaubens sein, da sich Religion im eigentlichen Sinne als ein rein innerer Zustand solchem Versuch entzieht. Die Richtungslinie ist gegeben durch den Begriff eines reinen Religionsglaubens als zu erstrebenden Endzustandes und durch die Vergleichung der verschiedenen Formen des Kirchenglaubens mit ihm. Insofern jener der Idee nach ein einziger Glaube ist, strebt dieser nach der Einheit einer allgemeinen Kirche. Eine Geschichte dieser Entwicklung kann aber nur dann eine Einheit sein, wenn die Einheit des Prinzips gewahrt, d. h., wenn sie „auf denjenigen Teil des menschlichen Geschlechts eingeschränkt wird, bei welchem jetzt die Anlage zur Einheit der allgemeinen Kirche schon ihrer Entwicklung nahe

gebracht ist". So durchbricht Kant mit vollem Bewußtsein die
historische Kontinuität zwischen Judentum und Christentum.
Jenes gab zwar für dieses „die p h y s i s c h e V e r a n l a s s u n g",
aber trotzdem steht seine Geschichte mit diesem „in ganz und gar
keiner wesentlichen Verbindung, d. i. in k e i n e r E i n h e i t
n a c h B e g r i f f e n". Der jüdische Gott ist ein bloß weltlicher
Regent, er hat an das Gewissen keinen Anspruch, deshalb ist die
jüdische Religion eigentlich keine Religion, sondern nur „Vereinigung einer Menge Menschen, die, da sie zu einem besonderen
Stamm gehörten, sich zu einem gemeinen Wesen unter bloß politischen Gesetzen, mithin nicht zu einer Kirche formten". Dieses
Urteil wird begründet auf die Behauptungen, daß die Gebote des
jüdischen Gottes nur auf die äußere Beobachtung gerichtet waren,
daß der Glaube an ein künftiges Leben, der sich doch „kraft der
allgemeinen moralischen Anlage in der menschlichen Natur" auf-
drängt, fehlt und daß die Juden sich selbst als auserwähltes Volk
bezeichneten und damit auf den Anspruch verzichteten, eine allgemeine Kirche zu gründen. Auch die jüdische Lehre von dem
e i n e n Gotte kann bei der Ausgestaltung dieses Gedankens rein
nach der politischen Seite nicht eine Religion gründen, eher wäre
dazu ein Polytheismus fähig, dessen einzelne Personen gemeinsam
die ethische Idee als die höchste anerkennen würden [74]).

So beginnt die allgemeine Kirchengeschichte erst mit dem
Christentum, da es auf einem neuen Prinzip gegründet war. Es
wird erwähnt, wie es im Judentum vorbereitet war, in das moralische Lehren und griechische Weisheit mit der Zeit einflossen.
Die weitere Geschichte wird dann mit der schon bekannten Beurteilung des Mittelalters dargestellt. Wenn dies Gemälde dem
Christentum „keineswegs zur Empfehlung" dienen kann, so ist
dies auf den schlimmen Hang der menschlichen Natur zurückzuführen, der statutarische Glaubenssätze an die Stelle reiner
moralischer Gesetzgebung setzt. Die „jetzige" Zeit berechtigt im
Gegensatz dazu zur Hoffnung auf eine kontinuierliche Annäherung
an eine alle Menschen auf immer vereinigende Kirche. Diesen
Prozeß sieht Kant sich entwickelnd im Zusammenhang der gesamten geistigen Bewegung, sein Vertrauen stützt sich auf „die
in Dingen, welche ihrer Natur nach moralisch und seelenbessernd

sein sollen, sich von der Last eines der Willkür der Ausleger beständig ausgesetzten Glaubens loswindende Vernunft"[75]).
Diese Entwicklung kann wohl aufgehalten, aber nicht aufgehoben
werden, entspricht sie doch „dem von der Weltregierung beab-
sichtigten Fortgang im Guten"[76]).

Die Bedeutung der Religionsphilosophie für Kants Geschichtsphilosophie ist durch die Eigentümlichkeit ihrer Problemstellung
gegeben. Sie behandelt einmal die bisher ungelöste Frage nach
dem Verhältnis des Individuums zur Gattung und anderseits versucht sie eine bestimmte historische Erscheinung als Entwicklung
zu einem von der reinen praktischen Vernunft aufgegebenen Ideal
zu begreifen.

Es ist früher bemerkt worden, daß das Individuum im Zusammenhange der Gattungsentwicklung nicht zu seinem Rechte kam.
Die aus der Kollision mit dem Freiheitsbegriff sich ergebenden
Schwierigkeiten konnten aber durch die Erinnerung beseitigt
werden, daß es sich in der geschichtsphilosophischen Betrachtung
nur um die Erscheinungen der Freiheit handele. Ein solcher Ausweg
war hier unmöglich. Wurden ja doch aus dem Zusammenhang
menschlicher Handlungen jetzt gerade d i e herausgenommen, auf
welche das Prädikat gut oder böse angewandt werden konnte.
Damit war ihr Ursprung aus Freiheit und die Notwendigkeit ihrer
Zurückführung auf den intelligiblen Charakter des Individuums
vorausgesetzt. Dann aber wurde es nötig, in diesem ein Prinzip
aufzuweisen, wodurch es, unbeschadet seiner eigenen Verant-
wortlichkeit, doch zugleich als Glied der Gattung betrachtet werden
konnte. Ein erster Versuch, diese Aufgabe zu lösen, sollte durch
den Gedanken des radikalen Bösen in der menschlichen Natur
gemacht werden. Aber er mißlang. Der Hang blieb doch immer
subjektiv und der Nachweis, daß er bei allen Menschen angeboren
sei, reichte nicht zu zu der Behauptung, daß der Mensch im Kampf
gegen das Böse in ihm auf die Gattung angewiesen sei. Der zweite
Versuch wurde dann unabhängig von dem ersten durch die Idee
des ethischen gemeinen Wesens gemacht. Aber auch hier will es
Kant nicht gelingen, die Notwendigkeit, daß die Individuen sich
zu einem solchen verbinden müßten, aus der an das Individuum

gerichteten ethischen Forderung abzuleiten. Die Verlegenheit, in der er sich sieht, findet einen ungewollten Ausdruck in der Wendung von der Pflicht des Menschengeschlechts gegen sich selbst, die der „Art und dem Prinzip nach von allen andern unterschieden sein" sollte. Wo war sie deduziert? und geriet die Selbstgesetzgebung nicht in Gefahr, den Charakter der Autonomie zu verlieren? Schließlich wird ein Ausweg wiederum gefunden durch Einführung des Begriffes von Gott, der „die für sich unzulänglichen Kräfte der einzelnen zu einer gemeinsamen Wirkung vereinigt" [77]). Von hier aus wäre es nun möglich gewesen, Kirche und heilige Schrift als Mittel göttlicher Erziehung zu betrachten. Aber Kant geht nicht diesen Weg. Er will in ihnen nicht eine göttliche Offenbarung sehen, sie sind ihm nur ein Sinnlich-Haltbares, wie es die Schwäche der menschlichen Natur verlangt. Allerdings wird dieses „Nein" mit vorsichtigen, andere Möglichkeiten nicht ausschließenden Wendungen allzu reichlich umgeben. So liefert die Idee einer reinen Vernunftreligion nicht eigentlich den Erklärungsgrund für das Auftreten einer geoffenbarten. Kant bleibt auf halbem Wege stehen. Gott als moralischer Weltbeherrscher, die Unfähigkeit der Menschen, selbst zu einem ethischen gemeinen Wesen zu gelangen, die äußeren Mittel der Vereinigung — alles bot sich zu einer Synthese an. Aber dann traten dagegen der Naturbegriff der kritischen Philosophie und der Gedanke der Selbstverantwortlichkeit des Individuums auf und sie ließen das, was einander suchte, nicht zur Versöhnung gelangen. So bringt auch die Religionsphilosophie nicht die Lösung der oben genannten ersten Frage.

Anders geartet war die zweite Frage. Ihr Gegenstand war das Christentum als historische Erscheinung. Seine Geschichte wurde für Kant zu einem Ganzen nicht durch ihren Zusammenhang mit der Erscheinung Christi, sondern dadurch, daß er seine·Idee einer reinen Vernunftreligion in ihm insoweit realisiert fand, daß er von ihm aus eine einheitliche Entwicklung bis zur Gegenwart und eine Annäherung zu dem bezeichneten Ideal erkennen zu können glaubte. So verlor in der geschichtsphilosophischen Konstruktion das Christentum eigentlich seinen Charakter als Offenbarungsreligion. Er hob es aus dem Zusammenhang der

historischen Kontinuität heraus, ohne doch seinen Vernunftursprung angeben zu können. Fruchtbar erwies sich dann nur der Gedanke einer allmählichen Entwicklung zur reinen Vernunftreligion, wodurch eine historische Würdigung der früheren Stufen vorbereitet wurde. Schließlich öffnet sich der Hintergrund für diese Erscheinungsreihe, wenn die Vernunftreligion „als eine an alle Menschen geschehende göttliche (ob zwar nicht empirische) Offenbarung" [78]) begriffen wird.

VI.

Die Rechtsphilosophie.

Die systematischen Gedanken zu seiner Rechtsphilosophie hat Kant der naturrechtlichen Theorie des 17. und 18. Jahrhunderts entnommen [1]). Diese knüpfte an den schon im Altertum ausgesprochenen und vom Mittelalter verwerteten Gedanken eines in der Natur des Menschen begründeten, ursprünglichen Rechtes an. Für ihre Entwicklung war bedeutsam der Gegensatz, in dem sie sich wußte zu der mittelalterlichen Lehre von einem geoffenbarten Recht. Demgegenüber versuchten die Denker jener Epoche als alleinige Quelle des Rechtes die menschliche Natur nachzuweisen. Auf dieser Grundlage versuchten sie dann ein selbständiges Staatsrecht aufzubauen und bekämpften die Forderung einer Oberhoheit der Kirche über das weltliche Regiment.

Die Natur des Menschen besteht nun nach dieser Theorie einmal in der natürlichen Ausstattung des Menschen als eines von den Tieren durch Vernunft und Sprache unterschiedenen und auf ein Leben in der Gesellschaft angewiesenen Wesens. Anderseits sind mit seiner Existenz bestimmte Rechte und Pflichten verbunden, die sich zusammenfassen lassen in die Gedanken der Selbsterhaltung, der Freiheit und des Eigentums. Sie werden durch die Idee von der Gleichheit aller Menschen übergeführt zu dem der Anerkennung eines gleichen Anspruches der anderen Menschen für sich. Dies Recht, weil in der Natur des Menschen gelegen, ist ewig und unabhängig von dem Willen Gottes; schon Grotius wagt den Satz auszusprechen, daß es gelten würde, auch wenn es keinen Gott gebe [2]). Doch wird dadurch nicht ein Gegensatz zu dem göttlichen Wesen stabiliert, da es ja schließlich die Quelle alles Vernünftigen in der Schöpfung und damit auch des Rechtes ist; nur daß der Mensch in der Auffindung des natürlichen Rechtes nicht auf Offenbarung angewiesen sei und daß es von keiner Willkür abhänge, soll damit gesagt sein. Die so ausgestatteten Individuen leben nun in einem natürlichen

Zustand, der die Sicherung, daß jenes Recht gelte, nicht in sich
enthält. Die sich in ihm frei entfaltenden Triebe führen zu einem
Kampf der Interessen, welcher die auf ihren Vorteil und ihre Sicherheit bedachten Individuen in eine Gemeinschaft zwingt, zu welcher
sie auch die geselligen Triebe drängen. Die so entstehende Gemeinschaft wird durch einen Vertrag gegründet und wird damit zur
bürgerlichen Gesellschaft, in welcher der gemeinsame Wille aller
auf eine Obrigkeit übertragen wird, deren letzte Aufgabe die Sicherheit der den Vertrag Schließenden ist. Die Übertragung der Macht
kann nun für die diesen Akt vollziehenden Individuen eine verschiedene Wirkung haben. Entweder gibt das Individuum seine
Rechte an den Staat ab, so daß dieser die unbedingte Macht über
die Untertanen erhält. Diese Theorie, welche in dem Staatsgedanken
Macchiavellis schon einen Ausdruck gefunden hatte, wurde im
17. Jahrhundert in aller Schärfe von Hobbes vertreten, während
Bodinus damit den theokratischen Gedanken verband und ebenso
wie Bossuet das Prinzip der Herrschaft Ludwigs XIV. zum Ausdruck brachte. Nach ihnen ist der Souverän nur Gott verantwortlich. Doch selbst bei Hobbes fand diese Macht ihre Grenze
an der Pflicht des Herrschers, die salus publica als seine höchste
Aufgabe anzusehen, Verträge zu achten und Bodinus zieht vor
dem Eigentum die Grenze für sie. Die andere Möglichkeit war die,
daß das Volk trotz und nach dieser Übertragung doch Quelle
alles Rechtes blieb, seine Gewalt zurückfordern, durch eine Ver-
tretung eine Korrektur geben konnte oder durch Revolution die
Macht wieder an sich zu reißen berechtigt war. Diese Anschauung,
schon im Mittelalter vorhanden, wurde ausgesprochen auf dem
historischen Hintergrunde der englischen Revolution und wurde
von Milton, Locke und insbesondere von Rousseau vertreten.

Mit dieser Lehre von der Quelle des Rechtes waren zugleich
bestimmte Gedanken über die Zwecksetzung desselben gegeben.
Der Mensch trat in das bürgerliche Leben ein, um besser und sicherer
als im rechtlosen Zustande seinen Nutzen erreichen zu können. So
erschien denn die allgemeine Glückseligkeit als das Ziel staatlicher
Ordnung. Daneben aber kamen auch andere Ideen zur Geltung.
Je mehr die geschichtliche Betrachtung zeigte, daß Kultur auf
einer Vielzahl einzelner Momente begründet sei, wie vor allem auf

den wirtschaftlichen Verhältnissen, dem Handel, der Blüte von Kunst und Wissenschaft, desto mehr trat auch die Forderung auf, daß der Staat ihnen eine gesicherte Grundlage geben müsse, wenn auch an eine positive Mitwirkung nicht so sehr gedacht, vielmehr vor allem Freiheit für alle diese Betätigungen, besonders für die Wissenschaft verlangt wurde. Eine andere Orientierung erfuhr die rechtliche Theorie dann auch an der Moral. War sie doch schon in einigen der grundlegenden Sätze des Naturrechts, z. B. der Forderung der Billigkeit, der des Haltens von Versprechungen usw. aufgetreten. Schon bei Grotius und Pufendorf trat dieser Zusammenhang hervor, deutlicher und bewußter aber besonders in der deutschen Rechtsphilosophie eines Leibniz, Wolff und Achenwall.

Der Gedanke von einem für alle Menschen geltenden Recht mußte nun als Regulativ gelten für das bestehende positive Recht. Es wurde an jenem geprüft. So entstand die Idee einer staatlichen Ordnung, welche die Forderungen des natürlichen Rechtes am reinsten und vollkommensten zum Ausdruck bringen sollte. Für die Form eines solchen Zusammenhanges boten sich Analogien aus der Betrachtung der körperlichen Welt, und so wurde die Lehre vom Staate als einer künstlichen Maschine ausgebildet, in der die seelischen Kräfte des Menschen und die einzelnen Gewalten allein durch geltende Gesetze ohne Dazwischenkunft des Regenten in Gleichgewicht erhalten würden. Insofern nun die wirklichen politischen Verhältnisse dieser Idee nicht entsprachen, wurde das Ideal eines vollkommenen Staates in die Zukunft verlegt, welche je nach der Stimmung des einzelnen Denkers und seiner Lebenserfahrung in eine verschiedene Weite gerückt wurde. So trat hier wiederum eine entwicklungsgeschichtliche Betrachtung ein, welche an dem Gedanken einer in den Dingen waltenden Vernunft orientiert war.

Die kosmopolitische, in der Theorie des Naturrechts deutlich zum Ausdruck gelangende, Grundanschauung des Jahrhunderts und anderseits die Beobachtung der eine Entwicklung zum Ideal hemmenden realen Verhältnisse führten weiter zu dem Gedanken einer Vereinigung aller Völker, einer weltbürgerlichen Gemeinschaft. Die Grundlagen entnahm die so entstehende völkerrechtliche Theorie wiederum dem Naturrecht, indem sie den individualisti-

schen Ausgangspunkt auch als geltend für die Nationen annahm
und diese wie Individuen betrachtete. Auch die Staaten standen
in einem natürlichen, d. h. rechtlosen Zustande und die Theorie
versuchte nun ein für sie geltendes Recht abzuleiten auf Grund der
Anerkennung allgemeinster Gebote der Menschlichkeit, welche auf
den internationalen Verkehr, besonders aber auf Krieg und Frieden
Anwendung finden sollten. Das Problem mußte ungelöst bleiben,
da die Anerkennung einer das Recht garantierenden Macht fehlte.
Als praktische Forderung ergab sich die Beseitigung und das Aufhören der Kriege. Hier entstanden die Ideen vom ewigen Frieden,
wie sie St. Pierre aussprach und wie sie dann im 18. Jahrhundert
fast allgemein angenommen und weitergebildet wurden.

Die Stellung von Kants Rechtsphilosophie ergibt sich aus ihrer
Zugehörigkeit zur Metaphysik der Sitten, welche mit der der Natur
das System der reinen Vernunft ausmacht. Die allgemeine Aufgabe einer Metaphysik der Sitten ist, die Anwendung reiner Begriffe auf die Praxis zu zeigen. Die besondere der ,,metaphysischen
Anfangsgründe der Rechtslehre‘‘ wird weiter dadurch bestimmt,
daß sie im Gegensatz zur Tugendlehre es nur mit einem äußeren,
nicht wie diese mit einem inneren Gesetzgeber zu tun hat. Der
äußere Gesetzgeber ist die bürgerliche Gesellschaft. Der Gegensatz
läßt sich auch erläutern durch den Unterschied der Triebfedern,
nach denen ein und dieselbe Handlung geschehen kann: ,,Diejenige
Gesetzgebung, welche eine Handlung zur Pflicht und diese Pflicht
zugleich zur Triebfeder macht, ist e t h i s c h. Diejenige aber,
welche das letztere nicht im Gesetze mit einschließt, mithin auch
eine andere Triebfeder als die Idee der Pflicht selbst zuläßt, ist
j u r i d i s c h ‘‘ [3]). In ersterem Falle ist Moralität, im zweiten
nur Legalität der Handlungen gegeben. Die Rechtslehre betrachtet
also die menschlichen Handlungen nur von außen, und das allgemeine Rechtsgesetz lautet: ,,Handle äußerlich so, daß der freie
Gebrauch deiner Willkür mit der Freiheit von jedermann nach
einem allgemeinen Gesetze zusammen bestehen könne‘‘ [4]).

In diesem Satze tritt als wichtigster Begriff der Begriff der
Freiheit auf. An ihn muß also die weitere Erörterung anknüpfen.
Es handelt sich um eine Gesetzgebung. Eine solche aber, mag sie
nun für die Natur oder die Freiheit gelten, muß durch eine

apriorische Bestimmung als möglich erwiesen werden. Aber die
Handlungen, welche in sie übergeführt werden sollen, sind schon
wirkliche, sie sind hervorgerufen und die Art, wie sie es sind,
interessiert den Metaphysiker des Rechtes nicht. Eine Gesetzgebung für sie kann also nicht eine Gesetzgebung aus ihrem Ursprunge sein, sondern nur eine solche nach einem Ziele. Das Ziel
ist aber für die Metaphysik der Sitten allgemein durch den kategorischen Imperativ als das höchste Sittengesetz gegeben und die
Aufgabe ist damit bestimmt.

Handlungen der Menschen lassen sich nun schon innerhalb
der Erscheinungswelt von denen der Tiere dadurch unterscheiden,
daß der Mensch eine freie Willkür hat. Dieser, schon in der ,,Kritik
der reinen Vernunft'' als unbrauchbar erwiesene Begriff ist nur
negativ, er bedeutet Freiheit von den Sinnen, er muß eine positive
Ergänzung finden und er erhält sie durch die Lehre von der intelligiblen Freiheit. So verstehen wir, wenn wir uns daran erinnern,
daß das Recht es nur mit der Außenseite der Handlungen zu tun
hat, das allgemeine Rechtsgesetz. In diesem Satz kann Freiheit
unmöglich freie Willkür heißen, weil diese ja immer nur subjektiv
wäre und zu einer Gesetzgebung nicht ausreichen würde. In prägnanter Weise drückt Kant sich auch so aus: ,,Das Recht ist ein
reiner praktischer V e r n u n f t b e g r i f f der Willkür unter
Freiheitsgesetzen'' 5).

Es ist deutlich, wie der Rechtsbegriff Kants als eine Idee
auftritt in dem Sinne, wie die Kritiken diesen Begriff formuliert
haben: ,,Das allgemeine Rechtsgesetz legt mir zwar eine Verbindlichkeit auf, aber es erwartet ganz und gar nicht, noch fordert es,
daß ich ganz um dieser Verbindlichkeit willen meine Freiheit auf
jene Bedingungen s e l b s t einschränken s o l l e , sondern die
Vernunft sagt nur, daß sie in ihrer Idee darauf eingeschränkt s e i
und von andern auch tätlich eingeschränkt werden dürfe; und
dieses sagt sie als ein Postulat, welches gar keines Beweises weiter
fähig ist.'' 6) Die Lehre von der Freiheit stößt eben jede weitere
Ableitung zurück, sie ist als wirklich erwiesen durch die Tatsache
des kategorischen Imperativs. In die Sprache der Rechtslehre
übersetzt, können wir Freiheit ein angeborenes Recht nennen.
,, F r e i h e i t (Unabhängigkeit von eines anderen nötigender Will-

kür), sofern sie mit jedes anderen Freiheit nach einem allgemeinen
Gesetz zusammen bestehen kann, ist das einzige, ursprüngliche,
jedem Menschen kraft seiner Menschheit zustehende Recht." [7])
    Ist somit für alle rechtlichen Beziehungen das Erkennungs-
zeichen gegeben im Sinne einer Zielsetzung, so ist nun zu zeigen,
wie ein rechtliches Verhältnis möglich ist neben solchen, die wir
außerrechtliche nennen könnten. Das Recht hat es nur mit äußerlichen Handlungen zu tun. Diese treten insgesamt auf in der Natur
als Erscheinungswelt. Sie werden hervorgerufen durch die Triebe.
So ist schon ein Verhältnis der Menschen zu Dingen und anderen
Menschen gegeben, das nun in die Sphäre eines rechtlichen gehoben
werden muß. Hier zeigt sich aber eine Schwierigkeit. Das Problem
der Deduktion tritt auf. Es muß eine Verbindung als möglich erwiesen werden zwischen dem reinen Vernunftbegriff des Rechtes
und dem Verhalten der Menschen zu äußeren Objekten, so daß dies
ein rechtliches genannt werden kann. Der wichtigste Begriff,
der uns hier entgegentritt, ist der des Mein und Dein, der des
Besitzes. In wundervoller Klarheit formuliert Kant diese Aufgabe,
indem er sie mit Problemen der theoretischen Philosophie in Gegensatz stellt. „In einem theoretischen Grundsatze a priori
müßte dem gegebenen Begriff eine Anschauung a priori unter-
gelegt, mithin etwas zu dem Begriffe vom Besitz des Gegenstandes
hinzugetan werden; allein in diesem praktischen wird umgekehrt verfahren, und alle Bedingungen der Anschauung, welche
den empirischen Besitz begründen, müssen weggeschafft
werden, um den Begriff des Besitzes über den empirischen hinaus
zu erweitern." [8]) Diese Aufgabe wird gelöst durch den Gedanken eines intellektuellen Besitzes. Wie läßt sich aber nun
dies Recht begründen? Nur durch das Postulat der praktischen
Vernunft: „Es ist möglich, einen jeden äußern Gegenstand meiner
Willkür als das Meine zu haben." [9]) So kommen wir zu der Idee
von der ursprünglichen Gemeinschaft des Bodens, welche von dem
Gedanken einer uranfänglichen Gemeinschaft unterschieden ist [10]).
    Ist somit die Möglichkeit eines Besitzes begründet worden,
so haben wir nun von dieser Idee überzugehen zur Wirklichkeit.
Es handelt sich ja doch immer um äußere Handlungen. Damit
treten die natürlichen Bedingungen wieder heran, von denen wir

vorher absahen und absehen mußten. Die wichtigste natürliche
Bedingung ist nun die Kugelgestalt der Erde. Sie führt, indem
das natürliche Recht am Boden ausgeübt wird, mit Notwendigkeit
zur Kollision der Interessen, zur Beeinträchtigung der Freiheit.
Und damit sind wir an den Punkt gelangt, wo die Konstruktion
des idealen Besitzes die Sphäre der Ideenwelt verläßt und eine
Ordnung für die Erscheinungswelt herstellt oder herzustellen sucht.
Es muß eine Form gefunden werden, in welcher die vorrechtliche
Beziehung vom Mein und Dein eine Sicherung erhalten kann.
Diese Form ist die bürgerliche Gesellschaft. ,,Etwas Äußeres als
das Seine zu haben, ist nur in einem rechtlichen Zustande, unter
einer öffentlich-gesetzgeberischen Gewalt, d. i. im bürgerlichen
Zustande möglich". Ihm ist entgegengesetzt der Naturzustand.
Auch in ihm ist schon ein Besitz möglich, aber er ist dann nur ein
provisorischer.

Dieser von dem Individuum kraft des rechtlichen Postulats
der praktischen Vernunft erhobene Anspruch auf Achtung seines
äußeren Besitzes ist aber nur ein einseitiger und wäre für andere ein
Zwangsgesetz. Es muß also in ihm ,,das Bekenntnis liegen: jedem
anderen in Ansehung des äußeren Seinen wechselseitig zu einer
gleichmäßigen Enthaltung verbunden zu sein " [11]). Ein solcher
Zustand kann aber nur garantiert werden durch einen jeden anderen
verbindenden, mithin kollektiv allgemeinen (gemeinsamen) und
machthabenden Willen". Ein solcher ist nur in der bürgerlichen
Gesellschaft möglich.

Die Notwendigkeit einer bürgerlichen Verfassung ist demnach
nicht etwa abzuleiten aus einem natürlichen Zustande als einem
historischen Faktum im Sinne der Annahme eines Kampfes aller
gegen alle, ein Zustand, der dann zu einem Vertrage als wieder
einem historischen Ereignisse führte. Daß es Zeiten der Recht-
losigkeit gegeben, wird damit nicht geleugnet, nur reichen diese
Tatsachen nicht aus zur Konstruktion der bürgerlichen Gesellschaft
als einer a priori zu fordernden Ordnung. Sie wird gestützt auf die
Vernunftidee eines nicht rechtlichen Verhältnisses. Aus ihr ergibt
sich, daß Menschen und Völker niemals vor Gewalttätigkeit sicher
sein können, da jeder das Recht hat zu tun, was ihm recht und
gut dünkt. So muß er streben, aus diesem Naturzustande heraus-

zukommen und sich einem öffentlich-gesetzlichen äußeren Zwang zu
unterwerfen. Das Postulat des öffentlichen Rechtes lautet demnach:
„du sollst im Verhältnisse eines unvermeidlichen Nebeneinander-
seins mit allen anderen aus dem natürlichen Zustande heraus in
einen rechtlichen Zustand, d. i. den einer austeilenden Gerechtigkeit, übergehen." [12])

So konstruiert Kant die Idee einer bürgerlichen Gesellschaft
auf rein privatrechtlicher Grundlage. Er will die Person in die
Möglichkeit der Ausübung des ihr zustehenden Menschenrechtes
setzen. Eine Garantie leistet der vereinigte Wille des Volkes, der
wieder eine Idee ist. Die Einsicht in diesen Vernunftzusammen-
hang führt zur Ablehnung jedes Versuchs einer historischen Ableitung der staatlichen Macht. Es ist völlig gleichgültig, ob der
gesetzliche Zustand auf einen wirklichen Vertrag zurückzuführen
ist oder ob er nach vorhergegangener Gewalt eintrat, der Ge-
schichtsgrund kann niemals Quelle eines Rechtes sein. „Der Akt,
wodurch sich das Volk selbst zu einem Staat konstituiert, eigentlich aber nur die Idee desselben, nach der die Rechtmäßigkeit
desselben allein gedacht werden kann, ist der ursprüngliche Kontrakt, nach welchem alle im Volk ihre äußere
Freiheit aufgeben, um sie als Glieder eines gemeinen Wesens, d. i.
des Volks als Staat betrachtet, sofort wieder aufzunehmen." [13])

Aus dieser Idee des Staates werden weiter die drei Gewalten,
die gesetzgebende, die vollziehende, die rechtsprechende, abgeleitet, sie „sind nur soviel Verhältnisse des vereinigten, a priori
aus der Vernunft abstammenden Volkswillens" [14]). Damit wird
die Idee zum Ideal. Nur durch sie ist der Zustand der größten
Übereinstimmung der Verfassung mit Rechtsprinzipien möglich,
ihn zu erstreben wird durch einen kategorischen Imperativ geboten. Wird nach der diese Idee am reinsten in der Wirklichkeit
ausdrückenden Staatsverfassung gefragt, so kann nur die republikanische genannt werden, da sie dem Geist des ursprünglichen
Vertrages allein entspricht. Die Entwicklung zu ihr kann dann
wieder aufgefaßt werden als die des Vernünftigen, der Freiheit.
Die „alten empirischen (statutarischen) Formen (Autokratie, Ari-
stokratie, Demokratie), welche bloß die Untertänigkeit des
Volks zu bewirken dienten, sollen sich in die ursprüngliche (ratio-

nale) auflösen, welche allein die Freiheit zum Prinzip, ja zur Bedingung allen Z w a n g e s macht"¹⁵).

Vom Staatsrecht führt der Weg weiter zum Völker- und dann zum Weltbürgerrecht. Sie alle drei denkt Kant nach einem einzigen Prinzip begründet und in ihrer Vereinigung erblickt er das Ziel der Entwicklung: „wenn unter diesen drei möglichen Formen des rechtlichen Zustandes es nur einer an dem die äußere Freiheit durch Gesetze einschränkenden Prinzip fehlt, muß das Gebäude aller übrigen unvermeidlich untergraben werden und endlich einstürzen" ¹⁶). Das Gemeinsame ist der Freiheitsgedanke. So wird das Völkerrecht konstruiert auf individualistischer Grundlage, nur mit dem Unterschied, daß an die Stelle der Individuen die Staaten als moralische Personen treten. Auch sie stehen ursprünglich in einem nichtrechtlichen Zustande, aus dem herauszugehen sie verbunden sind. Auf dieser Forderung gründet sich das Recht des Krieges und des Friedens. Weiter führt dann die „Vernunftidee einer friedlichen, wenngleich noch nicht freundschaftlichen, durchgängigen Gemeinschaft aller Völker auf Erden" ¹⁷). Durch die Kugelgestalt der Erde hat die Natur die Menschen in bestimmte Grenzen eingeschlossen, sie haben deshalb das Recht, sich einander zum Verkehr anzubieten, ohne als Feinde behandelt werden zu dürfen. Das diese Verhältnisse ordnende Recht würde ein weltbürgerliches sein. Es bereitet den Zustand des ewigen Friedens vor, dessen Eintreten zwar nicht bewiesen werden kann, den aber das unwiderrufliche Gebot der praktischen Vernunft: es soll kein Krieg sein, postuliert. Der Endzweck der gesamten Rechtslehre ist damit angegeben, sie fordert den unter Gesetzen gesicherten Friedenszustand des Mein und Dein. Zu ihm führt nicht Revolution, sondern eine allmähliche Reform nach festen Grundsätzen in kontinuierlicher Annäherung.

Der Aufbau von Kants Rechtsphilosophie läßt große Einheitlichkeit in der Durchführung des systematischen Gedanken erkennen. Auch er sieht wie vor ihm Montesquieu und die andern die Sicherung staatlichen Lebens in der Herrschaft der Gesetze. Und wie er die moralische Gesetzgebung auf der intelligiblen Freiheit aufgebaut hatte, so dient ihm hier als Prinzip der bürgerlichen Gesellschaft das angeborene Recht jedes Menschen auf Freiheit.

Im engsten Anschluß an Rousseau sucht er ein Rechtsverhältnis zu begründen, in dem die Freiheit gewahrt bleibt. Das Schema für die Ordnung dieser Beziehungen lieferte der Gedanke der Interessenharmonie; aber es wurde ihm jede Beziehung zur Glückseligkeit genommen und nur die rein formale Bestimmung des Zusammenlebens von Menschen unter Freiheitsgesetzen blieb erhalten. So wurde von dem Standpunkte des Individuums die Idee eines vereinigten Willens aller gefaßt, die doch nichts anderes war als ein Postulat der praktischen Vernunft. Hier bewährte sich noch einmal die Methode der Transzendentalphilosophie. Sie gab an Stelle unveränderlich geltender Sätze, wie sie das Naturrecht und z. B. auch Montesquieu aufgestellt hatten, eine Deduktion aus dem Wesen des Menschen. Die Begründung war eine rein apriorische. Kant hob den Gedanken des Naturrechts damit auf. Es gab nun nicht mehr natürliche, von dem Menschen im Naturzustande ausgeübte Rechte, sondern der Rechtszustand wurde erst in der bürgerlichen Gesellschaft möglich. Dies Verhältnis drückt Gierke einmal so aus: „Einerseits gibt Kant dem Staate die F r e i - h e i t zurück, indem er zuerst die uralte Spaltung des Rechts in natürliches und positives Recht vollkommen beseitigt und nur e i n Recht kennt, das zwar in seinem idealen Gehalt durchweg ein a priori gegebenes und für den Staat unabänderliches Vernunftrecht ist, zu seiner wirklichen Geltung aber schlechthin nur durch die vom Staate vollzogene Peremption gelangt und somit lediglich als positives Recht kraft freier Gesetzgebung ins Leben tritt. Anderseits stellt er die suveräne Macht der Staatsgewalt wieder her, indem er jede äußere Garantie gegen Überschreitung der ihr gezogenen Schranken für undenkbar erklärt und zuletzt ihre rechtliche Gebundenheit in die aus ihrem Wesen fließende Aufforderung zum vernunftgemäßen Handeln auflöst." [18]) Damit tritt der Gedanke einer vollständigen Realisierung des Vernunftrechtes auf und alles positive Recht erfährt von da aus seine Kritik. Es erhält, insofern es dem aufgestellten Ideal entspricht, eine letzte Sanktion, insofern dies nicht der Fall ist, ist es auf den Einfluß der im historischen Leben der Völker mitwirkenden Gewalt zurückzuführen und muß in allmählicher Entwicklung umgeformt werden, wobei die den allgemeinen Willen zum Ausdruck bringende staatliche Ordnung Quelle neuer Gesetzesordnung sein muß. Dem angestrebten Ziel sollen nun all die Gedanken dienen, nach denen ein idealer Staat wie eine sicher funktionierende Maschine begriffen wird. Es sind dies vor allem die Verteilung der Gewalten und Einrichtung einer republikanischen Verfassung. Und nach denselben Prinzipien werden die Systeme des Völker- und des Weltbürgerrechts aufgebaut.

VII.

Streit der Fakultäten. Das letzte Werk.
Die Geschichte der Philosophie.
Ergebnis.

In der „Kritik der Urteilskraft" stellte Kant eine systematische Übersicht der reinen Erkenntnis dar, deren Objekte Natur, Kunst und Freiheit waren. Fragt man, von der Einheit der Methode, welche im Zusammenhang mit der Lehre von den Erkenntnisvermögen eine solche Ordnung geschaffen hat, absehend, nach einem Vereinigungspunkt für die Ergebnisse dieser Untersuchung, so liegt er in der Idee des Endzweckes. Ihre Herrschaft über die drei hier behandelten Systeme der Geschichts-, Religions- und Rechtsphilosophie hat die vorhergehende Darstellung erwiesen. Dem System der Transzendentalphilosophie stehen dann gegenüber die bloßen Tatsachenwissenschaften. So ist also der alte in der Leibniz'schen Unterscheidung der ewigen und der tatsächlichen Wahrheiten enthaltene Gegensatz hier wiedergekehrt. Mit ihm beschäftigt sich Kant im „Streit der Fakultäten". Durch das im Titel dieser Schrift angedeutete Einteilungsprinzip ist allerdings die gedachte Gegenüberstellung nicht sofort offensichtlich, läßt sich aber leicht als zugrundeliegend nachweisen. Kant handelt von einem Streit der drei oberen Fakultäten, der theologischen, der juristischen und der medizinischen mit der philosophischen, als der unteren. Das Gemeinsame an jenen ist, daß sie ihre Lehren auf Schrift gründen, also je nach ihrer besonderen Aufgabe, auf die Bibel, das Landrecht, die Medizinalordnung, welchen dann gegenüber stehen die Vernunft, das Naturrecht und die Physik des menschlichen Körpers. Wenn wir die etwas künstliche Hineinbeziehung der Medizin als unerheblich fortlassen, so bleibt der Gegensatz der ersten beiden Fakultäten und der philosophischen. Diese zerfällt nun in zwei Departements: die historische Erkenntnis und die reine Vernunfterkenntnis. Zur ersteren gehören: Geschichte, Erdbeschreibung, gelehrte Sprachenkenntnis, Humanistik und alles, was die Naturkunde von empirischer Erkenntnis

darbietet, zur zweiten reine Mathematik, reine Philosophie, Metaphysik der Natur und der Sitten. Die philosophische Fakultät
„erstreckt sich eben darum auf alle Teile des menschlichen Wissens
(mithin auch historisch über die obern Fakultäten), nur daß sie
nicht alle (nämlich die eigentümlichen Lehren oder Gebote der
obern) zum Inhalte, sondern zum Gegenstande ihrer Prüfung und
Kritik in Absicht auf den Vorteil der Wissenschaften macht" [1]).
Hier tritt uns wenigstens innerhalb der philosophischen Fakultät
der Gegensatz der rationalen und der historischen Wissenschaften
entgegen, und es wäre eine prinzipielle Erörterung dieses Verhältnisses möglich gewesen, welche das Problem der Methodenlehre
für die Geisteswissenschaften zum Gegenstande hätte haben müssen.
Aber diese Frage war in ihrer ganzen Bedeutung Kant noch nicht
zum Bewußtsein gekommen. So wird denn auch die Aufgabe des
historischen Departements vergessen und nur noch der Gegensatz
der reinen Vernunfterkenntnisse zu d e n Wissenschaften festgehalten, welche ihre Lehren auf Schrift gründen. Die Tatsache,
daß die Entstehung einer solchen zum Gegenstand einer historischen
Untersuchung gemacht werden kann, wird übergangen und das
Charakteristische des Gegensatzes vielmehr gesehen in den von
der Willkür eines Oberen ausgehenden Lehren, oder Geboten, und
denen der philosophischen Fakultät, welche nicht auf Befehl
eines Oberen zur Richtschnur angenommen werden. Und da nun
jene Statuten nach ihrem Ursprung notwendig Lehren enthalten,
welche nicht aus der Vernunft entstanden sind, so ist das Recht
einer die Freiheit der Vernunft vertretenden Fakultät gesichert,
sie zum Gegenstande der Kritik zu machen in Hinblick auf die
von der Philosophie entwickelten Vernunftideen. Dieser wird
dadurch eine unvergleichliche Stellung gewahrt. „Das Interesse
der Wahrheit hat die philosophische Fakultät zu besorgen." Sie
hat alle sanktionierten Lehren, und wären sie noch so sehr von
Heiligkeit umgeben, ob ihre Quelle nun historisch, rational oder
ästhetisch ist, vor den Richterstuhl der prüfenden Vernunft zu
ziehen. Daraus entsteht ein gesetzmäßiger Streit der Fakultäten,
der nie aufhören kann und nie aufhören darf. „Alle Satzungen
der Regierung, weil sie von Menschen ausgehen, wenigstens von
diesen sanktioniert werden, bleiben jederzeit der Gefahr des Irrtums

oder der Zweckwidrigkeit unterworfen..... Folglich kann die philosophische Fakultät ihre Rüstung gegen die Gefahr, womit die Wahrheit, deren Schutz ihr aufgetragen ist, bedroht wird, nie ablegen, weil die oberen Fakultäten ihre Begierde zu herrschen nie ablegen werden." [2]) Es ist deutlich, daß sich hier mit dem Gegensatz der Wissenschaften untereinander der andere verbindet, in dem die freie Forschung, das Wahrheitssuchen mit den Mächtigen dieser Erde steht. Die Forderungen religiöser Toleranz und bürgerlicher Freiheit treten auf und der Philosoph ist berufen, sie an die Regierung zu stellen, die ihrerseits verpflichtet ist, ihn zu hören. Handelt es sich doch um die Wahrheit. Und lassen wir die äußere Hülle, den Fakultätsmantel, fallen, so steht der Philosoph da als Sachwalter der Ideen. Sein Wirken ist dem großen entwicklungsgeschichtlichen Zusammenhang einzuordnen, den Geschichts-, Religions- und Rechtsphilosophie darstellten. Ein Recht, die erstere auch hier zu nennen, ist durch die sie beherrschende Idee von dem weltbürgerlichen Zustand gegeben.

Aus alledem ergibt sich die einzigartige Stellung der Philosophie und so darf auch die Betrachtung ihrer historischen Entwicklung Interesse für sich beanspruchen. Kant hat sich über sie nur gelegentlich geäußert. Bekannt ist sein spöttisches Wort über die Gelehrten, denen die Geschichte der Philosophie selbst ihre Philosophie ist [3]). Er rechnete aber doch, wie schon gesagt worden, eine historische Übersicht zum System der reinen Vernunft. Eine solche erhalten wir am Schluß der „Kritik der reinen Vernunft". Kant geht hier aus von dem transzendentalen Gesichtspunkt der Natur der menschlichen Vernunft. Ihr entspricht es, daß im Kindesalter der Philosophie die Menschen davon anfingen, „zuerst die Erkenntnis Gottes und die Hoffnung oder wohl gar die Beschaffenheit einer anderen Welt zu studieren". Damit sind die Themen der Theologie und der Moral angegeben. Aus der ersteren entwickelt sich dann die spekulative Vernunft und mit ihr beginnt Philosophie im eigentlichen Sinne. Von hier aus kann nun die historische Darstellung beginnen und Kant gruppiert seine Übersicht nach den drei Prinzipien des Gegenstandes, des Ursprungs und der Methode. Eine entwicklungsgeschichtliche Betrachtung wird nur an die letzte angeknüpft. Es wird eine naturalistische und eine

szientifische unterschieden und diese dann in die dogmatische und
skeptische geteilt. Gemeinsam ist beiden die Verpflichtung, systematisch zu verfahren, ihre wichtigsten Vertreter waren Wolff und
Hume. Und nun kommt Kant zu der bekannten Einordnung
seines Systems durch den Satz: „Der kritische Weg ist allein noch
offen." Zur Ergänzung kann hier die Vorrede zur ersten Auflage
der „Kritik der reinen Vernunft" dienen. Kant erinnert hier an
das wechselnde Schicksal der Metaphysik, charakterisiert die Ent-
wicklungsstadien des Dogmatismus und Skeptizismus, gedenkt des
vergeblichen Versuches einer Physiologie des Verstandes durch
Locke, und schildert, wie darauf der Dogmatismus eine neue Herrschaft begann, bis dann ein Zustand des Indifferentismus eintrat.
Diesen Verfall der Metaphysik betrachtet Kant als eine geschichtliche Notwendigkeit: „Alle falsche Kunst, alle eitele Weisheit
dauert ihre Zeit; denn endlich zerstört sie sich selbst, und die
höchste Kultur derselben ist zugleich der Zeitpunkt ihres Unter-
ganges." [4]) Daß es bei diesem Zustande nicht bleiben könne, wird
behauptet unter Berufung „auf das unwiderstehliche Gesetz der
Notwendigkeit". Der menschliche Geist kann unmöglich metaphysische Untersuchungen ganz aufgeben, und so erscheint denn
die kritische Philosophie ebenfalls als geschichtlich gefordert. Sie
tritt auf im „Zeitalter der Kritik", in dem die Vernunft zu dem
beschwerlichen Geschäft ihrer Selbsterkenntnis überging. Der
Autor tritt hinter seinem Werke zurück, ist es doch nicht eine auf
seine persönliche Anschauung gegründete Philosophie, die er vor-
trägt, sondern er spricht im Namen der Vernunft oder diese spricht
durch ihn. So ist die scheinbar so anmaßliche Aufforderung einer
stückweisen Untersuchung der in den „Prolegomenen" enthaltenen
Lehren zu verstehen: „In unserm denkenden Zeitalter läßt sich
nicht vermuten, daß nicht viele verdiente Männer jede gute Veranlassung benutzen sollten, zu dem gemeinschaftlichen Interesse
der sich immer mehr aufklärenden Vernunft mit zu arbeiten, wenn
sich nur einige Hoffnung zeigt, dadurch zum Zweck zu gelangen." [5])
Die Garantie hierfür leistet die kritische Betrachtung. Demnach
ist die kritische Philosophie ein Endzustand. Dies ist darin begründet, daß sie allein imstande ist, ein System der reinen Er-

kenntnis zu liefern, in ihr allein kann es die menschliche Vernunft
zur völligen Befriedigung bringen.

Eine neue Gelegenheit, sich mit der Geschichte der Philosophie
zu beschäftigen, wurde Kant geboten durch die von der Berliner
Akademie der Wissenschaften für das Jahr 1791 gestellte Preis-
aufgabe, welche nach den Fortschritten der Metaphysik in Deutschland seit Leibniz' und Wolffs Zeiten fragte. Umfangreiche Bruchstücke, deren ursprünglicher Zusammenhang sich allerdings aus
Rinks Veröffentlichung nicht mehr herstellen läßt, liegen vor.
In ihnen lehnt Kant eigentlich die ganze Fragestellung ab. Er
meint, daß Metaphysik ihrem Wesen und ihrer Endabsicht nach
ein vollendetes Ganze sei und deshalb nicht wie ohne Ende fort-
schreitende Wissenschaften fragmentarisch behandelt werden könne.
Er betrachtet also die Geschichte der Metaphysik von der Begriffsbestimmung aus, welche er dieser gegeben hatte. So unterscheidet
er die Transzendentalphilosophie von der eigentlichen Metaphysik,
welche von der Erkenntnis des Sinnlichen zu der des Übersinnlichen fortschreiten will. Aber indem er diesen versuchten Fortschritt als Problem der Vernunft ohne jede Beziehung zur wirklichen Entwicklung faßt, scheidet die Geschichte der Metaphysik
in diesem Sinne aus. Es bleibt so nur die Transzendentalphilosophie, als deren Stadien wieder bezeichnet werden: Dogmatismus,
Skeptizismus, Kritizismus. Diese Zeitordnung erscheint ihm in
der Natur des menschlichen Erkenntnisvermögens gegründet [6]).
Auch jetzt wird gesagt, daß die Metaphysik durch die kritische Betrachtung in einen beharrlichen Zustand würde versetzt werden.
So zeigt sich wiederum, daß Kant die Geschichte der Philosophie
nach den genannten Kategorien vorstellte, und er hat im Jahre
1795 im Sinne dieser Betrachtung Morgenstern als den Mann bezeichnet, „der eine Geschichte der Philosophie nicht nach der Zeitfolge der Bücher, die darin geschrieben worden, sondern nach der
natürlichen Gedankenfolge, wie sie sich nach und nach aus der
menschlichen Vernunft hat entwickeln müssen, abzufassen imstande
ist, so wie die Elemente derselben in der Kritik d. r. V. aufgestellt
werden". [7])

Dies etwas dürftige Material wird nun in höchst interessanter

Weise vermehrt durch zwei lose Blätter, welche beide den neun-
ziger Jahren angehören dürften. In dem ersten, F 3, heißt es:
„Von einer philosophierenden Geschichte der Philosophie. Alle
historische Erkenntnis ist empirisch und also Erkenntnis
der Dinge wie sie sind; nicht daß sie notwendig so sein müssen. —
Das Rationale stellt sie nach ihrer Notwendigkeit vor. Eine
historische Vorstellung der Philosophie erzählt also, wie man und
in welcher Ordnung bisher philosophiert hat. Aber das Philosophieren ist eine allmähliche Entwicklung der
menschlichen Vernunft und diese kann nicht auf dem
empirischen Wege fortgegangen sein oder auch angefangen haben
und zwar durch bloße Begriffe. Es muß ein Bedürfnis der
Vernunft (ein theoretisches oder praktisches) gewesen sein, was
sie genötigt hat von ihren Urteilen über Dinge bis zu den Gründen,
bis zu den ersten hinaufzugehen. Anfangs durch gemeine Vernunft
z. B. von den Weltkörpern und ihrer Bewegung. Aber man kam
auch auf Zwecke: Endlich aber, da man bemerkt, daß man über
alle Dinge Vernunftgründe aufsuchen könne, so fing man an, seine
Vernunftbegriffe (oder die des Verstandes) aufzuzählen, vorher
aber das Denken überhaupt ohne Objekte zu zergliedern. Jenes
geschah durch Aristoteles, dieses noch früher durch die Logiker.

Eine philosophische Geschichte der Philo-
sophie ist selber nicht historisch oder empirisch, sondern rational,
d. i. a priori möglich. Denn ob sie gleich Fakta der Vernunft aufstellt, so entlehnt sie solche nicht von der Geschichtserzählung,
sondern sie zieht sie aus der Natur der menschlichen Vernunft
als philosophische Archäologie. Was hat die Denker unter den
Menschen vermocht über den Ursprung, das Ziel und das Ende
der Dinge in der Welt zu vernünfteln? War es das Zweckmäßige
in der Welt oder nur die Kette der Ursachen und Wirkungen oder
war es der Zweck der Menschheit selbst, wovon sie anfingen"?
Methodisch wichtiger sind die Ausführungen in F 5. Hier findet
sich die interessante Frage: „Ob eine Geschichte der Philosophie mathematisch abgefaßt werden könne? Wie der Dogmatism,
aus ihm der Skeptizism, aus beiden zusammen der Kritizism habe
entstehen müssen. Wie ist es aber möglich, eine Geschichte in ein
Vernunftsystem zu bringen, welches Ableitung des Zufälligen aus

einem Prinzip und Einteilung erfordert?" Weiter wird die
Frage erörtert, ob sich ein Schema zu der Geschichte der Philosophie entwerfen lasse, als ob die Philosophen es selbst vor Augen
gehabt hätten. Die Antwort lautet: „Ja! wenn nämlich die Idee
einer Metaphysik der menschlichen Vernunft unvermeidlich auf-
stößt und diese ein Bedürfnis fühlt, sie zu entwickeln." Am klarsten
aber treten Kants Ideen über eine Geschichte der Philosophie in
den folgenden Sätzen hervor: „Eine Geschichte der Philosophie
ist von so besonderer Art, daß darin nichts von dem erzählt werden
kann, was geschehen ist, ohne vorher zu wissen, was hätte geschehen sollen, mithin auch was geschehen kann.... Denn es ist
nicht die Geschichte der Meinungen, die zufällig hier oder da aufsteigen, sondern der s i c h a u s B e g r i f f e n e n t w i c k e l n -
d e n V e r n u n f t..... Die Philosophie ist hier gleich als ein
Vernunft-Genius anzusehen, von dem man verlangt zu kennen,
was er hat lehren sollen und ob er das geleistet hat. — Um dahinter
zu kommen, muß man untersuchen, was und wann man an der
Metaphysik für ein so großes Interesse bisher genommen hat.
Man wird finden, daß es nicht die Analysis der Begriffe und Urteile, die sich auf Gegenstände der Sinne anwenden lassen, sondern
das Übersinnliche sei, vornehmlich sofern darauf praktische Ideen
gegründet sind."

In der Schrift über den „Mutmaßlichen Anfang der Menschheitsgeschichte" brauchte Kant einmal die Wendung, daß die
Philosophie ihren Weg durch Begriffe nehme [8]). Diese Methode
kann ihre volle Anwendung eigentlich nur finden bei der Geschichte der Philosophie. Herrscht doch in der Menschheitsentwicklung nicht die Vernunft, sondern die irrationalen Triebe
und Leidenschaften der Individuen. Dagegen handelt jene von
der sich aus Begriffen entwickelnden Vernunft, es kann hier also
in eigentlichem Sinne gesagt werden, daß sie ihren Weg durch
Begriffe nehme. Eine rationale Konstruktion ist deshalb möglich.
Auch hier gibt es einen Leitfaden a priori, er ist gegeben durch das
Interesse der Vernunft, das auf das Übersinnliche gerichtet ist.
Im Streben danach ist diese aber gebunden an eine ganz bestimmte
Fragestellung, welche sich aus der Natur des menschlichen Er-
kenntnisvermögens mit Notwendigkeit ergibt. So äußert sich diese

Tendenz denn ursprünglich ohne jede kritische Vorsicht im Dogmatismus, es erfolgt der Rückschlag im Skeptizismus und aus
beiden folgt dann die Epoche der kritischen Philosophie. Das
Schema Thesis, Antithesis und Synthesis ist hier klar gegeben.
Diese Entwicklung ist eine notwendige. Auf sie paßt ganz besonders
gut das Wort: „Das Historische dient nur zur Illustration, nicht
zur Demonstration." [9]) So hat Kant auch in den Bruchstücken
zu den Fortschritten der Metaphysik die Geschichte dargestellt.
Damit ist aber gesagt, daß die treibenden Kräfte der Entwicklung
nicht innerhalb der historischen Erscheinungen zu suchen sind,
sondern ihren Ursprung haben in einem überhistorischen, d. h.
in einem metaphysischen Prinzip.

An dieser Stelle erscheint auch ein Hinweis auf Kants letztes
Werk wohl am Platze zu sein. Wenn auch der Versuch, über die
Ausführung des in zahllosen Fassungen wiederkehrenden Programmes Vermutungen auszusprechen, hier als aussichtslos unter-
lassen werden soll, so läßt sich doch mit Sicherheit sagen, daß
Kant unter dem höchsten Standpunkt der Transzendentalphilosophie ein philosophisches Erkenntnissystem begriff, „welches
a priori die Gegenstände der reinen Vernunft in Einem System
verbunden darstellt. Diese Gegenstände sind Gott, die Welt und
der dem Pflichtbegriff unterworfene Mensch in der Welt. All der
Wesen." [10]) In dieser Formulierung ist ein methodologisches und
ein metaphysisches Problem angedeutet.   In erster Beziehung
wird gesucht nach einem „allgemeinen Prinzip der theoretisch
spekulativen und moralisch praktischen Vernunft", es sollen „die
Subjekte sowohl als das Objekt in Einem ganzen Inbegriffe der
reinen synthetischen Erkenntnis a priori befaßt werden" [11]). Diesem
Problem der Methode entspricht dann das einer Vereinigung von
Natur und Freiheit. So heißt es einmal: „Gott und die Welt.
Der ganze übersinnliche und der ganze Sinnengegenstand im
l o g i s c h e n und r e a l e n Verhältnis aufeinander vorgestellt".
Eine Anmerkung zu dieser Stelle erläutert sie noch weiter: „Das
logische Verhältnis ist das der Einerleiheit und Verschiedenheit:
das reale das der Wirkung und Gegenwirkung in Ansehung der
Kausalität der Subjekte." [12]) Während über die erste Frage brauchbare Gedanken kaum entwickelt werden, ist die zweite vielfach

erörtert. Die Lösung ergibt wieder der Gottesgedanke: „Ein Wesen, das ursprünglich für Natur und Freiheit allgemein gesetzgebend ist, ist Gott."[13]) Weiter wird das Verhältnis Gottes zu beiden untersucht. Es heißt in bezug auf erstere: „Unter dem Begriffe von Gott denkt sich die Transzendentalphilosophie eine Substanz von der größten Existenz in Ansehung aller aktiven, von allen Sinnenvorstellungen unabhängigen (reinen Vernunftvorstellungen a priori) a k t i v e n Eigenschaften (Realität) begabtes, sich selbst erkennendes, allen wahren Zwecken nach Verstand, Urteilskraft und Vernunft des Menschen angemessenes höchstes Wesen (ens summum, summa Intelligentia, summum Bonum) in aktivem Verhältnis auf das Ganze aller Gegenstände der Sinnenvorstellung, so daß die Einteilung gemacht wird: Gott und die Welt im Verhältnis aufeinander."[14]) So sollte denn die Untersuchung mit den Fragen: Was ist ein Gott? Ist ein Gott? beginnen. Das Verhältnis zwischen Gott und Welt darf nun nicht im Sinne des Pantheismus gedacht werden, oft spricht Kant in seinem letzten Werke von und gegen Spinoza. Er unterscheidet A l l und W e l t. „Das A l l (universum) ist von der W e l t, deren es viele geben kann, zu unterscheiden. Jenes gehört zu den Ideen und der Transzendentalphilosophie."[15]) Deshalb ist Gott nicht „W e l t b e w o h n e r ", sondern „Inhaber". Als das erstere wäre er Weltseele. Bei diesem Gegensatz ist nun notwendig eine Vermittlung zu denken: „Es muß in diesem Verhältnisse ein Verbindungsmittel beider in einem Ganzen geben, und das ist der M e n s c h, der als Naturwesen, doch zugleich Persönlichkeit ist, um das Sinnenprinzip mit dem Übersinnlichen zu verknüpfen."[16]) In ihm ist „das übersinnliche Prinzip der Freiheit", und der kategorische Imperativ realisiert den Begriff von Gott.

Kritische Bedachtsamkeit scheint es mir zu gebieten, nur vorsichtige Folgerungen aus diesen Sätzen zu ziehen. Es wäre wohl möglich, aus manchen Worten kühnere Schlüsse abzuleiten, aber es ist zu bedenken, daß Kant oft auch die Ideen anderer zu formulieren sich bemühte, so daß schwer das Eigene von dem Fremden zu unterscheiden ist, um so mehr, als der altersschwache Denker diese Fähigkeit selbst verloren hatte. So soll hier nur darauf hingewiesen werden, daß Kant, dem allgemeinen Zuge der Transzendentalphilosophie folgend, ein Gesamtsystem zu entwerfen begann, das Gott und Welt im Menschen vereinigt dachte. Die Aktivität des göttlichen Wesens wurde in der Natur und in den sittlichen Geboten, wie die praktische Vernunft sie aufstellt, gefunden. Mit diesen Bestimmungen geriet Kant in die gefährliche Nähe des Pantheismus. Und es treten nun in dem letzten Manuskript zahlreiche Versuche auf, ein reales Verhältnis von Gott und Welt zu denken. Eine Lösung des Problems läßt sich nicht aufweisen. Zwei Gedanken standen jedoch fest: der, daß Gott für Natur und Freiheit gesetzgebend und daß der Mensch das Verbindungsmittel beider sei. Und ebenso deutlich ist, daß alle diese Überlegungen Ideen fortsetzten, welche unter dem Einfluß der Religionsphilosophie schon vorbereitet waren. Mehr als einen Rahmen für sie hat Kant nicht zu geben vermocht.

Kants Lehre von der Entwicklung in der kritischen Periode liegt nunmehr abgeschlossen vor und sie soll in einer letzten Übersicht mit den Anschauungen seiner Frühzeit verglichen werden. Da drängt sich als wichtigstes Resultat wohl die Einsicht auf, daß in Kants Denken durch einen Zeitraum von 45 Jahren hindurch eine große Kontinuität herrschte. Er hat seit seiner naturphilosophischen Hauptschrift aus dem Jahre 1755 die beiden Erscheinungen: Natur und Mensch in einer Entwicklung von ursprünglichen natürlichen Bedingungen aus zu einem höheren in unendlicher Entfernung liegenden Ziel gedacht. Er verband damit die Idee, daß diese Entwicklung eine planvoll angelegte, Gesetzen gehorchende sei. Ebenso ist er, ohne je eine Änderung zuzulassen, auf dem dualistischen Standpunkte geblieben und hat jeden Versuch einer pantheistischen Interpretation des Geschehens abgelehnt.

Der Durchführung seines Entwicklungsgedankens für die beiden bezeichneten Erscheinungsreihen stellten sich nun verschiedene Schwierigkeiten entgegen. Für die Natur galt ihm als herrschendes Prinzip der Mechanismus mit der Einschränkung, daß er ihn nicht als einzige Ursache der Ordnung auffaßte. Indem er an dem Theodizeegedanken festhielt, versuchte er in bewußtem Gegensatz zu Leibniz den Beweis für ihn aus der in den Dingen zu beobachtenden Harmonie abzuleiten, deren Erklärung er allerdings aus dem Gedanken einer den Erscheinungen zugrundeliegenden rationalen Ordnung entnahm. Mit diesen Mitteln versuchte er dann im Anschluß an Newton, Leibniz, Shaftesbury und Buffon ein System zu entwerfen, das in entwicklungsgeschichtlicher Betrachtung vom Universum bis zu allen seinen Teilen, von dem niedrigsten Lebewesen bis zum Menschen reichte. Es war selbstverständlich, daß dieser als ein physisches Wesen zu dem Zusammenhang des Ganzen gehörte und daß sein Geschick, nur von dieser Seite betrachtet, durchaus mit dem seines Wohnplatzes verbunden war. Aber das den Menschen Auszeichnende lag darin, daß er ein vernunftbegabtes und deshalb freies Wesen war. Die erstere Eigenschaft stellte ihn aus dem Umkreis der Tierwelt insofern heraus, als er dadurch sein Geschick selbst bestimmen konnte und einen über die Zeiten reichenden geschichtlichen und Kulturzusammenhang stiftete. Damit war eine andere Bestimmung des Menschen ausgesprochen: die zur bürgerlichen Gesellschaft. Während die Naturanlagen eines einzelnen Tieres in ihm zur vollen Ausbildung gelangten, war eine Entwicklung der Menschheit nur in der Gattung zu denken möglich. Mit dieser Einsicht, welche das Glückbedürfnis des Individuums nicht befriedigte, trat dann im Zusammenhang mit den ethischen Postulaten die Forderung eines künftigen, die erhoffte Erfüllung bringenden Lebens auf. Diese Erkenntnisse kristallisierten sich schließlich um ein einziges Erlebnis, das des Sollens, auf dem die Lehre von der intelligiblen Freiheit aufgebaut wurde. In ihr fand die Anschauung von der doppelten Bestimmung des Menschen ihren vollendeten Ausdruck. So erhalten alle Wissenschaften vom Menschen, wenn sie sich nicht auf die Beschreibung seiner körperlichen und seelischen Eigenschaften beschränken, ihr gemeinsames Prinzip.

Mit der Unterscheidung von Natur und Freiheit war zuerst ein anscheinend unüberbrückbarer Gegensatz geschaffen. Nach einer Synthese drängte aber die ethische Forderung und nicht zum wenigsten auch das Glückseligkeitsbedürfnis, welche dadurch Bürgerrecht in einer intelligiblen Welt erhielt, als Kant sie in dem Begriff des höchsten Gutes mit dem Ideal der sittlichen Vollkommenheit unlöslich verknüpfte. So ergab sich für das Individuum ein Ziel, zu dem es in seinem irdischen Leben hinstrebte,

mit der Gewißheit in einem zukünftigen Leben, das dem in einer
intelligiblen Welt gleich gesetzt wurde, sich ihm mehr und mehr
zu nähern. Eine Synthese war zwischen Natur und Freiheit im
Übersinnlichen gestiftet. Die kritische Philosophie entwickelte
diese Gedanken bis zu den Formulierungen der „Kritik der Urteilskraft". Sie zerstörte den alten Theodizeegedanken und verschob
die Lösung der das menschliche Leben beherrschenden Antinomien
in das Übersinnliche.

Der Begriff, unter dem nun die Bestimmung des Menschen
gedacht wurde, war der des Endzweckes. So war für Geschichts-,
Religions- und Rechtsphilosophie die regulative Idee gegeben, von
denen aus ihre Systeme entworfen werden konnten. Ihr Eintreten
in den Zusammenhang der kritischen Philosophie, wenn nach ihrem
letzten systematischen Abschluß gefragt wird, geschah unter verschiedenartigen Bedingungen. Die Geschichtsphilosophie, ursprünglich ihren Grundlinien nach in der vorkritischen Periode entworfen,
ging von dem Gedanken einer teleologischen Naturlehre aus, um
dann die Idee der Vorsehung, die damit schon verbunden gewesen
war, an seine Stelle zu setzen. Das Übersinnliche wurde zum
gemeinsamen Urgrund von Natur und Freiheit. Indem Kant nun
die Tatsachenwelt der Geschichte dem Mechanismus des Geschehens
unterworfen ansah, konnte er, diesen Zusammenhang als Ganzes
erhaltend, für ihn nach einer höheren Wertung fragen. Dazu führte
das Postulat der moralischen Kultur der Menschheit. Als ihre
Grundbedingung innerhalb des geschichtlichen Lebens wurde die
Gründung einer weltbürgerlichen Gesellschaft gesetzt.

Es ist schon bemerkt worden, daß die geschichtsphilosophische
Betrachtung nicht imstande war, das Individuum den in ihm
enthaltenen ethischen Werten nach zu seinem Recht kommen zu
lassen. Indem nun die Ethik das sittliche Verhalten des Menschen
zugleich als ein solches zu Gott auffaßte, der dann als moralischer
Weltbeherrscher aufgefaßt wurde, bereitete sich in der Religionsphilosophie eine Lösung des gekennzeichneten Problems vor. Nicht
in den Rahmen dieser Betrachtung gehörte das persönliche Verhältnis des Menschen zu seinem Gott, es entzog sich als ein rein inneres
Verhältnis jeder historischen Untersuchung. Sie konnte sich nur
mit der Entwicklung des Kirchenglaubens beschäftigen, für welche

als regulative Idee der Gedanke der Herrschaft einer reinen Vernunftreligion als Endzustand galt. Nicht ohne eine gewisse Gewaltsamkeit gelang es Kant, die Entwicklung des Individuums zum Guten in den Zusammenhang der der Gattung in einer Kirchengemeinschaft einzuordnen. Und wenn die Notwendigkeit der letzteren in der Schwäche der menschlichen Natur gelegen war und sie doch anderseits dem von einem moralischen Weltbeherrscher gewollten Endziele als Hilfsmittel diente, so war an dieser Stelle eine sonst so nahe nicht erreichte Annäherung zwischen einer Erscheinungsreihe und dem göttlichen Wirken gewonnen worden. Und je mehr in dem alternden Kant die religiöse Stimmung zu-, das Vertrauen auf die eigene Kraft des Menschen aber abnahm, destomehr wurde die Entwicklung dem Boden der reinen Selbsttätigkeit des Individuums entzogen und hineinverlegt in die Sphäre eines göttlichen Wirkens in der Welt der Erscheinungen. Wie in der Ethik das Kriterium für das Böse in einem logischen Widerspruch gelegen war, so wurde es jetzt in der Geschichte gegenüber dem Guten zu einem sich selbst zerstörenden Prinzip.

Die Rechtsphilosophie, deren erste Ausbildung einer früheren Zeit angehörte, erfuhr ihren systematischen Abschluß erst am Ende der kritischen Periode. Auch sie wurde auf dem Gedanken der intelligiblen Freiheit aufgebaut und die entwicklungsgeschichtliche Betrachtung konstruierte die der rechtlichen Ordnung unterworfenen Erscheinungen in Hinblick auf das ethische Ideal, das dann auch hier eine Verbindung mit den religionsphilosophischen Lehren einging. Diese traten überhaupt zuletzt als die beherrschenden auf, und so wurde schließlich die Entwicklung der Menschheit durch die Kategorien des Bösen und des Guten begriffen, welche dadurch mit dem göttlichen Wesen in Beziehung standen, daß die sittlichen Vorschriften als göttliche Gebote aufgefaßt wurden.

Es vollzog sich damit im Denken Kants eine Entwicklung, die in gewissem Sinne zu Leibniz zurückführte. Früher hatte er an diesem getadelt, daß er den Theodizeegedanken auf die Geltung transzendenter Beziehungen begründet hätte. Er nahm auch zuerst einen anderen Weg. In seiner Ethik kam der Gegensatz zur mittelalterlichen Weltanschauung in dem Gedanken zur schärfsten Ausbildung, daß das Jenseits vom Diesseits aus begriffen werden

müsse, daß die höchste Vollendung in diesem einen Anspruch auf
jenes begründe. Als Kant nun für den Satz von dem Fortschreiten
der Menschheit zur moralischen Kultur einen Beweis aus der Erfahrung zu geben versuchte, wies er zuerst auf die Aufklärung hin.
Später aber glaubte er auf solche empirischen Beweise verzichten
zu müssen, er berief sich nur noch auf Geschichtszeichen und damit
schließlich auf eine moralische Anlage, die auf eine Bestimmung
des Menschen hinwies und so ihren Geburtsort im Transzendenten
hatte. Die Geltung transzendenter Wahrheiten, die Geltung des
Ideenzusammenhanges, der von der a priori begründeten sittlichen
Forderung bis zu dem Gedanken einer intelligiblen Welt und eines
Gottes führte, der zugleich Urheber der Gesetze der Natur und der
Freiheit war, sicherte trotz des Widerspruches aller Erfahrung die
Anschauung von der Aufwärtsentwicklung der Menschheit. Es
war, in eine neue Form gegossen, der Glaube an die Bestimmung
des Menschen nach dem Grabe. Und zu Gott führte die Einsicht
von dem Unvollendetsein menschlichen Strebens und das Bedürfnis
einer übernatürlichen Gnadenwirkung zur Erreichung des höchsten
Gutes.

Zu ähnlichen Ergebnissen führte der Ausbau des Systems der
reinen Vernunft. Es ist gezeigt worden, daß Geschichts-, Religions-
und Rechtsphilosophie zur gemeinsamen regulativen Idee den Gedanken des Endzweckes haben und daß die Entwicklung als ein
Fortschritt vom Bösen zum Guten aufgefaßt wurde. Aber diese
Gedanken konnten doch nicht die Fruchtbarkeit erzeugen, die in
ihnen lag, da die theoretische Philosophie stets die Kluft zwischen
Natur und Freiheit offen hielt. Am ehesten war noch eine Anknüpfung da möglich, wo es Systeme in der Wirklichkeit gab, die
wenigstens als eine Vorbereitung des postulierten Endzustandes
sich darstellten. Solche waren Staat und Kirche. Am wenigsten
genügte der Forderung der Vernunft die Geschichte und indem
Kant nun hier an dem Gedanken eines rein maschinenmäßigen
Ganges der Ereignisse festhielt, riß er das Zusammengehörige wieder
auseinander. Der Idee, die es verknüpfte, fehlte die Anwendung
auf die Erfahrung. Am reinsten mußte sich die Forderung der
rationalen Konstruktion eines Geschehens sich realisieren lassen
in der Geschichte der Philosophie, da deren Vernunfturspung zu

erweisen war. Aber auch hier verzichtete Kant auf einen Beweis aus dem wirklichen Ablauf und konstruierte statt dessen das System einer aus dem Wesen der Vernunft sich ergebenden notwendigen Entwicklung. Und trotz all dieser negativen Ergebnisse der auf die Erfahrung gerichteten Forschung hielt er an dem Entwicklungs-gedanken fest. Wo war aber dann eine Garantie für ihn zu finden? Denken wir an das Wort von der sich loswindenden Vernunft, das von dem sich selbst zerstörenden Bösen und das von der in der Geschichte der Philosophie liegenden notwendigen Entwicklung, so kann kein Zweifel sein, daß sie im Transzendenten lag. Ob Kant in seinem letzten Werk durch den Gedanken der Aktivität Gottes in Natur und Freiheit die früher von ihm gezogene Grenze über-schreiten wollte, wissen wir nicht. Ansätze dazu hat er früher schon gemacht, aber er hielt prinzipiell, wenn auch nicht ohne in Wider-spruch mit sich selbst zu geraten, an der Unverwertbarkeit dieser Idee für die Erkenntnis fest. Daß ein höchstes Wesen aber Ursprung und Ziel alles Wirklichen sei, stand ihm fest, es war für ihn das große Geheimnis, das die Gegensätze des Denkens versöhnt in sich tragen mußte und zu dem seine religiöse Sehnsucht ihn drängte. So kam Kant nicht selbst zur Vollendung der in seinem Denken sich vorbereitenden letzten Synthese, aber er lieferte seinen Nachfolgern die konstitutiven Ideen ihrer sensible und intelligible Welt zugleich umfassenden entwicklungsgeschichtlichen Systeme.

VIII.

Der Entwicklungsbegriff und die Lehre vom Apriori.

Der Versuch, in das Wesen der Kantischen Erkenntnistheorie einzudringen, kann auf verschiedenen Wegen unternommen werden. Es ist möglich, die kritische Philosophie als Vermittlerin zwischen rationalistischer und empiristischer Erkenntnistheorie darzustellen, oder es kann in Hinblick auf eigene Formulierungen Kants ihr Ort zwischen Dogmatismus und Skeptizismus angegeben werden. Eine historische Orientierung würde dem Gedanken zugrunde liegen, der hier an die Spitze der Untersuchung gestellt werden soll. Die neuere Philosophie nimmt ihren erkenntnistheoretischen Ausgangspunkt vom erkennenden Ich. Aber schon bei Descartes und in der Folgezeit steht das Kriterium der Wahrheit in gar keiner oder nur in loser Beziehung zu dieser letzten Bedingung alles Erkennens. Das Ich gibt nur den Raum für Wahrheiten, aber es erzeugt sie nicht. Kant ist der erste, der die Abhängigkeit des Erkennens vom Ich nachweist. Er geht aus von dem Gedanken eines Systems der Erkenntnis, welches den der Einheit der Erkenntnisse in sich schließt, und er zeigt, daß diese Einheit nur abzuleiten ist aus dem Ich. Dies ist aber nur dadurch möglich, daß dies Ich als Funktion betrachtet wird. So kann erst an die Stelle des Gegebenseins von Wahrheiten unter der gleichbleibenden Bedingung eines Ichbewußtseins der Gedanke ihres Entspringens aus einer gemeinsamen Wurzel gesetzt werden. Die Funktion des Ich ist eine synthetische, durch sie erhält alle Erkenntnis die Einheit eines gedanklichen Zusammenhanges. Dies drückt Kant aus durch den Gegensatz der empirischen und der reinen Apperzeption. ,,Diese Beziehung geschieht dadurch noch nicht, daß ich jede Vorstellung mit Bewußtsein begleite, sondern daß ich eine zu der andern h i n z u s e t z e und mir der Synthesis derselben bewußt bin. Also nur dadurch, daß ich ein Mannigfaltiges gegebener Vorstellungen i n e i n e m B e w u ß t s e i n verbinden kann, ist es möglich,

daß ich mir die Identität des Bewußtseins in
diesen Vorstellungen selbst vorstelle, d. i. die analytische
Einheit der Apperzeption ist nur unter der Voraussetzung irgendeiner synthetischen möglich "[1]).

An der Ichfunktion ist bis jetzt nur hervorgehoben worden,
daß sie Einheitsfunktion ist. Sie ist aber zugleich objektivierende
Funktion. Dies kann in verschiedenem Sinne gedeutet werden.
Zuerst kann dadurch nur ausgedrückt sein sollen, daß jeder Satz
als geltende Wahrheit von einem Bewußtsein gedacht wird oder
gedacht werden kann. Er wäre dann Objekt für ein solches Bewußtsein, aber die Bestimmung, daß er es ist, würde nicht zu seinem
Inhalte gehören. Dies ist erst dann der Fall, wenn die vereinheitlichende Tendenz sich auf etwas erstreckt, dem die Verbindung
noch fehlt, wo nur ein Nacheinander des Ablaufs gegeben ist, das
als rein subjektiver Vorgang eben jene Einheit noch vermissen
läßt. Hier ist die objektivierende Funktion und nur sie vereinheit-
lichend. So kann Kant sagen: „Erkenntnisse bestehen in der
bestimmten Beziehung gegebener Vorstellungen auf ein Objekt.
Objekt aber ist das, in dessen Begriff das Mannigfaltige einer
gegebenen Anschauung vereinigt ist. Nun erfordert aber alle
Vereinigung der Vorstellungen Einheit des Bewußtseins in der
Synthesis derselben. Folglich ist die Einheit des Bewußtseins dasjenige, was allein die Beziehung der Vorstellungen auf einen Gegenstand, mithin ihre objektive Gültigkeit, folglich, daß sie Erkenntnisse werden, ausmacht, und worauf folglich selbst die Möglichkeit
des Verstandes beruht." [2])

Es ist deutlich, daß diese ganze Betrachtungsweise nur möglich
ist, wenn das Vorhandensein eines Sytems der Erkenntnis zugegeben
wird. Alle die soeben entwickelten Gedanken gruppieren sich um
den der Einheit. Wird diese geleugnet, so bedarf es nicht des Ich
als einer synthetischen Funktion. Dies ist die Stellung des Empirismus, wie ihn Locke inkonsequent, Hume konsequent vertrat.
Den Beweis, den der letztere führte, daß aus dem Nacheinander
von Eindrücken niemals objektiv geltende Sätze entspringen
könnten, konnte Kant übernehmen, er hat sich deshalb niemals
um ihn bemüht, sondern die Erfahrung schlechthin als ungeordneten Stoff angenommen. Aber er setzte den empiristischen Lehren

das bei ihm zu keiner Zeit ernstlich erschütterte Bewußtsein von
dem Vorhandensein allgemeingültiger und notwendiger Sätze entgegen. Er überwand jene Einwände auch durch die Gewißheit,
daß selbst Hume das Problem der objektiven Gültigkeit in seiner
ganzen Schwere nicht empfunden hatte. Das Recht zu seinem
Standpunkte entnahm Kant aus der für ihn feststehenden Gewißheit der Sätze der mathematischen Naturwissenschaft. Auch
erlaubte die Einsicht in das kombinatorische Verfahren des Denkens,
wie es im Ideenbegriff zur höchsten Vollendung tendierte, einen
Rückschluß auf sein Wesen überhaupt als einer synthetischen
Funktion.

Von dem Kantischen Begriff der synthetischen Funktion des
Bewußtseins läßt sich nun eine psychologische Ansicht gar nicht
wegdenken. Es ist die Ansicht von der Spontaneität des Ichs,
wie Leibniz sie gelehrt und wie die deutsche Philosophie des
18. Jahrhunderts sie fast allgemein übernommen hat. Nur so
kann der Gedanke des „Hinzusetzens", wie ihn Kant anwendet,
um den Begriff der transzendentalen Apperzeption auszudrücken,
verstanden werden. Die Gefahr einer rein psychologischen Interpretation wird aber sofort durch die Erinnerung beseitigt, daß die
vereinheitlichende Funktion zugleich objektivierende ist. Sie
bezieht das von ihr zu Verbindende gewissermaßen nicht in sich
hinein, so daß es mit ihr vergeht, sondern stellt es aus sich heraus.
Wie ein Kunstwerk für sich besteht, unabhängig von seinem
Schöpfer, ohne den es doch nicht möglich ist, so dies System der
Erkenntnisse. Dieser Gedanke darf aber doch nicht überspannt
werden bis zur Behauptung, daß Wahrheiten gelten, auch wenn
sie nicht gedacht werden. Jede Wahrheit kann nur in Worten
oder Formeln ausgesprochen werden. Vorher aber muß sie gedacht
sein. Die noch nicht verbundenen Elemente einer Wahrheit sind
an sich tot, wie die Typen einer unentzifferten Schrift. Erst durch
ein sie auffassendes Bewußtsein, das die Möglichkeit einer Beziehung in die Wirklichkeit des Verstehens setzt, werden sie wirklich. Nur als ein symbolischer Ausdruck darf jene Wendung zugelassen werden. Sie läßt sich am ehesten rechtfertigen für das
Gelten rein formallogischer Beziehungen, aber nicht für Kants
Begriff der objektiven Gültigkeit, der, wie das oben gegebene Zitat

25*

zeigt, das Mannigfaltige einer gegebenen Anschauung vereinigt
denkt.

Das Recht einer psychologischen Fragestellung in bezug auf
die synthetische Funktion ist dadurch erwiesen. Und es lassen
sich Worte Kants anführen, welche mit dieser Auffassung übereinstimmen. In dem wichtigen Paragraphen „Von den Prinzipien
einer transzendentalen Deduktion überhaupt" wird die Möglichkeit
einer empirischen Deduktion der Begriffe des Raumes und der Zeit
und der Kategorien abgelehnt. Darauf heißt es weiter: „Indessen
kann man von diesen Begriffen, wie von allem Erkenntnis, wo
nicht das Prinzipium ihrer Möglichkeit, doch die Gelegenheits-
ursachen ihrer Erzeugung in der Erfahrung aufsuchen;
wo alsdann die Eindrücke der Sinne den ersten Anlaß geben, die
ganze Erkenntniskraft in Ansehung ihrer zu eröffnen und Erfahrung
zustande zu bringen, die zwei sehr ungleichartige Elemente enthält,
nämlich eine Materie zur Erkenntnis aus den Sinnen und eine
gewisse Form, sie zu ordnen, aus dem innern Quell des reinen
Anschauens und Denkens, die bei Gelegenheit der ersteren in Ausübung gebracht werden und Begriffe hervorbringen." Es wird
dann Lockes gedacht und die Grenze zwischen seinen Untersuchungen und dem Gedanken einer Deduktion scharf gezogen.
Während diese eine quaestio juris ist, wäre jene eine quaestio facti,
und sehr schön wird im Gegensatz zur transzendentalen Deduktion
gesprochen von einer Erklärung des Besitzes einer
reinen Erkenntnis[3]). Dementsprechend geht auch Kant
diesen Weg da, wo es sich darum handelt, in Vorbereitung einer
Deduktion einen Ausgangspunkt für sie zu gewinnen. So heißt
es an einer bekannten Stelle der transzendentalen Analytik: „Wir
werden also die reinen Begriffe bis zu ihren ersten Keimen und
Anlagen im menschlichen Verstande verfolgen, in denen sie vorbereitet liegen, bis sie endlich bei Gelegenheit der Erfahrung entwickelt und durch eben denselben Verstand, von den ihnen anhängenden empirischen Bedingungen befreit, in ihrer Lauterkeit
dargestellt werden."[4])

Damit ist das Thema einer Untersuchung angedeutet, die, sich
ihres prinzipiellen Unterschiedes von der erkenntniskritischen
Fragestellung vollbewußt, sich richtet auf die „Erklärung des

Besitzes einer reinen Erkenntnis" bei Kant. In den bisher heran-
gezogenen Zitaten traten Bezeichnungen wie „Keime und Anlagen" auf, welche an entwicklungsgeschichtliche Lehren, die
früher dargestellt wurden, erinnern und von diesem Standpunkte
aus einer Betrachtung unterzogen werden können. Es kann ja
auch gar kein Zweifel sein, daß alle Erkenntnistheorie vom wirklichen Erkennen, d. h. von Vorgängen, ausgeht. Es wird also
schlechthin als Tatsache gesetzt und eine phänomenologische Untersuchung würde versuchen, die verschiedenen Arten desselben nach
ihrem Gegegebensein zu beschreiben. Und ebenso selbstverständlich ist, daß zu den einzelnen Arten und Vorgängen des Erkennens
ein Bewußtsein hinzugedacht wird, das sie erlebt. Wie es zu
denken, ist dann Sache weiterer Interpretation, die in der Regel
nicht unabhängig ist von der Lösung der erkenntnistheoretischen
Fragen. Welche Stellung Kant einnahm, ist nunmehr zu untersuchen.

Das Prinzip der transzendentalen Apperzeption wurde gewonnen aus der Betrachtung der Einheit der Erkenntnis. Aber
dies System zeigt neben dieser letzten formalen Bestimmung
spezifische, inhaltlich verschiedene Vereinheitlichungen an sich.
In den Sätzen von Raum und Zeit und den Grundsätzen des reinen
Verstandes sind solche Artikulationen gegeben. Dem „Radikalvermögen" [5]) gegenüber sind sie Teilfunktionen. So kann nach
ihrem Zusammenhang als Funktion gefragt werden. Gibt es ein
Etwas, dessen Funktionen sie sind? Diese Frage hat für das
„Radikalvermögen" keinen Sinn. Das Bewußtsein von der synthetischen Funktion des Ich müßte doch immer wieder einem
Bewußtsein angehören, dieses dann einem noch höheren usw.,
es würde sich eine Herbart'sche Reihe ergeben. Anders liegt es bei
den Teilfunktionen. Sie setzen ein vereinigendes Ganze voraus.
Hier verwertet Kant nun den Begriff eines Seelenvermögens.
Eine Definition dieses Begriffes findet sich bei ihm nicht. Es soll
allgemein damit gesagt werden, daß die verschiedenen seelischen
Vorgänge sich in bestimmte Gruppen, die jede tür sich durch ein
bestimmtes Merkmal gedacht werden, zusammenfassen lassen.
Auch wird damit der Gedanke der Tätigkeit verbunden im Gegensatz zur Empfänglichkeit, doch wird dieser Unterschied nicht

streng durchgeführt, da auch die Sinnlichkeit ein Vermögen genannt wird. Bekanntlich werden von Kant unterschieden: Sinnlichkeit, Verstand, Urteilskraft, Vernunft. In dieser Beziehung hat
er sie als Einteilungsprinzipien seines Systems der reinen Philosophie vorgestellt, wie dies aus der Einleitung zur „Kritik der
Urteilskraft" und besonders aus seinem Brief an Reinhold vom
28. Dez. 1787 hervorgeht: „Der Vermögen des Gemüts sind drei.
Erkenntnisvermögen, Gefühl der Lust und Unlust, und Begehrungsvermögen. Für das erste habe in der Kritik der reinen (theoretischen), für das dritte in der Kritik der praktischen Vernunft
Prinzipien a priori gefunden. Ich suchte sie auch für das zweite,
und ob ich es zwar sonst für unmöglich hielt, dergleichen zu finden,
so brachte das Systematische, das die Zergliederung der vorher
betrachteten Vermögen mich im menschlichen Gemüte hatte entdecken lassen, ...mich doch auf diesen Weg, so daß ich jetzt
drei Teile der Philosophie erkenne." Es entsteht nun die Frage,
wie Kant den Vermögensbegriff für die Grundlegung der kritischen
Philosophie verwertet hat. Darauf ist zu antworten, daß er in der
Einführung dieses Begriffes geradezu ein Charakteristikum seiner
Methode sah. So sagt er in der „Kritik der reinen Vernunft":
„Ich verstehe unter der Analytik der Begriffe nicht die Analysis
derselben....., sondern die noch wenig versuchte Z e r g l i e -
d e r u n g d e s V e r s t a n d e s v e r m ö g e n s selbst, um die
Möglichkeit der Begriffe a priori dadurch zu erforschen, daß wir
sie im Verstande allein, als ihrem Geburtsorte, aufsuchen und
dessen reinen Gebrauch überhaupt analysieren; denn dieses ist
das eigentümliche Geschäfte einer Transzendental-Philosophie." [6])
Neben dies Zitat könnten viele andere gestellt werden, es mag mit
dem Hinweis auf eine der letzten Schriften Kants genug getan
sein, wo es heißt: „Kritische Philosophie ist diejenige, welche....
von der Untersuchung der V e r m ö g e n der menschlichen Vernunft Eroberungen zu machen anfängt." [7])
    Kant will also das Verfahren der Transzendentalphilosophie
von einer bloßen Analyse der Begriffe unterschieden wissen. Dies
ist nur möglich durch den Gedanken einer synthetischen Funktion,
welcher seinerseits wiederum den eines aktiven Prinzips, einer
Kraft, eines Vermögens voraussetzt. Allerdings muß sofort betont

werden, daß die Bedeutung dieses Begriffes sich nicht allzu weit
über den Wert einer Arbeitshypothese erhebt. Unentbehrlich ist
für die transzendentale Methode der Gedanke der Spontaneität
des Ich; wie hätte sonst das Prinzip der Verbindung auftreten
können? Der psychologische Begriff eines Vermögens war wie der
einer Seele unfruchtbar. Aber nicht übersehen werden darf, daß
zu ihm auch die in der Erkenntnis zu beobachtenden Unterschiede
führten, wie z. B. der wichtigste zwischen der Sinnes- und der
Verstandeserkenntnis. Die an jeder von ihnen haftenden eigentümlichen Merkmale wurden als Eigenart eines bestimmten Vermögens bezeichnet.

Die Tatsache der Vielzahl der Vermögen kann nun zu der
Überlegung führen, ob sie nicht aus einem höheren Prinzip abgeleitet werden können. Diese Frage hat Kant selbst nicht unberücksichtigt gelassen. So sagt er von Sinnlichkeit und Verstand,
als von zwei „Stämmen der menschlichen Erkenntnis", daß sie
„vielleicht aus einer gemeinschaftlichen, aber uns unbekannten
Wurzel entspringen" [8]). Ebenso sagt er in der Vorrede zur „Grundlegung zur Metaphysik", um zu motivieren, daß er noch nicht
eine Kritik der reinen praktischen Vernunft habe erscheinen lassen:
„ich erfordere zu einer [solchen]....., daß, wenn sie vollendet
sein soll, ihre Einheit mit der spekulativen in einem gemeinschaftlichen Prinzip zugleich müsse dargestellt werden können, weil es
doch am Ende nur eine und dieselbe Vernunft sein kann, die bloß
in der Anwendung unterschieden sein muß." In diesen Sätzen lassen
sich zwei Motive erkennen: der nach Einheit drängende systematische Gedanke und der von der Einheit des Ursprunges der
Erkenntnisse. Dies wird noch deutlicher aus einer Stelle der
„Kritik der praktischen Vernunft". Dort wird die Erwartung ausgesprochen, „es vielleicht dereinst bis zur Einsicht der Einheit des
ganzen reinen Vernunftvermögens (des theoretischen sowohl als
praktischen) bringen und alles aus einem Prinzip ableiten zu
können; welches das unvermeidliche Bedürfnis der menschlichen
Vernunft ist, die nur in einer vollständig systematischen Einheit
ihrer Erkenntnisse völlige Zufriedenheit findet" [9]). Der neu hinzu-
tretende Gedanke von einem Bedürfnis der Vernunft mag vorläufig unerörtert bleiben, dann treten aber besonders hier recht

deutlich die beiden genannten Motive auf. Kant hat den Begriff
einer reinen Vernunft aus der Einheit der Methode gewonnen und
konstruiert damit den eines reinen Vernunftvermögens. Dieses
wird dann als einziges Prinzip gesetzt und darauf die Hoffnung
einer Ableitung der beiden Arten von Erkenntnissen begründet.
Das Verfahren Kants ist demnach dies, daß er für den systematischen Zusammenhang von Erkenntnissen entsprechende seelische
Funktionen und Vermögen setzt, welche er entweder aus der
geltenden Einteilung der Seelenvermögen entnimmt oder selbständig konstruiert.

Zur Frage nach dem gemeinsamen Ursprung der Erkenntnisvermögen äußerst sich auch die „Kritik der Urteilskraft" [10]). Es
wird zugestanden, daß eine Ableitung nicht möglich ist, und es
wird auch der Gedanke der Verwandtschaft der Urteilskraft mit
der Familie der Erkenntnisvermögen nicht allzu hoch eingeschätzt.
Bedeutsamer ist der Schluß nach der Analogie, auf Grund dessen
diese als gesetzgebend für das Gefühl angenommen wird, wie der
Verstand es für das Erkenntnisvermögen, die Vernunft für das
Begehrungsvermögen gewesen waren. Entscheidend ist also nicht
die psychologische Eigentümlichkeit des Vermögens der Lust und
Unlust, sondern ihre Stellung zwischen Erkennen und Begehren.
Die Einheit der Methode wird so gesichert. Wie diese Fragestellung
dann durchgeführt wird, ist hier nicht zu untersuchen. Schließlich
ist auch hiermit noch nicht das eigentliche Motiv zur Abfassung
einer „Kritik der Urteilskraft" angegeben. Es entstand aus dem
Bedürfnis einer Verbindung der Naturbegriffe und des Freiheitsbegriffs zu einem Ganzen der Philosophie.

Schon von den Einsichten der „Kritik der Urteilskraft" beeinflußt ist eine Äußerung Kants in der Streitschrift gegen Eberhard. Dort wird daran erinnert, daß die Harmonie zwischen dem
Verstande und der Sinnlichkeit in der „Kritik der reinen Vernunft" erwiesen worden sei aus dem Gedanken an ihre Unent-
behrlichkeit für das Zustandekommen der Erfahrung. Dann heißt
es weiter: „Wir konnten aber doch keinen Grund angeben, warum
wir gerade eine solche Art der Sinnlichkeit und solche Natur des
Verstandes haben, durch deren Verbindung Erfahrung möglich
wird; noch mehr, warum sie, als sonst völlig heterogene Erkenntnis-

quellen, zu der Möglichkeit eines Erfahrungserkenntnisses überhaupt, hauptsächlich aber (wie die Kritik der Urteilskraft darauf aufmerksam machen wird) zu der Möglichkeit einer Erfahrung von der Natur unter ihren mannigfaltigen b e s o n d e r e n und bloß empirischen Gesetzen, von denen uns der Verstand a priori nichts lehrt, doch so gut immer zusammenstimmen, als wenn die Natur für unsere Fassungskraft absichtlich eingerichtet wäre; dieses konnten wir nicht (und das kann auch niemand) weiter erklären." [11]) Damit ist die Verwertung der Idee eines gemeinsamen Ursprungs der Erkenntnisvermögen endgültig aufgegeben. Der Zusammenhang im System der Erkenntnisse soll nicht mehr durch eine genetische Betrachtung gesichert werden, sondern allein durch die Einheit der Methode.

Wenn so der Vermögensbegriff sich für die transzendentale Methode als unfruchtbar erwiesen hat, so ist damit seine Bedeutung noch nicht erschöpft. Einmal enthält er ja doch immer den unentbehrlichen Gedanken der Aktivität, dann aber muß gefragt werden, ob die psychologische Eigenart eines bestimmten Vermögens wirklich so ganz unerheblich ist für das Resultat, das auf Grund der kritischen Fragestellung gewonnen wird. Dies scheint mir nun nicht der Fall zu sein. Begründet werden kann eine solche Ansicht allerdings nur aus der gesonderten Betrachtung der einzelnen Vermögen, welche in ihrer natürlichen Reihenfolge nunmehr geschehen soll.

Als erste Eigentümlichkeit der S i n n l i c h k e i t wird ihre Rezeptivität genannt. Dies ist zweifellos eine psychologische Bestimmung. Sie darf aber doch nicht verglichen werden mit unseren Empfindungen, wie z. B. denen von der Farbe. Diese sind nur Veränderungen des Subjekts und gehören zu der subjektiven Beschaffenheit der Sinnesart. Demgegenüber sind Raum und Zeit eine subjektive Beschaffenheit des Gemüts, sie bilden zusammen ein „Vermögen a priori anzuschauen" [12]). Damit ist der erkenntnistheoretische Gesichtspunkt zur Unterscheidung herangezogen, der hier nicht so sehr interessiert als das Merkmal, daß Raum und Zeit als „Anschauungen" bezeichnet werden. Zweifellos findet hier wiederum eine Orientierung durch eine psychologische Bestimmung statt. Der vierte und fünfte Beweis für Raum und Zeit stützen

sich durchaus auf sie, ebenso wie auch die Beispiele der „Prolegomena" ohne sie unverständlich bleiben müssen. Die Inkon-
gruenz ähnlicher und gleicher Dinge kann nicht durch den Verstand
eingesehen werden, ihn lehren die Sinne. So spricht denn auch
Kant vom Standpunkte des Menschen und wiederholt diesen Ausdruck in der „transzendentalen Ästhetik" an vielen Stellen. „Was
es für eine Bewandtnis mit den Gegenständen an sich und abgesondert von aller dieser Rezeptivität unserer Sinnlichkeit haben
möge, bleibt uns gänzlich unbekannt. Wir erkennen nichts als
unsere Art, sie wahrzunehmen, die uns eigentümlich ist, die auch
nicht notwendig jedem Wesen, obzwar jedem Menschen zukommen
muß" [13]). Selbst wenn wir dächten, daß die Anschauungsart in
Raum und Zeit allen endlichen Wesen zukäme, so würde dies doch
nichts daran ändern, daß sie Rezeptivität ist.

Im Gegensatz zur Sinnlichkeit wird dem V e r s t a n d Spontaneität beigelegt, er ist ein Vermögen, Vorstellungen selbst hervorzubringen und die transzendentale Logik spricht von „Handlungen
des reinen Denkens" [14]). Es ist nun Kant möglich, in der Analytik
der Begriffe ganz ohne psychologische Anleihen auszukommen.
Das System des Verstandes ist eine Einheit, welches auf Grund der
in den Urteilen vorkommenden begrifflichen Beziehungen konstruiert wird. Dies ändert sich aber sofort, wenn das Problem der
Anwendung reiner Begriffe auf Erscheinungen auftritt. Hier sind
wieder, besonders in dem Vermögen transzendentaler Einbildungskraft, psychologische Bestimmungen mitgedacht. Der Schematismus der reinen Verstandesbegriffe versucht zu zeigen, wie den
reinen Verstandesbegriffen ein Gegenstand gegeben werden kann.
Hier wird besonders deutlich, wie Kant psychologischer Zwischen-
glieder bedarf. „Den reinen Verstandesbegriffen bleibt nach Absonderung aller sinnlichen Bedingungen eine, aber nur logische
Bedeutung der bloßen Einheit der Vorstellungen, denen aber kein
Gegenstand, mithin auch keine Bedeutung gegeben wird, die einen
Begriff vom Objekt abgeben könnte....... Also sind die Kategorien ohne Schemate nur Funktionen des Verstandes zu Begriffen,
stellen aber keinen Gegenstand vor" [15]). Hier tritt die Einbildungskraft helfend ein, indem sie als ein „Vermögen, die Sinnlichkeit
a priori zu bestimmen" eine Verbindung zwischen dieser und dem

Verstande herstellt und so die Anwendung der reinen Verstandesbegriffe auf Erscheinungen möglich macht. Es ist also nicht ganz
konsequent, wenn Kant von den Kategorien sagt, daß „sie sich insofern weiter erstrecken als die sinnliche Anschauung, weil sie Objekte
überhaupt denken" [16]. Jedenfalls tritt in dieser Bestimmung der
unterscheidende Charakter der Verstandesfunktion deutlich hervor,
sie ist objektivierende Funktion im eigentlichsten Sinne und dem
entspricht auch, daß in der transzendentalen Deduktion die Verbindung eine Verstandeshandlung genannt wird, wobei daran zu
erinnern ist, daß die vereinheitlichende Funktion zugleich objektivierende ist. Aus dieser Eigenart der Verstandesfunktion
ergibt sich ihre Unabhängigkeit von psychologischen Anleihen.

Bekanntlich führt die Untersuchung der Frage, ob reine
V e r n u n f t Erkenntnis liefern könne, zu einem negativen Ergebnis. Während in der transzendentalen Ästhetik und Analytik
die Untersuchung mit dem Nachweis der Möglichkeit der Erfahrung
ein Ende gefunden hatte, beginnt diese eigentlich erst da, wo das
entsprechende Unternehmen scheitert. So kann denn jetzt nach
den Absichten der Natur mit unserem Vernunftvermögen geforscht
werden. Es ist klar, daß eine solche Untersuchung außerhalb der
Fragestellung der Transzendentalphilosophie liegt. Die sie veranlassenden Motive entspringen ja auch nicht so sehr aus dem spekulativen Interesse als aus dem praktischen, und es ist früher gezeigt
worden, daß zur Befriedigung des ersteren der Begriff des Unbedingten nicht notwendig ist. Die „Prolegomena" tragen der veränderten Situation auch dadurch Rechnung, daß nach dem „Naturzweck" der Anlage zur Metaphysik gefragt wird. Dazu tritt dann
die charakteristische Begründung hinzu, daß „alles, was in der
Natur liegt, doch auf irgendeine nützliche Absicht ursprünglich
angelegt sein muß". Noch bedeutsamer sind dann aber die unmittelbar darauf folgenden Sätze: „Eine solche Untersuchung ist
in der Tat mißlich; auch gestehe ich, daß es nur Mutmaßung sei
wie alles, was die ersten Zwecke der Natur betrifft, was ich hiervon
zu sagen weiß, welches mir auch in diesem Fall allein erlaubt sein
mag, da die Frage nicht die objektive Gültigkeit metaphysischer
Urteile, sondern die N a t u r a n l a g e z u d e n s e l b e n a n
g e h t u n d a l s o a u ß e r d e m S y s t e m d e r M e t a p h y

sik in der Anthropologie liegt" [17]). Der Zweck
dieser Naturanlage wird dann darin gesehen, daß das Feld der
praktischen Ideen freigemacht wird. Es ist zweifellos, daß hier
der Gedanke einer teleologischen Naturlehre uns entgegentritt,
den wir früher an vielen Stellen zu behandeln hatten.

Mit der Frage nach der Naturbestimmung eines Vermögens,
der Vernunft, wird nun auch Kants E t h i k in der „Grundlegung
zur Metaphysik der Sitten" eingeleitet. Aus der Disjunktion, ob
die Vernunft der Glückseligkeit des Menschen oder der Hervorbringung eines guten Willens diene, ergibt sich nach Widerlegung
des ersten Gliedes die Geltung des zweiten. Im übrigen aber ist
die ethische Gesetzgebung völlig unabhängig von der Naturbeschaffenheit des Menschen begründet worden, mit der Ausnahme, daß
der Gebotscharakter der sittlichen Norm zurückzuführen ist auf
die Doppelheit der menschlichen Natur, den Gegensatz von Vernunft und Sinnlichkeit. Diese Notwendigkeit wird von Kant dadurch noch offensichtlicher vor Augen geführt, als er seine Untersuchung mit dem Begriff des guten Willens beginnt, dann aber
zur Auffindung eines Sittengesetzes den Pflichtbegriff heranzieht,
der jenen, „obzwar unter gewissen subjektiven Einschränkungen
und Hindernissen" [18]) enthält.

Ein besonderes Interesse darf dann schließlich die Behandlung
der ästhetischen U r t e i l s k r a f t für sich in Anspruch nehmen.
Die Urteilskraft wird zu den oberen Seelenvermögen gerechnet,
welche eine Autonomie haben und als das eigentümliche Gebiet ihrer
Gesetzgebung wird ihr das Gefühl der Lust und Unlust angewiesen.
Dann wird durch Abtrennung des Wohlgefallens am Schönen von
dem am Angenehmen und Guten der ästhetische Zustand als ein
Gefühl des freien Spiels der Vorstellungskräfte konstruiert. Das
ästhetische Lustgefühl ist also ein anders geartetes. Dies zeigt sich
auch darin, daß in ihm ein wenn auch nur bedingtes Sollen ausgesprochen wird. Und deshalb müssen die Geschmacksurteile in Unterscheidung von den Erkenntnis- und den bloßen Sinnesurteilen „ein
subjektives Prinzip haben, welches nur durch Gefühl und nicht durch
Begriffe, doch aber allgemeingültig bestimme, was gefalle oder miß-
falle". Ein solches Prinzip wird nun „Gemeinsinn" genannt. Und dann
wird die Betrachtung abgeschlossen mit den Worten: „Also nur unter

der Voraussetzung, daß es einen solchen Gemeinsinn gebe, kann
das Geschmacksurteil gefällt werden." Diese Gedanken nimmt dann
die Deduktion der Geschmacksurteile wieder auf. Der sensus
communis soll als die „Idee eines gemeinschaftlichen Sinnes"
begriffen werden. Und diese Idee wird dann als ein Vermögen
gedacht: „Der Geschmack ist das Vermögen, die Mitteilbarkeit der
Gefühle, welche mit gegebener Vorstellung (ohne Vermittlung
eines Begriffs) verbunden sind, a priori zu beurteilen" [19]. Kant
empfand also das Bedürfnis für die ästhetischen Urteile, deren
Wesen er a priori als einen Zustand der Übereinstimmung der
Einbildungskraft und des Verstandes konstruiert hatte, ein besonderes Seelenvermögen zu postulieren.

Diese Übersicht hat wohl gezeigt, daß der Vermögensbegriff
für die Transzendentalphilosophie eine Bedeutung, wenn auch
nicht eine überall gleichmäßige gehabt hat. Für den Grundriß
des Gesamtsystems zeigt die historische Erinnerung eine Abhängigkeit von der überlieferten Psychologie. Es läßt sich unschwer
in dem Gegensatz vom Erkennen, Fühlen und Wollen einerseits
und dem Verstand, der Urteilskraft und der Vernunft anderseits
die alte Einteilung der Seelenvermögen in untere und obere wieder-
erkennen. Aber dadurch war nur der äußere Aufbau des Systems
gegeben, Kant hob den Gedanken des Übergehens der ersteren in
die letzteren, zuerst in bezug auf die sinnlichen und intellektuellen
Erkenntnisse, auf und konstruierte mit Hülfe der transzendentalen
Methode, „die sich nicht sowohl mit Gegenständen, sondern mit
unserer Erkenntnisart von Gegenständen, sofern diese a priori
möglich sein soll" [20]), beschäftigt, das System der reinen Erkenntnisse. Ich betone noch einmal, daß ich ganz und gar auf der Seite
derer stehe, welche die Unabhängigkeit des erkenntnistheoretischen
Apriori von psychologischen Bestimmungen behaupten. Diese Ansicht entspricht zweifellos einzig und allein der Idee der Kantischen
Fragestellung, dem Satze: „Wie sind synthetische Urteile a priori
möglich?" Aber ich behaupte, daß in diesem Gedanken der Synthesis
notwendig der Gedanke vom Erkennen als einer Funktion, d. h. eine
psychologische Ansicht liegt. Aber sofort ist auf die weitere Eigentümlichkeit des Erkennens als einer objektivierenden Funktion
hinzuweisen, und darin liegt eben die Möglichkeit des Geltens von

Sätzen und ihrer gesonderten Behandlung unabhängig von der
Frage ihres Entstehens.

Von den Vermögen lehrt nun Kant, daß sie sich nicht in die
einzelnen Prozesse des Denkens auflösen lassen. Er hat zwar
niemals auf sie die Kategorie eines substantiellen Daseins angewandt,
aber er dachte sie, einem fast unausrottbaren Bedürfnis der menschlichen Natur folgend, in Analogie damit als ein Dauerndes gegenüber den Erkenntnisvorgängen. Für diese seine Ansicht lassen sich
zwei Motive aufweisen. Das erste gebe ich mit Kants eigenen
Worten. Als er in der Einleitung zur transzendentalen Dialektik
das Problem des Irrtums erwägt, betont er, daß weder der Verstand
allein noch die Sinnlichkeit allein irren können, und zwar mit der
Begründung: „Keine Kraft der Natur kann von selbst von ihren
eigenen Gesetzen abweichen". Es ist sehr bemerkenswert, daß
schon in der Schrift „Untersuchung über die Deutlichkeit der
Grundsätze der natürlichen Theologie und Moral" eine ganz ähnliche Äußerung vorliegt. Es heißt dort in einem gleichen Zusammenhang: „Der menschliche Verstand ist, wie jede andere
Kraft der Natur an gewisse Regeln gebunden" [21]). Es ist klar,
daß Kant das Recht zu dieser Ansicht seinen naturphilosophischen
Grundgedanken entnahm und daß er damit heraustrat aus dem
Rahmen der Transzendentalphilosophie. Denn wenn der Verstand, der
doch Regeln a priori geben soll, hier eine Naturkraft genannt wird,
so steht diese Ansicht vor der Fragestellung jener und sie hat ihren
Ort in einer Anthropologie, wie dies ja auch die „Prolegomena"
an der oben zitierten Stelle aussprechen. Der zweite Grund lag in
den Ergebnissen der Transzendentalphilosophie. Da es möglich
war, das System der a priori gewonnenen Erkenntnisse restlos
darzustellen, so ergab sich der Rückschluß auf die Unveränderlichkeit der entsprechenden Vermögen.

So war es möglich, daß Kant den Vermögensbegriff auch in
der Weise benutzte, daß er die psychologische Eigenart eines Vermögens für seine transzendentale Betrachtung verwertete. Er
entging der Gefahr einer Berührung mit der Frage nach der Entstehung durch die Ansicht von der Unveränderlichkeit der Vermögen. Dies geschah vor allem, wie ich gezeigt zu haben glaube,
in der transzendentalen Ästhetik. Allerdings lassen sich die mathe-

matischen Sätze unabhängig von der psychologischen Frage nach
der Entstehung der Raumanschauung darstellen, aber dies ist doch
immer nur möglich in Erinnerung an die psychologische Eigenart
des Vermögens der Anschauung. Darauf greift Kant immer wieder
zurück, sowohl bei dem Problem der Antinomien als bei der Analyse
des Gefühls des Erhabenen.

Schließlich sei noch auf die Entwicklung der Kantischen Lehre
von den Vermögen aufmerksam gemacht. Kant gibt den umfassenden Gedanken eines einheitlichen Ursprungs der Vermögen
auf, teils weil eine Ableitung ihm nicht gelang, dann aber weil an
die Stelle der Einheit des Ursprunges, der Gedanke der Einheit
ihrer Bestimmung trat, wie diese in der Vorherrschaft der praktischen Ideen sich offenbarte und die Richtung wies auf eine Vereinigung zwischen Natur und Freiheit im Übersinnlichen.

Wenn sich aus dem Vorhergehenden der psychologische Charakter der Vermögen ergeben hat, so muß weiter notwendig untersucht werden, wie Kant sich ihre Wirksamkeit gedacht habe.
Damit tritt die heiß umstrittene Frage nach seiner Anschauung
vom Angeborensein auf. In die Diskussion der vorhandenen Ansichten soll hier nicht eingetreten, sondern nur Kants klassische
Äußerungen können herangezogen werden. Dann ist zuerst auf den
Unterschied von Form und Stoff der Erkenntnis hinzuweisen, der
an bekannter Stelle so ausgesprochen wird: „In der Erscheinung
nenne ich das, was der Empfindung korrespondiert, die M a t e r i e
derselben, dasjenige aber, welches macht, daß das Mannigfaltige
der Erscheinung in gewissen Verhältnissen geordnet werden kann,
nenne ich die F o r m der Erscheinung. Da das, worin sich
die Empfindungen allein ordnen und in gewisse Form gestellt
werden können, nicht selbst wiederum Empfindung sein kann, so
ist uns zwar die Materie aller Erscheinung nur a posteriori gegeben,
die Form derselben aber muß zu ihnen insgesamt im Gemüte
a priori bereit liegen und daher abgesondert von aller Empfindung
können betrachtet werden" [22]). Diese abgesonderte Betrachtung
soll dadurch möglich sein, daß wir die Sinnlichkeit isolieren, indem
wir alles absondern, was der Verstand durch seine Begriffe
dabei denkt, und zweitens dadurch, daß wir alles, was zur Empfindung gehört, abtrennen. Während die erste Aufgabe verhältnis-

mäßig leicht zu lösen ist, muß die zweite erhebliche Schwierigkeiten machen. Dies wird recht deutlich, wenn wir in dem Abschnitt „Von dem Unterschiede der reinen und empirischen Erkenntnis" lesen: „Es könnte wohl sein, daß selbst unsere Erfahrungs- erkenntnis ein Zusammengesetztes aus dem sei, was wir durch Eindrücke empfangen, und dem, was unser eigenes Erkenntnis- vermögen (durch sinnliche Eindrücke blos veranlaßt) aus sich selbst hergibt, welchen Zusatz wir von jenem Grundstoffe nicht eher unterscheiden, als bis lange Übung uns darauf aufmerksam und zur Absonderung desselben geschickt gemacht hat." 23) Diese Absonderung kann natürlich nur geschehen durch eine Analyse des Zusammengesetzten. Dabei geht Kant von dem der Erkenntnis zugrunde liegenden psychischen Vorgang aus, wie dies die Aus- drücke „durch Eindrücke empfangen" und „hergibt" unzweideutig zeigen. Dann aber muß gefragt werden, woher er das Prinzip zur Analyse nimmt. Er leitet es ab aus dem Gedanken an den apodik- tischen Charakter der Sätze vom Raum. Da dieser nun nicht aus den Empfindungen stammen kann, so muß er auf den „Zusatz" zu- rückgeführt werden. Ist es aber nun möglich, diesen „Zusatz" für sich zu betrachten? Er mußte doch gesucht werden in dem Zusammengesetzten, da alle Erkenntnis mit der Erfahrung be- ginnt, also auch die in den Sätzen vom Raum enthaltene. So sind also als Elemente gefunden der rohe Stoff sinnlicher Eindrücke und die dem Zusatz entsprechende Form, und diese kann nur, da sonst Heterogenes zusammengesetzt werden müßte, als psychische Potenz gedacht werden. Wie aber kann sie nun abgesondert be- trachtet und beschrieben werden? Dies wäre nur dann möglich, wenn sie wirklich, wie Kant sagt, „im Gemüte a priori bereit" läge. Dann aber wäre nicht einzusehen, weshalb es einer langen Übung bedürfe, sie aufzufinden, und es würde Kant die Meinung imputiert werden müssen, er habe das Angeborensein von In- halten, nicht von Anlagen gelehrt. Es muß nun offen zugegeben werden, daß Kant an dieser Stelle wie an vielen anderen sich nicht mit der Behutsamkeit geäußert hat, die jedem Irrtum hätte vor- beugen können. Aber mit diesem Behelf ist die Schwierigkeit nicht aus der Welt geschafft. Sie liegt in der Besonderheit des Problemes, das die transzendentale Ästhetik zu lösen hatte. Die

Formen der Anschauung werden in Beziehung gebracht zu der ungeordneten Mannigfaltigkeit der Eindrücke. Solch' Verhältnis liegt aber nur hier und nur an dieser Stelle vor, der Verstand übernimmt die in Raum und Zeit geordneten Erscheinungen und kann deshalb in völliger Unabhängigkeit von ihnen betrachtet werden. Und so kann gefragt werden, ob die Gegenüberstellung des rohen Stoffes und der ordnenden Form, so wie Kant sie gibt, die einzig mögliche ist. Bedenkt man, daß die Beweise für den Raum und die Zeit geführt werden in bezug auf sie „als notwendige Vorstellungen a priori“, die erworben werden müssen, von denen wir aber abtrennen alles das, was zur Empfindung gehört, so kann doch damit nicht gemeint sein, daß damit auf das eine Element der Zusammensetzung, die sinnlichen Eindrücke, als bedingenden Faktor ganz verzichtet werden soll. Dies wäre ja dem Satz widersprechend: „Alle Erkenntnis beginnt mit der Erfahrung.“ Daß dies nicht Kants Meinung war, geht aus der transzendentalen Erörterung des Begriffes vom Raume hervor, wo es heißt: „Wie kann nun eine äußere Anschauung dem Gemüte beiwohnen, die vor den Objekten selbst vorhergeht, und in welcher der Begriff der letzteren a priori bestimmt werden kann? Offenbar nicht anders als sofern sie bloß im Subjekte, als die formale Beschaffenheit desselben, von Objekten affiziert zu werden und dadurch unmittelbare Vorstellung desselben, d. i. Anschauung zu bekommen, ihren Sitz hat.“ Dies „dadurch“ kann sich doch nur auf die Tatsache einer Affizierung beziehen. Dann aber ist diese als die Raumvorstellung mitbedingend anerkannt. Worin eine solche Mitwirkung aber nun bestehe, hat Kant nirgends gesagt. Hier ist eine Lücke in seiner Beweisführung, und es ist das gute Recht einer nach dem „Beisiz der reinen Erkenntnis“ fragenden Untersuchung, auf sie hinzuweisen. Durch diese Einsicht wird die Geltung der Kantischen Lehren vom Raum nicht im geringsten erschüttert. Aber ich glaube nicht, daß die Einwände der Psychologen durch den an und für sich berechtigten Hinweis allein zu erledigen sind, daß das „Vorhergehen“ im erkenntnistheoretischen Sinne nicht ein zeitliches sei und deshalb von einer dies voraussetzenden Kritik nicht getroffen werde. Vielmehr ist zu sagen, daß Kant in seinem Begriff einer Vorstellung

a priori, die nach dem obigen Zitat erworben werden muß, den
Anforderungen schon entsprach, die die Psychologie berechtigterweise an ihn stellen kann. Eine Untersuchung, die darauf gerichtet
wäre, eine Ordnung der sinnlichen Wahrnehmungen, die aber nicht
schon in sich die Raumanschauung enthielte, nachzuweisen, würde
sich durchaus mit seiner erkenntnistheoretischen Lehre vom Apriori
versöhnen lassen.

Dieser Anschauung liegt die Ansicht zugrunde, daß Kant
nicht angeborene Vorstellungen angenommen habe und daß dies
seine Meinung gewesen sei, läßt sich durch die berühmte und
wichtigste Äußerung in seiner Streitschrift gegen Eberhard erhärten. Sie soll hier als Abschluß stehen: „Die Kritik erlaubt
schlechterdings keine anerschaffene oder angeborne Vorstellungen; alle insgesamt, sie mögen zur Anschauung oder zu
Verstandesbegriffen gehören, nimmt sie als erworben an. Es
gibt aber auch eine ursprüngliche Erwerbung (wie die Lehrer des
Naturrechts sich ausdrücken), folglich auch dessen, was vorher
gar noch nicht existiert, mithin keiner Sache vor dieser Handlung
angehört hat. Dergleichen ist, wie die Kritik behauptet, erstlich die Form der Dinge im Raum und der Zeit, zweitens
die synthetische Einheit des Mannigfaltigen in Begriffen; denn
keine von beiden nimmt unser Erkenntnisvermögen von den Objekten, als in ihnen an sich selbst gegeben, her, sondern bringt sie
aus sich selbst a priori zustande. Es muß aber doch ein Grund dazu
im Subjekte sein, der es möglich macht, daß die gedachten Vorstellungen so und nicht anders entstehen und noch dazu auf Objekte, die noch nicht gegeben sind, bezogen werden können, und
dieser Grund wenigstens ist angeboren...... Der Grund der
Möglichkeit der sinnlichen Anschauung ist die bloße
eigentümliche Rezeptivität des Gemüts,
wenn es von etwas (in der Empfindung) affiziert wird, seiner subjektiven Beschaffenheit gemäß eine Vorstellung zu bekommen.
Dieser erste formale Grund z. B. der Möglichkeit einer Raumesanschauung ist allein angeboren, nicht die Raumvorstellung
selbst. Denn es bedarf immer Eindrücke, um das Erkenntnisvermögen zuerst zu der Vorstellung eines Objekts (die jederzeit

eine eigene Handlung ist) zu bestimmen. So entspringt die formale Anschauung, die man Raum nennt, als ursprünglich erworbene Vorstellung (der Form äußerer Gegenstände überhaupt), deren Grund gleichwohl (als bloße Rezeptivität) angeboren ist, und deren Erwerbung lange vor dem bestimmten Begriffe von Dingen, die dieser Form gemäß sind, vorhergeht" [24]).

Kant hat diese Lehre vom Erwerben der Vorstellungen a priori nun auch noch in eine direkte Beziehung zu den entwicklungsgeschichtlichen Theorien, wie er sie für das organische Leben untersuchte, gebracht. In der transzendentalen Deduktion, wie die zweite Auflage der „Kritik der reinen Vernunft" sie gibt, stellt er die Disjunktion auf: „Entweder die Erfahrung macht die reinen Verstandesbegriffe möglich, oder diese Begriffe machen die Erfahrung möglich." Die erstere Ansicht wird dann in bezug auf die Kategorien mit der Begründung abgelehnt, daß dann eine Art generatio aequivoca angenommen werden müßte. So bleibt nur die zweite übrig, „gleichsam ein System der Epigenesis der reinen Vernunft: daß nämlich die Kategorien von seiten des Verstandes die Gründe der Möglichkeit aller Erfahrung überhaupt enthalten." Die dritte Möglichkeit, „eine Art von Präformationssystem der reinen Vernunft" wird dann durch den Hinweis auf das Problematische in dem Gedanken einer Anlage erledigt und weiter durch die, gegenüber der immer wieder hervortretenden falschen Anschauung besonders stark zu betonende, Bemerkung, daß die Kategorien nicht als eine Organisation des Geistes aufgefaßt werden dürfen: „Ich würde nicht sagen können: die Wirkung ist mit der Ursache im Objekte (d. i. notwendig) verbunden, sondern ich bin nur so eingerichtet, daß ich diese Vorstellung nicht anders als so verknüpft denken kann" [25]). Der Grund, warum Kant diese Auffassung ablehnt, liegt tief im Wesen seiner Transzendentalphilosophie. Die Prinzipien a priori wären dann nicht selbstgedachte; auf dieser Tatsache beruht aber die Möglichkeit eines Aufbaues des Systems der Erfahrung. Sonst würde an die Stelle einer eingesehenen Notwendigkeit eine empfundene treten müssen.

Mehr als diese flüchtige Andeutung, zu der noch zwei nicht viel mehr besagende Sätze aus den „losen Blättern" treten [26]), hat Kant nicht gegeben. Wollte man in Erinnerung an den natur-

geschichtlichen Begriff der Epigenesis das Gemeinsame hervor-
heben, so würde das tertium comparationis in dem Gedanken des
„Selbst-Hervorbringens" liegen.

Weitere Folgerungen aus diesen Betrachtungen zu ziehen
scheint mir nicht erlaubt zu sein, da es sich nur um einen, wenn auch
ernst gemeinten, Vergleich handelt, der ausdrücklich durch ein
„gleichsam" als ein solcher bezeichnet wird. Einer Erörterung
bedürftig sind aber noch die Begriffe „angeborener Grund" und
„Naturkraft". Es ist nun wohl kaum zu leugnen, daß Kant sich
mit der Einführung des ersteren in das Gebiet der Anthropologie
begeben hat. Ein angeborener Grund kann nur als eine psychische
Potenz begriffen werden. Dann aber liegt ein Recht vor auf ihn
die entwicklungsgeschichtliche Betrachtung anzuwenden. Sie
würde zwar über seine ursprüngliche Erwerbung nichts aussagen
können, da so weit menschliche Erkenntnis nicht reicht, sie würde
aber dann das immer wieder neue Hervortreten desselben in den
einzelnen Individuen auf Vererbung, d. h. auf nächste in der Natur
gegebene Bedingungen, zurückführen müssen, da sonst nur die
Annahme einer in jedem Fall auftretenden übernatürlichen Einwirkung Gottes, wie Kant sie ablehnte, übrig bleibt. Die so zu
denkende Kontinuität müßte aber dann abgebrochen werden,
wenn die allgemeinen Naturbedingungen sich einmal ändern sollten;
es muß die Möglichkeit zugegeben werden, daß von einer solchen
Änderung auch der angeborene Grund beeinflußt werden könnte.
Daß ich solche Gedanken nicht willkürlich erdichte, mag die Erinnerung an die Ideen über Tiere mit höheren Fähigkeiten, wie die
Herderpapiere sie gaben, erweisen. Bedeutsamer aber muß eine
Betrachtung aus der „Anthropologie" sein. Es wird hier die
Vermutung ausgesprochen, daß die Kinder der Menschen ursprünglich bei ihrer Geburt nicht durch Schreien ihre Existenz laut an-
gekündigt hätten, da dies im rohen Naturzustande für sie und
ihre Mütter von äußerster Gefahr sein mußte. So ist anzunehmen,
daß dies erst in einer zweiten Epoche, der des häuslichen Lebens
eingetreten sei und dann arterhaltend wirken konnte. Darauf
fährt Kant fort: „Diese Bemerkung führt weit, z. B. auf den
Gedanken: ob nicht auf dieselbe zweite Epoche bei großen Naturrevolutionen noch eine dritte folgen dürfte; da ein Orang-Utang

oder ein Schimpanse die Organe, die zum Gehen, zum Befühlen der Gegenstände und zum Sprechen dienen, sich zum Gliederbau eines Menschen ausbildete, deren Innerstes ein Organ für den Gebrauch des Verstandes enthielte und durch gesellschaftliche Kultur sich allmählich entwickelte." [27]) Welchen Einfluß eine solche Revolution auf den Menschen ausüben würde, sagt Kant nicht. Es darf auch nicht vergessen werden, daß er nur eine Hypothese entwickelt und sich in das Gebiet reiner Phantasien begibt. Trotzdem darf auf ihrem Grunde die Vermutung ausgesprochen werden, daß unter den gedachten Verhältnissen auch der angeborene Grund eine Modifikation erfahren hätte. Und wenn dieser nach Kants Meinung, so wie er jetzt zu denken ist, mit einer bestimmten Erkenntnisart in Beziehung steht, so ließe sich ein anderer Grund zu einer anderen Erkenntnisart in Zusammenhang vorstellen.

Zu einigen Bedenklichkeiten muß dann die Einführung des Begriffes einer Naturkraft in Anwendung auf Sinnlichkeit und Verstand Anlaß geben. Es wird von ihr gesagt, daß sie nicht von selbst von ihren eigenen Gesetzen abweichen könne. Dies gilt allgemein von allen Naturkräften und läßt sich begründen auf den Gedanken einer „Natur überhaupt als Gesetzmäßigkeit der Erscheinungen in Raum und Zeit". Als Quelle dieser Gesetzmäßigkeit wird nun der Verstand bezeichnet. Anderseits wird er aber doch, wie die weiteren Ausführungen Kants an der oben zitierten Stelle zeigen, den anderen Naturkräften gleichartig angesehen. Diese Wendung ist sicherlich nicht eine glückliche zu nennen, da sie einen offenbaren Zirkel in sich enthält. Sie würde auch in andere Schwierigkeiten verwickeln. Die Gesetze des Verstandes würden besondere Gesetze sein wie andere Naturgesetze und von diesen heißt es ausdrücklich, daß sie nicht vollständig abgeleitet werden können, vielmehr daß die Kenntnis von ihnen nur durch die Erfahrung übermittelt wird. Dies kann unmöglich Kants Meinung in bezug auf den Verstand sein. Die Gesetze, nach denen er handelt, sind die in den Urteilen ausgedrückten kategorialen Beziehungen, die ihm immanente Logizität. Sie sind ein Letztes.

Wollte man aber in dieser Wendung Kants mehr als einen ungenauen Ausdruck sehen, so könnte für die Gesetzmäßigkeit des Verstandes, als eine Naturkraft betrachtet, der Grund nur in

einer Metaphysik gesucht werden, etwa in dem Gedanken des
Entspringens aller Gesetzmäßigkeit aus der im Wesen der Dinge
liegenden Ordnung, die ihren Grund in Gott hat. Daß Kant zur
Zeit der Preisschrift so dachte, darf wohl im Hinblick auf die
früher entwickelten Gedanken des „Beweisgrundes", dem diese
zeitlich ja so nahe steht, mit Sicherheit behauptet werden. Daß
Kant auch in seiner kritischen Periode von solchen Ideen noch
beeinflußt war, kann meiner Ansicht nach nicht durchaus geleugnet
werden. Die Erinnerung an den noch zur Zeit des Hauptwerkes
geltenden, aus seiner früheren Naturphilosophie stammenden Naturbegriff und die Idee des Übersinnlichen, wie sie immer stärker
am Ende seines Philosophierens hervortritt, sprechen eher für als
gegen solche Ansicht. Wären diese Sätze nicht in Kants Werken
zu finden, so würde man sie nicht vermissen. Der Gedanke von
den Grenzen der Erkenntnis entzieht solchen Untersuchungen
eigentlich den Boden.

Es kann schließlich die Frage gestellt werden, ob Kants Transzendentalphilosophie sich mit seinen entwicklungsgeschichtlichen
Lehren vereinigen lasse. Zu ihrer Beantwortung ist daran zu
erinnern, daß Kant für die Lebewesen ursprüngliche, über die
nächsten Zwecke des Lebens hinausgehende Anlagen annahm,
welche durch Anpassung und Vererbung eine besondere Ausbildung
erfuhren und dann in dieser Form konstant blieben. Dementsprechend könnte angenommen werden, daß die uranfänglichen
Menschen eine reichere Ausstattung mit Erkenntnisvermögen als
Anlagen zur Orientierung in der Wirklichkeit besaßen, von denen
die jetzigen durch Anpassung sich ausbildeten und nunmehr ohne
Änderung weiter dauern. Die für die Kantische Erkenntnistheorie
unentbehrliche Lehre von der Konstanz der Vermögen wäre damit
auch durch die entwicklungsgeschichtliche Betrachtung gesichert.
Ein Widerspruch besteht hier nicht.

Eine solche Betrachtung findet sich bei Kant nicht, sie steht
auch nur hier, um die Vorwürfe derer zu entkräften, welche zwischen
dem Entwicklungstheoretiker und dem Vertreter der Lehre vom
Apriori einen Widerspruch konstatieren zu können glauben. Eine
objektive historische Untersuchung beseitigt diese Ansicht. Dann
aber tritt auch der andere Einwand auf, daß die moderne ent-

wicklungstheoretische Betrachtung Kant widerlege. Dieser Frage seien noch einige Überlegungen gewidmet, die mehr als Thesen denn als eine bis ins Einzelne dringende Beweisführung gedacht sind. Eine solche würde ja eine umfangreiche Darstellung verlangen.

Zuerst ist daran zu erinnern, daß Kant die Begriffe der Anpassung und Vererbung schon kannte. Auch war ihm der Gedanke nicht fremd die eigentümlichen Erkenntnisarten der Lebewesen als dem Leben dienende Orientierungsmittel aufzufassen. Solche Ideen entwickelte er bei Darstellung des Gegensatzes zwischen Tier und Mensch und der Verschiedenheit der wilden Völker und des Kulturmenschen. Allerdings war es ihm bei dem völligen Mangel an exakter Beobachtung und an experimenteller Untersuchung und bei dem Fehlen einer wissenschaftlichen Physiologie unmöglich, diese Betrachtung selbst nur für die rein körperliche Ausstattung der Lebewesen wirklich fruchtbar zu machen. Obgleich er den höheren methodischen Wert der mechanischen Erklärung voll einzuschätzen verstand, mußte er doch zurückgreifen auf die teleologischen Gedanken einer fürsorgenden Natur, eines Planes, einer Vorsehung. An diesem Punkte ist die moderne Theorie weit über ihn hinausgegangen. Es könnte nun daraus die Ansicht entstehen, daß deshalb eine Betrachtung der menschlichen Erkenntnisarten unter dem angegebenen Gesichtspunkte mit Hülfe der neuen Forschungsergebnisse von größerem Erfolg sein und daß hier die Kantische Erkenntnistheorie überwunden werden könne. Ich bin nicht dieser Meinung. Legt man den Gedanken zugrunde, daß die jetzt vorhandenen Erkenntnisarten des Menschen sich aus einem allmählichen Entwicklungsprozeß im Sinne einer höheren Anpassung an das Leben herausgebildet hätten, so ist zuerst zu bemerken, daß für einen dahingehenden Versuch die eigentlichen wissenschaftlichen Grundlagen noch ganz und gar fehlen. Es sei nur daran erinnert, daß die allgemeine Frage nach dem Verhältnis der körperlichen und der seelischen Vorgänge noch ungelöst ist und daß ferner eine brauchbare Theorie über den Zusammenhang der besonderen Erkenntnisfunktionen mit entsprechenden physiologischen Bedingungen noch durchaus fehlt. Deshalb mangelt es der entwicklungsgeschichtlichen Betrachtung an dieser Stelle an sicherem Boden. Sucht man nun die Erkenntnisarten als solche, unabhängig

von ihrer physiologischen Grundlage im Sinne der gedachten
Theorie zu erklären, so fehlt auch hier das Material. Die Zeit, für
die wir das menschliche Denken auf Grund der uns überlieferten
Zeugnisse übersehen, ist eine verschwindend kurze im Vergleich zu
den ungeheuren Zeiträumen, deren die Entwicklungstheorie sonst
bedarf. Und doch müßten wir wohl solche voraussetzen, um den
gedachten Vorgang zu erklären, zumal da auch die Änderung der
materiellen Grundlagen des Denkens mit in Rechnung gesetzt
werden müßte. Deshalb lassen sich andere Formen des Erkennens,
mit denen eine frühere Menschheit gedacht hat, nicht aufweisen,
und so ist es unmöglich, an den vorhandenen Varietäten die höhere
Anpassung der späteren vor den früheren nachzuweisen. Damit
entfallen aber die notwendigen Voraussetzungen einer wirklich
erklärenden entwicklungstheoretischen Betrachtung. Es ist nichts
mehr als eine Redewendung, wenn nun noch von Anpassung gesprochen wird. Man stellt höchstens die Tatsache fest, daß wir
Menschen uns bestimmter Erkenntnisarten zum Zwecke des Lebens
bedienen, aber man erklärt jene nicht. Überhaupt ist es unmöglich,
die besondere Form menschlicher Erkenntnis aus einer teleologischen
Betrachtung, wie sie doch auch dem entwicklungsgeschichtlichen
Gedanken zugrunde liegt, abzuleiten.

Wird nun daran erinnert, daß der moderne Entwicklungsgedanke auch in dem Sinne über Kant hinausgegangen ist, daß er
die bei diesem herrschende Vorstellung von der Konstanz der Arten
aufgehoben habe, und daß deshalb auch die Konstanz der Erkenntnisvermögen nicht behauptet werden dürfe, so gelten gegen
diese Ansicht die soeben ausgesprochenen Bedenken. Dazu treten
noch andere. Es ist schon oft die Bemerkung gemacht worden,
daß aus der entwicklungsgeschichtlichen Theorie nicht die Notwendigkeit einer immer weiter fortschreitenden Anpassung als
einzige Möglichkeit abgeleitet werden könne. Auch besteht darin
eine ihrer Schwächen, daß sie nicht imstande ist, Auskunft über
die uranfängliche Ausstattung der Lebewesen zu geben. So wäre
sehr wohl denkbar, daß die menschlichen Erkenntnisformen zu
dieser gehörten und unveränderlich blieben, während eine Entwicklung der durch sie zu gewinnenden Erkenntnisse stattfinden
könnte.

Damit wäre die Frage auf einen anderen Boden gestellt. Es würde sich nicht mehr um eine Entwicklung der Erkenntnisformen, sondern der Erkenntnisse selbst handeln. Dem Entwicklungsgedanken wäre genügt, wenn gezeigt würde, daß eine immer höhere Anpassung durch Verfeinerung der durch das Denken erarbeiteten Mittel für den Kampf ums Dasein sich nachweisen ließe. Aber auch bei dieser Verwertung scheinen mir schwere Bedenken vorzuliegen. Es dürfte kaum gelingen, eine den Forderungen entsprechende Formel für die Entwicklung des menschlichen Denkens zu finden, da es ebenso nach Differenzierung als nach Vereinfachung strebt. Der für die naturwissenschaftliche Betrachtung so einfache und deshalb so wertvolle Gedanke der Anpassung würde hier zu kompliziert werden. Und so ist überhaupt vor einer kritiklosen Übertragung jener Theorie auf das menschliche Leben zu warnen. Dieses ist viel zu reich und geht nach so vielen Interessen auseinander, daß die Kategorie der Anpassung unfähig ist, für sie als höherer vereinheitlichender Begriff zu dienen. Heißt es ja doch behaupten, daß man den Zweck des Lebens begriffen habe, wenn man den Entwicklungsgedanken in gedachtem Sinne als Universalformel verwerten zu können glaubt.

Schließlich ist der Erkenntnistheoretiker Kant doch siegreich über die Lehren derer, die ihn als überholt ansehen. Sie vergessen es, sich, bevor sie die allgemeine Geltung ihres Prinzipes behaupten, die kritische Frage vorzulegen: „Wie sind synthetische Urteile a priori möglich?" Eine Theorie, welche selbst für die Formen des Denkens Veränderung behauptet, beansprucht einzig und allein für sich unbedingte Geltung, ohne doch eine ausreichende erkenntnistheoretische Begründung gefunden zu haben. Und wenn sie die Vergangenheit oder die Zukunft konstruiert, so verwendet sie dabei stillschweigend die Kategorien des Denkens, wie z. B. die ihr unentbehrliche der kausalen Verknüpfung, deren Geltung sie doch anderseits in Frage stellt. Ihr erweist sich der erkenntnistheoretische Ausgangspunkt Kants unbedingt überlegen. Denn wollte man den Gedanken von einer mit anderen Erkenntnisformen ausgestatteten vergangenen oder zukünftigen Menschheit akzeptieren, so würde doch auch für diese die Frage gelten, wie Erkenntnis möglich sei.

Anmerkungen.

Zu Kapitel I.

[1]) Vgl. Diltheys Aufsatz: Der entwicklungsgeschichtliche Pantheismus nach seinem geschichtlichen Zusammenhang mit den älteren pantheistischen Systemen. Archiv f. Gesch. d. Phil. Bd. XIII. 1900.

[2]) Discorsi, übersetzt von Emil Strauß, Leipzig 1891. S. 62 f. Vgl. Ernst Goldbeck, Das Problem des Weltstoffs bei Galilei. Vierteljahrsschrift für wissenschaftliche Philosophie und Soziologie, 1902, Bd. XXVI.

[3]) Vgl. G. Reuschle, Kepler und die Astronomie. Frankfurt a. M. 1871. S. 10 ff.

[4]) Vgl. Brunos Verteidigungsrede. Sigwart, Kleine Schriften [2], Freiburg 1899, Bd. I, S. 100 f.

[5]) Vgl. E. Goldbeck, Keplers Lehre von der Gravitation. Halle 1896. Abhandlungen zur Philosophie und ihrer Geschichte, herausgegeben von Benno Erdmann, Heft VI.

[6]) Vgl. E. Dühring, Kritische Geschichte der allgemeinen Prinzipien der Mechanik [3], Leipzig 1887, S. 23 ff. und K. Laßwitz, Geschichte der Atomistik, Hamburg und Leipzig 1890, II, S. 23 ff.

[7]) Vgl. Kants gesammelte Schriften, herausgegeben von der Königlich Preußischen Akademie der Wissenschaften, Berlin 1900 ff. Bd. I, S. 228. Diese Ausgabe wird künftig ohne nähere Bezeichnung zitiert als I, 1 usw.

[8]) Oeuvres de Descartes, publ. par Adam et Tannery, Paris 1897 ff., I, p. 144.

[9]) Principia philosophiæ Pars I, 51. Der deutsche Text nach der Übersetzung von Buchenau.

[10]) Princ. phil. II, 36. [11]) Princ. phil. II, 37—39.

[12]) Vgl. Laßwitz, a. a. O. II, S. 55 ff. und Abraham Hoffmann, Die Lehre von der Bildung des Universums bei Descartes in ihrer geschichtlichen Bedeutung, Arch. f. Gesch. d. Phil. Bd. XVII, 1904.

[13]) Princ. phil. III, 45. [14]) Princ. phil. III, 47. [15]) Ebenda. [16]) Princ. phil. III, 47. [17]) Princ. phil. III, 47. [18]) Princ. phil. III, 157. [19]) Princ. phil. III, 146.

[20]) Vgl. I. Newtons Mathematische Prinzipien der Naturlehre, übers. von Wolfers, Berlin 1872, S. 511. Zur Darstellung im ganzen vgl. Ferd. Rosenberger, Isaac Newton und seine physikalischen Prinzipien, Leipzig 1895.

[21]) a. a. O. S. 380. [22]) a. a. O. S. 381. [23]) I. Newtoni Opera omnia, Londini 1782, Bd. IV p. 242 f. [24]) Math. Prinz. S. 5. [25]) a. a. O. S. 388 f. [26]) Dühring a. a. O. S. 189. [27]) Math. Prinz. S. 510. [28]) a. a. S. S. 508 ff.

[29]) Zur Darstellung vgl. E. Cassirer, Leibniz' System, Berlin 1902. Die Zitate sind gegeben nach Leibnitii Opera philosophica, ed. J. E. Erdmann, Berolini 1840, und G. W. Leibniz' Hauptschriften zur Grundlegung der Philosophie, übers. v. Buchenau mit Einleitungen von E. Cassirer, Leipzig 1904/6. 2 Bde.

[30]) Erdmann p. 186, Hauptschriften II, 390.   [31]) Erdmann p. 702, Hauptschriften II, 461.   [32]) Erdmann p. 124, Hauptschriften II, 259. Vgl. auch Erdmann p. 148.   [33]) Hauptschriften II, 206.   [34]) Erdmann p. 106.   [35]) Erdmann p. 185 f., Hauptschriften II, 390.   [36]) Erdmann p. 716, Hauptschriften II, 428.

[37]) Erdmann p. 777, Hauptschriften I, 212. Vgl. zur Darstellung: A. Görland, Der Gottesbegriff bei Leibniz, Gießen 1907.

[38]) Erdmann p. 506. Ich zitiere nach der Übersetzung von R. Habs (Reclam). Ebenda I, 167.

[39]) Vgl. Monadologie Nr. 46. Erdmann p. 708.   [40]) Hauptschriften II, 510 f.   [41]) Erdmann p. 561, Übersetzung I, 349.   [42]) Erdmann p. 517, Übersetzung I, 204.   [43]) Erdmann p. 506, Übersetzung I, 167.   [44]) Erdmann p. 716, Hauptschriften II, 429 f.   [45]) Erdmann p. 148, Leibniz, Kleinere philosophische Schriften übers. v. R. Habs (Reclam) S. 219.   [46]) Erdmann p. 148, Kl. Sch. S. 221.   [47]) Erdmann p. 148 f., Kl. Schr. S. 221 f.   [48]) Erdmann p. 147, Kl. Schr. S. 218.   [49]) Erdmann p. 149, Kl. Schr. S. 222.   [50]) Erdmann p. 717, Hauptschriften II, 432.   [51]) Erdmann p. 716, Hauptschriften II, 429.   [52]) Monadologie Nr. 38, Erdmann p. 708.   [53]) Erdmann p. 147, Kl. Schr. S. 215 f.   [54]) Erdmann p. 181, Hauptschriften II, 58 f.   [55]) Erdmann p. 559 f., Übersetzung I, S. 344 f. Vgl. auch Hauptschriften II, 506 ff.   [56]) Erdmann p. 615, Übersetzung II, S. 129.   [57]) Erdmann p. 490, Übersetzung I, S. 116.   [58]) Erdmann p. 512 f., Übersetzung I, S. 189 f.   [59]) Erdmann p. 510, Übersetzung I, S. 182.   [60]) Erdmann p. 511, Übersetzung I, S. 184.   [61]) Erdmann p. 568, Übersetzung I, S. 371 f.   [62]) Erdmann p. 573, Übersetzung I, S. 389.   [63]) Erdmann p. 535, Übersetzung I, 262.   [64]) Erdmann p. 537, Übersetzung I, 268.

[65]) Vgl. Erdmann 717, Hauptschriften II, S. 432: Deshalb gehen alle Geister, seien es nun Menschen oder Genien, kraft der ewigen Vernunft und Wahrheit mit Gott eine Art Gemeinschaft ein und sind die Mitglieder des Gottesreiches, d. h. des allervollkommensten Staates, der von dem größten und besten Monarchen gebildet und regiert wird. In diesem gibt es kein Verbrechen ohne Bestrafung, keine guten Handlungen ohne entsprechende Belohnung und schließlich so viel Tugend und Glück als nur möglich; und das geschieht keineswegs durch eine Umwälzung der Natur, so daß das, was Gott den Seelen bestimmt, die Gesetze der Körper stören müßte, sondern gemäß der Ordnung der natürlichen Dinge selbst, kraft der Harmonie, die seit aller Zeit zwischen dem Reiche der Natur und dem der Gnade, zwischen Gott als Baumeister und Gott als Monarchen prästabiliert ist Die Natur führt somit selbst auf die Gnade hin, wie andrerseits die Gnade die Natur vervollkommnet, indem sie sich ihrer bedient.

[66]) Erdmann p. 150, Kl. Schr. S. 225 f.   [67]) Erdmann p. 522, Übersetzung I, 221.   [68]) Erdmann p. 718, Hauptschriften II, 434.

[69]) Shaftesbury, Characteristics of Men, Manners, Opinions, Times, Basil 1790, II, p. 336.

[70]) a. a. O. II, 349.   [71]) a. a. O. I, 251.   [72]) a. a. O. I, 256.   [73]) a. a. O. II, 293.   [74]) a. a. O. II, 56.   [75]) a. a. O. II, 152.   [76]) a. a. O. II, 296.   [77]) a. a. O. II, 9.   [78]) a. a. O. II, 74.   [79]) a. a. O. II, 250 f.   [80]) a. a. O. II, 110.   [81]) a. a. O, II, 111 f. und II, 72.   [82]) a. a. O. II, 78.   [83]) a. a. O. II, 11 f.   [84]) Vgl. a. a. O. II. 237: ,,All things in this world are united.''   [85]) a. a. O. II, 13.   [86]) a. a. O. II, 237.   [87]) a. a. O. II, 303 f.   [88]) a. a. O. II, 264.   [89]) a. a. O. II, 227.   [90]) a. a. O. II, 228.   [91]) Vgl. oben S. 146.

[92]) Pope, Essay on the man, Ep. I, v. 286. Kant las ihn in der Übersetzung von Brockes, Hamburg 1740.

[93]) a. a. O. v. 259 ff.

[94]) H. S. Reimarus, Die vornehmsten Wahrheiten der natürlichen Religion, Hamburg 1754, S. 224. Vgl. O. Lempp, Das Problem der Theodizee in der Philosophie und Literatur des 18. Jahrhunderts, Leipzig 1910, S. 156 ff.

[95]) So heißt es S. 377: ,,Die Welt ist um der Lebendigen willen, und darunter sind wir auch; die ganze Natur arbeitet mit zu unserer Erhaltung. Aber die Welt ist nicht für uns alleine, sie ist für alle mögliche Lebendigen aller Arten und Stufen.'' Vgl. auch S. 289.

[96]) a. a. O. S. 560 f.   [97]) a. a. O. S.167.

[98]) a. a. O. S. 596. Vgl. auch S. 565: Es ist eine weise und gute Ordnung in der Natur, daß sich manche Tiere von andern nähren. Die Welt wird dadurch mit einer weit größeren Mannigfaltigkeit und Menge von Lebendigen und sodann mit allerhand Art von Lust und Vergnügen erfüllt; welches sie desto vollkommener macht.

[99]) Maupertuis, Oeuvres, Berlin 1753, Bd. I p. XXV.

[100]) a. a. O. I, 22.   [101]) a. a. O. I, 41.   [102]) a. a. O. I, 43.

[103]) Übersetzung der allgemeinen Welthistorie, die in Engeland durch eine Gesellschaft von Gelehrten ausgefertiget worden. Genau durchgesehen etc. von Siegmund Jacob Baumgarten, Halle 1744 ff., Bd. I, 59.

[104]) Buffon, Histoire naturelle générale et particulière, Paris 1749 ff. T. I, p. 9 ff.   [105]) a. a. O. I, 28.   [106]) a. a. O. I, 24 f.   [107]) a. a. O. I, 29 f.   [108]) a. a. O. I, 30.   [109]) a. a. O. I, 308 f.   [110]) a. a. O. I, 12.   [111]) a. a. O. IV, 438 f.   [112]) a. a. O. I, 69.   [113]) a. a. O. I, 116.   [114]) a. a. O. XIV, 312.   [115]) a. a. O. IV, 33.   [116]) a. a. O. IV, 70.   [117]) a. a. O. IV, 73.   [118]) I, 7 u. 10.

[119]) Voltaire, Oeuvres complètes, Gotha 1784—89, Bd. 31 p. 27: ,,Donnez-moi du mouvement et de la matière, et je vais faire un monde.'' Maupertuis spielt (a. a. O. I, p. 43) auch auf dies Wort an. Kant braucht es I, 229 f.

[120]) Die Anzeige findet sich im 1., 2., 3. Stück der ,,Freien Urteile'' usw., das Zitat auf S. 14. Vgl. für die Darstellung G. Gerland, Immanuel Kant, seine geographischen und anthropologischen Arbeiten, Kantstudien, 1905, Bd. X, S. 446 ff.

[121]) Princ. phil. III, 47.   [122]) I, 255 f.   [123]) I, 221 f.   [124]) I, 227.
[125]) Ebenda.   [126]) I, 364.   [127]) I, 290.   [128]) I, 329.   [129]) II, 66.   [130]) II,
72.   [131]) II, 83.   [132]) II, 87.   [133]) II, 88.   [134]) II, 91.   [135]) II, 96/7.   [136]) II,
100.   [137]) Ebenda.   [138]) Ebenda, vgl. auch II, 125 A.   [139]) II, 103.   [140]) II,
125.   [141]) I, 17.   [142]) I, 475.   [143]) I, 486.   [144]) I, 412.   [145]) I, 414 ff.
[146]) Buffon, a. a. O. I, 133.   [147]) I, 261 f.   [148]) I, 271 u. 277.   [149]) I, 337.
Ähnlich spricht sich Descartes aus: Princ. phil. III, 34.   [150]) I, 230.   [151]) I, 235.
[152]) I, 234 f., vgl. II, 139.   [153]) I, 230 u. 268.   [154]) I, 339.   [155]) II, 98 f.
[156]) Maupertuis, a. a. O. I, 41.   [157]) I, 263.   [158]) I, 315.   [159]) I, 314.   [160]) I,
316.   [161]) I, 314.   [162]) I, 319.   [163]) I, 354.   [164]) II, 109.   [165]) I, 333.
[166]) I, 310.   [167]) Vgl. Rudolf Reicke, Lose Blätter aus Kants Nachlaß, Königsberg 1889. 1. Heft. D. 32, 33. S. 293 ff.   [168]) I, 319.   [169]) I, 322.

Zu Kapitel II.

[1]) I, 186.   [2]) I, 198. Vgl. zu diesem Aufsatz Montesquieu, Lettres persanes No. 113, 114.   [3]) I, 199.   [4]) I, 211 f.   [5]) I, 317.
   [6]) Vgl. Eulers Schrift: De perturbatione motus planetarum a resistentia
aetheris orta. Opuscula Berolini 1746 und Theoria motus Lunae exhibens omnes
eius inaequalitates, Petersburg 1753. — Die Aufzeichnungen Herders enthalten
einige Sätze, die Kant wohl kaum so ausgesprochen hat.
   [7]) Vgl. hierzu II, 127 ff.
   [8]) Eine Weiterbildung zeigen Kants geologische Lehren, wie sie in der
Schrift „Über die Vulkane im Monde" (1785) angedeutet sind. Er bekämpft
hier die Ansicht, daß die Unebenheiten der Mondfläche vulkanischen Ursprungs
seien, und begründet seine entgegengesetzte Annahme aus der Beobachtung der
kreisförmigen Erhöhungen auf der Erde, von denen die einen sehr groß, die
anderen im Verhältnis dazu sehr klein sind. Erstere führt er auf chaotische
Ebullitionen, letztere auf vulkanische Eruptionen zurück. Bemerkenswert ist
die entschiedene Hinneigung zum Neptunismus. Vgl. auch V, 427 f. Die Lehren,
welche Rinks Ausgabe der physischen Geographie in § 79 entwickelt, lassen sich
bei der bisher noch bestehenden Unsicherheit der Datierung nicht mit Sicherheit verwerten. Ein näheres Eingehen auf Kants Geologie muß ich mir hier
versagen. Die Quellen zu ihr hat Kant selbst angegeben; II, 8. Eine ausführ-
lichere Arbeit über diesen Gegenstand ist von E. Adickes, welcher mir nicht
zugängliches Material benutzen konnte, zu erwarten. Zu vergleichen ist auch:
G. Gerland, Immanuel Kant, seine geographischen und anthropologischen Arbeiten, Kantstudien Bd. X, 1905.
   [9]) II, 443.   [10]) II, 3 ff.   [11]) Eine solche ist von E. Adickes zu erwarten.
   [12]) Merkwürdig ist, daß Kant Büsching nicht genannt hat, dessen Erdbeschreibung 1754 erschien. Eine Vergleichung des Rink'schen Textes mit ihr
zeigte, daß sie für den Erdteil Europa als Quelle diente.

[13]) II, 312 ff.

[14]) Vgl. hierzu: W. His, Die Theorien der geschlechtlichen Zeugung, Arch. für Anthropologie Bd. 4 u. 5. 1871/2 und Hans Heussler, Der Rationalismus des 17. Jahrhunderts in seinen Beziehungen zur Entwicklungslehre. Breslau 1885. Aus dem 18. Jahrhundert orientieren die unten genannten Werke von Haller und Bonnet; vgl. auch den Artikel „Génération" der Enzyklopädie.

[15]) Aristoteles de gen. an. III c, 11. [16]) Aristoteles a. a. O. II, 2. [17]) Aristoteles a. a. O. II, 20. 21.

[18]) T. Lucreti Cari de rerum natura, ed. A. Brieger, Lipsiae 1899, I, 1021 ff.; vgl. auch V, 188 ff., 419 ff. [19]) a. a. O. V, 795 ff. [20]) a. a. O. V, 831 f. [21]) a. a. O. V, 916 ff.

[22]) Descartes, Princ. phil. IV, 203. [23]) Descartes, Primae cogitationes circa generationem animalium, Oeuvres XI, p. 505 f. [24]) a. a. O. XI, 228. [25]) a. a. O. XI, 253.

[26]) Harvey, Exercitationes de generatione animalium Londini 1651. Praefatio. [27]) a. a. O. Exerc. 50. [28]) a. a. O. Exerc. 62. [29]) a. a O. Exerc. 45.

[30]) Redi a. a. O. p. 24 f.

[31]) Oskar Hertwig, Ältere und neuere Entwicklungstheorien, Berlin 1892, S. 7/8.

[32]) Swammerdam, Biblia naturae, Deutsche Übersetzung, Leipzig 1752. S.16.

[33]) Malpighi, Dissertationes epistolicae duae, una de formatione pulli in ovo etc., London 1673, p. 2.

[34]) Leeuwenhoek, Opera omnia, Lugduni 1722, I, p. 66, 175.

[35]) Malebranche, De la recherche de la vérité, ed. Bouillier, Paris 1879. Bd. I, p. 53 f. [36]) a. a. O. I, 491.

[37]) Erdmann a. a. O. p. 476 „rien n'est plus capable que la préformation des plantes et des animaux, de confirmer mon système de l'harmonie préétablie entre l'âme et corps". (Theodizee.) Übers. I, S. 71.

[38]) Erdmann p. 714, Hauptschriften II, 424; vgl. Monadologie Nr. 64.

[39]) Erdmann p. 431, Hauptschriften II, 70 f. [40]) Monadologie Nr. 74. [41]) Erdmann p. 527, Übersetzung I, 238. [42]) Erdmann p. 180, Hauptschriften II, 56. [43]) Erdmann p. 618, Übersetzung II, 138.

[44]) Perrault, Oeuvres de physique et de méchanique 1727, Bd. II, p. 482.

[45]) Maupertuis, a. a. O. II, 78. [46]) Maupertuis, Système de la nature (zuerst erschienen 1751), § XIV. [47]) Ebenda § LXVI.

[48]) Buffon a. a. O. II, 8. [49]) a. a. O. II, 11. [50]) a. a. O. II, 20 ff., bes. pp. 34 und 37.

[51]) Needham, Nouvelles observations microscopiques avec des découvertes intéressantes sur la composition et la décomposition des corps organisés, Paris 1750, p. 216.

[52]) A. v. Haller, Sur la formation du coeur dans le poulet etc. Lausanne 1758. Dort heißt es auf S. 186: „Il me parait très probable que les parties essentielles du fétus se trouvent faites de tous temps; non pas à la vérité telles

qu'elles paraissent dans l'animal adulte: elles sont disposées de façon que des causes certaines et préparées, pressant les accroissements de quelques une de ces parties, empêchant celui des autres, changeant les situations, rendant visibles des organes autrefois diaphanes, donnant de la la consistance à des fluides et à de la muscosité, forment à la fin un animal bien différant de l'embrion, et dans lequel il n'y a pourtant aucune partie qui n'ait existé essentiellement dans l'embrion.

[53]) Haller, Anfangsgründe der Physiologie des menschlichen Körpers, Berlin-Leipzig 1776, Bd. VIII, S. 253, 255, 257 f.

[54]) Charles Bonnet, Considérations sur les corps organisés, Paris 1762, 2 vol. Dort I, 174.

[55]) Bonnet, Contemplation de la nature, Amsterdam 1764, 2 Bde. Dort Préface p. XXV.

[56]) Caspar Friedrich Wolff, Theoria generationis übers. von P. Samassa. Leipzig 1896. (Ostwalds Klassiker der exakten Wissenschaften. Bd. 84/85.) Dort in der Erklärung des Plans §§ 1. 8.　　　[57]) a. a. O. Erklärung des Plans § 2.

[58]) I, 230. Voltaire sagt a. a. O. Bd. 31 p. 64: ,,nous ne savons pas comment la terre produit un brin d'herbe.'' Vgl. auch die Absage an die Lehrer der mechanischen Erzeugung des Weltbaues: ,,Alle insgesamt trieben diese Ungereimtheit so weit, daß sie den Ursprung aller belebten Geschöpfe eben diesem blinden Zusammenlauf beimaßen und die Vernunft wirklich aus der Unvernunft herleiteten.'' I, 227.

[59]) I, 9.　　　[60]) II, 106.　　　[61]) II, 125.

[62]) II, 327 A: ,,Was in der Welt ein Principium des Lebens enthält, scheint immaterieller Natur zu sein. Denn alles L e b e n beruht auf dem inneren Vermögen, sich selbst nach W i l l k ü r zu bestimmen. Da hingegen das wesentliche Merkmal der Materie in der Erfüllung des Raumes durch eine notwendige Kraft besteht, die durch äußere Gegenwirkung beschränkt ist; daher der Zustand alles dessen, was materiell ist, äußerlich a b h ä n g e n d und g e - z w u n g e n ist, diejenigen Naturen aber, die s e l b s t t ä t i g und aus ihrer innern Kraft wirksam den Grund des Lebens enthalten sollen, kurz diejenigen, deren eigene Willkür sich von selber zu bestimmen und zu verändern vermögend ist, schwerlich materieller Natur sein können.''

[63]) II, 126.　　　[64]) II, 114.　　　[65]) II, 114 f.　　　[66]) II, 115.　　　[67]) Vgl. oben S. 78.　　　[68]) Vgl. Caroli Linnaei Systema naturae 10. ed. 1740, p. 20 f. [69]) Vgl. Buffon a. a. O. Bd. III, 371 ff. Variétés dans l'espèce humaine. [70]) a. a. O. p. 528.

[71]) a. a. O. p. 529 f. Auch Maupertuis hat sich im zweiten Teil seiner Vénus physique mit dem Rassenproblem beschäftigt, ohne daß er zu brauchbaren Ergebnissen kommt. Er betrachtete es im Zusammenhang mit den Zeugungstheorien. Kant hat außerdem aus Reiseberichten geschöpft. Fast zu gleicher Zeit mit seiner Schrift erschien Blumenbachs Dissertation ,,De generis humani varietate nativa'' 1775. In der 2. Aufl. vom Jahre 1781 gibt er (S. 49 ff.) eine historische Übersicht über die früheren Versuche einer Rasseneinteilung.

[72]) II, 429. Vgl. die Erläuterung zu der Stelle.   [73]) II, 430.   [74]) II, 429.
[75]) II, 434.   [76]) II, 435 f.   [77]) II, 442.   [78]) VIII, 62 f.   [79]) VIII, ·179.
[80]) a. a. O. 173.   [81]) a. a. O. 105 und 177.   [82]) Vgl. hierzu Maupertuis, a. a. O.
II, 97 ff., 105. Ablehnend äußert sich Kant II, 431.

[83]) Gemeint ist Reimarus' Schrift „Allgemeine Betrachtungen über die
Triebe der Tiere, hauptsächlich über ihre Kunsttriebe. Hamburg. 2. Aufl.
1762. Vgl. dort §§ 23. 24. 122. 123. Kants Beispiele sind meist übernommen.
[84]) II, 434 A, vgl. auch 443.   [85]) VIII, 100 A.   [86]) VIII, 161 f.   [87]) VIII,
93.   [88]) VIII, 95.   [89]) VIII, 167.   [90]) VIII, 167 f.   [91]) VIII, 166.
[92]) VIII, 97. Vgl. Reicke a. a. O. I, S. 81, 138 f. Die Notwendigkeit zu
Ideen seine Zuflucht zu nehmen wird hier begründet durch den Hinweis auf
die unbegreifliche Beharrlichkeit der Gattungen und Arten bei so vielen auf
sie einfließenden und ihre Entwicklung modifizierenden Ursachen.
[93]) V, 376.   [94]) V, 410.   [95]) Reicke a. a. O. I, S. 137.   [96]) V, 418 ff.
[97]) Kant erwähnt Blumenbach (VIII, 180) als Kritiker Bonnets und gedenkt dabei seiner Verdienste um das Zeugungsproblem durch Einführung des
Begriffes von einem bei den organischen Wesen vorhandenen Bildungstrieb.
B. veröffentlichte 1781 eine kleine Schrift: „Über den Bildungstrieb" (Göttingen), 1789 erschien sie in erweiterter Fassung.
[98]) In der Schrift vom Jahre 1781 S. 12.   [99]) In der Schrift vom Jahre
1789 S. 93. Die anderen Gesetze auf S. 98, 99, 100, 102.   [100]) V, 421 ff. (§ 81.)
[101]) Vgl. W. Dilthey, Die Funktion der Anthropologie in der Kultur des
16. und 17. Jahrhunderts. Sitzungsberichte der Königlich Preußischen Akademie
der Wissenschaften 1904, I u. IX.
[102]) Vgl. M. Dessoir, Geschichte der neueren deutschen Psychologie, 2. Aufl.
1902 Bd. I.
[103]) I, 359.   [104]) I, 355 A.   [105]) I, 356 f.   [106]) I, 356.   [107]) II, 325 f.
Natürlich hat Kant eine Abhängigkeit der seelischen Funktionen von den körperlichen nicht geleugnet; vgl. II, 270 f.   [108]) X, 138.   [109]) I, 212.   [110]) II,
243 A.   [111]) II, 9.   [112]) Vgl. II, 243 A, VII, 313.   [113]) Vgl. VIII, 17.   [114]) Vgl.
I, 360.
[115]) Vgl. B. Erdmann, Reflexionen Kants zur Anthropologie, Leipzig
1882, Refl. 680. „Die Disproportion zwischen unserer Naturanlage und
deren Entwicklung in jedem *individuo* gibt Grund zum Glauben an Zukunft.
Wir brauchen nicht Gott zuvor als gütig anzunehmen, sondern nur nach der
Analogie in der Natur auch ohne Gott schließen, so wird hier immer eine Leitung
auf höchste Weisheit angetroffen werden, und eine Theologie, die aus dem
festen Vorsatz des Fortschrittes zur Vollkommenheit fließt. Die Refl. gehört nach einer Mitteilung von E. Adickes sicher den 80 ger Jahren, wahrscheinlich ihrem Anfang an.
[116]) I, 352.   [117]) I, 356.   [118]) I, 460.   [119]) I, 367.   [120]) B. Erdmann,
a. a. O. S. 50 f.
[121]) Chr. A. Crusius, Entwurf der notwendigen Vernunftwahrheiten, 2. Aufl.
1753. Vgl. über Crusius Adickes, Kantstudien, Kiel und Leipzig 1895, S. 42 ff.

[122]) I, 400. [123]) I, 403. Vgl. meine Dissertation „Der Entwicklungsgang der Kantischen Ethik bis zum Erscheinen der „Grundlegung zur Metaphysik der Sitten" I. Berlin 1897. S. 13 ff. [124]) II, 110 f.

[125]) Der Anfang von § 726 bei Baumgarten lautet: „Arbitrii haec lex est: Ex liberis ratione exsecutionis, quod libet, appeto, quod libet, aversor. Hinc libertatis regula: Ex liberis ratione exsecutionis, quod libet, volo, quod libet, nolo.

[126]) I. Kants sämtliche Werke, her. von Hartenstein, Leipzig 1867/8. VIII, 624. Nach einer brieflichen Mitteilung von E. Adickes gehören diese Bemerkungen zum größten Teil der Mitte der 60 ger Jahre an. Zur Darstellung weise ich hin auf meine Dissertation, Kantstudien II, S. 298 ff., III, 42 ff.

[127]) a. a. O. 624/5.

[128]) Mitgeteilt von B. Groethuysen in den Sitzungsberichten der Königlich Preußischen Akademie der Wissenschaften, 1906.

[129]) II, 227. [130]) VIII, 56. [131]) II, 255 f. [132]) I. Kants sämtliche Werke usw. VIII, 625. [133]) a. a. O. 623. [134]) a. a. O. 630. [135]) a. a. O. 613. [136]) a. a. O. 618 f. [137]) a. a. O. 629. [138]) a. a. O. 639. [139]) a. a. O. 623 f. [140]) a. a. O. 632. [141]) II, 308 ff.

[142]) Vgl. hierzu B. Erdmanns Einleitung zu den Reflexionen Kants zur Anthropologie S. 37 ff., und E. Arnoldt, Kritische Exkurse im Gebiete der Kantforschung, Königsberg 1894, S. 283 ff.

[143]) X, 138 f. [144]) X, 225.

[145]) I. Kants Vorlesungen über die Metaphysik, Erfurt 1821. Über die Datierung dieser Vorlesungen sind meine Ausführungen in den „Kantstudien" 1899. III, 56 ff, zu vergleichen.

[146]) a. a. O. S. 129 f. und III, 548. [147]) IV, 471.

[148]) Diese Anordnung nach Kants Anthropologie. Eine frühere Fassung gibt Refl. 647, welche nach einer Mitteilung von E. Adickes in die siebziger Jahre gehört.

Zu Kapitel III.

[1]) III, 177. [2]) III, 184. [3]) III, 250. [4]) III, 239. [5]) III, 251. [6]) III, 283. [7]) III, 460. [8]) III, 430. [9]) III, 433. [10]) III, 439. [11]) III, 248. [12]) III, 254, 246. [13]) III, 324. [14]) III, 247; vgl. 254. [15]) III, 310. [16]) III, 312. [17]) III, 363. [18]) III, 364. [19]) III, 363. [20]) III, 374.

[21]) Vgl. auch die Ausführungen auf III, 364/5, wo der Gegensatz der dritten Antinomie zu den vorhergehenden, mathematischen klar ausgedrückt wird, wenn es heißt, es komme bei ihm nicht auf die Größe der Reihe der Bedingungen an, sondern auf das dynamische Verhältnis der Bedingung zum Bedingten.

[22]) III, 365. [23]) III, 376. [24]) III, 370. [25]) III, 371. [26]) III, 375 f, [27]) III, 374 f. Vgl. auch V, 95. [28]) III, 376. [29]) Ebenda. [30]) Ebenda. [31]) III, 524. [32]) IV, 24. [33]) III, 249. [34]) III, 254. [35]) III, 524. [36]) III, 527, S. 549 wird die allgemeine Glückseligkeit der Hauptzweck genannt. [37]) III.

524. [38]) III, 525. [39]) Ebenda. [40]) III, 524. [41]) III, 526. [42]) III, 528 f.
[43]) III, 520. [44]) III, 487, 427. [45]) III, 535. [46]) III, 529 f. [47]) IV, 453,
459, 461. [48]) V, 43. [49]) V, 107. [50]) V, 32 f. [51]) V, 113 f. [52]) V, 115.
[53]) V, 119. [54]) V, 131. [55]) V, 102, vgl. VI, 280 A. [56]) V, 147 f. [57]) V, 129.
[58]) V, 123 A. Vgl. oben S. 277 f. [59]) V, 170. Vgl. auch § 79. [60]) V, 183 f.,
[61]) V, 175 f. [62]) V, 196. [63]) V, 378 f.; vgl. auch 380 f. [64]) V, 378. [65]) V.
379, 383. [66]) V, 398. [67]) V, 400 f., vgl. auch 410, 416. [68]) V, 377. [69]) V,
412. [70]) V, 426 f. [71]) V, 431 ff. [72]) V, 434. [73]) V, 444. [74]) V, 447.
[75]) V, 444 f. [76]) V, 445 f. [77]) V, 448. [78]) V, 450. [79]) V, 455. [80]) V, 456.
[81]) V, 458.

Zu Kapitel IV.

[1]) Tractatus theologico-politicus Cap. VII, 7.

[2]) Vgl. Dilthey, Das achtzehnte Jahrhundert und die geschichtliche Welt. Deutsche Rundschau, Jahrgang 1901.

[3]) Bolingbrokes Briefe erschienen zuerst 1738 und in französischer Übersetzung 1752. Ich zitiere nach der in Basel erschienenen Ausgabe vom Jahre 1788. Dort S. 35 f.

[4]) Lettre 98. [5]) Lettre 84.

[6]) Considérations etc. Chap. 9. [7]) a. a. O. Chap. 18. [8]) a. a. O. Chap. 22. [9]) a. a. O. Chap. 18. [10]) a. a. O. Chap. 8. [11]) De l'esprit des lois, livre 19, chap. 4. [12]) a. a. O. 10, 3. [13]) a. a. O. 5, 7. [14]) a. a. O. 17, 3. [15]) a. a. O. 19, 4. [16]) a. a. O. 20, 1. [17]) a. a. O. 3, 1. [18]) a. a. O. 8, 10. 11. [19]) Dilthey, a. a. O. S. 352.

[20]) v. Wegele, Geschichte der deutschen Historiographie seit dem Auftreten des Humanismus, München und Leipzig, 1865, S. 779.

[21]) Wertvolles Material bietet Paul Sakmann in seinem Aufsatz: Die Probleme der historischen Methodik und der Geschichtsphilosophie bei Voltaire. Historische Zeitschrift Bd. 97, 1906.

[22]) Voltaire, a. a. O. Bd. 41, p. 54 (Dictionnaire philosophique, Art. Histoire, sect. III.).

[23]) a. a. O. Bd. 28, 256 f. [24]) a. a. O. Bd. 19, 392. [25]) a. a. O. p. 207. [26]) a. a. O. p. 367 f. [27]) a. a. O. Bd. 17, 357 f. [28]) a. a. O. Bd. 16, 286. [29]) a. a. O. Bd. 18, 289. [30]) a. a. O. 313. [31]) a. a. O. Bd. 19, 139. [32]) a. a. O. Bd. 17, 384.

[33]) a. a. O. Bd. 18, 388. Vgl. z. B. Bd. 19, p. 49: ,,On vit après la mort de Henri IV combien la puissance, la considération, les moeurs, l'esprit d'une nation dépendent souvent d'un seul homme.

[34]) a. a. O. Bd. 19, 371. Vgl. auch Bd. 16 p. 380: L'opinion gouverne le monde.

[35]) a. a. O. Bd. 18, 152. [36]) a. a. O. Bd. 16, 249. [37]) a. a. O. p. 247. [38]) a. a. O. Bd. 19, 358. [39]) a. a. O. Bd. 16, 448. [40]) a. a. O. Bd. 19, 293.

[41]) a. a. O. p. 355.   [42]) a. a. O. Bd. 17, 472.   [43]) a. a. O. Bd. 19, 402.
[44]) a. a. O. Bd. 18, 98.   [45]) a. a. O. Bd. 28, 179 f.

[46]) Besonders charakteristisch für diese Stimmung sind die Schlußworte der „Natural History of religion“: „The whole is a riddle, an aenigma, an inexplicable mystery. Doubt, uncertainty, suspense of judgement appear the only result of our most accurate scrutiny, concerning this subject. But such is the frailty of human reason, and such the irresistible contagion of opinion, that even this deliberate doubt could scarcely be upheld; did we not enlarge our view, and opposing one species of superstition to another, set them a quarrelling; while we ourselves, during their fury and contention, happily make our escape into the calm, though obscure regions of philosophy. Vgl. Hume, Essays Moral, Political, and Literary, ed. Green and Grose, London 1898, vol. II, 363.

[47]) a. a. O. II, 390.   [48]) a. a. O. I, 238.   [49]) a. a. O. I, 93.

[50]) Zitiert nach der Übersetzung von Raoul Richter (Phil. Bibl. Bd. 35), S. 99 f. Vgl. auch die Einleitung zum Treatise of Human Nature: „’Tis evident, that all the sciences have a relation, greater or less, to human nature; and that however wide any of them may seem to run from it, they still return back by one passage or another.“ Ausg. Green u. Grose 1898 I, 306.

[51]) Essays usw. I, 382.   [52]) a. a. O. I, 246.   [53]) a. a. O. I, 249.   [54]) a. a. O. I, 110.   [55]) a. a. O. I, 325.   [56]) a. a. O. I, 293.   [57]) a. a. O. I, 301.   [58]) a. a. O. I, 302.   [59]) Hume, Geschichte von England, übers. 1767 ff., Bd. IV, 321.   [60]) a. a. O. III, 18.   [61]) Essays I, 111.   [62]) Geschichte usw. II, 404.   [63]) Essays I, 175.   [64]) a. a. O. I, 176 f.   [65]) a. a. O. I, 177.   [66]) a. a. O. I, 181.   [67]) a. a. O. I, 184 f.   [68]) a. a. O. I, 195.

[69]) W. Robertson, Geschichte der Regierung Kaiser Karls V, übers. 2. Aufl. Braunschweig 1778/9.   Dort S. 34.

[70]) a. a. O. S. 11.   [71]) a. a. O. S. 32.   [72]) a. a. O. S. 27.   [73]) a. a. O. S. 174.   [74]) a. a. O. S. 32.

[75]) Zitiert nach der deutschen Übersetzung vom Jahre 1768; dort S. 6 f.

[76]) a. a. O. S. 187.

[77]) Christian Wolff, Philosophia rationalis sive Logica, editio altera emendatior, Francoforti et Lipsiae, 1732, §17.   [78]) a. a. O. §3.   [79]) a. a.O. §23.   [80]) a. a. O. §743.   [81]) a. a. O. §745.   [82]) a. a. O. §§746—749.   [83]) a. a. O. §753.   [84]) a. a. O. §755.   [85]) Ebenda.   [86]) a. a. O. §757.   [87]) a. a. O. §759.   [88]) a. a. O. §760.   [89]) a. a. O. §778.   [90]) a. a. O. §779.   [91]) a. a. O. §780.   [92]) a. a. O. §782.   [93]) a. a. O. §783.

[94]) Wolff, Vernünftige Gedanken von den Kräften des menschlichen Verstandes. Neue Auflage. Halle 1754. S. 178. Es seien hier noch folgende Sätze zitiert: „Die Historie muß solchergestalt geschrieben sein, daß, wenn der Menschen ihre Taten gegen ihren Zustand gehalten werden, man daraus die Regeln der göttlichen Regierung erlernen kann, dadurch wir von den Vollkommenheiten des majestätischen Gottes immer je mehr und mehr überführet und solchergestalt unser Wille in solchen Handlungen gelenket wird, die sowohl den göttlichen Vollkommenheiten, als unserer eigenen Natur anständig sind....

Auch muß man von dem Verhalten anderer die Regeln der Klugheit abmerken können, dadurch wir das gemeine Beste und unsere eigene Wohlfahrt befördern können.'' (S. 179.)

[95]) a. a. O. S. 177.

[96]) Christian August Crusius, Weg zur Gewißheit und Zuverlässigkeit der menschlichen Erkenntnis. 2. Aufl. Leipzig 1762. § 605 ff.

[97]) Ich zitiere nach der Ausgabe vom Jahre 1752 (Halle). Dort § 18. [98]) a. a. O. § 20. [99]) a. a. O. § 432.

[100]) Vgl. B.s Vorrede zur Übersetzung der allgemeinen Welthistorie, Halle 1744.

[101]) J. Chr. Gatterer, Allgemeine historische Bibliothek Halle 1767 f. I, S. 85.

[102]) G. Abriß der Universalhistorie. 2. Aufl. Göttingen 1773. S. 3.

[103]) A. L. Schlözer, Vorstellung seiner Universalhistorie, Göttingen und Gotha 1772. § 9 f. [104]) a. a. O. § 1. [105]) a. a. O. § 15.

[106]) Isaac Iselin, Über die Geschichte der Menschheit, Neue und verbess. Auflage. Basel 1770. 2 Bde. Dort I, 87. — Ein angebliches Wort Herders sei hier zitiert aus K. A. Böttiger, Literarische Zustände und Zeitgenossen, Leipzig 1838, 1. Bändchen S. 130 vom 12. Dez. 1799: ,,Eigentlich folgen wir so aufeinander: Iselin, ich und Kant.... Ich habe von ihm nichts geborgt, sondern er ist, wie sein Name sagt, das letzte höchste Pünktchen.''

[107]) a. a. O. II, 427 f. [108]) a. a. O. I, 163. [109]) a. a. O. I, 328. [110]) a. a. O. I, 74. [111]) a. a. O. I, 53. [112]) a. a. O. I, 326. [113]) a. a. O. I, 351. [114]) a. a. O. I, 368. [115]) a. a. O. II, 35. [116]) a. a. O. II, 140. [117]) a. a. O. II, 189. [118]) a. a. O. II, 231. [119]) a. a. O. II, 245. [120]) a. a. O. II, 351. [121]) a. a. O. II, 429. [122]) a. a. O. II, 354. [123]) a. a. O. II, 417. [124]) a. a. O. II, 424 u. 427.

[125]) Johann Nicolaus Tetens, Philosophische Versuche über die menschliche Natur und ihre Entwicklung. Leipzig 1777. Bd. II, 370. [126]) Ebenda.

[127]) a. a. O. II, 600. Zur pragmatischen Tendenz vgl. II, 370, 662.

[128]) a. a. O. I, 740 f.: Der M e n s c h ist unter allen empfindenden Mitgeschöpfen auf der Erde d a s m e i s t p e r f e k t i b l e W e s e n, dasjenige, was bei seiner Geburt am wenigsten von dem ist, was es werden kann, und die größte Auswickelung annimmt. Es ist das v i e l s e i t i g s t e , das b e u g - s a m s t e Wesen; das am mannigfaltigsten modifizieret werden kann, seinem ausgedehnten Wirkungskreis, zu dem es bestimmt ist, gemäß.

[129]) a. a. O. II, 708. [130]) a. a. O. II, 782. [131]) a. a. O. II, 818 u. 834.

[132]) Vgl. R. Fester, Rousseau und die deutsche Geschichtsphilosophie. Stuttgart 1890.

[133]) Voltaire, a. a. O. Bd. XVII, 359.

[134]) Vgl. Lanson, histoire de la littérature française, 9. éd. Paris 1906 p. 776 f.: ,,Rousseau est Genevois, d'une famille française établie depuis cent cinquante ans dans la ville. Ainsi il a échappé à l'éducation française, aux conventions mondaines, aux règles littéraires, qui falsifient chez nous les

tempéraments dès l'enfance; il y a échappé non en lui seulement, mais en ses ascendants: le fond français qu'ils lui ont transmis, c'est celui qui n'avait pas été travaillé encore par la culture classique. Il sera donc libre absolument de tous les préjugés que notre XVIIᵉ siècle était apte à créer.

[135]) Zitiert aus Hettner, Literaturgeschichte des 18. Jahrhunderts. 5. Aufl. Braunschweig 1894, II, S. 449.

[136]) Oeuvres de J. J. Rousseau, Neuchâtel 1775, I, p. 5, 8.   [137]) a. a. O. II, 17 f.   [138]) a. a. O. I, 23, 22.   [139]) a. a. O. I, 10.   [140]) a. a. O. I, 30.   [141]) a. a. O. I, 42.   [142]) a. a. O. I, 37.   [143]) a. a. O. II, 4 f.   [144]) a. a. O. I, 12 f.   [145]) a. a. O. II, 19.   [146]) a. a. O. II, 7 f.   [147]) a. a. O. VII, 53.   [148]) a. a. O. VII, 7.   [149]) a. a. O. VII, 72.   [150]) a. a. O. VII, 107.   [151]) a. a. O. II, 39.   [152]) a. a. O. II, 64.   [153]) a. a. O. II, 69.   [154]) a. a. O. II, 74 f.   [155]) a. a. O. VIII, 460.   [156]) a. a. O. II, 164.   [157]) a. a. O. II, 171.   [158]) a. a. O. II, 179.   [159]) a. a. O. II, 300.   [160]) a. a. O. II, 200.   [161]) a. a. O. II, 208.   [162]) a. a. O. II, 373.   [163]) a. a. O. VII, 329.   [164]) a. a. O. VIII, 51.   [165]) Vgl. VII, 121.   [166]) II, 306 f. Ähnlich wird der Umfang der Geschichte angegeben in VII, 28 und VIII, 162.   [167]) III, 550.   [168]) IV, 468.   [169]) IV, 470.   [170]) VI, 144; VII, 83; VIII, 41.   [171]) VIII, 141.   [172]) V, 469.   [173]) VIII, 29.   [174]) VIII, 30 f.   [175]) Reflexionen usw. Nr. 681. Die im Text verwerteten Reflexionen stammen nach einer Mitteilung von E. Adickes aus den 70ger Jahren.   [176]) Lose Blätter usw. II, 315.   [177]) VIII, 29. Vgl. III, 428.   [178]) VIII, 30.   [179]) VIII, 25.   [180]) VIII, 22.   [181]) IV, 395. Vgl. auch V, 61 f.   [182]) VIII, 18 f.   [183]) VIII, 21 f.   [184]) VIII, 25.

[185]) VIII, 28 f. Wie fest Kant an dem Ideal der Aufklärung auch noch in späterer Zeit hielt, geht aus einer gelegentlichen Bemerkung in der „Religion i. d. Gr. d. bl. V." hervor. Vgl. VI, 57.

[186]) VIII, 21 u. 26.   [187]) VIII, 53.   [188]) V, 123 A.   [189]) VIII, 20.   [190]) VIII, 56.   [191]) VIII, 64 f.   [192]) VIII, 65.   [193]) Vgl. X, 146 ff. und 150 ff.   [194]) VIII, 109 f.   [195]) a. a. O. 109.   [196]) a. a. O. 113.   [197]) a. a. O. 114 f.   [198]) a. a. O. 115 ff.   [199]) a. a. O. 123.

[200]) Medicus hat in seiner Schrift: Kants Philosophie der Geschichte, Kantstudien Bd. VII, 1902, S. 185 ff. in diesem Aufsatz eine Änderung der Kantischen Geschichtsphilosophie erkennen können zu geglaubt und will ihm für diese eine Bedeutung zuschreiben, wie sie die Dissertation aus dem Jahre 1770 für die Erkenntnistheorie besitzt. Er knüpft an die Formel Kants von der „Geschichte der Freiheit" an und behauptet, daß Freiheit hier im Sinne von „praktischer Freiheit, Selbstgesetzgebung, Autonomie" verstanden werden müsse. Die Tatsache, daß der Mensch im Gebrauche seiner Vernunft sich „dunkel" als Zweck der Natur begreift, wird dahin interpretiert, „daß die Natur Sinn und Zweck gewinnt, wenn der Mensch sie zum Schauplatz seiner Taten der Freiheit macht und das Reich der Vernunft, die intelligible Welt, zu gründen unternimmt". Daraus wird dann ein Gegensatz zwischen diesem Aufsatz und der „Idee" usw. konstruiert, und der neue Standpunkt wird auf die in der „Grundlegung zur Metaphysik der Sitten" gewonnenen Einsichten zurückgeführt. Kants Begriff

von der Freiheit soll in der „Kritik der reinen Vernunft" ein vorwiegend onto-
logischer gewesen, inzwischen aber „rein teleologisch" geworden sein. Daß dies
nicht zutrifft, ergibt sich wohl aus meiner Darstellung des Freiheitsbegriffes, wie
ihn das kritische Hauptwerk entwickelt, zur Genüge. Medicus selbst muß die
einschränkende Bemerkung machen, „daß der rein teleologisch gefaßte Begriff
auch schon vorher (d. i. vor der „Grundlegung") hin und wieder auftaucht".
Daß Kant die Ansicht von der besonderen Stellung des Menschen zur Natur
nicht erst zu gewinnen brauchte, hat ebenfalls meine Darstellung an mehr als
einer Stelle nachgewiesen. Die Ansicht stand fest, die Formulierung änderte
sich und fand ohne Zweifel durch die Ethik erst ihren prägnantesten Ausdruck.
Dann aber ist die Auffassung, welche Medicus von dem Begriffe der Freiheit,
wie er in unserem Aufsatze vorkommt, hat, eine irrige. Die Freiheit, von der
hier gesprochen wird, ist die praktische Freiheit, aber nicht die reine praktische
Freiheit. (Vgl. oben den Gegensatz von praktischer und transzendentaler Freiheit S. 166 f.) Der Mensch steht, nachdem er vom Instinkt frei geworden,
unter der Leitung der Vernunft, welche ihm Mittel angibt, wodurch er seine
auf das praktische Leben gerichteten Ziele erreichen kann. Dem entspricht
auch durchaus das von Kant gewählte Beispiel, wonach der Mensch den Pelz
des Schafes für sich in Anspruch nimmt. Diese Freiheit kann dem Menschen
schädlich sein, und deshalb kann die Frage entstehen, ob er durch Vernunft
verloren oder gewonnen habe. Eine solche Frage hat im Hinblick auf die intelligible Freiheit schlechterdings keinen Sinn. Eine solche Vernunft und eine solche
Freiheit kennt übrigens die „Idee" bereits. Es heißt dort von der Natur: „Da
sie dem Menschen Vernunft und darauf sich gründende Freiheit des Willens
gab, so war das schon eine klare Anzeige ihrer Absicht (!) in Ansehung seiner
Ausstattung." Analog wird dann unter dem, was der Mensch sich schafft, die
Bedeckung genannt und endlich auch die Gutartigkeit seines Willens (vgl. oben
S. 272). — Schließlich ist die von Medicus ausgesprochene Ansicht auch aus
äußeren Gründen unmöglich. Einige Daten sollen dies beweisen. Wir wissen,
daß Kant am 16. August 1783 schon den Plan einer moralphilosophischen Schrift
gefaßt hatte und daß das Manuskript zur Grundlegung „20 Tage vor Michael
1784 schon in Halle war". Bereits am 10. August 1784 hat sein Amanuensis
Jachmann „an dem Prodromo der Metaphysik der Sitten" gearbeitet, d. h.
wohl: eine Abschrift für die letzte Durchsicht und Drucklegung gemacht. Die
Daten über die „Idee" sind folgende: Am 11. Februar 1784 erschien die erwähnte Zeitungsnotiz (vgl. oben S. 269) und im Novemberheft der Berliner
Monatsschrift Kants Aufsatz. Daraus geht hervor, daß die „Grundlegung"
ihren Hauptgedanken nach abgeschlossen war, als die „Idee" geschrieben wurde,
ja eine gewisse Wahrscheinlichkeit spricht dafür, daß die kleinere Schrift erst
abgefaßt wurde, nachdem die größere vollendet war. Biester wird sich gewiß
beeilt haben, die erste Schrift, die ihm Kant für seine Zeitschrift gab, bald zu
drucken. Damit sind alle Vermutungen hinfällig, die man an das Erscheinen
der „Grundlegung" nach dem der „Idee" knüpfen könnte.

[201]) V, 431.   [202]) V, 435.   [203]) VIII, 22.

[204]) V, 433. Vgl. damit VIII, 21: „Dank sei der Natur für die Unvertragsamkeit, für die mißgünstig wetteifernde Eitelkeit, für die nicht zu befriedigende
Begierde zum Haben oder auch zum Herrschen! Ohne sie würden alle vor-
trefflichen Naturanlagen in der Menschheit ewig unentwickelt schlummern.
Der Mensch will Eintracht; aber die Natur weiß besser, was für seine Gattung
gut ist: sie will Zwietracht.“

[205]) VIII, 263 f.   [206]) VIII, 307.   [207]) VIII, 308 ff.   [208]) VIII, 310.
[209]) VIII, 311 ff.   [210]) VIII, 331.   [211]) VIII, 333 A.   [212]) VIII, 337.   [213]) VIII,
360 ff.   [214]) VIII, 363.   [215]) VIII, 365.   [216]) VIII, 368.   [217]) VIII, 372.
[218]) VIII, 379.   [219]) VIII, 386.   [220]) VII, 79.   [221]) VII, 84.   [222]) VII, 85.
[223]) VII, 88.   [224]) VII, 91 f.   [225]) VII, 89.   [226]) Vgl. z. B. VII, 93 f.   [227]) VII,
310 f.   [228]) VII, 306.   [229]) VII, 274.   [230]) VII, 323.   [231]) VII, 324 f.
[232]) VII, 328.

Zu Kapitel V.

[1]) Vgl. Lechler, Geschichte des englischen Deismus, 1841, und Dilthey,
Archiv für Geschichte der Philosophie, 1890, III, S. 431 ff.

[2]) Leibniz behandelt dies Thema in der der Theodizee vorangeschickten
„Abhandlung über die Übereinstimmung des Glaubens mit der Vernunft“. Ich
zitiere nach der bei Reclam erschienenen Übersetzung von R. Habs.

[3]) a. a. O. I, S. 82.   [4]) a. a. O. I, S. 106 ff.   [5]) a. a. O. I, S. 131.

[6]) a. a. O. I, S. 135 f. Hier wird das Nichtverstehen der Mysterien auch
als eine Schuld des Menschen ausgelegt: „Was in uns den Mysterien wider-
streitet, ist nicht die Vernunft, nicht das natürliche Licht: d. h. die Verknüpfung
der Wahrheiten, sondern die Verderbheit, der Irrtum oder das Vorurteil, die
Finsternis.“

[7]) Vgl. Christian Wolff, Theologia naturalis, Francoforti et Lipsiae 1736/7,
2 Bde.

[8]) Alexandri Gottlieb Baumgarten Metaphysica. Ed. V. Halae 1763.
Diese Auflage legte Kant seinen Vorlesungen zugrunde.

[9]) Crusius, a. a. O. § 375 ff. (2. Aufl. 1753).   [10]) V, 476.   [11]) a. a. O. im
Vorbericht.

[12]) Vgl. hierzu: B. Erdmann, Martin Knutzen und seine Zeit, Leipzig
1876, und Georg Hollmann, Prolegomena zur Genesis der Religionsphilosophie
Kants, Altpreußische Monatsschrift, 1899, Bd. 36, S. 1—73.

[13]) Vgl. F. Th. Rink, Ansichten aus Kants Leben, 1805, S. 13 ff.

[14]) II, 42.   [15]) Vgl. II, 493.   [16]) a. a. O. II, 296 f.   [17]) Metaphysica § 796 ff.

[18]) Vgl. Kants sämtliche Werke ed. Hartenstein usw. VIII, 615, 616, 637.

[19]) Immanuel Kants Vorlesungen über die Metaphysik. Zum Drucke
befördert von dem Herausgeber der Kantischen Vorlesungen über die philosophische Religionslehre, Erfurt 1821. Zur Datierung ist zu vergleichen: Max

Heinze, Vorlesungen Kants über Metaphysik aus drei Semestern, Abhandlungen der philologisch-historischen Klasse der Königlich Sächsischen Gesellschaft der Wissenschaften, 1894, Bd. XIV, S. 502 ff., und P. Menzer, Der Entwicklungsgang der Kantischen Ethik, Kantstudien, 1899, III, S. 56 ff., bes. S. 65.

[20]) Vgl. a. a. O. S. 268 ff.: Einteilung der Theologie.   [21]) a. a. O. S. 325.
[22]) a. a. O. S. 295 f.   [23]) a. a. O. S. 335/6. Vgl. dazu II, 29 f.   [24]) a. a. O. S. 336.
[25]) a. a. O. S. 337.   [26]) a. a. O. S. 339.   [27]) III, 420 ff.   [28]) III, 528 f.

[29]) III, 523.   Es ist nicht ohne Interesse damit zu vergleichen, was die metaphysischen Vorlesungen über den moraltheologischen Beweis bringen. Er wird hier indirekt gegeben, er ist „hergenommen aus der notwendigen Voraussetzung des praktischen Gebrauchs der Vernunft und führt nicht nur ad absurdum pragmaticum nach der Regel der Klugheit, sondern auch ad absurdum morale nach der Regel der Sittlichkeit. Nehme ich keinen Gott an, so habe ich im ersten Falle nach Grundsätzen gehandelt wie ein Narr und im zweiten Falle nach Grundsätzen gehandelt wie ein Schelm. Nimmst du die moralischen Gesetze an, und handelst rechtschaffen, so hängst du einer Vorschrift nach, die dir keine Glückseligkeit erwerben kann, und die Tugend ist eine Chimäre; also verfällst du in ein absurdum pragmaticum und handelst als ein Tor. Sagst du: Wohlan ich nehme keine moralichen Gesetze an, ich will hier mein Glück suchen, so gut ich immer kann, und wenn ich nur hier in dieser Welt durchkomme, so habe ich weiter nichts zu fürchten, alsdann handelst du als ein Bösewicht und verfällst in ein absurdum morale. — Demnach dringt der moralische Beweis in die innerste Quelle der Tätigkeit und ist in Ansehung des Praktischen der vollkommenste und vortrefflichste. Gott wird hier ein Gegenstand des Glaubens und keiner kann ihm solchen entreißen. Alle spekulativen Einwürfe fruchten hier nichts, denn ich bin fest davon überzeugt. Ob man gleich nicht beweisen kann, daß ein strafender oder belohnender Gott sei, so kann doch auch keiner das Gegenteil davon beweisen." (S. 293 f.)

[30]) V, 122. Vgl. hierzu: Schweitzer, Die Religionsphilosophie Kants von der Kritik der reinen Vernunft bis zur Religion innerhalb der Grenzen der bloßen Vernunft, Freiburg i. B. 1899. Der scharfsinnige Verfasser hat leider die Bedeutung seiner Ergebnisse durch eine oft an ein einzelnes Wort sich heftende allzu kühne Interpretation und große Weitschweifigkeit selbst beeinträchtigt.

[31]) Die Datierung dieser Vorlesungen ist dadurch gegeben, daß Kant in ihnen sich ausführlich mit Humes 1781 in deutscher Übersetzung erschienenen „Dialogen über die natürliche Religion" auseinandersetzt. Vgl. Arnoldt, a. a. O. S. 591 ff. und S. 601 ff. Die außer der Pölitz'schen Publikation vorhandenen Nachschriften werden in der akademischen Kantausgabe behandelt werden. Dort wird auch die Datierungsfrage eine eingehendere Würdigung erfahren.

[32]) a. a. O. S. 201.   [33]) a. a. O. S. 202.   [34]) a. a. O. S. 203.   [35]) a. a. O. S. 205.   [36]) a. a. O. S. 206.

[37]) Hier ist auf die wertvolle Arbeit von Troeltsch: „Das Historische in Kants Religionsphilosophie" hinzuweisen (Kantstudien 1904, IX, S. 21—154). Doch kann ich seinem Grundgedanken, daß die „Religion" usw. ein Kompromiß

oder ein Koalitionsversuch sei, nicht ohne Einschränkung zustimmen (vgl. a. a. O. S. 62 f.).

[38]) Zitiert aus Dilthey: „Zwei ungedruckte Vorreden" usw. a. a. O. S. 444 f. [39]) VII, 6 A. [40]) VI, 109 ff. [41]) VI, 113. [42]) VII, 64. [43]) VI, 114. [44]) VI, 113. [45]) VII, 63. [46]) Reicke, a. a. O. III, S. 64 f. [47]) VI, 109, 182, 155, 163. [48]) VI, 110. [49]) VII, 38 ff. [50]) VI, 5 f. [51]) VI, 9. [52]) Vgl. Dilthey, a. a. O. S. 437. [53]) VI, 20. [54]) VI, 32. [55]) VI, 21 f. [56]) VI, 26 ff. [57]) Reicke, a. a. O. II, S. 9. [58]) VI, 32 ff. [59]) VI, 43. [60]) VI, 78. [61]) VI, 66. [62]) VI, 71 ff. [63]) VI, 63. [64]) VI, 64 A. [65]) VI, 94. [66]) VI, 97. [67]) VI, 99. [68]) VI, 100. [69]) VI, 109. [70]) VI, 116. [71]) VI, 118. [72]) VI, 121. [73]) VI, 122. [74]) VI, 124 ff. [75]) VI, 132. [76]) VI, 134. [77]) VI, 98. [78]) VI, 122.

Zu Kapitel VI.

[1]) Vgl. O. Gierke, Johannes Althusius und die Entwicklung der naturrechtlichen Staatstheorien, 2. A., Breslau 1902.

[2]) Hugo Grotius, De iure belli ac pacis, Prolegomena.

[3]) VI, 219. [4]) VI, 231. [5]) VI, 249. [6]) VI, 231. [7]) VI, 237. [8]) VI, 251 f. [9]) VI, 246. [10]) VI, 251. [11]) VI, 255. [12]) VI, 307. [13]) VI, 315. [14]) VI, 338. [15]) VI, 340. [16]) VI, 311. [17]) VI, 352. [18]) Gierke, a. a. O. S. 304.

Zu Kapitel VII.

[1]) VII, 28. [2]) VII, 32 f. Vgl. Reicke, a. a. O. I, 257. [3]) IV, 255. [4]) IV, 366. [5]) IV, 380 f. [6]) Sämtliche Werke ed. Hartenstein, VIII, 519 ff. [7]) XII, 36. [8]) VIII, 110. [9]) Reicke, a. a. O. III, 66.

[10]) Ein ungedrucktes Werk von Kant aus seinen letzten Lebensjahren, herausg. von R. Reicke. Altpreußische Monatsschrift, 1884, Bd. XXI, S. 370 A. Zur Darstellung vgl. Albrecht Krause, Die letzten Gedanken I. Kants, Hamburg 1902, und F. Heman, I. Kants philosophisches Vermächtnis, Kantstudien 1904, Bd. IX, S. 155—195.

[11]) a. a. O. S. 364. [12]) a. a. O. S. 325. [13]) a. a. O. S. 320. [14]) a. a. O. S. 319. [15]) a. a. O. S. 332. [16]) a. a. O. S. 333, vgl. auch S. 349.

Zu Kapitel VIII.

[1]) III, 109. [2]) III, 111. [3]) III, 100. Vgl. Brief an Kosmann vom September 1789 (XI, 79 f.). [4]) III, 84. [5]) IV, 85. [6]) III, 83 f. [7]) Kants sämtliche Werke usw. ed. Hartenstein VI, 492. [8]) III, 46. [9]) V, 91. [10]) V, 176 ff. [11]) VIII, 249 f. Vgl. auch III, 116. [12]) III, 56, 68. [13]) III, 65. [14]) III, 78. [15]) III, 139. [16]) III, 211. [17]) IV, 362. [18]) IV, 397. [19]) V, 238 und 296. [20]) III, 43. [21]) III, 234 und II, 291.

[22]) III, 50. Aus der reichen Literatur erwähne ich hier nur die bekannten Werke von Cohen und Riehl und verweise im übrigen auf Vaihingers Kommentar (bes. II, S. 89—101).

[23]) III, 27.   [24]) VIII, 221/2.   [25]) III, 128 f.   [26]) Reicke, a. a. O. II, 153 u. 155.   [27]) VII, 327 A.

Register.

Das Register nennt nur die wichtigeren Namen an den wichtigeren Stellen, es erstreckt sich nicht auf die Anmerkungen.

Druckversehen.

S. 47. Z. 12 lies „intérieur" statt „être".

S. 294 Z. 12 lies „moralischer Politiker" statt „politischer Moralist".